Napoléon et de Gaulle
Deux héros français

DU MÊME AUTEUR

La Fin des empires, codirigé avec Thierry Lentz, Paris, Perrin/Le Figaro Histoire, 2016.

Les Derniers Jours des rois (dir.), Paris, Perrin/Le Figaro Histoire, 2014.

Histoires de la Révolution et de l'Empire, Paris, Perrin, coll. « Tempus », 2013.

Bonaparte : 1769-1802, Paris, Gallimard, 2013 ; coll. « Folio », 2016.

Le Dix-Huit Brumaire. L'épilogue de la Révolution française, 9-10 novembre 1799, Paris, Gallimard, coll. « Les journées qui ont fait la France », 2008.

La Politique de la Terreur. Essai sur la violence révolutionnaire, 1789-1794, Paris, Fayard, 2000 ; Gallimard, coll. « Tel », 2003.

Le Nombre de la Raison. La Révolution française et les élections, Paris, Éditions de l'EHESS, 1993.

Patrice Gueniffey

Napoléon et de Gaulle

Deux héros français

PERRIN
www.editions-perrin.fr

12, avenue d'Italie
75013 Paris
Tél. : 01 44 16 09 00
Fax : 01 44 16 09 01
www.editions-perrin.fr

ISBN : 978-2-262-06398-6

« Que sont devenues les grandes âmes ? Ce que l'on nomme aujourd'hui ainsi – je n'y vois rien de plus que des hommes qui, avec une énorme dépense d'énergie, se jouent à eux-mêmes la comédie, veulent se faire à eux-mêmes de l'effet et épient avec une avidité à peine concevable les réactions du public, car c'est lui qui doit, en les applaudissant et en les divinisant, leur donner foi en eux. L'effet qu'ils produisent sur les autres joue le rôle d'un cordial pour ces êtres toujours épuisés par des efforts excessifs. »

Nietzsche, automne 1880

Introduction

Evoquant dans ce livre plusieurs des grands hommes qui ont marqué l'histoire de France, récente ou ancienne, je me dois de le faire précéder d'un avertissement : toute ressemblance avec des personnes existantes ne saurait être que pure coïncidence. Même si sauveurs et héros ont pour habitude de surgir et de s'imposer à l'improviste, il faut en convenir : au magasin des aspirants à la postérité, les rayons ne sont pas aujourd'hui très achalandés.

Des grands hommes, des héros, des sauveurs, bénéfiques ou néfastes, le récit national en a pourtant produit à foison.

Leur nombre est même si grand que les Français ont pu se payer le luxe d'élire dans ce rôle des candidats qui n'avaient pas le profil de l'emploi.

Antoine Pinay, par exemple, est tombé dans un oubli largement mérité. On se souvient encore, vaguement, de la rente à laquelle il avait donné son nom et de son petit chapeau gris. Pourtant, lorsqu'il accéda au pouvoir en 1952, les commentateurs n'eurent pas de mots assez forts pour célébrer cet homoncule qui, à les en croire, allait tirer la France de l'ornière et la remettre d'aplomb : « Il ne s'appartient plus, s'extasiait un observateur, il nous appartient. Il est devenu quelque chose de plus qu'un homme, une sorte de symbole en qui d'innombrables Français ont reconnu ce qu'ils souhaitaient pour la France… »

De la longue lignée des sauveurs à la française, il fut l'exemplaire le plus terne et le plus insignifiant, sans charisme, dont on ne peut citer ni une idée originale, ni un mot d'esprit, ni un fait d'armes notable. Il avait combattu en 1914, mais les hommes de sa génération – il était né en 1891 – avaient tous connu les tranchées. En 1940, il se flattait de n'être allé ni à Vichy, ni à Moscou, ni à Londres, et il se trouva un journaliste pour soutenir que son plus grand mérite, au fond, était d'être né au centre de la France, ni trop au nord, ni trop au midi, ni trop à l'ouest, ni trop à l'est, de telle sorte qu'il était une sorte d'image synthétique de l'Hexagone. Il se faisait gloire de gérer le pays comme le panier de la ménagère. Il répondait à l'aspiration qui, de loin en loin, saisit les Français : échapper à la politique, à ses jeux vains comme à ses passions violentes, à son théâtre tragique et parfois usant, pour se reposer sous un gouvernement dont le seul horizon serait la bonne gestion du quotidien. Les Pinay n'ont jamais eu un grand avenir politique en France. Mais l'espoir qu'ils suscitent montre que la figure de l'homme providentiel est si prégnante dans la tradition française qu'elle trouve toujours à s'incarner. Ce n'est pas sans raison, ni sans humour, que Raoul Girardet avait choisi le médiocre Pinay pour ouvrir son étude sur la mythologie française du sauveur[1].

Sauveurs, héros, grands hommes. Il n'est pas toujours facile de caractériser ce qui les distingue, tant les exemples sont divers et si liés à des situations spécifiques qu'ils ne se rattachent pas aisément à un type commun. Girardet distinguait ainsi quatre modèles auxquels se rapportent, peu ou prou, hommes providentiels, chefs, guides et sauveurs : Cincinnatus qui, retiré des affaires, est rappelé pour rétablir la paix ou la concorde dans la cité – Doumergue en 1934, Pétain en 1940, de Gaulle en 1958 ; Alexandre, qui répond moins à une espérance collective qu'il ne la crée par la puissance de sa volonté et la force de son action – Bonaparte en 1800, de Gaulle en 1940 ; Solon le législateur – de Gaulle encore ; Moïse enfin, le prophète – Napoléon à Sainte-Hélène ou de Gaulle vu par Malraux.

On pourrait dire aussi que l'héroïsme est inséparable du personnage de l'homme providentiel, fût-il Cincinnatus ou Solon. Dans tous les cas, ne lui faut-il pas briser le cercle de la fatalité, heurter, bousculer des habitudes, des préjugés, des intérêts bien enracinés ? Il lui faut du courage, de la volonté, de l'audace, de l'intrépidité même. Enfin, s'il est possible de dissocier l'idée de grandeur de toute évaluation du résultat en lui donnant une signification principalement esthétique – il peut y avoir de la grandeur même dans les aventures les moins utiles et les moins susceptibles de succès –, c'est néanmoins l'œuvre accomplie qui juge le sauveur et l'inscrit au firmament de la mémoire collective. De ce point de vue, les qualités héroïques indispensables ne trouvent leur plein emploi qu'équilibrées par les qualités propres à la vertu politique : prudence, modération, fermeté. Machiavel l'appelait la *virtù*, citant l'exemple de César Borgia qui, après avoir fait rétablir l'ordre à Cesena par Messire Rémy d'Orque, « homme cruel et expéditif », fit ensuite couper en deux d'un coup de hache le corps du même Rémy d'Orque, si bien que le peuple en resta « en même temps satisfait et stupide[2] ».

> Selon moi, affirmait Carlyle, l'histoire universelle, l'histoire de ce que l'homme a accompli sur cette terre, n'est au fond pas autre chose que l'histoire des grands hommes qui ont œuvré ici-bas. Ils ont été les conducteurs des hommes, leurs modèles, leurs références et, dans une acception large du terme, les initiateurs de tout ce que la grande masse des humains s'est efforcée de réaliser ou d'atteindre. Tous les glorieux accomplissements que nous pouvons contempler dans le monde sont, à proprement parler, les résultats matériels et extérieurs, la réalisation pratique et la concrétisation de la pensée et de l'intellection générées dans l'esprit et le cœur des grands hommes envoyés en ce monde[3].

Sans aller jusqu'à suivre Carlyle jusqu'au bout de son raisonnement, il faut bien reconnaître qu'on doit aux héros les principaux changements qui, pour le meilleur ou pour le pire, ont infléchi le cours de l'histoire du monde. Plus même, ils figurent la part énigmatique de l'histoire, ce qu'elle comporte de motifs dérobés à la raison où des esprits moins rationnels que nous ne le sommes verraient facilement la main de la providence. L'action collective est un mythe inventé au XIXe siècle, auquel les événements tragiques du XXe apportèrent le démenti le plus complet.

Si l'incarnation est fonctionnellement nécessaire à la politique, le Héros, pour devenir une figure universelle, n'en a pas moins ses terres d'élection : l'Occident gréco-romain et chrétien où aux conquérants et aux législateurs du monde ancien succédèrent les saints et les martyrs des premiers siècles du christianisme. En se laïcisant sous les monarques absolus, la politique n'a pas rompu avec les figures légendaires et fondatrices de l'héroïsme. L'héroïsation de la fonction royale n'a-t-elle pas atteint son acmé sous Louis XIV, dont le règne vit le temporel s'émanciper de façon décisive de la tutelle, même symbolique, du spirituel ?

La décapitation de Louis XVI en 1793 a sans doute atteint au cœur le mystère de la royauté, mais elle n'a pas, au contraire de ce qu'espéraient les conventionnels, détruit la figure traditionnelle du pouvoir. La république avait rêvé d'un pouvoir qui, étant celui de tous, ne s'incarnerait plus en personne, mais elle n'a cessé de voir surgir des héros, attendus ou non, et qui, au fil des épreuves traversées, lui « refaisaient une tête ». Napoléon d'abord, dont on eût pu penser qu'il avait porté le rôle de l'homme providentiel à un tel degré de puissance que personne après lui ne pourrait le relever. Il n'en fut rien. Les sauveurs se bousculent, petits ou grands, médiocres ou talentueux, détestés ou adorés : après Napoléon vient, l'espace de quelques semaines, Cavaignac qui brisa l'insurrection ouvrière de juin 1848, puis Louis-Napoléon Bonaparte, plus tard Gambetta et le Thiers de 1870 et 1871, Clemenceau, Poincaré et Gaston Doumergue, ce dernier après le 6 février 1934, enfin Pétain et de Gaulle, celui-ci, comme on sait, par deux fois.

Tous ont, successivement et à des titres divers, fait renaître, plus ou moins complètement et avec plus ou moins d'évidence, la figure royale du pouvoir incarné, comme si la république ne pouvait compenser la fragilité de son assise qu'en renouant avec la sacralité monarchique appliquée à l'exécutif. De Gaulle l'a institutionnalisée en 1958-1962. La Ve République, c'est une tête royale posée sur un corps républicain. Mais, en raison des conditions particulières de sa naissance – le retour de l'homme du 18 Juin, sorti de sa retraite pour, une fois encore, arracher la France au désastre –, la Ve, créée par de Gaulle pour de Gaulle, a installé au sommet de l'Etat la figure de l'homme providentiel. Tout comme le Mexique présente cette bizarrerie de posséder un « Parti révolutionnaire institutionnel » dont les termes associent ce qui ne peut l'être – la révolution et les institutions –, la France coule dans le marbre républicain une haute figure historique qui, par nature, s'accommode assez mal des institutions. Tous les sept ans, et maintenant tous les cinq ans, les Français choisissent un président dont on n'attend pas seulement qu'il dirige le gouvernement et garantisse l'unité nationale, mais qu'à l'exemple du fondateur de la Ve République il endosse en même temps l'habit du sauveur.

« Candidats à la providentielle », titrait un magazine en 2012[4]. L'expression n'est pas seulement drôle, elle est juste. Qu'on ne s'étonne pas, après cela, du discrédit où sont tombés les autres pouvoirs, à commencer par le Parlement. Du reste, il n'y a qu'une élection qui vaille en France. On pourrait fort bien se passer des autres.

Le problème est ailleurs et non dépourvu d'analogies, toutes proportions gardées, avec l'histoire de la monarchie après Louis XIV. Celui-ci avait mis la barre si haut qu'aucun de ses successeurs ne fut capable d'exercer le métier de roi comme il l'avait fait. Se prêter à la représentation permanente du pouvoir n'était ni dans les goûts ni dans les capacités de Louis XV et de Louis XVI et, parce qu'ils étaient incapables – mais qui, à leur place, en eût été capable ? – d'être eux-mêmes de nouveaux Louis XIV, ils avaient bien involontairement contribué à la perte de légitimité de la monarchie, qui précéda de longtemps la révolution de 1789.

C'est un peu la même chose avec les successeurs du général de Gaulle. La tâche est trop rude, l'effort trop grand. Ils n'eurent de cesse, François Mitterrand excepté, de ramener la fonction à taille humaine, démentant du même coup les grandes promesses qu'ils avaient faites avant leur élection puisque, condamnés à se présenter comme des sauveurs, tous ont fait campagne sur le thème du bouleversement heureux, des lendemains qui chantent et de l'ère nouvelle : Giscard prétendait donner un nouveau départ à l'histoire de France, Mitterrand changer la vie, Chirac réduire la fracture sociale,

Sarkozy promettait la rupture et Hollande, même lui, de réenchanter la politique…

La répétition de cette tragicomédie électorale a fini par miner la fonction présidentielle dans sa capacité d'incarnation symbolique de la nation et de l'Etat. Depuis Giscard inclus, nous avons Louis XVI en lieu et place de Louis XIV. La fuite en avant dans la communication politique a tenté de masquer le déclin par l'omniprésence de l'image. L'homogénéisation du langage qui en découle a exposé la vacuité grandissante du pouvoir. A la longue, le rideau se déchire et le ressentiment augmente. Le dommage est d'autant plus grand que dans le même temps, l'autre pilier de la légitimité présidentielle, le volontarisme et l'efficacité politique par la disposition des principaux leviers de l'action souveraine, s'est effondré sous le triple effet de la décentralisation administrative, de l'intégration européenne et de la mondialisation économique. Le président de la Ve s'expose de plus en plus alors qu'il peut de moins en moins. Si le Héros, selon la définition de Carlyle, caractérise celui « qui peut le plus et le mieux[5] », on mesure la distance parcourue, à l'envers, depuis les débuts de la Ve République.

Enfin ! s'écrieront certains, qui voient dans cette perpétuelle attente de l'homme providentiel la preuve sinon d'une immaturité politique collective, du moins d'un déficit démocratique chronique, symptôme d'une histoire qui n'a jamais fait le deuil de son passé monarchique[6]. La critique n'est pas négligeable. Elle est l'héritière de l'esprit républicain dont Michelet avait repris une formule fameuse lorsqu'il s'était écrié au spectacle de la Révolution française, qui, commencée par une insurrection nationale, avait abouti à Napoléon : « France, guéris des individus ! » La Révolution avait, de ce point de vue, échoué, et le XIXe siècle bégayé de révolution en révolution. Le siècle suivant n'a pas fait mieux, tandis que le XXIe, intellectuellement comateux, se contente de suivre. La France serait-elle condamnée à se soumettre à un père, fouettard de préférence ?

Pour d'autres, chez qui l'aspiration républicaine au *self-government* et à l'anonymat du pouvoir n'est pas la préoccupation principale, c'est l'exigence de réalisme qui condamne les hommes providentiels, marchands de songes par excellence.

Si certains républicains sourcilleux ne se sont pas résignés au gaullisme sans grandes difficultés – je pense à Maurice Agulhon –, d'autres n'ont cessé de lui reprocher le bandeau posé sur les yeux de la France, qui empêchait celle-ci de mesurer son déclin réel ou, pis, de comprendre les évolutions du monde. C'est « la faute à de Gaulle » si les Français refusent si obstinément de renoncer au système protecteur mis en place à la Libération. Ainsi le temps serait-il venu de renoncer aux chimères, nourries par le mythe du sauveur, pour, enfin, accepter une règle du jeu où l'économie s'est substituée à la politique. De Gaulle ? Aux poubelles de l'histoire, si l'on veut que la France prenne enfin le tournant de la société postmoderne[7].

C'est bien la politique qui est en jeu. Car, en définitive, la figure du sauveur n'est autre chose que la représentation exacerbée d'une conception de l'exercice du pouvoir comme action efficace de la volonté sur le cours des choses. La nation et la souveraineté lui font cortège : la nation, hors de laquelle il n'est pas d'action efficace possible ; la souveraineté, sans laquelle l'homme providentiel ressemble à nos malheureux « candidats à la providentielle ». Le sauveur est précisément celui « qui peut le plus et le mieux » et qui, malgré les apparences et les contraintes, change le visage de l'histoire, restaure ce qu'on croyait disparu ou fait advenir ce qu'on croit impossible. Cette croyance fut longtemps, de la monarchie à la république, l'un des fils conducteurs de l'histoire de la France dont Jacques Bainville disait que plus qu'un peuple, plus même qu'une langue, elle était une nation[8], à la fois héritage et création toujours renouvelée et soutenue par un effort constant de la volonté.

Que nous soyons sortis de l'âge des « héros » comme métaphores de l'action politique, rien n'est plus certain, et je ne peux m'empêcher de citer ici ces lignes de François Furet qui décrivent très exactement la période sans éclat que nous traversons : « Nous voici enfermés dans l'horizon unique de l'Histoire, entraînés vers l'uniformisation du monde et l'aliénation des individus à l'économie, condamnés à en ralentir les effets sans avoir de prise sur leurs causes[9]. » L'hypothèse de la fin de l'histoire, cependant, a fait long feu. N'est-ce pas au retour de la politique que nous assistons un peu partout dans le monde, un quart de siècle après la chute du mur de Berlin, à travers la demande du retour à l'Etat protecteur qui, dans ses frontières comme au-delà, remplirait de nouveau ses fonctions régaliennes ? La France et plus généralement l'Europe sont encore épargnées par ces évolutions. Elles ne le seront plus longtemps. Le légendaire de la grandeur et de l'héroïsme a de beaux jours devant lui. Et, pour rassurer les adeptes de la religion du déclin, je leur conseille de méditer cette lettre adressée par Joseph de Maistre, le 1er décembre 1814, à un Louis de Bonald toujours prompt à croire à l'imminence de l'apocalypse :

> Toute l'histoire atteste que les nations meurent comme les individus. Les Grecs et les Romains n'existent pas plus que Socrate et Scipion. Jusqu'à présent les nations ont été tuées par la conquête, c'est-à-dire par voie de pénétration ; mais il se présente ici une grande question. – Une nation peut-elle mourir sur son propre sol sans transplantation ni pénétration, uniquement par voie de putréfaction, en laissant parvenir la corruption jusqu'au point central, et jusqu'aux principes originaux et constitutifs qui la font ce qu'elle est ? C'est un grand et redoutable problème. Si vous en êtes là, il n'y a plus de Français, même en France ; Rome n'est plus dans Rome, et tout est perdu. Mais je ne puis me résoudre à faire cette supposition. Je vois parfaitement ce qui vous choque et vous afflige ; mais j'appelle à mon secours une de mes maximes favorites, qui est d'un grand usage dans la pratique : *L'œil ne voit pas ce qui le touche.* Qui sait si vous n'êtes pas dans ce cas, et si l'état déplorable qui vous arrache des larmes est cependant autre chose que l'inévitable nuance qui doit séparer l'état actuel de celui que nous attendons ? Nous verrons ; ou bien nous ne verrons pas, car j'ai soixante ans ainsi que vous, et si le remède est chronique comme la maladie, nous pourrons bien ne pas voir l'effet. En tout cas, nous dirons en mourant : *Spem bonam certamque domum reporto* [Je rentre le cœur rempli d'espérance (Horace)]. Je n'y renoncerai jamais[10].

Si notre panthéon national est bien fourni, trois figures le dominent de la tête et des épaules : Louis XIV, Napoléon et de Gaulle.

De l'un à l'autre, la comparaison ne va pas de soi. L'exercice du parallèle obéit à des règles qui lui sont propres. Seul Lautréamont pouvait trouver une signification – la définition moderne du Beau – à « la rencontre fortuite d'un parapluie et d'une machine à coudre sur une table de dissection ». Celle de Dagobert et de Gandhi ne donnerait rien. Dans les *Vies parallèles*, Grecs et Romains ne sont pas appariés au hasard, même si, parfois, la comparaison est un peu forcée : c'est que Plutarque ne trouve pas toujours, dans les commencements de Rome, des personnages à la hauteur de leurs pendants grecs. Camille souffre d'être présenté à côté de Thémistocle, et Publicola de Solon[11]. Plutarque n'a pas voulu simplement opposer les vies de César et d'Alexandre, mais plutôt trancher « la question de savoir quelle est de César ou d'Alexandre la vie qui incarne le mieux la figure du Grand guerrier, du Grand conquérant[12] ». Les *Vies parallèles* ? Un concours qui confronte conquérant et conquérant, législateur et législateur, orateur et orateur, démagogue et démagogue, tyran et tyran. A défaut d'être contemporains les uns des autres, ils figurent une particularité morale, un rôle, un type de personnage ou un caractère dominant.

A ce jeu, on ne sait trop qui l'emporterait des deux monstres – Staline et Hitler – dont Alan Bullock a écrit les biographies croisées. Dix années les séparent – le premier est né en 1879, le second en 1889 ; ils seront appelés plus tard à s'allier puis à se combattre au nom des deux idéologies, communisme et nazisme, qui servent de base à leur pouvoir monstrueux ; leurs deux destins se rejoindront même puisque « l'un [Staline] crée[ra] l'empire dont l'autre rêvait[13] ». Seule la mort les séparera. De Staline à Hitler, c'est le même siècle, la même Europe dévastée par la guerre et la révolution, la même politique criminelle et totalitaire, ici au nom de la classe, là au nom de la race. La comparaison entre les deux tyrans s'impose, même si elle n'est pas toujours bien vue.

Mais Louis XIV et Napoléon, Napoléon et Charles de Gaulle ? Où sont les circonstances justifiant un parallèle ?

Tout semble différent, aussi différent que le sont une machine à coudre et un parapluie. Plus d'un siècle sépare de Gaulle de Napoléon ; le premier entre dans l'histoire à l'âge où le second en est sorti ; il fut à coup sûr un grand chef d'Etat, jamais un chef de guerre ; il ne prétendit pas dominer le monde et évita même le ridicule du sacre !

Ce qui apparente nos trois principaux héros nationaux, et les deux plus proches de nous en particulier, ce ne sont pas des coïncidences biographiques, ou le cours parallèle de leur histoire, mais d'avoir incarné la grandeur d'une nation. A l'intérieur : la fin des divisions, la refondation de l'Etat, la concorde retrouvée (et imposée), l'union succédant à la discorde, moments rares dans une histoire qui prend souvent la forme d'une guerre civile plus ou moins larvée. Louis XIV met fin à la Fronde par l'absolutisme, Napoléon à la Révolution française par la « dictature » consulaire, tandis que de Gaulle met en 1944 la France dans le camp des vainqueurs et lui donne en 1958, pour la première fois depuis 1789, des institutions fortes et stables... A l'extérieur : Louis XIV, Napoléon et de Gaulle ont porté haut et loin le nom de la France, conjugué la gloire et l'aspiration à l'universel.

On pourra dire que Louis XIV a révoqué l'édit de Nantes et persécuté les jansénistes, mais il reste avant tout le bâtisseur de Versailles et le symbole d'une culture française qui se confondait alors avec la civilisation ; Napoléon a sans doute laissé, à sa chute, la France plus petite qu'il ne l'avait trouvée, mais jamais peut-être la France n'avait exercé un tel ascendant ni une telle domination sur le reste de l'Europe et au-delà ; de Gaulle a certainement fait preuve d'une inutile et impardonnable cruauté dans l'affaire algérienne, mais par deux fois il a rendu au pays sa dignité, en même temps qu'il le sortait d'une impasse.

Peu importent donc les « moins » du bilan : sous leur direction la France s'est trouvée plus grande. C'est cela qui leur vaut d'être distingués et admirés. De Gaulle l'a dit, du reste, avec des mots très justes, avant de devenir lui-même l'un de ces héros de notre panthéon mémoriel : « Suivis de leur vivant en vertu des suggestions de la grandeur, plutôt que de l'intérêt, leur renommée se mesure ensuite moins à l'utilité qu'à l'étendue de leur œuvre. Tandis que, parfois, la raison les blâme, le sentiment les glorifie. Napoléon, dans le concours des grands hommes, est toujours avant Parmentier[14]. »

La grandeur n'est pas leur seul titre. Napoléon et de Gaulle – laissons Louis XIV de côté[15] – incarnent tous deux l'homme providentiel qui, à force de volonté, arrache un pays tout entier aux ornières où il était embourbé. Tous deux ont représenté une solution, une issue, au moment où personne n'en imaginait plus ; tous deux ont désarmé des partis irréconciliables et, à défaut de les réconcilier, les ont contraints à cohabiter ; tous deux, sur les ruines laissées par une série ininterrompue d'échecs politiques, ont bâti, fait œuvre durable, transmis un héritage considérable à leurs successeurs : une administration et des lois civiles dans le cas de Napoléon, des institutions politiques dans le cas du Général.

Tous deux, je l'ai dit, ont rendu au pays confiance en lui-même et estime du dehors (dans le cas de Napoléon, la crainte se mêlant à l'admiration).

Tous deux ont également figuré un pouvoir associant autorité et efficacité, une volonté marquée mise au service du bien commun. Vieille aspiration française, puissante déjà au siècle des Lumières, lorsque les philosophes rêvaient de marier monarchie forte et politique éclairée. Leurs rêves avaient été déçus : ni Louis XV ni Louis XVI n'avaient eu la volonté, la force ou la capacité d'endosser ce rôle. Mirabeau et Condorcet, ne trouvant pas de monarque à la hauteur de leurs espérances, s'étaient tournés vers la démocratie. Bonaparte sous le Consulat, de Gaulle dans les premiers temps de la Ve République ont donné forme à cette très ancienne aspiration à un pouvoir transcendant les divisions partisanes et se plaçant de lui-même au service de l'intérêt général.

Ce livre n'est donc pas un essai de biographies croisées qui mettrait en parallèle les années de formation, le temps de l'armée, l'expérience du pouvoir et l'amertume des dernières années, de captivité pour l'un, d'exil pour ainsi dire « intérieur » pour l'autre. L'exercice serait non seulement rébarbatif, mais peu instructif. J'ai préféré développer une réflexion autour de plusieurs thèmes qu'ils ont en partage : l'art du retour, la relation à l'histoire et à la France, l'exercice du pouvoir, la guerre et la centralité de l'écriture, la mort, comme autant de manières de tenter de comprendre pourquoi les grands hommes occupent dans notre histoire une place sans équivalent ailleurs. A travers eux, c'est de la France qu'il s'agit.

1

Retours croisés

Si les grands livres sont souvent plus cités que lus, ils restent dans les mémoires pour leur style, la pertinence d'un commentaire ou la profondeur d'un passage. Il en est ainsi du *18 Brumaire de Louis Bonaparte* et de sa célèbre introduction :

> Hegel fait quelque part cette observation, écrit Marx, que tous les grands événements et personnages historiques se répètent pour ainsi dire deux fois. [Hegel] a oublié d'ajouter : la première fois comme tragédie, la seconde fois comme farce ; Caussidière pour Danton, Louis Blanc pour Robespierre, la Montagne de 1848 à 1851 pour la Montagne de 1793 à 1795, le neveu pour l'oncle[1].

Une tragédie, le 18 Brumaire de Bonaparte ? Une farce, le 2 Décembre du futur Napoléon III ? Marx se trompe : la farce, ici, précéda la tragédie. A l'opération exécutée si aisément par le jeune général à son retour d'Egypte qu'on hésite à la qualifier de « coup d'Etat » succéda l'affaire autrement sanglante perpétrée un demi-siècle plus tard par le neveu. Cette fois, on releva plus de 300 morts sur le pavé parisien, 30 000 opposants furent arrêtés dans tout le pays et plusieurs centaines d'entre eux déportés, les uns à Cayenne, les autres en Algérie. Le « crime » dénoncé par Victor Hugo fut sans doute largement approuvé par la France rurale qui voyait en Louis-Napoléon un rempart contre la révolution, mais vingt ans plus tard la fin sans gloire du Second Empire apparut à ceux qui n'avaient jamais pardonné le 2 décembre comme l'épilogue prévisible d'une histoire qui, ayant commencé par un crime, s'achevait dans la honte.

Rien de tel en 1799. Il est vrai que les scènes de Saint-Cloud, avec ces députés chassés de l'Orangerie du château où ils avaient fait mine de résister à « l'usurpateur », puis s'enfuyant à travers le parc pour aller ensuite dîner en riant de la comédie qu'ils venaient de jouer, avaient quelque chose de médiocre. Petite fin pour ce grand événement qu'avait été la Révolution française. Mais cet épilogue marquait aussi un commencement. La suite, des années glorieuses du Consulat à l'épopée impériale, effaça ce que le début avait eu de mesquin, au point d'ajouter à la légende révolutionnaire un chapitre qui ne déparait pas, loin de là, ceux déjà écrits par l'Assemblée constituante en 1789 et la Convention nationale en 1793. C'est la violence du coup d'Etat du 2 décembre 1851 qui, rétrospectivement, assombrit le souvenir du 18 Brumaire et repeignit la comédie aux couleurs de la tragédie.

L'observation faite par Marx, inapplicable à cet exemple précis, l'est cependant souvent en politique. L'histoire se répète rarement. Comme on dit familièrement, elle ne repasse pas les plats, surtout à ceux qui ont déjà été servis. Les résurrections sont rares, les retours gagnants plus encore.

L'histoire de la démocratie parlementaire, dira-t-on, prouverait plutôt le contraire. La carrière d'un Raymond Poincaré en témoigne : successivement président du Conseil, président de la République puis sénateur et, à nouveau, plusieurs fois nommé à la tête du gouvernement... Le parlementarisme ne favorise pas seulement les Poincaré ; il est également propice à ces chevaux de retour qui, indépendamment de toute évaluation du bilan, de toute comptabilité des échecs comme des succès, paraissent inamovibles, vont d'une fonction à l'autre, connaissent bien, au cours de leur carrière, quelques éclipses, mais peu nombreuses, jamais durables. Il suffit d'être patient, de maîtriser l'art de la discrétion, de cultiver protecteurs, alliés et clients, d'attendre le bon moment pour faire sa rentrée. Rien n'est jamais perdu, rien n'est jamais définitif. Si on ne ressuscite pas, c'est qu'on n'est jamais tout à fait mort.

Croit-on que le désastre de 1940, dont il n'était ni le seul ni même le principal responsable, mit un terme à la carrière d'Edouard Daladier ? Sans doute celui-ci ne revint pas sur le devant de la scène après la Libération, mais la carrière du « taureau du Vaucluse » – dont Neville Chamberlain disait qu'il avait des « cornes d'escargot » – n'était pas terminée pour autant[2]. Daladier siégea à la Constituante de juin 1946 et retrouva la même année un siège de député qu'il conserva jusqu'à la chute de la IVe République. Faussement débonnaire, patriote sincère, l'homme valait certainement mieux que la politique prudente et terne à laquelle il se cantonna. Mais aurait-il rompu avec celle-ci qu'il eût été bientôt rappelé à l'ordre par les majorités successives qui le soutenaient : toujours composites, instables, éphémères. Il en était l'otage en même temps que le représentant. Son successeur à la présidence du Conseil en 1940, Paul Reynaud, possédait assurément les qualités qui manquaient à Daladier. Il ne réussit pourtant pas mieux. On incrimine souvent son caractère, soulignant combien cet homme dont Raymond Aron devait dire qu'il avait été « le plus intelligent de nos hommes politiques de l'entre-deux-guerres », voyant le conflit qui venait et les sacrifices qu'il allait falloir consentir, se montra, une fois sur la brèche, velléitaire et faible, composant avec le pacifisme qu'il dénonçait à longueur de discours et refusant pour finir le grand rôle que son sous-secrétaire d'Etat à la Guerre, Charles de Gaulle, espérait encore lui voir jouer. Si Reynaud avait su discerner l'homme d'avenir chez son protégé, il était bien incapable de devenir lui-même de Gaulle. « Le plus intelligent de nos hommes politiques » fit naufrage en 1940, avec tant d'autres qui ne le valaient pas. Mais la IVe République succédant à la IIIe, il était toujours là, député et même ministre. Son opposition à la réforme constitutionnelle de 1962 sur l'élection du président de la République au suffrage universel lui fut fatale. De Gaulle tourna le dos à son ancien mentor. Lorsque Paul Reynaud s'éteignit en 1966, après avoir appelé à voter François Mitterrand à la présidentielle de 1965, le Général lui refusa les obsèques nationales. Il est vrai qu'il n'y possédait guère de titres.

Combien d'autres exemples tirés de l'histoire de la IIIe ou de celle de la IVe République pourrait-on citer, de Camille Chautemps à Guy Mollet, pour ne pas remonter plus haut que les années 1930 ? Le système électoral, le régime parlementaire réduit à une « profession », la fragilité et la longévité limitée des gouvernements, l'insignifiance de la fonction présidentielle, le peuple réduit au rôle de « souverain captif[3] », tout conspirait pour perpétuer le règne de ces politiciens couleur de muraille, omniprésents, pour ainsi dire inamovibles, qu'on ne pouvait distinguer entre eux et qui ne laissaient pas plus de traces de leur passage aux affaires les uns que les autres. Les gouvernements se succédaient à un rythme effréné, les ministres ne changeaient guère. Aristide Briand ne réussit-il pas l'exploit d'être vingt-cinq fois ministre et onze fois président du Conseil en l'espace d'une génération ? Ce régime sans tête où le Parlement, et non le président, représentait le pays, était aussi un régime sans têtes.

De qui se souvient-on de ce petit siècle parlementaire qui court de 1880 à 1960 et qui ne manqua pourtant pas d'hommes capables et talentueux ? Une comparaison avec l'époque actuelle serait cruelle à celle-ci ; et pourtant ! C'est à peine si une dizaine de noms ont échappé à l'oubli : ceux de Gambetta qui, en 1870, chaussa les bottes de Danton, de Jules Ferry pour l'école plus que pour la colonisation, de Clemenceau à jamais lié au souvenir de la Première Guerre mondiale, d'Aristide Briand – un peu – pour l'utopie pacifiste, de Léon Blum associé à l'épisode du Front populaire, de quelques chefs communistes, Maurice Thorez en tête, qui s'imposèrent en dehors du système parlementaire, de Jacques Doriot et Pierre Laval qui finirent comme on sait, d'Antoine Pinay et Pierre Mendès France enfin.

Singulier personnage que ce dernier, défenseur si intransigeant de la république parlementaire qu'il s'opposa farouchement à de Gaulle tant en 1958 qu'en 1962, mais qui n'en reste pas moins – avec Pinay – le seul homme politique de son temps à avoir acquis une figure propre, au point d'apparaître rétrospectivement comme la première expression de la personnalisation et de l'incarnation politiques récusées par la tradition républicaine depuis la Révolution et les deux Napoléon, mais qui devaient s'imposer avec la Ve République et bouleverser tant la physionomie des institutions que l'ordre des représentations politiques. Ce rôle de précurseur, il ne l'avait pas recherché, au contraire, préférant renoncer au pouvoir plutôt que de conduire une politique contraire à ses convictions ou sans disposer des moyens de la mener à bien[4]. Il avait plus souvent démissionné qu'accédé à des fonctions de premier plan. La chance lui sourit en 1954. Les huit mois pendant lesquels il gouverna la France ont marqué et nourrissent aujourd'hui encore son image – si rare à gauche – d'homme providentiel. Mais après la chute de son gouvernement, jamais plus il ne retrouva le chemin du pouvoir. Même si Mendès n'avait été que l'esquisse un peu floue de l'identification entre la fonction et son détenteur qui allait advenir après 1958, il avait fugitivement donné un visage au pouvoir. C'est pourquoi il ne put ensuite revenir, victime d'une logique qui allait être celle de la Ve République. Il joua dès lors un rôle qui fut toujours marginal dans le vaste répertoire de la politique française : celui de Cassandre[5], ou plus exactement de conscience morale appelée à se dresser comme un vivant reproche, mais impuissant, devant les turpitudes et compromissions de ses contemporains.

Il est étonnant de constater combien la première idée du régime semi-présidentiel de la Ve République prit les traits de deux hommes pour le moins inaptes à l'emploi : d'abord ceux du terne Pinay, ensuite ceux de Mendès dont la réputation excédait de beaucoup les mérites et qui finit assez misérablement en figurant de la manifestation du stade Charléty le 27 mai 1968, témoin certes muet, mais prêt à siéger dans un gouvernement d'union nationale avec ces mêmes communistes dont il avait jadis refusé les suffrages[6].

Reste que Pierre Mendès France, et lui seul à ce moment-là, fut investi pour un temps de ce *pouvoir d'incarner* que la Ve République allait placer au cœur des institutions en faisant du président élu au suffrage universel le seul vrai représentant de la souveraineté nationale et le garant de son unité, conformément à l'idée gaullienne de l'Etat.

⋆

L'avènement de la Ve République bouleversa les conditions du retour en politique. L'étendue des pouvoirs que sa constitution confère au chef de l'Etat a son revers : l'identification entre la fonction et celui qui l'exerce est si étroite, si intime, que la pièce ne peut être jouée qu'une fois. Ou plutôt, elle ne peut être interrompue pour être reprise plus tard. Au sommet de l'Etat, on ne peut faire relâche, car, dans cette hypothèse, il faudrait descendre pour ensuite espérer remonter. Comment rejoindre le troupeau des politiciens ordinaires, renouer avec les chicanes et les chausse-trappes de la vie partisane, avilir son image ou son statut, de conscience morale redevenir *candidat* ? Descendre c'est forcément déchoir.

Valéry Giscard d'Estaing n'avait pas imaginé une seule seconde pouvoir être battu à l'élection de 1981[7]. Aussi, persuadé d'accomplir un second mandat, n'avait-il pas réfléchi à ce qu'il ferait en cas d'échec. Il commença par des adieux solennels aux Français qu'il croyait ainsi punir pour avoir refusé non seulement de le suivre, mais de l'entendre, puis, sa défaite restant à ses yeux « un phénomène étrange », pour tout dire incompréhensible, et son jeune âge aidant – cinquante-cinq ans seulement –, il crut possible de remonter la pente. Il refusa de s'ensevelir au Conseil constitutionnel et, après quelques mois de retraite, repartit au combat, général redevenant simple soldat. Cette démarche eût été inconcevable chez un François Mitterrand, qui avait compris quel est le caractère très particulier de la fonction présidentielle sous la Ve République et devait en jouer avec maestria après en avoir été si longtemps le détracteur. VGE, lui, s'était efforcé dès son accession au pouvoir en 1974 de banaliser la fonction, de la dépouiller de la pourpre et de l'apparat gaulliens. Prenant le café avec les éboueurs du quartier de l'Elysée ou jouant de l'accordéon chez M. Tout-le-Monde, il n'avait réussi, comme de bien entendu, le premier moment de sympathie passé, qu'à blesser l'orgueil des Français en voulant trop, et maladroitement, leur ressembler, mais n'ayant jamais renoncé à la chimère d'une présidence ordinaire, il pouvait croire possible de refaire le chemin qui l'avait conduit à l'Elysée en 1974. L'ex-président de la République, qui avait, le temps d'un septennat, tutoyé les grandeurs de ce monde, se lança à la conquête d'un poste de conseiller général à Chamalières, son fief, où la défaite, cette fois, était peu probable. « M. Giscard d'Estaing : l'Auvergne en attendant la France », titra *Le Monde* le 7 mars 1985. Ce jour ne devait jamais venir. L'heure était passée et, au début de 1987, VGE annonça par un laconique « J'ai déjà servi » qu'il ne serait pas candidat à l'élection présidentielle de l'année suivante. Le temps était venu pour lui de tourner enfin la page de ce mandat dont il estimait qu'il avait été injustement interrompu en 1981. Il entra pour de bon au Conseil constitutionnel et, s'éloignant de la scène politique française et de ses péripéties, il prit de la hauteur, endossant le costume du sage, de l'oracle, du défenseur de l'Europe libérale depuis toujours chère à son cœur, se plaisant aussi à dépouiller l'armure de l'énarque en publiant de loin en loin quelques romans dans le style de Barbara Cartland. Mais l'important n'est pas là : il avait évité, de justesse, l'humiliation sans remède qu'eût été une seconde défaite, probable, en 1988. Nicolas Sarkozy n'y a pas échappé – échouant dès la première haie aux primaires de la droite – pour avoir lui aussi cru pouvoir reconquérir son pouvoir perdu.

★

Si l'on admet que la Ve République prolongea en la renouvelant une tradition de l'incarnation du pouvoir héritée de l'Ancien Régime et qui, récusée par la république, n'en avait pas moins marqué l'histoire, du premier au second Napoléon et de ceux-ci à quelques ténors du régime républicain, l'histoire politique française depuis la fin de la monarchie n'offre cependant que deux exemples de retours réussis : Napoléon reprit le pouvoir en 1815 après l'avoir abdiqué en 1814, et Charles de Gaulle en 1958 après s'en être démis en 1946. En vérité, le cas de 1958 est unique, car en 1815 l'Empereur ne retrouva pas l'intégralité de l'autorité perdue l'année précédente, et il dut y renoncer après cent jours certes entrés dans la légende, mais qui pesèrent bien lourd sur le destin ultérieur de la France. L'histoire des autres nations n'est pas plus prodigue en exemples de ce genre. Tout le monde connaît l'incroyable renversement de fortune qui permit à Richard Nixon, si durement battu en 1960, de conquérir la Maison-Blanche en 1968[8] : mais le cas n'est pas comparable à ceux que j'évoque ici, car justement, le Nixon vainqueur en 1968 ne l'avait pas été en 1960. Son histoire ressemble plutôt à celle de François Mitterrand qui, battu en 1965 puis en 1974, finit par prendre sa revanche en 1981, ou à celle de Jacques Chirac dont la ténacité finit par payer en 1995. Quels autres cas citer ? Celui de Juan Perón certainement, qui, contraint à l'exil par un coup d'Etat en 1955, fut réélu président de la République argentine près de vingt ans plus tard, en 1973 ; celui d'Indira Gandhi peut-être, mais dans un système démocratique très particulier qu'un auteur qualifia justement de « démocratie dynastique », et qui, ayant exercé le pouvoir de 1967 à 1977, y revint en 1980 pour le conserver jusqu'à ce 31 octobre 1984 où elle fut assassinée[9]... Faut-il ajouter à la liste celui de Daniel Ortega, le dictateur nicaraguayen qui, chassé du pouvoir en 1990, y fut rappelé en 2006 par les électeurs, malgré les crimes dont il était accusé ? On conviendra que l'exemple tiré de l'histoire d'un Etat failli et mafieux n'est guère probant.

Les « résurrections » de Napoléon, de Gaulle et Perón n'ont rien à voir avec la seule longévité politique ou la domination fondée sur les ressources de la ruse ou de la force. Il n'existe pas de mode d'emploi du retour gagnant[10]. De plus, tous ne se valent pas. Même s'ils n'ont pas conquis le pouvoir d'une manière parfaitement irréprochable du point de vue de la légalité – on sait que Raymond Aron refusa toujours d'approuver les moyens par lesquels le général de Gaulle revint au pouvoir en 1958 –, du moins peut-on affirmer qu'en même temps qu'ils estimaient posséder un droit sur le pouvoir qui absolvait par avance ce que leur action pouvait avoir d'illégal, Bonaparte comme de Gaulle furent « appelés » ou en tout cas leur démarche fut d'emblée largement approuvée. Dans ce mélange d'autoproclamation, d'élection – même peu conforme aux canons d'une élection régulière – et de consentement, on aura reconnu, bien sûr, certains des traits caractérisant la domination « charismatique » selon Max Weber.

Ces retours réussis ont tenu également à un contexte historique particulier : celui de l'Etat-nation dont l'effacement progressif depuis plusieurs décennies, du moins en Europe, rend hasardeuse toute comparaison avec d'éventuels exemples contemporains. Bonaparte comme de Gaulle ont conquis, exercé, perdu ou quitté et reconquis le pouvoir dans un cadre qui était encore celui de l'Etat souverain inventé en Europe aux XVIIe et XVIIIe siècles. Ce cadre n'existe plus : les frontières ont plus ou moins disparu, le domaine soumis à l'action législative de l'Etat s'est considérablement rétréci, l'entrée dans la monnaie unique a privé les gouvernements d'une grande partie de leurs moyens d'action et bon nombre des compétences jadis de leur ressort ont été transférées à une bureaucratie supranationale *de facto* soustraite à tout contrôle. L'action politique n'a pas seulement perdu de son efficacité réelle, elle a été dépouillée de son prestige en même temps que la remplaçait un « art » de la pure illusion médiatique s'appuyant sur une rhétorique étrangère à tout désir de convaincre, de persuader ou d'entraîner, gestionnaire et technocratique, cherchant l'effet artificiel au moyen de « petites phrases » et procédant de recettes inspirées du marketing mises en œuvre par des « conseillers en communication ». Cette dégradation de la fonction politique, dont la qualité toujours plus médiocre de ceux qui l'exercent est à la fois le symptôme et la conséquence, non seulement nourrit le déficit de légitimité des élus si souvent dénoncé, mais accroît l'éloignement des citoyens par rapport à de supposés représentants désormais incapables de susciter les rapports d'identification ou d'incarnation dont certains d'entre eux avaient jadis pu faire l'objet. L'indifférence qui entoure les gouvernants est la rançon de leur insignifiance. La bonne fortune d'un Silvio Berlusconi, que l'on vit renaître de ses cendres tant de fois entre 1994 et 2011, témoigne de ces changements plutôt qu'elle ne prouve la persistance de la vieille dynamique de l'incarnation[11].

★

Napoléon et le général de Gaulle ont été les protagonistes d'une histoire bien différente. L'un reprit le pouvoir après l'avoir perdu, l'autre y revint après l'avoir volontairement quitté. Dans les deux cas, pourtant, l'histoire se répète. Non pas de 1799 à 1815 et de 1944 à 1958, mais par certains côtés 1944 rappelle 1799 tandis que 1958 n'est pas sans analogie avec 1815.

Des pages des *Mémoires de guerre* où Charles de Gaulle évoque son retour en France en août 1944, Henri Amouroux écrit que non seulement elles sont « d'une inoubliable perfection », et de ce fait indépassables, mais que leur auteur savait, en les écrivant, qu'étant « inimitables on les plagierait toujours[12] ». C'est en effet comme si ces heures extraordinaires avaient eu leur principal protagoniste pour unique témoin. Témoin fiable en l'occurrence, car les images d'époque, les films attestent de l'enthousiasme et de la ferveur qui firent cortège au général de Gaulle depuis le moment où l'avion qui l'amenait de Gibraltar atterrit près de Saint-Lô, le 20 août 1944, jusqu'à ces journées des 25 et 26 août où son entrée dans Paris, de l'Hôtel de Ville à Notre-Dame en passant par la descente des Champs-Elysées, fut comme une éclatante revanche sur les heures de solitude de 1940, un couronnement, « un sacre sans cathédrale de Reims, sans manteau constellé d'abeilles ou de fleurs de lys, sans formule sacramentelle ni messe laïque[13] ».

A peine était-il descendu de l'avion que l'enchantement commença :

> Une grande vague d'enthousiasme et d'émotion populaires me saisit quand j'entrai à Cherbourg et me roula jusqu'à Rennes [...]. Dans les ruines des villes détruites et des villages écroulés, la population massée sur mon passage éclatait en démonstrations. Tout ce qui restait de fenêtres arborait drapeaux et oriflammes. Les dernières cloches sonnaient à toute volée. [...] Les maires prononçaient de martiales adresses qui s'achevaient en sanglots. Je disais, alors, quelques phrases, non de pitié dont on n'eût point voulu, mais d'espérance et de fierté qui finissaient par *La Marseillaise* chantée par la foule avec moi[14].

Scènes identiques à Rennes, Alençon et Laval, à La Ferté-Bernard et Rambouillet, Paris enfin où la foule prit l'apparence, du côté de la porte d'Orléans, d'une « exultante marée[15] ». Mêmes « assourdissantes clameurs » à l'Hôtel de Ville où le vibrant discours adressé à la ville de Paris – qu'il assure avoir improvisé – ne l'emporta pas au point de se laisser pousser au faux pas par Georges Bidault qui lui demandait de proclamer la république séance tenante : n'avait-elle pas continué de vivre dans sa personne depuis 1940 ? Pensa-t-il alors à la foule sans doute moins nombreuse mais aussi prodigue en vivats qui avait accueilli quatre mois plus tôt, jour pour jour et au même endroit, le maréchal Pétain venu rendre hommage aux victimes du bombardement du 20 avril ? Mêmes masses formées peut-être des mêmes gens, même *Marseillaise* et mêmes manifestations d'attachement et de fidélité aussi solides que des serments d'amour toujours et dont on a prétendu, au vu de ces loyautés changeantes, qu'elles témoignaient surtout de l'opportunisme d'un peuple passé en un instant de Pétain à de Gaulle et de la Collaboration à la Résistance[16]. Analyse aussi courte que celles qui s'efforcent de dénombrer les manifestants qui participèrent à ces événements ou de mesurer leur ferveur ; dans un cas comme dans l'autre ces acclamations s'adressaient à celui qui, ici et alors, figurait – au sens littéral du mot – l'unité perdue d'un pays toujours occupé, en proie à la guerre civile et aux exactions de l'occupant, menacé d'une nouvelle invasion – libératrice celle-là, mais amenant nécessairement avec elle son lot d'incertitudes et de souffrances – et ignorant quel serait l'avenir de la France, en supposant qu'elle en eût un. Le 25 avril, pour la première fois depuis le début de l'Occupation, on avait chanté *La Marseillaise* dans les rues de Paris, cette même *Marseillaise* qui, le 26 août, retentira sur les Champs-Elysées au passage du libérateur. A la veille de son retour en France, dira justement René Rémond, « le mouvement par lequel tout un peuple a transféré son allégeance du Maréchal au Général est à peu près achevé[17] » :

> Ah ! C'est la mer ! écrira de Gaulle dans ses *Mémoires de guerre*. Une foule immense est massée de part et d'autre de la chaussée. Peut-être deux millions d'âmes. Les toits aussi sont noirs de monde. A toutes les fenêtres s'entassent des groupes compacts, pêle-mêle avec des drapeaux. Des grappes humaines sont accrochées à des échelles, des mâts, des réverbères. Si loin que porte ma vue, ce n'est qu'une houle vivante, dans le soleil, sous le tricolore[18].

Le Général savourait ce triomphe sans s'y abandonner, et Bidault – encore lui – ayant pressé le pas pour se porter à sa hauteur il le rabroua : « Un peu en arrière, s'il vous plaît[19] ! » N'était-ce pas lui, de Gaulle, lui seul, et non les ralliés de la onzième heure ni même ses compagnons de Londres ou d'Afrique, qui, mû par « l'instinct du pays », avait répondu en 1940 à « un appel venu du fond de l'Histoire » et pris sur lui de conserver « la souveraineté française », ce « trésor en déshérence[20] » ? Que pensait-il vraiment au spectacle du peuple en apparence uni qui, ce jour-là, l'ovationnait ? Il ne se faisait pas d'illusions sur la durée de cette belle unanimité. Les divisions un instant tues reparaîtraient, et plus tôt qu'on ne croyait. Et les applaudissements qui montaient vers « le premier d'entre nous[21] » ? Que signifiaient-ils ? A la scène majestueuse décrite dans les *Mémoires de guerre* font écho les confidences faites par le Général au moment même où il rédigeait ces pages. Le ton en est amer. Sans doute les échecs subis depuis août 1944 l'expliquent-ils. De Gaulle avait claqué la porte du gouvernement provisoire sans qu'aucun de ceux qui l'avaient acclamé n'eût manifesté le moindre regret et l'expérience du RPF déjà tournait court. La descente triomphale des Champs-Elysées était loin. Du reste, la ferveur n'était-elle pas retombée sitôt le défilé fini ?

> Beaucoup de cris d'enthousiasme furent poussés [ce jour-là], confia-t-il à son aide de camp. Mais, je vous le demande, combien croyez-vous que, de tous ces cris, on soit parvenu à soutirer d'engagés volontaires pour la 2e DB ? Eh bien, je vais vous le dire : trois mille à peine. Vous entendez bien : trois mille ! [...] Voilà le peuple français en 1944[22].

L'épisode lui tenait tant à cœur qu'il en parlait encore à Georges Pompidou quelques mois plus tard, avouant qu'il avait menti sur toute la ligne pour imposer l'idée que les Français étaient rentrés dans la guerre avec un enthousiasme et un courage qui justifiaient que la France fût considérée comme un vainqueur à part entière. La 1re armée ? « Des Nègres » ! La Résistance ? Un mythe, un phénomène au demeurant sans influence sur le cours des événements ! Et il revenait sur Leclerc et la 2e DB ! « J'ai sauvé la face, concluait-il, mais la France ne suivait pas... [...] Qu'ils crèvent ! C'est le fond de mon âme que je vous livre : tout est perdu. La France est finie. J'aurai écrit la dernière page[23]. » Paroles terribles. Etait-ce déjà ce qu'il songeait en descendant les Champs-Elysées ? Impossible de le savoir avec certitude, mais c'est certainement moins à la foule inconstante qu'il pensait alors qu'à l'Histoire dont il tirait sa légitimité. C'est bien elle, plutôt que les grappes humaines accrochées aux réverbères, qu'il convoque lorsqu'il se remémore ces heures fiévreuses :

> A chaque pas que je fais sur l'axe le plus illustre du monde, il me semble que les gloires du passé s'associent à celle d'aujourd'hui. Sous l'Arc, en notre honneur, la flamme s'élève allègrement. Cette avenue, que l'armée triomphante suivit il y a vingt-cinq ans, s'ouvre radieuse devant nous. Sur son piédestal, Clemenceau, que je salue en passant, a l'air de s'élancer pour venir à nos côtés. Les marronniers des Champs-Elysées, dont rêvait l'Aiglon prisonnier, [...] s'offrent en estrades joyeuses à des milliers de spectateurs. Les Tuileries, qui encadrèrent la majesté de l'Etat sous deux empereurs et sous deux royautés, la Concorde et le Carrousel qui assistèrent aux déchaînements de l'enthousiasme révolutionnaire et aux revues des régiments vainqueurs ; les rues et les ponts aux noms de batailles gagnées ; sur l'autre rive de la Seine, les Invalides, dôme étincelant encore de la splendeur du Roi-Soleil, tombeau de Turenne, de Napoléon, de Foch ; l'Institut, qu'honorèrent tant d'illustres esprits, sont les témoins bienveillants du fleuve humain qui coule auprès d'eux. Voici qu'à leur tour : le Louvre, où la continuité des rois réussit à bâtir la France ; sur leur socle, les statues de Jeanne d'Arc et de Henri IV ; le palais de Saint Louis dont, justement, c'était hier la fête ; Notre-Dame, prière de Paris, et la Cité, son berceau, participent à l'événement. L'Histoire, ramassée dans ces pierres et dans ces places, on dirait qu'elle nous sourit[24].

⋆

Napoléon n'a pas eu d'accents aussi lyriques pour évoquer son retour d'Egypte et le 18 Brumaire. Lorsqu'il se remémora ce moment, au soir de sa vie, ce fut à la manière lapidaire des auteurs anciens qu'il affectionnait :

> Lorsqu'une déplorable faiblesse et une versatilité sans fin se manifestent dans les conseils du pouvoir ; lorsque, cédant tour à tour à l'influence des partis contraires, et vivant au jour le

jour, sans plan fixe, sans marche assurée, il a donné la mesure de son insuffisance, et que les citoyens les plus modérés sont forcés de convenir que l'Etat n'est plus gouverné ; lorsque, enfin, à sa nullité au-dedans, l'administration joint le tort le plus grave qu'elle puisse avoir aux yeux d'un peuple fier, je veux dire l'avilissement au-dehors, alors une inquiétude vague se répand dans la société, le besoin de sa conservation l'agite, et, promenant sur elle-même ses regards, elle semble chercher un homme qui puisse la sauver. Ce génie tutélaire, une nation nombreuse le renferme toujours dans son sein ; mais quelquefois il tarde à paraître. En effet, il ne suffit pas qu'il existe, il faut qu'il soit connu ; il faut qu'il se connaisse lui-même. [...] Que ce sauveur impatiemment attendu donne tout à coup un signe d'existence, l'instinct national le devine et l'appelle, les obstacles s'aplanissent devant lui, et tout un grand peuple, volant sur son passage, semble dire : le voilà[25] !

« Le voilà ! » Personne ne l'attendait plus à la fin de 1799, alors que la guerre avec l'Autriche et la Russie avait repris et que l'invasion menaçait, comme en 1793. On le disait prisonnier des Turcs, ou blessé, ou mort, les plus optimistes affirmant qu'il guerroyait pour se frayer un chemin à travers la Turquie et atteindre les Balkans. Mais lorsque, le 9 octobre, la flottille qui le ramenait se présenta dans la baie de Saint-Raphaël et que l'on sut qui se trouvait à bord de ces coquilles de noix, ce ne fut en effet qu'un cri : « Le voilà ! » On ne l'attendait plus, il était là, auréolé de tout ce qu'on imaginait, à défaut de le savoir exactement, de ses aventures orientales, et fort du souvenir de ce qu'auparavant il avait accompli : la conquête de l'Italie en moins d'une année et la paix glorieuse imposée à l'Autriche, cette paix que le Directoire n'avait ensuite pas su maintenir.

Lorsque Bonaparte débarqua, son secrétaire Bourrienne assure qu'il fut littéralement « enlevé et porté à terre[26] ». « Le sauveur de la France est arrivé dans notre rade[27] », s'écria le commandant du port et on n'eut pas besoin de longs débats pour le dispenser de la quarantaine à laquelle les voyageurs arrivant du Levant étaient contraints. Comment conduire le héros de retour au lazaret au milieu de la foule qui criait : « Nous aimons mieux la peste que les Autrichiens[28] » ? Il y eut des discours, un déjeuner où l'un des convives lui prédit qu'il deviendrait roi après avoir vaincu l'Autriche. Deux heures après, craignant d'arriver trop tard à Paris, il était en route, pour un voyage qui marqua certainement l'une des plus belles époques de sa vie. Aucun historien n'a mis en doute l'enthousiasme qui lui fit cortège jusqu'à Lyon. Sans doute était-il précédé par un courrier qui partout annonçait son arrivée, mais la population répondait à l'appel sans qu'il fût nécessaire de la forcer à se masser sur le passage. Les villageois descendus des montagnes formaient dans la vallée du Rhône une double haie si dense « que les voitures avaient peine à avancer[29] » et la nuit, de crainte que les voleurs qui infestaient cette région n'attaquent le convoi, des hommes portant des flambeaux se relayaient pour l'escorter ; des feux brillaient dans les montagnes, les villes étaient pavoisées de tricolore ; les autorités municipales venaient à la rencontre du général et les garnisons présentaient les armes.

Par Aix-en-Provence et Avignon « en délire[30] », il gagna Valence, enfin Lyon qu'il atteignit le 13 octobre. La ville était en fête, les façades festonnées de drapeaux, les chapeaux de rubans tricolores : « Toutes les maisons étaient illuminées et pavoisées de drapeaux, se souviendra le général Marbot, on tirait des fusées, la foule remplissait les rues au point d'empêcher notre voiture d'avancer ; on dansait sur les places publiques, et l'air retentissait des cris de : Vive Bonaparte qui vient sauver la patrie[31] ! » On avait improvisé une pièce en l'honneur du général, *Le Héros de retour, ou Bonaparte à Lyon.* La foule l'entraîna jusqu'au théâtre, puis le reconduisit à son hôtel où, refusant de se disperser, elle l'obligea à se montrer plusieurs fois au balcon. Le lendemain, il prit la route de Chalon. La marche triomphale aurait continué ainsi jusqu'à Paris si, souhaitant ne pas provoquer les membres du gouvernement dont le moins qu'on puisse dire est qu'ils ne le voyaient pas revenir sans inquiétude, il n'avait décidé de se dérober aux acclamations, d'emprunter un chemin détourné et de voyager le plus discrètement possible. Mais à Paris où l'on avait appris le retour de Bonaparte le jour où il entrait à Lyon, et ce fut pareil dans bien d'autres villes, on assista aux mêmes manifestations d'enthousiasme que dans la vallée du Rhône.

Défilés, illuminations, arcs de triomphe, fusées d'artifice... Pour autant, on ne peut en conclure que le futur empereur fut, au cours de ces journées qui précédèrent le coup d'Etat, le « héros » de tous les Français. Mais l'important est qu'on ne peut rapporter ces démonstrations aux clivages sociaux ou politiques ordinaires. Les paysans de la vallée du Rhône acclamèrent le conquérant de l'Egypte comme les citadins de Lyon et le public bourgeois des théâtres parisiens, et les Jacobins se montrèrent aussi satisfaits de son retour que les royalistes, quoique pour des raisons opposées. Il est vrai que *tous* les Jacobins et *tous* les royalistes ne crièrent pas « Vive Bonaparte ! », mais c'est parce que *des* bleus, *des* blancs et des gens de toutes conditions l'applaudirent de concert que l'on peut dire qu'il fut, à son retour d'Egypte, adoubé par la France, comme Charles de Gaulle le sera en 1944.

⋆

Quinze ans plus tard, la pièce n'a pas la même fraîcheur. Non que le retour de l'île d'Elbe ait été moins étonnant ou moins spectaculaire que le retour d'Egypte. Au contraire. On n'attendait pas Bonaparte en 1799, mais seulement parce qu'on le croyait trop loin pour qu'il pût revenir à temps, voire disparu à tout jamais dans les déserts de Syrie. On ne l'attendait plus en 1815 parce qu'on jugeait l'épopée terminée et l'Empereur, fini. En 1799, il lui suffit de paraître pour s'imposer à ses éventuels concurrents avec une sorte d'évidence. A peine avait-il atteint Paris que les différents partis et le gouvernement lui-même vinrent pour ainsi dire déposer leur influence et leurs pouvoirs entre ses mains, comme s'il était entendu que l'avenir lui appartenait. Dans ces conditions, on comprend que le 18 Brumaire fut à peine, en réalité, un coup d'Etat ; plutôt une passation de pouvoir où l'opposition d'une minorité de députés mit un peu de suspense.

Rien de tel en 1815, où Napoléon dut faire le coup d'Etat qui n'avait pas été nécessaire en 1799.

Nous ne saurons jamais à quel moment il prit la décision de quitter l'île d'Elbe[32]. Avait-il eu jamais l'intention d'y rester et de se contenter de ce « carré de légumes », comme dit

Chateaubriand, que les Alliés avaient bien voulu lui céder en 1814[33] ? Comment, voyant de son île, par temps clair, d'un côté la côte italienne, de l'autre les montagnes corses, n'aurait-il pas eu la tentation de repartir à la conquête de la France, sinon de son ancien empire ? Comment aurait-il pu se satisfaire d'un territoire si étroit que jamais son besoin d'action n'y eût trouvé son compte ? Parcourant un jour son royaume, il ne put s'empêcher de murmurer : « Mon île est bien petite[34]... » Pouvait-il s'imaginer finissant sa carrière roitelet d'une Corse en miniature ? L'hypothèse n'est pas seulement ridicule, elle est insultante. Son armée comptait 700 hommes, sa flotte cinq navires et 129 matelots[35]. Il prétendait pourtant être rassasié de puissance et de gloire, et disait en prenant l'air las : « Je veux désormais vivre comme un juge de paix... L'empereur est mort, je ne suis plus rien... Je ne pense à rien en dehors de ma petite île. Je n'existe plus pour le monde. Rien ne m'intéresse maintenant que ma famille, ma maisonnette, mes vaches et mes mulets[36]. » Il n'en croyait certainement pas un mot. D'un autre côté, Napoléon n'était pas une tête brûlée comme Murat, qui, quelques mois plus tard, se lancerait à l'aveugle à la reconquête de son royaume de Naples et y laisserait la vie. Les résolutions définitives ne faisaient pas partie de son répertoire mental. Il s'accommodait de tout, mais seulement jusqu'à ce qu'une occasion de faire mieux se présentât. L'important pour lui était de jouer la partie jusqu'au bout, et, pour cela, il n'était pas toujours très regardant, s'adaptant aux cartes qu'il avait en main. Certes, il préférait qu'elles lui donnent les moyens de briller, mais si la pioche était médiocre, il s'en contentait le temps d'en tirer une meilleure. Ce pragmatisme teinté de fatalisme était un trait de son tempérament qui lui permettait d'affronter l'adversité avec, en définitive, assez de philosophie. Chateaubriand a écrit sur ce point une page profonde dans laquelle il explique les raisons pour lesquelles Napoléon consentit, lors de son départ pour l'île d'Elbe en 1814, à s'humilier pour échapper à ceux qui, dans la vallée du Rhône, l'insultaient et voulaient le lyncher. Il ne fit pas comme Pompée, qui, au moment de mourir, se couvrit la tête de sa toge[37] ; il se réfugia dans l'arrière-cour d'une auberge et enfila un uniforme autrichien pour passer inaperçu. Il était différent de Marius, César ou Hannibal qui ne savaient que monter ; il était lui aussi capable de s'élever, même plus haut qu'eux tous réunis, mais il acceptait de descendre bien plus bas qu'ils n'eussent toléré. C'était son côté bourgeois, moderne : « Il pouvait raccourcir sa taille incommensurable pour la renfermer dans un espace mesuré ; sa ductilité lui fournissait des moyens de salut et de renaissance : avec lui tout n'était pas fini quand il semblait avoir fini. [...] Napoléon estimait la vie pour ce qu'elle lui rapportait ; il avait l'instinct de ce qui lui restait encore à peindre ; il ne voulait pas que la toile lui manquât avant d'avoir achevé ses tableaux[38]. »

Sur l'île d'Elbe, il jouait au roi d'opérette, sérieusement, ignorant combien de temps durerait la pièce, tout en s'efforçant de constituer un réseau d'informateurs capables de lui dire ce qui se passait en Italie, en France et à Vienne où les vainqueurs de 1814 étaient toujours réunis pour décider de la physionomie nouvelle de l'Europe. On s'activait dans la coulisse. Il épiait, réfléchissait, guettait l'occasion. Il était trop intelligent pour ne pas comprendre que sa présence si près des côtes françaises et italiennes constituait à la fois une chance et un risque : une chance, parce qu'elle fragilisait la monarchie rétablie, entretenait chez ses vieux partisans l'espoir de son retour et le faisait apparaître comme un éventuel recours ; un risque, parce qu'il était si près de cette Europe qui cherchait à se déprendre de son emprise que ses dirigeants pouvaient être tentés de le reléguer plus loin, dans un lieu d'où il ne pourrait revenir, les laissant enfin en paix. C'est le tsar Alexandre qui, par esprit chevaleresque, avait insisté pour donner l'île d'Elbe à l'empereur déchu. A Londres, à Vienne peut-être, à Paris sûrement, on songeait à l'éloigner. Il craignait d'être assassiné ou enlevé. Si on empêchait sa femme – qui avait renoncé à le revoir et ne répondait même plus à ses lettres – et son fils de le rejoindre à Portoferraio, n'était-ce pas parce qu'on préparait son enlèvement ? Il ne touchait pas non plus la pension prévue par le traité de Fontainebleau signé avec les Alliés. Craintes pour sa vie ou sa liberté, motifs familiaux, problèmes d'argent, il ne manquait pas de raisons de franchir le Rubicon et tenter l'impossible. En outre, il ne croyait pas que Louis XVIII pût réussir à restaurer la monarchie. En coupant la tête du roi, les révolutionnaires avaient irrémédiablement détruit le mystère de la royauté. La greffe ne prendrait pas. Si le frère de Louis XVI avait été acclamé à son retour en France en 1814 – lui aussi –, c'est parce que les Français le voyaient comme un rempart, à l'heure de l'occupation du pays par les Cosaques et les Prussiens. Et puis on était tellement las de la guerre... Mais les mois passant, le nouveau régime, même si le roi avait obtenu le départ des armées étrangères, des conditions de paix avantageuses et la réintégration de la France dans le concert des nations, n'avait pu empêcher ses partisans de blesser l'orgueil de la France nouvelle, héritière de la Révolution. Les « Jacobins blancs », comme les appelait Prosper de Barante, ces royalistes purs et durs, partisans d'une contre-révolution intégrale qui ramènerait la France avant 1789, multipliaient les réclamations, les processions expiatoires, les vexations, tandis que de sévères mesures imposées par la pénurie des finances publiques frappaient les anciens militaires. Ces blessures d'intérêt ou d'amour-propre additionnées annulaient le bénéfice de la modération dont Louis XVIII avait fait preuve depuis son retour sur le trône de ses ancêtres. Sans les criailleries des royalistes les plus excités, qui trouvaient le roi de la Charte trop indulgent avec la France révolutionnaire, le trône eût été certainement plus solide. Cependant, le monarque n'aurait pu empêcher le dernier carré des partisans de l'Empereur de conspirer pour provoquer le retour de leur héros, même si les déceptions qui se multiplièrent en effet à partir de l'automne 1814 ne suffisaient pas pour leur faire souhaiter le retour de Napoléon. Les vivats qui avaient salué l'accession au trône de « Louis le Désiré » appartenaient déjà au passé, mais l'empereur déchu n'était pas pour autant le bienvenu. Sept ou huit mois étaient bien courts pour avoir déjà oublié les années de conscription et la débâcle qui avait suivi la campagne de Russie. Et puis la paix régnait, et une liberté comme jamais on ne l'avait connue en France. La reprise de l'économie aidant, ce n'était pas si mal. Mais l'Empereur voyait, lui, son retour inscrit dans l'échec annoncé du successeur de Louis XVI : « Six mois de ferveur de la part des Français, avait-il pronostiqué en 1814, suivis de six mois de tiédeur, et après cela, de la répulsion, de la haine chez ceux mêmes qui les auront le mieux accueillis[39]. »

Napoléon ne fut pas reçu à Golfe-Juan, où il débarqua le 1er mars 1815 après s'être échappé de sa « prison » elboise, comme il l'avait été à Saint-Raphaël en 1799. Il y avait à cela une raison supplémentaire : alors, il était revenu d'Egypte pour finir la Révolution. Ses projets coïncidaient avec les souhaits de la majorité des Français. Mais dans quel but revenait-il de l'île d'Elbe ? Par « esprit de sacrifice[40] » ? Ou, plus vraisemblablement, pour reprendre le pouvoir qu'il avait été contraint d'abdiquer l'année précédente dans des conditions qui pouvaient lui faire croire que sa défaite n'était due qu'à la trahison et à un rapport de force momentanément contraire ? La France avait eu besoin de lui en 1799, ce n'était plus le cas en 1815. Revenir – pour une fois, on ne peut qu'être d'accord avec Chateaubriand – était la preuve d'un « égoïsme féroce » et d'un « manque effroyable de reconnaissance et de générosité envers la France[41] ». Au retour d'Egypte, il s'était présenté aux Français comme se tenant au-dessus des partis en promettant de les désarmer et de les réconcilier afin d'en finir avec dix ans de troubles ; en 1815, il s'affichait comme le rempart de la révolution contre la réaction, contribuant ainsi à rouvrir la fracture que Louis XVIII s'efforçait, certes pas toujours adroitement, de refermer. Les vingt jours du « vol de l'Aigle », de Golfe-Juan jusqu'aux tours de Notre-Dame, virent la conquête – ou plutôt la reconquête – d'un pays par un homme seul qui revenait pour donner au « roman de sa vie » une fin qui en fût digne.

Cette fois, aucun « courant chaud de l'opinion, aucun *gulf-stream* d'enthousiasme[42] » ne le porta vers Paris. C'est l'armée qui lui fit cortège, se ralliant au fur et à mesure de sa progression, du reste moins par enthousiasme que parce qu'elle répugnait à ouvrir le feu sur son ancien chef. Pas question d'emprunter le chemin de 1799, celui de la vallée du Rhône. Il avait conservé de mauvais souvenirs de son départ pour l'île d'Elbe : on l'avait hué, injurié, menacé là même où on l'avait acclamé quinze ans plus tôt. Après Aix, où il ne s'attarda pas, il prit par la montagne, en direction de Digne, Gap et Sisteron. La route était difficile, mais sûre. Nulle part, sauf à

Sisteron[43], il n'y eut de manifestations d'enthousiasme. Partout, au contraire, surprise et inquiétude sur les conséquences de ce retour inattendu. L'armée ne rejoignait pas en masse, mais enfin, elle ne s'opposait pas au passage de la petite troupe. C'est dans le défilé de Laffrey où, le 7 mars, le régiment envoyé là pour lui barrer la route mit la crosse en l'air, puis dans le capitale dauphinoise où ses partisans s'étaient activés et l'attendaient pour déclencher un mouvement en sa faveur que tout se joua. « Jusqu'à Grenoble, dira-t-il, j'étais aventurier ; à Grenoble, j'étais prince[44]. » A Lyon, trois jours plus tard, ce fut enfin le même triomphe qu'en 1799. Il était redevenu l'Empereur et, désormais, il marchait vers Paris comme un souverain reprenant possession de son royaume. « Lorsque Napoléon passa le Niémen à la tête de quatre cent mille fantassins et de cent mille chevaux pour faire sauter le palais des czars à Moscou, admettra Chateaubriand, il fut moins étonnant que lorsque, rompant son ban, jetant ses fers au visage des rois, il vint seul, de Cannes à Paris, coucher paisiblement aux Tuileries[45]. » On connaît l'histoire du maréchal Ney qui avait promis au roi de lui ramener l'ex-empereur dans une cage de fer : « Je fais mon affaire de Bonaparte, avait-il annoncé d'un ton martial. Nous allons attaquer la bête fauve. » Une lettre l'attendait en chemin. Elle était de Napoléon : « Mon cousin, [...] je vous recevrai comme le lendemain de la bataille de la Moskowa. » C'était assez pour que Ney tourne casaque. Il n'était pourtant ni lâche ni opportuniste. « J'étais dans la tempête, expliquera-t-il à son procès ; j'avais perdu la tête. » On le vit si enthousiaste qu'il embrassait les fifres et les tambours. Il ajoutait : « Je ne pouvais pourtant pas arrêter l'eau de la mer avec mes mains[46]. »

La suite fut cependant très différente. Le talisman était brisé[47]. Louis XVIII s'était enfui quelques heures avant le retour de Napoléon dans la capitale, mais une année de la Restauration avait suffi pour que l'Empereur ne reconnaisse plus la France qu'un coup de main venait de lui livrer. Il accusait les Bourbons de lui avoir « gâté les Français », la paix d'avoir amolli ses officiers, les idées libérales d'avoir contaminé les cerveaux, toutefois prêt à tenir compte des changements survenus depuis un an, même si ceux-ci ne convenaient ni à ses opinions ni à son tempérament. « Le goût des constitutions, des débats, des harangues paraît revenu », admettait-il devant Benjamin Constant venu lui offrir ses services après l'avoir traité quelques jours auparavant d'usurpateur et de fléau. Ce n'est pas que le revenant avait beaucoup de goût pour ces « caprices » et ces enfantillages, il en convenait, mais enfin, si c'était là ce que les Français voulaient, alors il le leur donnerait. N'avait-il pas été lui-même nourri par les idées du siècle des Lumières ? N'appartenait-il pas à cette génération qui avait fait la Révolution ? N'était-il pas « l'homme du peuple » et le plus sûr rempart contre le rétablissement de l'Ancien Régime ? Son ambition se limitant désormais à désarmer la coalition des ennemis de la France et à régner en paix, il n'avait plus de raison de repousser la liberté. « Je vieillis, dit-il à Constant. On n'est plus à quarante-cinq ans ce qu'on était à trente. Le repos d'un roi constitutionnel peut me convenir[48]. »

N'imaginons pas Napoléon se laissant porter par les événements ou simple spectateur de son ultime entreprise. Ce n'était pas dans son tempérament. Il savait la partie difficile ; il n'ignorait pas que s'il échouait, il n'y aurait plus de revanche. Mais le vainqueur de Marengo et d'Austerlitz était un joueur et il savait la fortune capricieuse. Après l'avoir longtemps favorisé, n'avait-elle pas tourné à Moscou ? Pouvait-on jurer qu'elle l'avait abandonné définitivement ? Les chances de succès étaient minces, c'est vrai, mais n'avait-il pas souvent déjoué les pronostics en apparence les mieux fondés, saisi la chance au vol et si bien renversé la situation que ses ennemis en restaient médusés ? Tant qu'il lui resterait une carte en main, tout demeurerait possible. Il n'était pas revenu de l'île d'Elbe pour être vaincu, ou tué, ou pour végéter dans le costume du roi podagre qu'il venait de chasser, mais pour renverser le cours de l'histoire et ajouter à son roman le plus extraordinaire de ses chapitres. Il voulait encore croire qu'une victoire suffirait pour redistribuer les cartes et créer une situation entièrement nouvelle non seulement en Europe, mais aussi en France où Benjamin Constant et tous ceux de son acabit prétendaient faire de lui « un ours muselé[49] ». La comédie n'aurait qu'un temps. Napoléon ne feignait de s'en accommoder que le temps de laisser à la guerre, qu'il savait inévitable, le soin de trancher la question : s'il était vaincu par les Alliés, il perdrait son trône et Louis XVIII rentrerait à Paris ; s'il remportait une victoire et réussissait à rompre le front commun des puissances européennes, alors ce n'est pas le seul traité de Paris du 30 mai 1814 qui serait renversé, mais les conditions qu'on avait cru pouvoir lui imposer depuis son retour. Lorsqu'il partit pour l'armée le 12 juin 1815, il ne s'en allait pas seulement combattre l'Europe du congrès de Vienne, mais finir la reconquête du pouvoir qu'il avait seulement ébauchée en revenant de l'île d'Elbe. Une nouvelle fois il s'en allait tenter le ciel.

★

Il serait injuste de comparer à cet épisode le retour du général de Gaulle aux affaires en 1958. Celui-ci n'a certes pas le merveilleux du retour de l'île d'Elbe ; mais il n'en a pas non plus l'immoralité et ne finit pas par une tragédie comparable à celle de Waterloo, même si la tragédie devait elle aussi avoir sa part dans ce moment de notre histoire. Waterloo a changé le destin de l'Europe ; l'indépendance de l'Algérie, qui fut la conséquence du 13 Mai, n'a pas eu de répercussions aussi vastes : elle a, certes, fait rentrer l'histoire de France dans son pré carré hexagonal et, ce qui n'est pas rien, aggravé les divisions franco-françaises. Enfin, la capitulation politique de 1962 s'ajoutant à l'armistice de 1940 a accentué le sentiment de déclassement collectif. 1918 avait lavé la défaite de 1870 ; la perte de l'empire colonial redoublait les effets du désastre de 1940. On peut imaginer, sans Waterloo, un autre XIXe siècle, tandis que l'Algérie était d'ores et déjà perdue et l'ère du colonialisme européen à l'agonie lorsque survint la crise terminale de la IVe République. Sur ce plan au moins, l'histoire n'aurait pas été très différente si le général de Gaulle était resté dans sa retraite de Colombey-les-Deux-Eglises en mai 1958.

A la veille de ces événements, rares étaient ceux qui souhaitaient le retour de « l'homme du 18 Juin ». Un sondage en témoigne. Il date de janvier 1956 : seulement 2 % des Français se déclaraient en faveur du retour du Général[50].

Oublié, il ne l'était certes pas, même s'il ne s'exprimait plus que de loin en loin et même si certains de ses admirateurs s'étaient détournés de lui après l'aventure du RPF, tel François Mauriac qui, déplorant que de Gaulle fût devenu chef de parti, préférait désormais ne plus parler de lui[51]. Son ombre s'étendait pourtant sur le régime : l'incontestable médiocrité du spectacle offert par la vie politique de ces années d'après guerre le grandissait, ce qu'il avait accompli jadis rendant plus médiocres encore, par comparaison, les hommes et les événements. La IVe en souffrait. Sa légitimité eût été certainement un peu plus solide sans l'encombrante présence du héros de la France libre. Lors de chaque crise gouvernementale – elles se répétaient de plus en plus fréquemment –, le nom du Général revenait, mais sans qu'il apparût pour autant comme un recours dans des circonstances qui paraissaient ressortir davantage de la maladie de langueur dont souffraient les institutions que d'une crise aiguë et terminale. Dans ce rôle, un Pinay ou un Mendès se montraient meilleurs acteurs : ceux-là s'accommodaient d'un ragoût moins relevé, tandis que de Gaulle avait besoin d'orages, de « l'abîme » dira Mauriac, du « vide que crée un désastre[52] ». Les circonstances qui le ramèneraient au pouvoir ne pouvaient être trop inférieures à celles de 1940. Même le succès prodigieux des *Mémoires de guerre*, dont le premier volume parut à la fin de 1954, témoignait de ce que de Gaulle entrait dans l'Histoire. Retiré à Colombey, il devenait l'un de ces héros qui, depuis mille ans, avaient illustré l'histoire de leur patrie.

Témoignages et récits ne manquent pas qui décrivent les années d'« exil » à la Boisserie, les journées monotones aux horaires réguliers, les promenades solitaires dans l'austère campagne de ce coin de Champagne qui n'évoquait pas, dira-t-il un jour, la « douce France » des poètes[53], le Corona fumé après le déjeuner, les visites à l'abbaye de Clairvaux toute proche où il allait régulièrement se confesser, les heures consacrées à l'écriture dans le bureau d'angle d'où il aimait contempler « l'horizon de la terre ou l'immensité du ciel[54] », les promenades dans le petit parc dont il avait fait quinze mille fois le tour[55], le thé avec sa femme et leurs petites chamailleries – « Vous raisonnez comme une enfant, Yvonne[56] ! » –, les patiences où le chuintement des cartes retournées se mêlait au cliquetis des aiguilles à tricoter maniées à toute vitesse par son épouse[57], les cigarettes allumées à la chaîne et qui lui manqueront bien vite lorsqu'il voudra cesser de fumer[58], chaque soir les moments passés avec sa fille Anne qui s'éteindra bientôt[59], les instants joyeux où, descendu de son Olympe, il riait de bon cœur, quelques voyages, aux Antilles et dans le Pacifique en 1956, en Afrique du Nord l'année suivante, d'où il écrivit à Yvonne ces mots touchants : « Ma chère petite femme chérie, j'ai du chagrin d'être loin de toi pour la première fois depuis pas mal d'années[60] » ; les visiteurs enfin, pas si rares qu'on l'a dit mais point trop nombreux tout de même : d'abord la famille, ensuite quelques proches vite transformés en auditeurs auprès desquels il pouvait se laisser aller à vitupérer le régime, railler avec férocité ses compagnons du temps du RPF, se livrer à des prédictions moroses sur l'avenir de la France et du monde ou encore traiter les hommes de « sales bêtes » quand il avait, comme Cyrano, ses mauvaises heures[61]. De chaque élection il affirmait qu'elle serait la dernière et qu'on verrait bientôt le régime s'écrouler ; il prédisait le déclenchement imminent de la Troisième Guerre mondiale et une nouvelle occupation, par les Soviets cette fois, qui l'obligerait à chausser encore une fois ses bottes de 1940… Autour de lui, les derniers fidèles, d'Olivier Guichard et Michel Debré à Edmond Michelet et André Malraux, se gardaient bien de le détromper et, pour certains, soufflaient même sur la braise en lui glissant à l'oreille que le moment était peut-être venu de forcer un peu le cours de l'histoire[62]. Ces généraux sans troupes parlaient coup d'Etat et dictature de salut public. Le Général les écoutait d'une oreille distraite. Il n'allait certainement pas se compromettre dans un « pronunciamiento », pour reprendre le mot qu'il popularisera plus tard. Quand on commence sa carrière comme Jeanne d'Arc, on ne peut la terminer comme Franco. Tant qu'il ne serait pas « rappelé », il ne ferait rien[63]. Du reste, ne cessait-il de répéter, il était fort probable qu'on ferait tout pour l'éviter. Il y avait de l'amertume dans ses propos, du ressentiment aussi, contre les « politichiens », contre ses fidèles mêmes dont certains, las d'attendre, se laissaient aller à la tentation d'accepter un portefeuille ministériel, contre les Français enfin, qui ne l'avaient pas suivi aussi nombreux qu'il l'avait espéré. Si ces derniers craignaient quelque chose, c'était, à n'en pas douter, son retour qui les forcerait à sortir de leur torpeur : « Ce sont des veaux. On ne fait rien avec un peuple couché. Les Français sont couchés et, voyez-vous, plus ils seront couchés, plus ils seront heureux[64]. »

Il était prisonnier de son personnage, des devoirs, mais aussi des servitudes qu'il lui imposait. Pas facile d'être libre de ses faits et gestes lorsqu'on habite à ce point sa statue[65]. Le sauveur ne pouvait reconquérir le pouvoir à n'importe quelles conditions. Il lui fallait des circonstances propices grâce auxquelles il pourrait rentrer en scène sans déchoir. Aussi se soumettait-il aux événements, avec le risque bien sûr que ceux-ci ne se produisent pas, ou trop tard. Alors l'île d'Elbe deviendrait Sainte-Hélène, la retraite un exil[66]. Tantôt il désespérait – « C'est foutu » était l'un de ses mots favoris –, tantôt il voulait encore y croire, tour à tour conquérant et mélancolique. N'en avait-il pas toujours été ainsi ?

> Pendant la guerre, aux jours de la plus sombre épreuve, confiait-il en 1953 à des journalistes, je me suis quelquefois laissé aller à penser : *Peut-être ma mission consiste-t-elle à rester dans notre Histoire comme l'ultime élan vers les sommets. Peut-être aurai-je écrit les dernières pages du livre de notre grandeur.* Mais, bientôt, sentant renaître en mon âme la foi avec l'espérance, je me disais, au contraire : *Peut-être que le chemin que je montre à la nation est-il celui d'un avenir où l'Etat sera juste et fort, où l'homme sera libéré, où la France sera la France, c'est-à-dire grande et fraternelle !* J'en suis là, encore aujourd'hui[67].

Le passage du Général à la tête de l'Etat, après la Libération, avait été bref, à peine plus long qu'un de ces ministères qu'il vitupérait. Les vieux partis, flanqués d'un parti communiste monté en graine dans les maquis de la Résistance, avaient bientôt relevé la tête et renoué avec leurs mauvaises habitudes d'avant guerre.

Mis en difficulté sur le budget de la Défense que l'Assemblée jugeait trop élevé, et se refusant à être renversé comme un vulgaire président du Conseil de la IIIe République, de Gaulle avait préféré prendre les devants : le 21 janvier 1946, un communiqué laconique annonçait qu'il se retirait. Avant d'être l'homme des retours, remarque judicieusement Thierry Lentz, comme le fut Napoléon qui multiplia les retours, d'Egypte, d'Espagne, de Russie, de l'île d'Elbe, de Gaulle fut, en 1940, en 1946, en 1953, en 1968, en 1969, l'homme des départs[68].

La nouvelle fit l'effet d'un coup de tonnerre. Le Général avait longuement réfléchi avant de prendre sa décision. Renoncer si vite à ce qu'il avait mis si longtemps à conquérir, c'était assurément un pari risqué. « Il a déposé sa carte de visite entre les mains du destin[69] », titra joliment *Combat*. Toutefois, il était convaincu de prendre moins de risques qu'en 1940. En s'envolant pour Londres, il avait joué son va-tout, sans que rien l'assurât qu'il serait entendu, *a fortiori* suivi. Il partait à l'aventure, avec pour tout viatique la conviction que la guerre ne faisait que commencer. Six ans plus tard, fort de ce qu'il avait accompli, il ne doutait pas du soutien d'une majorité de Français. Aussi n'avait-il pas le sentiment, en renonçant si vite au pouvoir, de prendre un risque. Avait-il pensé au sort de son vieil adversaire et complice, Winston Churchill, que les électeurs anglais avaient renvoyé dans ses foyers sitôt signée la capitulation allemande ? A ses proches qui s'inquiétaient, il se contentait de dire qu'il allait leur montrer ce qu'était « l'art de la retraite[70] ». En stratège aux nerfs solides, il attendait la bataille à venir, celle de la Constitution. Il se montrait confiant : les Français ne voudraient pas du retour au « régime des partis ».

Les événements, comme il l'avait prévu, tournèrent à la confusion du camp adverse puisqu'un premier projet constitutionnel fut sèchement repoussé par les électeurs[71]. A Bayeux quelques semaines plus tard, à Epinal après l'été[72], il énonça les principes qu'il fallait, selon lui, adopter pour fonder des institutions solides. Ses adversaires crièrent au « factieux », à la « dictature ». A peine amendé, le projet constitutionnel fut soumis à un nouveau référendum et cette fois, le 13 octobre 1946, la Constitution fut adoptée. Certes, l'écart, pour s'être inversé depuis le mois de mai en faveur du « oui », restait faible : la nouvelle mouture avait été approuvée par seulement 53 % des votants, qui eux-mêmes ne représentaient qu'à peine plus d'un tiers des inscrits[73]. Mais l'adoption de ce texte qui perpétuait l'existence du régime d'assemblée n'en était pas moins un désaveu cinglant pour le Général, qui avait proposé de constituer la république sur des bases radicalement différentes. De Gaulle avait perdu. Il en fut d'autant plus blessé qu'il ne s'y attendait pas[74]. Le plébiscite n'avait pas eu lieu, l'élan de 1944, s'il exista jamais, était retombé.

Après quelques mois, le Général crut pouvoir provoquer le sursaut qui n'avait pas eu lieu. L'aventure du RPF, dont il annonça la création à Strasbourg en avril 1947, fut, on le sait, aussi brève que décevante.

De Gaulle manquait à son personnage en descendant dans l'arène politique, même si, à ses yeux, ce « Rassemblement » devait transcender les clivages partisans et renouveler la vie politique. Le Général put, les premiers mois, nourrir quelques espoirs : le RPF s'imposait dès la fin de 1947 comme la première force politique – il frôla les 40 % lors des élections municipales, ses candidats s'emparant des principales villes de France –, mais il fallut bientôt déchanter. Loin de capituler, ses adversaires, moins médiocres qu'il ne l'imaginait, faisaient mieux que résister. En refusant d'avancer la date des élections législatives prévues en 1951, le président Auriol condamnait de Gaulle à attendre cette échéance pour espérer entrer à l'Assemblée en disposant, comme tout l'indiquait alors, d'une majorité absolue qui lui permettrait ensuite de faire ce qu'il n'avait pu entreprendre en 1946. Mais le temps jouait en faveur des ennemis du RPF. Ceux-ci espéraient voir le mouvement gaulliste se déliter faute de pouvoir accéder au pouvoir à brève échéance. Ils avaient vu juste. La formation d'une coalition de « troisième force » destinée à faire barrage tant aux communistes qu'aux gaullistes[75], puis, à l'approche des législatives, une réforme électorale qui introduisait le système des apparentements firent le reste[76] : le RPF avait beau rester le premier parti de France, il ne put rafler que 121 sièges qui ne suffisaient pas à lui donner la majorité absolue[77]. Comme en 1946, de Gaulle avait échoué.

En novembre 1953, il se mit en congé d'un RPF au fond si peu dans sa nature qu'il ne s'y était jamais senti chez lui, vite lassé de la cuisine politique et de ces « questions d'intendance » qu'il détestait, mécontent peut-être aussi de voir tant de ceux qui lui avaient été hostiles à l'époque de la France libre former une part non négligeable de ses nouveaux partisans[78]. On l'ennuyait avec ces problèmes d'investitures, ces embarras financiers, ces querelles d'amour-propre... Le RPF n'était pas différent des autres partis et le « mouvement » qu'il avait voulu à la hauteur de sa propre légende tournait en vulgaire « société d'entraide[79] ». Il en conçut presque dès le début du ressentiment envers ceux qu'il avait entraînés dans cette entreprise – à commencer par Jacques Soustelle qui assumait la direction effective du mouvement – et qui travaillaient de toutes leurs forces à créer les conditions de son retour au pouvoir. Le rôle qu'ils lui faisaient jouer ne lui plaisait pas. Il faut dire que la partition qu'il leur imposait ne leur plaisait pas non plus : ne leur demandait-il pas de rester mobilisés et d'attendre le moment hypothétique où le régime enfin déposerait les armes ? Pendant ce temps, la vie continuait, les gouvernements se succédaient. Les élus du RPF, astreints à imiter l'attitude de refus hautain où se complaisait le Général, avaient des fourmis dans les jambes. Ils n'étaient pas de Gaulle, après tout, et ne voyaient pas pourquoi ils l'imiteraient et se retireraient eux aussi dans un exil intérieur certes romantique, mais qui ne procurait aucune satisfaction tangible. En mars 1953, 27 de leurs députés avaient accordé leur suffrage à Pinay. D'autres suivirent bientôt. C'était la fin. Même les électeurs faisaient leurs bagages[80]. De Gaulle railla les traîtres qui « allaient à la soupe », vitupéra l'ensemble des Français qui préféraient « la sieste » à l'action – « Ah ! que la France serait belle sans les Français[81] ! » – et mit la clé sous la porte[82].

Le maître s'étant éloigné, le RPF s'étiola doucement, puis disparut. En 1956, son avatar, le groupe des républicains-sociaux, ne comptait plus que 21 députés : c'était tout ce qui restait des 121 élus de 1951[83]. La roue avait tourné.

*

Le Général s'était retiré à Colombey. Anne était morte, Philippe et Elisabeth mariés ; l'âge était venu. Le temps n'était plus de son côté. Il travaillait désormais contre lui.

Même la décrépitude apparente des institutions ne pouvait le réconforter, puisque le régime honni était toujours debout. Chancelant, mais debout. Personne, à commencer par ses dirigeants, n'aurait misé un franc sur les institutions fondées en 1946 ; et pourtant, cette république infirme ne s'en sortait pas si mal. Certes, la France vivait dans une instabilité politique chronique, mais la situation sociale et économique n'était pas si mauvaise en ce milieu des années 1950. L'après-guerre avait été très difficile, mais la reconstruction du pays était pour l'essentiel accomplie et le moment venu d'une relative prospérité. La fin sans gloire du régime, en 1958, a occulté ce que son bilan comportait de réussites[84]. De Gaulle s'est appliqué à le noircir pour mieux mettre en valeur ses propres succès. Bonaparte avait fait de même à l'encontre du Directoire. C'était de bonne guerre. On dira que la France avait bénéficié des largesses américaines. Reste que la prospérité était là. On sentait surtout bouger cette société qui, en définitive, avait jusque-là fort peu changé depuis le milieu du siècle précédent. La France de 1945 n'est pas si différente de celle de 1850. Dans cette vieille société rurale et catholique qui faisait l'apprentissage du plein-emploi, de la hausse des revenus et du confort moderne mûrissaient les mutations qui allaient, en quelques années, en bouleverser la physionomie : la fin des campagnes et une déchristianisation aussi soudaine que massive. La France entrait, avec cinquante ans de retard, dans le XXe siècle. La simple chronologie en témoigne. Du lancement de la DS en 1955 au « nouveau roman » de triste mémoire, de la Nouvelle Vague à l'invention du collant, de *Et Dieu créa la femme* aux *Quatre Cents Coups*, des premières émissions de « Salut les copains » à l'ouverture du Golf-Drouot, ces années 1956-1959 virent les prémices d'un immense bouleversement[85].

Dans ce pays où ni l'âge ni l'expérience ne conféraient plus l'autorité, où l'on se prenait à encenser tout ce qui était jeune et dynamique, de Jean-Jacques Servan-Schreiber et Françoise Giroud à Françoise Sagan, que pouvait bien représenter Charles de Gaulle, sinon un passé dont on aspirait à se délivrer ? On dira que la France tournait le dos à la morale de l'effort et du sacrifice que son libérateur lui avait proposée depuis 1940[86]. Sans doute, mais les Français étaient en cela à l'unisson des peuples qui, en Occident, avaient subi l'épreuve des deux grandes tragédies du siècle. Ils ne regardaient en arrière qu'avec répugnance, peu soucieux d'évoquer, sinon avec la pompe héroïque du *Jour le plus long* ou l'autodérision rigolarde de *La Grande Vadrouille*, une histoire qu'ils pensaient ne plus être la leur. De Gaulle souffrait même d'un handicap supplémentaire : s'il avait délivré les Français du remords de la défaite et de la Collaboration en forgeant, par son action et son verbe, un antidote héroïque à ces années troubles, il renvoyait en même temps chaque Français à « l'indignité » supposée de sa conduite, puisque lui seul, en refusant la défaite, s'était au fond conduit comme tous auraient dû le faire. Il était comme un reproche vivant, un rappel de ce que l'on préférait oublier. La vénération immodérée, mais intermittente, de François Mauriac pour le Général illustre cet aspect des choses. On n'y trouve pas seulement des sentiments d'admiration, mais du repentir : l'auteur du *Nœud de vipères* n'oubliait sans doute pas que ses premières amours l'avaient conduit à Vichy plutôt qu'à Londres. Le Connétable ? A jamais le témoin des turpitudes nationales :

> Il demeure au milieu de nous, écrivait Mauriac en 1946, et il n'est pas nécessaire que sa voix s'élève pour que nous nous souvenions de quel esprit nous sommes. [...] Les Français dont la faute essentielle, dont l'unique faute fut de désespérer de la France à l'heure de son plus grand abaissement, et, par des propos partout répandus, d'accabler leur mère humiliée, sont jugés, qu'ils le veuillent ou non, par ce Chef solitaire, assis à l'écart et qui n'est plus rien dans l'Etat. [...] A l'heure des ténèbres, [ceux] qui n'ont pas été fidèles, ils auront beau feindre de l'avoir été, cet homme les rappellera par sa seule

> présence au sentiment de leur misère, de cette misère qui nous est commune, bien sûr, et à laquelle, comme le rappelait le général de Gaulle lui-même au lendemain de la Libération, nous avons presque tous plus ou moins participé. Il ne dépend de personne que chacune de nos vies n'ait pris, durant ces quatre années où la marée allemande nous a recouverts, comme une coloration qu'elle ne perdra plus. Ces quatre années continuent de nous juger [...]. Nous nous débattons en vain : nous avons tous au front désormais une marque, un signe, que le destin nous a donné, qu'aucune complaisance n'effacera et que nous emporterons dans la mort[87].

Texte sublime, mais texte atroce. La France des années 1950 refusait de vivre plus longtemps dans l'expiation de ses péchés à laquelle la condamnait celui qui avait sauvé son honneur et peut-être même son existence. De Gaulle faisait naître ainsi des sentiments proches de ceux inspirés par Jeanne d'Arc : le roi sauvé par elle eût assurément préféré délivrer Orléans et se rendre à Reims sans son concours, puisque ce qu'elle avait accompli devait à tout jamais témoigner de la faiblesse ou de l'insuffisance de ceux à qui elle avait sacrifié sa vie. Il y a des bienfaits qu'on ne pardonne pas.

C'est, du reste, l'une des grandes différences entre Napoléon et de Gaulle. Le premier, en gravissant l'échelle de la gloire et de la puissance pour assouvir une ambition et des rêves qui étaient d'abord les siens, n'entraînait pas moins derrière lui tous ceux qui le suivaient. Ils montaient avec lui, soldats de la Révolution, acquéreurs de biens nationaux, patriotes enivrés des succès de la « Grande Nation » et de ses armées, anciens révolutionnaires recrus d'épreuves... Lui seul allait accéder au trône, mais un peu de sa gloire rejaillissait sur tous les Français[88]. De Gaulle monte lui aussi, mais il monte seul. Personne ne l'accompagne. Au contraire, plus il s'élève, plus les Français descendent, puisque, loin d'avoir été leur général en chef, celui qui les entraîne mais n'eût rien pu faire sans eux, de Gaulle avait tout accompli seul, et s'il avait incarné « la France », une France recréée à l'image de l'amour qu'il lui portait, ce n'était pas seulement sans le concours ou l'appui des Français, mais malgré eux, presque contre eux.

Le « Qu'ils crèvent ! » de 1949 l'exprime clairement. Dès lors, on conçoit que de Gaulle ne représentait plus grand-chose vers 1955 ou 1956, sinon un passé dont on aurait voulu qu'il fût bien passé, et qu'il fallut le guêpier colonial pour que l'Histoire passe une nouvelle fois à sa portée, presque miraculeusement[89].

★

Il n'est pas utile d'y insister, le fait est trop connu : la France qui, au sortir de la guerre, n'avait plus les moyens de la puissance, voulut en conserver l'apparence[90]. Le gouvernement provisoire présidé par le général de Gaulle envoya l'armée reprendre pied en Indochine et s'il fallut renoncer au mandat sur la Syrie et le Liban, la troupe noya dans le sang le soulèvement de Sétif, le 8 mai 1945. Les Britanniques nourrissaient la même ambition que les Français, mais les anciennes puissances européennes ne disposaient plus, après deux guerres mondiales, des ressources nécessaires à l'hégémonie, d'autant que la mobilisation des soldats dans tout l'empire et les promesses faites par les dirigeants alliés avaient sonné le glas du colonialisme à la mode du XIXe siècle. Si les Anglais se retirèrent d'une partie de leurs possessions en espérant prendre pied dans des régions désormais plus intéressantes d'un point de vue stratégique ou économique, il n'en fut pas de même pour les Français, contraints d'abandonner successivement l'Indochine après une guerre coûteuse, le Maroc et la Tunisie ensuite. L'empire s'en allait en lambeaux.

Ce n'est pas que les Français étaient si attachés à ces conquêtes, mais perdre les colonies après tant d'épreuves et de défaites avivait encore le sentiment du déclin.

Dans l'armée, l'humiliation était encore plus vive. Après le désastre de 1940 dont la participation des troupes françaises à la dernière phase de la guerre n'avait nullement effacé le souvenir, il y avait eu coup sur coup l'Indochine, le retrait de Tunisie et du Maroc, enfin l'affaire de Suez où un succès militaire s'était soldé par un fiasco diplomatique : « Notre orgueil, cet épiderme du soldat, était douloureux[91]. »

Les militaires avaient le sentiment de se sacrifier pour rien, d'être envoyés au combat sans instructions claires par des gouvernements éphémères qui ne les soutenaient pas vraiment et se tenaient même prêts à les abandonner et les trahir à la première occasion. Ils n'ignoraient pas non plus combien la lutte qu'ils menaient pour le salut de l'empire était mal vue non seulement à l'étranger, mais en France même où l'on avait assez entendu parler de la guerre et où l'on ne comprenait pas très bien pourquoi il fallait combattre et se sacrifier pour une poignée de profiteurs qui tiraient grassement parti des colonies ou pour les hordes de pouilleux qui les habitaient. Plus les militaires se sentaient abandonnés et mal aimés, plus ils prenaient à cœur leur mission, persuadés de servir autant les intérêts des populations locales que ceux de la France. Ils avaient la conviction de travailler à la construction d'une société où tous, colons et autochtones, vivraient en harmonie. Ces hommes de guerre avaient la tête pleine de songes où un patriotisme fervent se mêlait souvent à un catholicisme non moins profond. Il faut lire les Mémoires d'Hélie de Saint Marc pour comprendre combien les événements de la guerre d'Indochine et leur tragique issue furent pour ces officiers patriotes imbus de leur mission plus qu'une humiliation : un crève-cœur, un « arrachement », dira Saint Marc, au point d'avoir eu ensuite le sentiment de « vivre en exil » loin d'un pays, le Vietnam, où pourtant il n'était pas né[92].

Or, les événements d'Indochine se répétaient maintenant en Algérie, presque sans transition et en pire : une guerre mal aimée, une sale guerre face à de plus sales adversaires que ceux combattus en Indochine, conduite sous l'égide de gouvernements faibles qui semblaient ne vouloir ni l'indépendance ni l'intégration et ne croyaient pas davantage au maintien du *statu quo*, ne faisant finalement la guerre et n'y investissant des moyens considérables que pour aussitôt en ruiner le bénéfice par leur indécision.

Il faut dire que l'Algérie n'était ni l'Indochine, ni la Tunisie, ni le Maroc, ni aucune de ces colonies où la France avait essaimé de petites communautés d'expatriés sans commune mesure avec le million d'Européens qui s'étaient, depuis un siècle, établis sur place. L'Algérie se rattachait à un autre type, celui des colonies de peuplement. Elle n'était pas la première de ce genre, dont les plus connues avaient donné naissance aux Etats-Unis. Certains, en France, avaient rêvé pour l'Algérie d'un destin comparable à celui des colonies anglaises de l'Amérique du Nord. Ainsi Thiers, qui déclarait en 1836 en demandant que l'on soutînt l'effort de guerre :

> La gloire que nous recherchons [en Algérie], c'est d'y faire un grand et magnifique établissement où la France appellera tous les Européens qui voudront trouver la justice à côté de la force, qui voudront y trouver dans des malheurs nationaux, dans des temps de proscription, un de ces grands et nobles asiles qu'au XVIe et au XVIIe siècle on trouvait dans le nord de l'Amérique, et qui y ont créé une prospère et puissante nation. Si cet avenir, que j'ai entrevu pour mon pays, venait à s'y réaliser, si je voyais l'Afrique devenir le berceau d'une magnifique nation voisine de nos rivages, je ne regretterais pas la perte de quelques hommes et même la perte de quelques-uns de nos concitoyens[93].

Mais on n'avait jamais vu une colonie de peuplement établie si près de la métropole et au sein d'une contrée qui, au moment de la conquête, en 1830, n'était pas un territoire vide d'habitants et dépourvu d'histoire. La régence d'Alger était une ancienne province ottomane, certes plus fruste et insoumise que ses voisines, mais qui avait connu le joug de l'administration turque et se trouvait adossée à une religion qui lui conférait une identité et lui donnait des lois. Rien à voir donc avec les peuples indiens de l'Amérique du Nord ou, plus tard, les Aborigènes d'Australie que les conquérants, forts de la dispersion sur un vaste espace de ces peuples épars, de leurs divisions et de leur faible degré de développement technique, purent aisément exproprier, reléguer dans des contrées inhospitalières et finalement exterminer[94]. Certes, l'Algérie ne comptait que 3 millions d'habitants en 1830 : c'était encore trop. Même Bugeaud, qui avait eu la main lourde lorsqu'il commandait les troupes chargées de la conquête, ne put en venir à bout. Et puis, les Français étaient ambitieux. Ils portaient dans leurs aventures lointaines, où l'appât du gain n'était certes pas absent, loin de là, l'esprit de la Révolution française, universaliste et émancipateur. Le « soudard » Bugeaud appelait forcément le « politique » Lamoricière, et une politique de guerre à outrance des mesures pour pacifier et organiser les relations entre colons et colonisés de manière qu'un équilibre pût s'instaurer[95].

Dans cette histoire qui de bout en bout fut tragique, l'occasion, la seule, fut manquée lorsque la défaite de 1870, en emportant le Second Empire, mit un terme à la politique que Napoléon III s'était efforcé de promouvoir sur place, bien loin de la colonisation brutale de l'époque de la monarchie de Juillet et de la spoliation qui devait caractériser la politique coloniale de la République[96].

La France en Algérie, c'était un peu les Boers en Afrique du Sud, sans la ségrégation inscrite dans le droit, sans l'apartheid, même si tous les historiens ont insisté sur l'immense hypocrisie que recouvraient en 1958 les promesses d'intégration complète des populations européenne et musulmane. Les officiers chimériques de l'armée croyaient certainement à l'intégration : ils avaient la conviction de défendre et d'aimer l'Algérie « pour elle-même » comme ils avaient eu celle de défendre et d'aimer l'Indochine pour elle-même, et non pour y maintenir la domination de la métropole ou protéger les intérêts des colons[97]. Le mot d'ordre de l'intégration venait même d'eux, et si les Français d'Algérie s'en emparèrent alors, c'était tout simplement parce qu'ils ne pouvaient pas exprimer le motif réel de leur révolte : la double crainte d'une défaite militaire et de réformes qui mettraient fin à ce *statu quo* qu'ils avaient défendu contre toutes les politiques qui, depuis Napoléon III, s'étaient efforcées d'introduire dans ce pays un peu plus de justice[98].

C'était un chœur unanime : « L'Algérie, c'est la France[99] ! » Combien de responsables le croyaient vraiment, eux qui n'ignoraient ni l'isolement de Paris sur la scène internationale, ni la montée irrésistible des idées d'autodétermination, ni le déséquilibre démographique toujours croissant entre populations européenne et arabe[100], qui ne laissaient guère de doutes sur l'issue finale de la guerre déclenchée en 1954 ? Ils n'étaient que trois, dira Raymond Aron : Georges Bidault,

Jacques Soustelle et Michel Debré[101]. Aron exagère, mais ils n'étaient pas beaucoup plus nombreux et le nom du général de Gaulle ne figurait certainement pas sur la liste.

C'est pourtant bien en vertu de ce principe « intangible » auquel personne ou presque ne croyait[102] que des troupes toujours plus nombreuses furent dépêchées pour écraser l'insurrection – un demi-million de soldats présents sur le terrain en 1958 –, armée vite démoralisée par l'absence de soutien d'une opinion métropolitaine d'emblée hostile à cette guerre et travaillée de surcroît par des courants qui, faute de pouvoir rallier ouvertement le camp des tueurs du FLN, dénonçaient les « exactions » commises sur place par les militaires[103] ; démoralisées aussi par les silences, les petites phrases, les allusions à des négociations qui démentaient les professions de foi martiales sur l'avenir de l'Algérie et faisaient craindre aux plus lucides une trahison prochaine. Du côté des pieds-noirs, l'heure était également à la défiance et à l'angoisse d'être trahis. On était au début de 1958[104].

★

Le bombardement de Sakhiet, en territoire tunisien, le 8 février, en représailles de la protection accordée aux combattants du FLN, et les protestations internationales qui s'ensuivirent marquèrent le déclenchement de la crise. Le gouvernement dirigé par Félix Gaillard fut renversé le 16 avril et, après trois semaines de tractations infructueuses, le président de la République, René Coty, fit appel à Pierre Pflimlin dont plusieurs déclarations avaient convaincu les Français d'Algérie qu'il était du parti des « liquidateurs ». Ne s'était-il pas prononcé en faveur de négociations et d'une solution politique, à condition que le rapport des forces penchât préalablement du côté de la France ? Ces propos, tenus devant le conseil général du Bas-Rhin et rapportés par la presse, avaient provoqué un tollé. Lorsqu'on apprit sur ces entrefaites l'exécution de trois soldats otages du FLN, Alger prit feu.

Le général de Gaulle affirmera dans ses *Mémoires d'espoir* n'avoir pris aucune part aux événements qui le ramenèrent au pouvoir :

> J'étais, alors, complètement retiré, vivant à la Boisserie dont la porte ne s'ouvrait qu'à ma famille ou à des personnes du village, et n'allant que de loin en loin à Paris où je n'acceptais de recevoir que de rares visiteurs. [...] [La grave crise] qui éclata, le 13 mai, à Alger ne me surprit [...] nullement. Cependant, je ne m'étais mêlé d'aucune façon, ni à l'agitation locale, ni au mouvement militaire, ni aux projets politiques qui la provoquaient, et je n'avais aucune liaison avec aucun élément sur place ni aucun ministre à Paris[105].

Cette version officielle – Cincinnatus rappelé pour sortir la France de l'impasse – fut échafaudée dès l'époque des événements, et en 1962 le Général affirmait encore à Alain Peyrefitte : « Je n'ai été pour rien dans l'insurrection d'Alger. Je n'ai rien su de ce qui s'y préparait avant le 13 mai : j'ai été informé de ce qui s'y passait comme tout le monde, par la radio[106]. » Commentaire d'Olivier Guichard, à qui Peyrefitte rapportait ce propos : « Il ne manque pas d'air[107] ! »

Si l'hypothèse des *13 Complots du 13 mai*[108] fut lancée au lendemain des événements pour mieux noyer le poisson, comme si toutes les intrigues qui agitaient Alger étaient autant de vrais complots, il n'y eut en mai 1958 qu'un seul *vrai* complot, c'est-à-dire pourvu de notables chances de succès : celui fomenté par un quarteron de gaullistes avec au moins l'assentiment du Général. L'une des grandes qualités de ce dernier fut d'avoir été toujours, pour parler comme Machiavel, « grand simulateur et dissimulateur » :

> L'art du secret lui était familier, dira Pierre-Louis Blanc qui fut après 1967 le chef de son service de presse. De même qu'il tenait à entourer sa personnalité du voile du mystère, il savait élaborer ses plans sans que rien n'en transpire. Il montait des opérations où il mettait un nombre limité de collaborateurs dans la confidence, sans que se produisît la moindre fuite. [...] On lui fit reproche de cette manière d'agir. On l'accusa de ruse. Le mot a une résonance péjorative. Je préfère, pour ma part, dire qu'il avait le sens du stratagème[109].

L'isolement dans lequel il s'était trouvé après 1940 avait fortifié cet art de la dissimulation chez un homme qui souvent avait dû se couvrir d'un masque pour désarmer les oppositions et les méfiances. « La perfection évangélique ne conduit pas à l'empire[110] », avait-il écrit avant la guerre ; c'était d'autant plus vrai au moment où le recours à la ruse n'était pas de trop pour compenser la faiblesse de ses moyens, lui qui ne pouvait guère compter sur le soutien de l'armée où il avait peu d'amis, sur celui des Français dont beaucoup ne pensaient plus à lui, des pieds-noirs auxquels il n'avait pas pardonné de lui avoir préféré Giraud en 1943 et même de ses anciens partisans du RPF qui avaient pour la plupart tourné la page du gaullisme.

Depuis des mois il suivait jour après jour l'aggravation de la situation en Algérie et la déliquescence d'un régime manifestement incapable de faire face à une crise qui, cette fois, se révélait trop forte pour lui : « Je me tais, j'écoute, j'attends[111] », confiait-il à quelques proches. En à peine une année, pas moins de quatre gouvernements s'étaient succédé[112]. A cette valse s'ajoutait la difficulté de plus en plus grande de forger une majorité unie autour d'un projet politique : Bidault et René Pleven n'avaient-ils pas jeté l'éponge avant que Coty ne fasse appel à Pflimlin ? L'orage tant désiré par le Général approchait : « Il ne se passera plus longtemps avant qu'ils ne soient obligés de venir me chercher[113] », confiait-il à la fin de 1957 à son beau-frère Jacques Vendroux. Le régime s'écroulait, au point qu'une pichenette suffira pour le renverser au mois de mai. Le nom de De Gaulle recommençait à circuler, et pas seulement dans les colonnes du *Courrier de la colère*, le brûlot où Michel Debré appelait à sauver l'Algérie française et, pour cela, à « détruire le régime de capitulation[114] » ! C'était, après Georgette Elgey dans *Paris-Presse*, François Mauriac qui, dans *L'Express*, évoquait le Général avec des accents qui rappelaient sa ferveur de 1944[115], et, après Maurice Clavel dans *Combat*, Maurice Duverger qui, dans *Le Monde* du 7 mars 1958, titrait sa chronique : « Quand ? », comme si l'affaire était entendue[116]. De Gaulle sortait de l'ombre. Les 2 % de Français qui souhaitaient son retour au pouvoir étaient devenus 10, puis 11 %.

C'était un début, le signe que les choses imperceptiblement changeaient, de pair avec la faillite du régime.

Le carré des fidèles s'était rassemblé et mis en marche sous la houlette de lieutenants – Chaban-Delmas, Debré, Guichard, Foccart, Soustelle et quelques autres – dont on ne dira jamais assez qu'ils étaient venus à la politique par la guerre, à Londres ou dans la Résistance. Ils étaient rompus aux coups de main, familiers des illégalités, peu regardants sur les moyens, habitués à la clandestinité et au silence, si bien qu'il leur suffisait de quelques mots, d'un hochement de tête, d'un sourire entendu pour qu'ils se comprennent. Avec de pareils hommes, instructions et rapports étaient inutiles. Le secret serait bien gardé.

Le complot fut sans doute mis au point au mois de mars, entre le bombardement de Sakhiet et la chute de Félix Gaillard à laquelle Jacques Soustelle ne fut pas étranger. Léon Delbecque, un homme de ressources, courageux – il l'avait prouvé dans la Résistance –, aimant le risque, entreprenant, efficace, gaulliste à tous crins et qui fut ensuite à Alger au cœur de la conjuration[117], a confié à Odile Rudelle la teneur de l'entretien que lui accorda le Général le 6 mars 1958. On y voit comment de Gaulle encourageait ses interlocuteurs sans se compromettre, allant jusqu'à se récrier sur l'inutilité de leurs efforts. Delbecque évoquant un appel lancé par la population d'Algérie, ou par l'armée, ou par les deux, le Général accepterait-il dans cette éventualité de revenir « comme arbitre » ? Comme arbitre, s'insurgea de Gaulle, il n'en était pas question ! Mais si on l'appelait « à la tête des affaires du pays », alors il répondrait présent. Le fidèle grognard avait entendu ce qu'il souhaitait entendre. Se croyant encouragé à aller plus loin, il voulut entrer dans les détails du complot, mais de Gaulle le coupa net et lui conseilla de rester en contact avec Foccart. Il le retint pourtant, le temps de lui dire ce qu'il ferait une fois revenu au pouvoir et, comme il connaissait par cœur son Delbecque, il n'oublia pas de l'assurer qu'il aurait à cœur la « sauvegarde de l'Algérie[118] ». Odile Rudelle est un peu trop prudente lorsqu'elle écrit du Général qu'il ne prit qu'une part indirecte au complot : « Si le *complot* n'a pas été conçu et ordonnancé par le Général, celui-ci a laissé grandir autour de lui une *opération* menée par des acteurs dont certains, et non des moindres, pouvaient se targuer de cet *accord tacite* qu'il savait si bien donner[119]. » Olivier Guichard, Jacques Foccart, Jacques Chaban-Delmas, Roger Frey, Jacques Soustelle, tel est le cercle rapproché qui fut au premier rang et tenait, évidemment avec l'accord du Général, les fils des intrigues qui allaient aboutir aux événements de mai 1958. Il les encourageait à sa façon, écrivant par exemple au fidèle Pierre Lefranc, le 1er janvier 1958 :

> Pas plus que vous, je ne désespère de notre pays. Je doute seulement que, dans la conjoncture, quelque message que ce soit puisse retourner le cours des choses. Si l'ambiance venait à changer, alors, oui, il faudrait agir. Cette ambiance nouvelle, que ceux qui le peuvent la préparent dès à présent[120] !

Chaban-Delmas, alors ministre de la Défense dans le gouvernement Gaillard, joua un rôle décisif en dépêchant à Alger son directeur de cabinet… Léon Delbecque, justement. Tandis qu'à Paris les gaullistes se faisaient entendre, mobilisaient leurs partisans et recouvraient les murs d'affiches, à Alger Delbecque prenait des contacts, s'abouchait avec des militaires – Massu, l'un des rares officiers gaullistes, le pittoresque colonel Thomazo et d'autres –, des journalistes – Alain de Sérigny qui lancera dans *L'Echo d'Alger*, le 11 mai, l'appel fameux : « Parlez, parlez mon général ! » –, n'oubliant pas, enfin, de caresser dans le sens du poil les activistes de l'Algérie française. Delbecque avait réuni tout ce beau monde au sein d'un « Comité de vigilance » dont il tirait les ficelles et qui lui permettait d'avoir l'œil sur ce qui se tramait à Alger. Ce comité était, c'est vrai, « un véritable cheval de Troie[121] » qui devait en théorie permettre aux gaullistes d'utiliser les compétences des activistes sans pour autant les suivre dans leurs fumeux projets. Avant même que la crise n'éclatât le 13 mai, jour prévu pour le débat sur l'investiture de Pierre Pflimlin, les gaullistes se tenaient prêts. N'étaient-ils pas déjà assez forts pour organiser à Alger la manifestation du 26 avril en faveur de l'Algérie française qui fut en quelque sorte une répétition générale ? De Gaulle, lui, continuait de vaquer à ses occupations comme si de rien n'était. Célébrant à Colombey l'anniversaire du 8 mai, il avait déposé une gerbe au pied du monument aux morts, serré des mains et à un vieil homme qui lui disait que les événements « n'allaient pas fort » et se demandait si on allait le rappeler, il avait répondu : « Je ne sais pas si ça va encore assez mal[122]. » Deux jours plus tard, le couvercle de la marmite sautait.

★

Il est vrai que les événements s'écartèrent d'emblée du scénario prévu. L'invasion et l'occupation du siège du gouvernement général, sur le Forum, le soir du 13 mai, par les « durs » de l'Algérie française qui rêvaient d'entraîner les militaires dans un coup d'Etat ne figuraient pas au programme. On s'attendait plutôt à ce que, confrontée à cette manifestation hostile à Pflimlin qu'on annonçait massive, l'Assemblée nationale ne vote finalement pas la confiance. En février 1956, la mobilisation des Algérois contre le remplacement de Soustelle par Catroux au poste de gouverneur général n'avait-elle pas suffi pour faire plier Guy Mollet et le gouvernement ? Alors, le régime ayant abattu sa dernière carte, et perdu, les gaullistes entreraient en scène. Mais, le siège du gouvernement général étant tombé aux mains des rebelles, la manifestation de protestation destinée à faire pression sur Paris se transformait en sécession. Les militaires avaient cédé à la foule qui réclamait la formation d'un comité de salut public et la radicalisation du mouvement provoqua le raidissement de l'Assemblée, qui, dans la nuit, accorda l'investiture au gouvernement de la dernière chance. Les gaullistes avaient été débordés. Ce que de Gaulle espérait obtenir de l'écroulement d'un régime visiblement à bout de souffle, il allait le lui falloir conquérir en s'imposant en arbitre entre les deux camps, tout en étant appelé à grands cris par l'un et rejeté – plutôt mollement – par l'autre, mais sans pour autant tomber dans la dépendance de ceux qui, dès le 13 et le 14 mai, commencèrent à scander son nom à Alger.

C'est alors qu'on vit l'artiste en pleine possession de ses moyens, éblouissant comme il ne l'avait pas été en 1945-1946, trompant et ses adversaires et ses alliés, excitant en sous-main les seconds pour effrayer les premiers et persuadant les premiers que lui seul pouvait les défendre contre les seconds, tout en abattant ses cartes au moment opportun, car tout soutien se paye : non seulement son retour au pouvoir, mais à ses conditions, *via* la refonte des institutions dans le sens des principes développés à Bayeux en 1946. « Tout se passe en somme comme si de Gaulle, dira Maurice Agulhon, avait joué à la fois de la pression de l'armée d'Afrique, et de sa propre aptitude à la contenir, en sorte qu'il soit appelé par les uns comme le soldat, et par d'autres comme le barrage opposé aux soldats[123] ! » C'était du grand art.

★

Bonaparte a l'air d'un amateur comparé à de Gaulle. Dans sa biographie du Général, Jean Lacouture intitule le chapitre consacré à la crise de mai 1958 « Le 17 brumaire », comme si de Gaulle avait été si habile qu'il n'avait pas eu besoin de faire un 18 Brumaire[124]. Eric Roussel est plus juste lorsqu'il intitule le même chapitre « Technique du coup d'Etat[125] ». Si la question – coup d'Etat ou non ? – n'est pas dépourvue d'intérêt, ce n'est pas du point de vue des moyens, mais des résultats. De Gaulle consolida les institutions républicaines après 1958, tandis que l'on débat toujours pour savoir si Bonaparte, ayant accédé lui aussi au pouvoir par un « vrai-faux » coup d'Etat, fut ensuite le fossoyeur ou le continuateur de la Révolution. S'agissant des moyens, le 13 mai fut un 18 Brumaire parfait, non un 17 brumaire sans lendemain, mais un 18 Brumaire qui n'eut pas besoin d'un 19 et évita donc les couacs et les faux pas du coup d'Etat perpétré à la hussarde par Bonaparte. On le sait, en 1799, les conjurés, qui souhaitaient agir le plus « civilement » possible, avaient décidé d'étaler l'opération sur deux jours : le premier, le 18 brumaire, serait consacré à obtenir la démission des membres du Directoire, tandis que le second, le 19, verrait la réunion des assemblées à Saint-Cloud pour enterrer le régime sous la « protection » de l'armée et jeter les bases d'une nouvelle Constitution. L'étalement de l'opération manqua coûter cher à Bonaparte. Ses adversaires

– il en avait tout de même quelques-uns – prirent avantage de ce délai supplémentaire d'une nuit pour s'organiser et tenter de lui faire échec. *A priori*, le danger n'était pas très sérieux, mais Bonaparte manqua de l'extraordinaire sang-froid montré par de Gaulle, que rien, durant les journées fiévreuses de mai 1958, ne put arracher à ses habitudes. Trouvant que la république fondée par les thermidoriens mettait bien du temps à mourir, le conquérant des Pyramides voulut presser le mouvement en intervenant personnellement devant les députés réunis à Saint-Cloud. Mal lui en prit, il y eut des cris, on le bouscula ; on dit qu'il en fut si surpris qu'il s'évanouit et ce sont finalement les grenadiers de Murat qui dénouèrent la situation en chassant les représentants de leurs bancs. Rien de tel en 1958 où de Gaulle ne sortit de sa tanière qu'au moment décidé par lui et pour des interventions qui, chaque fois, infléchirent le cours des événements dans un sens qui, évidemment, lui était favorable.

Ni les rodomontades de Jules Moch, le ministre de l'Intérieur à qui la police n'obéissait plus, ni celles du ministre de la Défense Chevigné, qui affirmait vouloir réduire la rébellion alors que pas un régiment n'était prêt à ouvrir le feu contre les mutins[126], ni les cris d'orfraie de la presse ou ceux du bataillon des consciences démocratiques, ni les déclamations des députés, ni les maigres cortèges mobilisés par le PCF, ni les arrêts de travail ratés de la CGT n'amenèrent de Gaulle à perdre son sang-froid. L'indifférence de l'opinion métropolitaine l'encourageait dans sa détermination. Si elle ne détestait pas assez le régime pour le renverser, elle ne l'aimait pas suffisamment pour le défendre. Les échauffourées qui éclatèrent dans Paris ne concernaient que des minorités, communistes d'un côté, activistes d'extrême droite de l'autre. Les premiers jours, des kiosques avaient été pris d'assaut, des magasins dévalisés. On faisait des provisions, au cas où…, mais le 25 mai les Parisiens prirent leurs voitures pour quitter la capitale et profiter du week-end de la Pentecôte. Jules Moch parlera plus tard avec raison de « l'atonie de l'immense majorité de la population métropolitaine[127] », laquelle ne croyait guère à la menace du lâchage de parachutistes sur le Palais-Bourbon dont les journaux étaient remplis.

De Gaulle sortit une première fois de son silence le 15 mai, au lendemain de la fameuse déclaration du général Salan auquel Félix Gaillard, le chef du gouvernement démissionnaire, avait confié dans la nuit du 13 au 14 les pleins pouvoirs militaires et civils qu'il exerçait déjà de fait à Alger. Du balcon du gouvernement général, peut-être poussé par Delbecque, Salan avait crié « Vive le général de Gaulle[128] ! ». L'intéressé attendait, un communiqué dans la poche. Il le rendit public le soir même, se déclarant prêt « à assumer les pouvoirs de la République ». La stupeur fut au rendez-vous, même si tout le monde s'attendait à ce qu'il parlât. Toujours est-il qu'au moment où la révolte d'Alger était en quête de perspectives politiques pour sortir d'une confrontation avec le gouvernement qui eût finalement tourné à l'avantage de celui-ci, le message du Général donnait un nouvel élan au mouvement.

Il récidiva le 19 mai avec la conférence de presse du palais d'Orsay restée fameuse, où il posa ouvertement sa candidature au pouvoir tout en se défendant de vouloir l'obtenir en violant la légalité constitutionnelle. « Chef-d'œuvre de communication[129] », a-t-on justement dit. A un journaliste qui lui demandait ce qu'il entendait par « assumer les pouvoirs de la République », il répondit : « Les pouvoirs de la République, quand on les assume, ce ne peut être que ceux qu'elle-même aura délégués. » Il ne renverserait pas le régime, il attendrait que ses représentants lui confient le pouvoir. Le glorieux revenant se trouvait désormais au centre du débat dont l'enjeu n'était plus pour ou contre Pflimlin, mais pour ou contre de Gaulle. Bien sûr, on soupçonna des arrière-pensées, et aux garanties données – « Croit-on qu'à soixante-sept ans je vais commencer une carrière de dictateur ? » – on opposa le fait qu'il avait refusé de condamner la révolte des militaires d'Alger. On ignore dans quelle mesure de Gaulle fut impliqué dans l'organisation de l'opération « Résurrection » destinée à déclencher une intervention de l'armée en métropole au cas où la persuasion ne suffirait pas, et qui connut un début d'exécution lorsque les parachutistes s'emparèrent le 24 mai de la préfecture d'Ajaccio. Le Général n'eut aucun contact avec les officiers venus d'Alger, le 17, pour se concerter avec le commandement à Paris, mais c'est lui qui, le jour de la conférence de presse, demanda la suspension de l'opération, le temps de voir ce que ses déclarations et les engagements qu'il avait pris envers la classe politique allaient donner. L'extension de l'insurrection algéroise à la Corse, la capitulation de Pflimlin, qui, le 25, opposa une fin de non-recevoir à ceux de ses ministres qui évoquaient une reconquête armée de l'île, enfin l'offre de ralliement qui lui vint sous la forme d'une lettre de Guy Mollet déterminèrent le Général à franchir le Rubicon. Scène inouïe que celle d'un militaire à la retraite et ancien chef du gouvernement « convoquant » par l'intermédiaire du préfet de la Haute-Marne le président du Conseil de la République ! Scène plus inouïe encore que celle offerte par Pierre Pflimlin se rendant à l'invitation du Général, en pleine nuit, pour un entretien qui, évidemment, ne déboucha sur rien ! Mais le chef d'orchestre se chargea dès le lendemain 27 mai de donner à cette rencontre une suite de son cru en annonçant publiquement qu'il avait « entamé [...] le processus régulier nécessaire à l'établissement d'un gouvernement républicain capable d'assurer l'unité et l'indépendance du pays », se payant même le luxe de donner aux responsables militaires en Algérie l'ordre de tenir leurs troupes. Pflimlin tomba des nues. De Gaulle l'avait joué. Cette fois, il y avait bel et bien coup d'Etat, et si le Général sentait le vent tourner en sa faveur, il lui fallait se protéger d'une improbable réaction de cet « Etat manchot[130] », sans police et sans armée, en relançant « Résurrection » qu'il avait fait suspendre quelques jours plus tôt. Le 28, il reçut même le général Dulac, envoyé par Salan, pour s'assurer qu'en cas d'intervention militaire ce dernier assumerait lui-même le commandement des opérations. « Je ne veux pas apparaître tout de suite, expliqua de Gaulle, pour ne pas sembler revenir du seul fait de cette action de force. » Et raccompagnant Dulac, il lui dit pour finir : « Il faut sauver la baraque[131] ! »

Le soir même, de Gaulle recevait à Colombey les présidents des deux assemblées, Monnerville et Le Troquer, venus s'entretenir avec lui à la demande du président Coty. Une nouvelle fois, rien ne sortit de ces discussions. Quelques heures plus tard, Guichard appelait Salan, lui donnant le feu vert pour déclencher le coup de force militaire. Le contrordre ne tarda pas : Coty venait de faire savoir qu'il allait adresser un message au Parlement. Invité par le chef de l'Etat à venir le voir afin d'examiner ensemble « ce qui, dans le cadre de la légalité républicaine, est immédiatement nécessaire à un gouvernement de salut national et ce qui pourra, à échéance plus ou moins proche, être fait ensuite pour une réforme profonde de nos institutions[132] », de Gaulle avait gagné.

L'entrée en scène de René Coty, « ce vieux et bon Français[133] », qui dénoua la crise au profit du Général, est un autre trait qui apparente le 13 Mai au 18 Brumaire. Comme Bonaparte avait renversé le Directoire avec l'appui de deux des cinq Directeurs – Sieyès et Roger Ducos –, de Gaulle vint à bout de la IVe République avec l'appui discret de Coty, qui, n'ayant vraisemblablement jamais cru à la pérennité des institutions[134] – comment aurait-il pu oublier les circonstances calamiteuses qui avaient entouré son élection, en 1954, après treize tours de scrutin ? –, en précipita la chute. On peut notamment s'interroger sur les raisons qui poussèrent le président à solliciter Pierre Pflimlin pour former le nouveau gouvernement. Avait-il voulu « vider l'abcès » et jouer une dernière carte injouable avant d'en venir à de Gaulle et de mettre la clé sous la porte[135] ?

Au soir du 19 brumaire, Bonaparte, rentré chez lui rue de la Victoire, avait dit à son secrétaire avec la mine de celui qui vient de remporter une victoire : « Bonsoir, Bourrienne… A propos, nous coucherons demain au Luxembourg[136]. » Le général de Gaulle, regagnant l'hôtel La Pérouse après la séance d'investiture à l'Assemblée, le 1er juin 1958, avait lui aussi le sentiment d'avoir fait ses adversaires échec et mat, et c'est au portier de l'hôtel qu'il réserva sa première réaction de triomphe : « Eh bien, Albert, j'ai gagné[137] ! »

★

Mais, entre le 18 Brumaire et le 13 Mai, il n'y a pas que des ressemblances, il existe aussi une différence, essentielle, considérable : si Bonaparte fut, dans l'exécution, inférieur à de Gaulle, il avait sur celui-ci l'avantage d'avoir eu le choix de ses alliés.

Au retour d'Egypte, Bonaparte avait adopté la règle de conduite déjà suivie en revenant d'Italie, deux ans plus tôt : ne pas se départir d'une discrétion toute républicaine qui, sans le préserver des soupçons, le mettait à l'abri de toute accusation formelle. Il restait chez lui, rue de la Victoire, évitait les sorties. Mais s'il n'allait pas à la foule, la foule venait à lui. C'était un défilé quasi ininterrompu de visiteurs : vieilles connaissances, vétérans de la campagne d'Italie, écrivains et artistes avides d'approcher le « héros », collègues de l'Institut et de l'armée, sans oublier ces « avocats », députés ou journalistes, que le général accablait ordinairement de ses sarcasmes. Le Paris politique, le Paris militaire et le Paris intellectuel avaient élu domicile chez lui. Le gouvernement même semblait y avoir établi son siège, passant de la rive gauche à la rive droite de la Seine, puisque les ministres venaient l'entretenir des affaires du jour. Roederer écrit justement que « sans s'arrêter à l'idée de lui déférer l'autorité supérieure, tout le monde la lui reconnaissait ; il l'avait réellement ; il ne l'exerçait pas, mais aucun autre ne l'exerçait sans son assentiment[138] ». Bonaparte était une puissance à lui tout seul, à qui il avait suffi de paraître pour que l'Etat fût frappé d'une sorte de paralysie. Le gouvernement ne gouvernait plus, les partis eux-mêmes retenaient leur souffle et regardaient vers cet homme qui apparaissait à tous, dira un témoin, comme « le soleil levant ». Tout paraissait suspendu aux initiatives qu'il prendrait. Il était tacitement admis qu'il détenait, et lui seul, le secret de l'avenir.

Tous les partis le sollicitèrent. Il avait l'embarras du choix : Barras, qui depuis cinq ans présidait de fait aux destinées de la République, souhaitait s'allier avec celui dont il avait été, en quelque sorte, le Pygmalion[139], pour réformer avec son appui une constitution, celle de 1795, dont il savait par expérience qu'elle ne durerait pas. Sieyès, l'autre pilier du gouvernement, aurait préféré perpétrer le coup d'Etat qu'il préparait avec un militaire de moins de relief, et l'insignifiant Joubert lui avait semblé l'instrument idéal. Mais Joubert s'était bêtement fait tuer en Italie et le retour impromptu de Bonaparte ne laissait plus à Sieyès le choix de son « épée ».

Le coup d'Etat se ferait avec Bonaparte, ou ne se ferait pas. Quant à ceux que l'on appelait les « néojacobins », ils eussent aimé que l'ancien protégé des frères Robespierre appuyât de son autorité la politique de salut public qu'ils prônaient. Barras ? Bonaparte hésita. Il ne pouvait oublier que le Directeur lui avait toujours « témoigné de l'amitié ». Et puis, c'était un ancien militaire. Ils appartenaient au même monde, ils se comprenaient. Mais, d'un autre côté, celui qu'on appelait « le roi du Directoire » était devenu le symbole détesté d'un régime discrédité. Tandis que le poids des habitudes jouait en faveur de Barras, la raison plaidait contre lui. Toujours pragmatique, Bonaparte lui tourna le dos. Au fond, il savait depuis le début que c'était avec Sieyès et les républicains modérés qu'il s'allierait. Les Jacobins ? Il est vrai que son propre passé plaidait en leur faveur. Après tout, n'avait-il pas été, et ne restait-il pas, du parti de Robespierre ? Mais les Jacobins étaient impopulaires pour avoir imposé pendant l'été 1799 des mesures qui rappelaient fâcheusement les mauvais jours de 1793 : arrestation d'otages et impôt sur les riches... Surtout, Bonaparte savait, pour les connaître, qu'ils seraient d'incommodes alliés : « Après avoir vaincu avec eux, dira-t-il, il m'eût fallu aussitôt vaincre contre eux[140]. » C'était assez pour les écarter. Sieyès n'avait aucun de ces inconvénients ; il présentait même de sérieux avantages : s'il n'était pas populaire, il comptait de nombreux partisans dans les assemblées, il disposait d'un plan pour renverser le régime et d'un projet politique qui rencontrait en partie les préoccupations du général. Ils s'entendaient sur la nécessité de terminer la Révolution en garantissant les intérêts qu'elle avait fait naître tout en réprimant les éventuelles tentatives pour l'étendre au-delà de ce qu'elle avait déjà réalisé. Ni contre-révolution, ni nouvelle révolution, tel était leur mot d'ordre commun, même si cet accord sur les fins ne préjugeait nullement d'une communauté de vues sur les moyens : Sieyès entendait réformer les institutions républicaines pour les améliorer, Bonaparte capter pour son seul profit l'héritage de la Révolution. La profondeur du malentendu apparaîtrait bientôt, mais pour le moment les deux ténors – l'homme d'Etat et l'homme de l'Etat – visaient les mêmes objectifs. Et puis, Sieyès et ses semblables, vieux révolutionnaires assagis et enrichis, avaient en grande partie perdu leur énergie de 1789. Le besoin du repos les rendait à la fois peu dangereux et malléables. Bonaparte savait que le moment venu, il pourrait facilement se débarrasser d'eux.

Le général de Gaulle n'eut pas cette chance. Pour qu'il se trouvât dans une situation comparable à celle de son illustre devancier, il eût fallu que le président Coty lui ait déféré le pouvoir avec l'accord d'une majorité de parlementaires, et que Guy Mollet et Georges Bidault lui aient prêté leur concours pour neutraliser les communistes, Mitterrand et Mendès France. C'est bien de cette façon que la crise de mai 1958 se termina, entre le 29 mai et le 1er juin. Mais, pour en arriver là, le Général fut contraint de se reposer sur des forces, partisans civils et militaires de l'Algérie française, dont il devait craindre qu'*après avoir vaincu avec elles, il lui faudrait vaincre contre elles.*

★

On s'interroge toujours, et l'on s'interrogera longtemps encore, sur ce que pensait le Général de l'Algérie et de son avenir à la veille de prendre le pouvoir.

Jean Lacouture forme l'hypothèse qu'il n'excluait aucune solution hors celles de l'indépendance et de l'intégration[141]. Quant à celle-ci, il la tenait pour une chimère, compte tenu des différences impossibles à réduire qui existaient entre musulmans et Français et tenaient à l'histoire, aux coutumes, aux croyances, aux perspectives démographiques. Faire de 9 millions de musulmans des Français à part entière ? Chacun connaît les propos qu'il tint à Alain Peyrefitte qui lui demandait pour quelle raison il ne prononçait jamais ce mot d'« intégration » si cher depuis 1958 aux pieds-noirs et plus encore aux militaires :

> Parce qu'on a voulu me l'imposer, et parce qu'on veut faire croire que c'est une panacée. Il ne faut pas se payer de mots ! C'est très bien qu'il y ait des Français jaunes, des Français noirs, des Français bruns. Ils montrent que la France est ouverte à toutes les races et qu'elle a une vocation universelle. Mais à

condition qu'ils restent une petite minorité. Sinon, la France ne serait plus la France. Nous sommes quand même avant tout un peuple européen de race blanche, de culture grecque et latine et de religion chrétienne. Qu'on ne se raconte pas d'histoires ! Les musulmans, vous êtes allés les voir ? Vous les avez regardés, avec leurs turbans et leurs djellabas ? Vous voyez bien que ce ne sont pas des Français ! Ceux qui prônent l'intégration ont une cervelle de colibri, même s'ils sont très savants. Essayez d'intégrer de l'huile et du vinaigre. Agitez la bouteille. Au bout d'un moment, ils se sépareront de nouveau. Les Arabes sont des Arabes, les Français sont des Français. Vous croyez que le corps français peut absorber dix millions de musulmans, qui demain seront vingt millions et après-demain quarante ? Si nous faisions l'intégration, si tous les Arabes et Berbères d'Algérie étaient considérés comme Français, comment les empêcherait-on de venir s'installer en métropole, alors que le niveau de vie y est tellement plus élevé ? Mon village ne s'appellerait plus Colombey-les-Deux-Eglises, mais Colombey-les-Deux-Mosquées[142].

Ces propos passent aujourd'hui pour choquants[143]. Replacés dans leur contexte, ils témoignent en fait seulement de ce que le Général, comme le fit observer Jean Daniel dans un recueil des chroniques qu'il avait publiées dans *L'Express* sur la tragédie algérienne, était par principe « respectueux de la nationalité des peuples[144] » ; il ne pensait pas, comme le soutenaient au contraire certains de ses partisans, Debré et Soustelle en tête, qu'il n'y avait « aucune différence entre un paysan cévenol et un paysan kabyle[145] » et qu'on pouvait donc leur donner la même patrie. De Gaulle pensait au contraire que le paysan kabyle avait le droit de vivre selon ses croyances et ses coutumes et qu'on ne pouvait, sans une violence impossible à justifier, l'arracher à son histoire pour lui en donner artificiellement une autre qui n'était pas, ne pouvait être et ne serait jamais la sienne[146]. Soustelle se rattachait à la tradition du colonialisme universaliste et émancipateur qui s'était incarnée en Jules Ferry[147] ; de Gaulle appartenait à une autre lignée qui, elle, n'avait jamais communié dans le culte de l'empire. Pour ce courant, patriote et nationaliste, qui venait de loin puisqu'on pourrait remonter aux physiocrates du XVIIIe siècle pour en trouver la première expression[148], les aventures lointaines étaient nées d'une défaite, celle de 1815, qui avait mis un terme aux ambitions hégémoniques de la France en Europe. On était allé chercher outre-mer la suprématie qu'on n'était plus capable d'imposer au Vieux Continent. Etendre l'influence de la France en Afrique ou en Asie revenait, disaient certains, de Maurras à Clemenceau, à se tromper de priorité, sacrifier l'essentiel – la revanche contre l'Allemagne et la reconquête de l'Alsace et de la Lorraine – au profit d'une politique qui coûtait plus qu'elle ne rapportait[149]. Le Général connaissait l'Afrique du Nord et le Proche-Orient où il avait été en poste – à Beyrouth – de 1929 à 1931. A ce moment déjà, il avait mesuré la fragilité de la présence française dans ces territoires étrangers à tous points de vue : « Mon impression est que nous n'y pénétrons guère, écrivait-il en juin 1930, et que les gens nous sont aussi étrangers (et réciproquement) qu'ils le furent jamais. » L'alternative était, selon lui, entre le recours à la force pour maintenir une domination qui ne serait jamais acceptée, et le départ[150]. Son séjour en 1943 à Alger – ville plutôt vichyste alors – ne changea pas son opinion.

Alors, l'indépendance ? Comme chef de la France libre, puis du gouvernement provisoire de 1945, il avait adopté une autre ligne de conduite que l'on devait encore retrouver dans les discours de l'époque du RPF : le maintien de l'intégrité de l'empire assorti de réformes. Tandis qu'il ordonnait aux responsables militaires sur le terrain de se montrer fermes – la répression qui suivit le soulèvement de Sétif et de la région de Constantine en mai 1945 montra que ces ordres avaient été entendus –, il promulguait l'ordonnance du 7 mars 1944 qui, après le discours de Constantine (12 décembre 1943), ouvrait la perspective de changements au bénéfice de la population musulmane. A Bordeaux le 15 mai 1947 – il n'était plus au pouvoir –, il prononça un vibrant éloge de « l'œuvre magnifique de la France au-delà des mers » dont un Soustelle n'eût assurément pas retranché un mot : en Algérie, à Madagascar, en Afrique noire, « la France tyrannique ? […] La France coupable ? ». Non, « la France généreuse, tutélaire, libérale », qui faisait « avancer à grands pas vers la lumière soixante millions d'humains[151] » ! A Alger, un peu plus tard, il revenait sur la question, dénonçant par avance toute mise en cause des droits de la France sur l'Algérie[152]. Mais déjà il avait développé, depuis le fameux discours de Brazzaville dans lequel il plaidait en faveur d'une participation accrue des colonisés à la gestion de leurs intérêts, une autre réflexion sur les relations entre la métropole et ses colonies qui, après s'être arrêtée à l'idée d'une relative autonomie, devait aboutir à l'ambition d'une refonte plus profonde, non sans rapport avec ce que Napoléon III avait voulu pour l'Algérie, qui substituerait au système de la domination coloniale hérité du XIXe siècle un système nouveau « d'association libre et contractuelle[153] » entre des communautés égales en droits et préservant chacune sa personnalité propre. Cette perspective, développée devant ses interlocuteurs assez fréquemment pour qu'on puisse la considérer comme l'expression de sa pensée véritable, devait être la sienne : si l'empire devait subsister, ce ne pouvait être que sous la forme d'une sorte de Commonwealth fondé sur des engagements réciproques qui supposaient, par définition, que chacun des contractants fût reconnu comme une personne indépendante. A mesure que le temps passait, sa foi dans la possibilité d'une association au sein d'un même ensemble politique diminua. Il se gardait évidemment de tout aveu public, mais les confidences à ses proches sont suffisamment nombreuses pour témoigner du fait qu'en 1956 ou 1957 il avait acquis la conviction que, tôt ou tard, l'Algérie deviendrait indépendante, surtout si un gouvernement investi de l'autorité nécessaire – sous-entendu lui-même – ne prenait pas les choses en main[154]. Dès lors, le devoir de l'Etat était de céder volontairement ce qu'on finirait par lui arracher de force ou par obtenir de sa faiblesse, de rabattre ses ambitions et, sans se payer de chimères telles que la politique d'intégration prônée par Soustelle et les militaires, sans vouloir non plus le strict maintien du système colonial ou une association fédérale dont l'heure était peut-être déjà passée, de s'efforcer de maintenir des liens confédéraux avec l'Algérie où les événements avaient depuis le soulèvement de Sétif en 1945 enraciné le sentiment national[155]. Sans doute n'avait-il pas, comme il le dira, de « plan rigoureusement préétabli ». Il hésitait, s'interrogeait, s'adaptait selon son habitude à des circonstances changeantes.

Toutefois, il en avait arrêté « les grandes lignes[156] ». Ce qu'il pouvait écrire à Soustelle en 1956 sur les investissements qu'il faudrait faire pour détourner l'Algérie de la voie de l'indépendance – propos du reste pas aussi clairs que son interlocuteur voulut le croire[157] – n'avait aucune espèce d'importance : de Gaulle savait combien Soustelle s'était pris pour l'Algérie d'une passion romantique. Le Général était plus proche, en 1957, de Raymond Aron, qui, dans *La Tragédie algérienne*, prédisait au grand dam des hommes politiques de tous bords la fin de l'Algérie française, que des thèses développées un peu plus tôt par son lieutenant dans *Aimée et souffrante Algérie*[158].

Après mai 1958, les partisans de l'Algérie française, et singulièrement ceux d'entre eux qui étaient gaullistes, se sentirent trahis, floués, abusés, victimes, écrira Lacouture, d'une « immense, patiente et infernale duperie[159] ». Debré mangea son chapeau, Soustelle ne pardonna pas. La veille de son départ pour Alger et du fameux « Je vous ai compris ! », le Général reçut Léon Delbecque. Lorsque celui-ci évoqua son sujet de prédilection, il lui dit, goguenard : « L'intégration, Delbecque, ça n'a jamais tenu debout[160]. » Terrible douche froide pour cet homme qui avait vu en de Gaulle le sauveur de l'Algérie française.

Et pourtant, quelques jours après, il parla de l'Algérie comme d'une terre « organiquement française » et, à Mostaganem, il poussa le « cri sacré », comme on disait : « Vive l'Algérie française ! » Ses ennemis en déduisirent qu'il n'accordait aucun prix à la parole donnée, qu'il s'était servi d'eux pour revenir au pouvoir – ce qui n'était pas faux –, voire que tout cela n'avait pour lui aucune importance, puisqu'il était dépourvu de toute espèce de conviction, sauf en ce qui concernait l'accomplissement de son destin personnel :

> Il était aussi disposé à proclamer que l'Algérie était éternellement française qu'à reconnaître que sa vocation à l'indépendance était à considérer, écrira ainsi Jacques Laurent. [...] L'Algérie ne l'intéressait pas en soi. Il avait trop souffert dans son orgueil effréné, dans son ardeur infatigable pendant qu'il jouait les généraux en retraite à Colombey. Ce qui l'intéressait, c'était de garder

> le pouvoir. Le gaullisme est une pratique. Il n'y a ni doctrine, ni convictions, ni ligne de conduite gaullistes. En tiennent lieu le culte de soi-même pour le chef, et pour les autres le culte du chef[161].

C'est oublier que de Gaulle n'était pas le « représentant », le « mandataire » ou le « porte-parole » de ceux qui criaient « Vive de Gaulle ! » à Alger ou à Paris. Il s'était bien gardé de rien promettre. Du reste, si la tragédie algérienne fut le tremplin qui le ramena au pouvoir, la crise qu'à ses yeux il était appelé à dénouer était celle du régime, des institutions, de l'Etat dont l'impuissance à trouver une solution au problème algérien était le symptôme : la conséquence et non pas la cause. On ne peut dire cependant qu'il se moquait de l'Algérie. La preuve, c'est qu'il essaya dans un premier temps de sauver son idée d'une association dont il restait à déterminer la forme. Après le fameux mais paradoxal « Je vous ai compris ! » du 4 juin qui ouvrait la voie à l'autodétermination en annonçant une égalité politique qui, arithmétiquement, devait faire pencher la balance du côté de la population musulmane[162], il lança en octobre un vaste programme de modernisation de la colonie en même temps qu'il tendait la main aux insurgés – la « paix des braves » – et qu'il confiait au général Challe le soin de liquider militairement l'insurrection. C'était de la grande politique. Sans doute n'y croyait-il qu'à moitié et avait-il au fond de lui-même le sentiment, comme il l'avouera dans ses *Mémoires d'espoir*, qu'il était revenu pour « fermer un grand livre d'Histoire[163] », celui de l'épopée coloniale française. S'il le fallait, il le ferait, dans l'intérêt de la France et sans se soucier de ses prétendus « alliés ».

Tout comme en 1944, après la Libération, il avait traité fort durement ces résistants plus ou moins authentiques qui n'avaient pas compris que l'autorité de l'Etat étant de retour dans sa personne, leur rôle était fini, il avait vite remis à leur place tous ceux qui s'imaginaient que lui, général de Gaulle, autrement dit la France, avait contracté la moindre dette à l'égard des insurgés d'Alger. Il s'empressa, dira Jean Daniel, de « rompre le fil ténu avec les comploteurs qui l'avaient hissé au pouvoir » et de gommer « l'encre sympathique du pacte auquel les émeutiers prétendaient le lier[164] ». Entre lui et la foule rassemblée sur le Forum, il n'existait rien de semblable à ce « contrat conclu entre lui et la nation après le 13 Mai[165] » évoqué plus tard par Soustelle. De Gaulle ne parlera-t-il pas en 1962 du mouvement du 13 Mai comme d'une « entreprise d'usurpation venue d'Alger[166] » ? Il n'avait répondu à aucun appel, il ne cessera de le répéter[167]. En retrouvant le pouvoir et en investissant celui-ci de la légitimité qui lui était personnelle, il rentrait chez lui : ceux qui l'avaient aidé n'y entraient pas à sa suite. Ils n'y avaient pas leur place.

⋆

A la fin de 1959, après avoir rusé, y compris avec ses partisans, ses ministres et même le premier d'entre eux, Michel Debré, tous plus ou moins du parti de l'Algérie française, il changea brutalement d'orientation, annonçant le référendum sur l'autodétermination qui allait conduire, en mars 1962, à la signature des accords d'Evian. On a beaucoup critiqué la manière dont il mit fin à la tragédie algérienne, cette « boîte à chagrin[168] » disait-il, traitant avec le FLN – mais avec quels autres interlocuteurs aurait-il pu négocier ? –, abandonnant les Français d'Algérie à leur sort et, plus horrible encore, livrant les harkis désarmés à leurs bourreaux. Renoncer à l'Algérie était, pour parler familièrement, un sale boulot. On pourra reprocher éternellement à de Gaulle de l'avoir fait salement. Il était pressé d'en finir. Il y a, dans Peyrefitte, des scènes qui font mal au cœur.

Ainsi celle du 26 septembre 1962 où, contrairement aux pronostics rassurants sur le nombre des rapatriements dont le Général refusait d'admettre qu'ils étaient démentis par les faits, Peyrefitte, avec l'aval de Pompidou, mit sous ses yeux les rapports qui prouvaient que, sur un million d'Européens recensés en Algérie en 1960, déjà 800 000 avaient trouvé refuge en métropole, sans compter 15 000 harkis. Silence embarrassé autour de la table du Conseil des ministres. « Le général, se souviendra Peyrefitte, m'a laissé parler sans me quitter des yeux. Mais visiblement sans plaisir. » Les accords d'Evian signés six mois plus tôt, le dossier était clos. Lorsque de Gaulle ouvrit la bouche, ce fut pour dire : « Je me demande si vous n'exagérez pas un peu. » Pompidou lui ayant fait signe de ne pas insister, Peyrefitte se tut. Il revint pourtant plusieurs fois à la charge, sans susciter plus de réactions chez le Général. Enfin, c'était en novembre, il ne put se retenir de lui décrire les camps de réfugiés qu'il venait de visiter, leurs occupants hagards et perdus. Le jeune ministre sentit qu'il agaçait son interlocuteur, qui, soudain, explosa :

> Tout cela ne leur serait pas arrivé, si l'OAS ne s'était pas sentie parmi eux comme un poisson dans l'eau ! Ils ont été complices de vingt assassinats par jour ! [...] Ils ont saboté les accords d'Evian, qui étaient faits pour les protéger ! Ils ont déchaîné la violence, et, après ça, ils se sont étonnés qu'elle leur revienne en plein visage ! Alors, ils se sont précipités vers les bateaux et vers les avions comme des moutons de Panurge. N'essayez pas de m'apitoyer ! Cette page m'a été aussi douloureuse qu'à quiconque. Mais nous l'avons tournée. C'était nécessaire pour le salut du pays[169].

Ce n'était pas seulement injuste, c'était faux. On songe à Bonaparte refusant de faire grâce au duc d'Enghien. On comprend que de nombreux Français d'Algérie n'aient jamais pardonné la manière dont ils avaient été sacrifiés sur l'autel de la raison d'Etat. En conclusion, Peyrefitte prête à de Gaulle une douleur secrète, rentrée, qui ce jour-là était plutôt la sienne que celle de son interlocuteur[170]. Y avait-il, dans le cœur du Général, de la rancune contre les pieds-noirs qui ne l'avaient pas très bien accueilli à Alger en 1943[171] ? De l'indifférence envers les harkis qui n'étaient pas français à ses yeux ? Du ressentiment contre les militaires qui l'avaient, pour beaucoup d'entre eux, toujours regardé de haut et ne le considéraient pas comme l'un des leurs ? Sans doute un peu de tout cela. Maurice Druon en conviendra – tout en suggérant que l'amour de la France si puissamment enraciné dans le cœur du Général valait absolution : de Gaulle manquait parfois de magnanimité[172]. Pour le dire autrement, même lui n'était pas exempt de petitesse : il ne savait pas pardonner, et il en fut des pieds-noirs comme, plus tard, des putschistes de 1961 ou de Bastien-Thiry[173].

En définitive, l'explication ne réside pas seulement dans le tempérament du Général. A ses yeux, l'Algérie n'était qu'une pièce sur l'échiquier de la grandeur française. Elle avait fini par compromettre celle-ci. S'en délivrer n'était pas plus mal, d'autant que l'essentiel avait été préservé. Si les intérêts des Français d'Algérie avaient été sacrifiés, si la vie des harkis avait été comptée pour rien, la France avait conservé, par les accords d'Evian, le contrôle de l'exploitation des hydrocarbures et la possibilité de poursuivre ses essais nucléaires dans le Sahara[174]. Là réside l'explication de la dureté et de l'indifférence du Général. Il était revenu au pouvoir sur les épaules des tenants d'une conception dépassée de la puissance, qui identifiait celle-ci avec l'étendue du territoire et l'importance de la population. En accédant à l'arme atomique – le premier essai nucléaire eut lieu le 13 février 1960 –, la France se dotait d'un levier nouveau qu'aucune possession coloniale ne pouvait désormais conférer. Que pesaient, comparés à cela, les intérêts des pieds-noirs et la vie des harkis ? Puisqu'on a ouvert ce chapitre par une référence à Hegel, refermons-le en citant quelques autres lignes du philosophe allemand : « En poursuivant leurs grands intérêts, les grands hommes ont souvent traité légèrement, sans égards, d'autres intérêts vénérables en soi et même des droits sacrés. C'est là une manière de se conduire qui est assurément exposée au blâme moral. Mais leur position est tout autre. Une si grande figure écrase nécessairement mainte fleur innocente, ruine mainte chose sur son passage[175]. »

2

Place des grands hommes

Au grand jeu de la postérité, Napoléon et Charles de Gaulle font la course en tête. Les sondages l'attestent[1]. Ils n'ont pas de rivaux, personne ne leur dispute la place. C'est comme une échappée qui ne sera pas rattrapée de sitôt. Le peloton qui la suit est pourtant bien fourni. De Vercingétorix à Clemenceau et de Louis XIV à Gambetta, la liste est longue, très longue, des héros magnifiés ou controversés de l'histoire de France.

Toutes les nations, il est vrai, possèdent une collection du même genre où l'on trouve, pêle-mêle, figures de proue et héros, pères de la nation et législateurs, soldats et martyrs, chefs d'Etat et révolutionnaires, défenseurs ou sauveurs de la patrie, improbables parfois, inattendus souvent, auxquels des circonstances tragiques ont offert un destin et que la mémoire collective a consacrés. L'Angleterre peut s'enorgueillir de posséder Guillaume le Conquérant, Elisabeth Ire, Cromwell et Churchill, l'Allemagne Frédéric Barberousse, Frédéric II et Bismarck, la Russie Pierre le Grand, Catherine II et Alexandre III, l'Espagne Isabelle la Catholique, Ferdinand II d'Aragon et Charles Quint, l'Italie Laurent de Médicis, Garibaldi et Cavour, les Etats-Unis Washington, Lincoln et Roosevelt… A la liste des personnages historiques s'ajoute celle des artistes, des compositeurs, des philosophes, des écrivains et des poètes, sans oublier les figures légendaires qui enveloppent de brumes l'enfance de bien des nations : la *Chanson de Roland* en France, les (faux) chants épiques d'Ossian et du *Beowulf* en Angleterre, le cycle des *Nibelungen* en Allemagne, le *Romancero del Cid* en Espagne, la légende de Guillaume Tell en Suisse, sans oublier, disait Lamartine, le personnage à la fois réel et légendaire de George Washington en Amérique :

> La Providence semble ainsi se complaire à donner à chaque peuple libre, pour fondateur de son indépendance, un héros fabuleux ou réel, conforme aux sites, aux mœurs, au caractère de ces peuples : à un peuple rustique et pastoral comme les Suisses, un paysan héroïque ; à un peuple fier et soulevé comme les Américains, un soldat honnête homme ; deux symboles debout au berceau des deux libertés modernes pour personnifier leurs deux natures : ici, Tell avec sa flèche et sa pomme ; là, Washington avec son épée et ses lois[2].

Tous, fils de leur génie propre ou des circonstances, sont indissolublement liés, indispensables même, à l'histoire comme à l'identité de chaque peuple. On ne saurait en effet concevoir de nation sans le concours de ces figures fondatrices ou exemplaires qui en racontent les origines, en illustrent les vicissitudes et en incarnent les valeurs. Si la nation est plus qu'une association d'intérêts ou la simple expression d'une nature préexistante – linguistique ou ethnique –, si elle consiste avant tout, pour reprendre un texte fameux de Renan, dans « une âme, un principe spirituel », une réalité faite à la fois de « la possession en commun d'un riche legs de souvenirs » et du « désir de vivre ensemble, [de] la volonté de continuer à faire valoir l'héritage qu'on a reçu indivis[3] », alors les héros, historiques ou mythiques, y occupent une place de choix :

> Un passé héroïque, dit encore Renan, des grands hommes, de la gloire […], voilà le capital social sur lequel on assied une idée nationale. Avoir des gloires communes dans le passé, une volonté commune dans le présent ; avoir fait de grandes choses ensemble, vouloir en faire encore, voilà les conditions essentielles pour être un peuple[4].

De ce point de vue, l'Europe offrit un spectacle singulier après l'effondrement du bloc soviétique en 1989-1991. D'un côté, à l'Ouest, une crise conjointe des figures héroïques et nationales qui dure encore : elle nourrit « une sorte de millénarisme à l'envers, [...] une apocalypse sans éclat, sans espérance et sans messie qui emporte la notion même de grandeur » et, avec celle-ci, l'idée qu'une volonté humaine puisse être assez forte pour dominer les événements, infléchir le cours des choses, « incarner un idéal créateur, véhiculer des valeurs novatrices au point que tout un chacun puisse se reconnaître en lui [...] et l'élire comme inspirateur[5] ». Les sociétés occidentales sont en panne de grands hommes, on l'entend dire tous les jours et, à quelques exceptions près, la médiocrité générale du personnel dirigeant prouve assez la vérité de cette assertion. Au moment où l'Occident cessait d'être une « fabrique de héros », à l'Est l'élection de nouvelles figures de proue, ressuscitées de l'avant-communisme ou promues pour l'occasion, accompagnait la naissance des nations nouvelles et la renaissance de celles qui, après 1945, étaient tombées sous la coupe de l'URSS. Tandis qu'à l'Ouest les vieilles démocraties, délivrées d'un ennemi qui les avait longtemps fait trembler et s'imaginant désormais à l'abri de toute menace sérieuse, déposaient le fardeau de leur histoire, à l'Est les nations rajeunies affirmaient leur identité au travers de « figures charismatiques, véritables "héros nationaux" » :

> Dans leur foulée toute l'Histoire est réécrite comme celle d'une nation en souffrance et donc comme une chaîne ininterrompue de martyrs et de fondateurs [...], panthéon héroïque qui manifeste la continuité temporelle de la « collectivité des semblables ». Les nations, nouvelles ou renouvelées, ont donc, aujourd'hui encore, toujours besoin de leurs héros[6].

Saint Etienne et Kossuth en Hongrie, Kościuszko et Pulaski en Pologne, Lāčplēsis en Lettonie côtoient ainsi Kalevipoeg en Estonie et Vytautas le Grand en Lituanie. Du reste, l'une des caractéristiques les plus remarquables de la « construction » européenne réside dans l'absence d'un panthéon commun qui lui eût donné un visage et enseigné ce qu'elle était, et surtout ce qu'elle n'était pas. Mais précisément, l'Europe nouvelle, conçue comme l'antithèse et le dépassement des vieilles nations, se devait d'être sans visage, indéfinie dans ses limites comme indéterminée dans son histoire, afin de rester en perpétuel devenir, promise à une extension sans fin et accueillante à tous les peuples qui feraient, par leur seule adhésion, le choix d'un futur pacifique et fraternel, n'eussent-ils aucun ancrage dans l'histoire et la culture européennes. A défaut d'une galerie commune d'hommes illustres, l'Europe sans visage ni passé n'a que des billets de banque dépourvus d'effigie.

A la fin des années 1990, une enquête fut organisée dans six pays européens pour dresser la liste des grands hommes du continent. Sans surprise, les Français plébiscitèrent de Gaulle, les Anglais Churchill et Shakespeare, les Espagnols Cervantès et Picasso, les Italiens Léonard de Vinci et Garibaldi, tandis que les Polonais votaient en faveur de Copernic et de Marie Curie dont l'un des mérites était, à leurs yeux, qu'elle fût née à Varsovie. Mais seulement 3 % des Français citaient Winston Churchill parmi les grands Européens, tandis que pas plus de 2 % des Britanniques désignaient Charles de Gaulle[7]. Pour chacun des peuples consultés, l'Europe n'avait qu'un visage, celui de sa propre histoire, preuve éloquente de son absence d'« âme » et de « principe spirituel », autrement dit de son inexistence politique.

★

Son histoire donne à la France non pas un, mais mille visages. Paul Valéry disait même qu'elle offre « la plus belle collection de phénomènes au sens forain du terme » qu'on puisse imaginer :

> Napoléon, Clovis, Jeanne, Richelieu, Robespierre, etc. Nous avons l'histoire la plus fournie de grandes vedettes. Un musée de figures de cire. On pourrait en faire une représentation de gala au [Théâtre-]Français. Et une autre pour les gens de lettres, Pascal, Rabelais, etc. Toute la troupe s'y emploierait[8].

Le « phénomène » – grand homme, héros ou énergumène – a quelque chose d'inattendu, d'incongru même. Il n'est pas à sa place. Il détonne. On l'imagine mal à l'endroit et au moment où il se manifeste. Peut-on concevoir « phénomène » plus singulier que Jeanne d'Arc ? En cette « simple fille des campagnes », disait Michelet, ne s'incarna pas seulement une idée cultivée tout au long du Moyen Age, celle de « la Vierge secourable des batailles », mais une réalité, la France, que la guerre civile opposant Armagnacs et Bourguignons pour s'emparer des dépouilles d'un roi fou dans un territoire à moitié occupé par l'ennemi anglais avait presque détruite. « Quelle légende plus belle que cette incontestable histoire ? », demandait-il. Quelle énigme plus complexe[9] ? Et, pour rester en compagnie de Michelet, comment ne pas penser à Robespierre, dont l'historien remarquait finement que s'il était par bien des côtés la personnification du bourgeois jacobin, il y avait en lui quelque chose de particulier qui n'entrait dans aucun cadre connu, d'extraordinaire au sens propre. Ainsi ce sujet « comique » – l'Incorruptible était aux yeux de Michelet un vrai « Tartufe politique » – était en même temps le sujet « le plus tragique[10] ». Le dernier biographe de Maximilien, attaché pourtant à prouver que Robespierre, finalement très ordinaire, ne devint un mythe qu'au terme d'un processus de construction mémoriel sur lequel l'intéressé n'exerça, et ne pouvait exercer, aucune prise, ne peut s'empêcher d'admettre, à l'issue de son enquête, que le mystère reste entier[11]. Les « phénomènes » ne livrent pas aussi facilement leur secret. Mieux, leur part d'énigme est constitutive de leur mythe, partant, de leur place dans l'Histoire.

Napoléon et le général de Gaulle offrent assurément deux spécimens remarquables en la matière. De Gaulle ? Sa singularité s'exprimait d'emblée dans son apparence physique, sa taille, encore augmentée par le képi lorsqu'il portait l'uniforme, ce long corps mal proportionné dont il semblait embarrassé, le visage, nez fort et menton fuyant, la bouche petite, les yeux cernés de plis comme ceux d'un éléphant, et sa manière de s'exprimer, la voix assez haut perchée, « étonnamment flûtée et gouailleuse[12] », la parole lente, coupée de longs silences. Tous ceux qui l'approchaient ou l'entendaient en étaient frappés, et si l'on veut comprendre l'aura exceptionnelle de cet homme, il suffit de se souvenir des images de la descente des Champs-Elysées, le 26 août 1944, où, grandi et rendu plus imposant encore par la légitimité qui désormais était la sienne, il apparaissait si différent de tous ceux qui le suivaient dans cette marche triomphale.

Et que dire de Napoléon ! Ses contemporains, beaucoup d'autres depuis, n'ont su comment expliquer quel genre de « phénomène » il était, lui aussi. Faute de pouvoir le dire avec une précision même relative, ils insistaient sur ce qu'à leurs yeux il n'était pas :

> Démesuré en tout, mais encore plus étrange, remarque justement Taine, non seulement il est hors ligne, mais il est hors cadre ; par son tempérament, ses instincts, ses facultés, son imagination, ses passions, sa morale, il semble fondu dans un moule à part, composé d'un autre métal que ses concitoyens et ses contemporains. Manifestement, ce n'est ni un Français, ni un homme du XVIIIe siècle ; il appartient à une autre race et à un autre âge, du premier coup d'œil, on démêlait en lui l'étranger, l'Italien et quelque chose à côté, au-delà, au-delà de toute similitude ou analogie[13].

Italien ? Pas sûr. Mais peu importe, car le « quelque chose à côté » l'emportait de toutes les façons. N'est-ce pas ce même « quelque chose au-delà de toute similitude ou analogie », si différent le général de Gaulle fût-il de Napoléon, qui frappait les contemporains du dernier héros de notre histoire ? Comme dira Jean Guitton après s'être entretenu avec lui à l'Elysée, « il n'adhère pas au paysage[14] » ; il le traverse, il y met sa marque, mais il l'excède, il ne lui appartient pas. L'épopée des deux hommes a même quelque chose d'incroyable. L'archevêque de Dublin Richard Whately, qui ne pouvait s'expliquer comment l'aventure napoléonienne avait été possible, en Europe et au commencement du XIXe siècle, écrivit ces lignes : « De quelque côté que nous nous tournions pour trouver des circonstances qui nous aident à expliquer les événements de cette incroyable histoire, nous n'en trouvons aucune qui n'aggrave son invraisemblance[15]. » La Révolution française rendit certainement Napoléon possible ; mais elle ne l'explique pas, et l'on pourrait dire à l'unisson que la défaite de 1940 rendit de Gaulle possible, sans pour autant l'expliquer[16]. En l'absence de ces bouleversements, ni l'un ni l'autre n'aurait laissé la moindre trace, mais l'apparition de l'un et de l'autre sur la scène de l'Histoire dépasse, par sa signification, ces seuls événements en même temps qu'elle en change le cours. Imaginons la Révolution française sans Napoléon et la Seconde Guerre mondiale sans de Gaulle : que serait-il advenu de la France si les Bourbons étaient revenus dès 1800 plutôt qu'en 1814, alors que le roi en exil était encore très loin d'accepter de pactiser avec la Révolution et persistait dans son dessein de « punir » ceux qui l'avaient faite ? Et, un siècle et demi plus tard, que serait-il advenu si de Gaulle n'avait pas permis à la France de figurer dans le camp des vainqueurs ?

Une National Portrait Gallery française tiendrait à l'étroit entre les murs du musée de Trafalgar Square. Après le nombre des régimes politiques et des constitutions, c'est là une autre « exception française ». Du reste, les deux sont inséparables, les « grands hommes » étant le plus souvent enfants des temps de troubles et chez eux là où les institutions sont fragiles et les constitutions éphémères. Les pays stables et les époques paisibles n'ont pas besoin de sauveurs. La France, dont Guizot écrivait en 1821 qu'elle n'était « ni assise ni constituée », ne pouvait pour cette raison même se passer de héros appelés à lui conférer, grâce à de grands et glorieux souvenirs, l'unité dont elle ne trouvait pas les éléments dans le présent[17].

*

La France est si prodigue en « phénomènes » et le besoin de figures de proue si grand que les différents partis purent longtemps puiser à volonté dans ce vivier pour achalander chacun sa liste de héros. Christian Amalvi a consacré un passionnant ouvrage à ces querelles mémorielles[18]. Au XIXe siècle, et encore au commencement du XXe, les catholiques avaient leur panthéon, religieux et royaliste, et leur « enfer » où figuraient la plupart des grands hommes du camp d'en face, celui de la Révolution et de la République. Côté lumière, on croisait saint Vincent de Paul, le curé d'Ars, saint Bernard et sainte Blandine précédant les rois, de Clovis le fondateur à Louis XVI le martyr ; côté ombre, la plupart de ceux que le camp laïque et républicain honorait, précurseurs de la Révolution ou supposés tels – d'Etienne Marcel et Coligny à, bien sûr, Voltaire et Rousseau ; héros de 1789 et de 1793, terroristes exceptés ; héritiers de la Révolution, de Lamartine à Victor Hugo. Ici, aucun saint, peu de rois – à l'exception de Louis XII et d'Henri IV –, beaucoup de soldats, généraux de l'Ancien Régime, de la Révolution ou de l'Empire qui défendirent la patrie en danger. Un roman oublié de Gabriel Chevallier, *Sainte-Colline*, peint à travers les chahuts et les tours pendables de collégiens, les uns élèves des bons pères, les autres de la Gueuse, ces deux France qui se firent face jusque vers 1914, religion catholique contre religion laïque, histoire contre histoire, héros contre héros.

La IIIe République s'était efforcée pourtant de réunir les deux traditions royaliste et républicaine en une vaste synthèse de l'histoire nationale. De celle-ci, la monumentale *Histoire de France* dirigée par Ernest Lavisse fut, au début du XXe siècle et après le *Petit Lavisse* destiné à l'enseignement primaire (1884), le principal monument (1901-1911). Tout comme la République avait prouvé en écrasant la Commune de Paris en 1871 qu'elle pouvait, aussi bien que la monarchie ou l'Empire, défendre l'ordre social, ses historiens s'efforçaient de lui donner un pedigree plus ancien que la Révolution française et l'héritage philosophique des Lumières dont les hommes de 1789 s'étaient réclamés. Ils s'efforçaient de montrer que la Révolution marquait l'aboutissement de toute l'histoire nationale et pas seulement la révolte d'une moitié de la France contre l'autre. Lavisse fut, avant Albert Malet et Jules Isaac, le premier « instituteur de la République[19] ». Mais instituteur paradoxal, dont, d'ailleurs, la conversion tardive à la cause républicaine – seule la chute de Napoléon III l'avait détourné du bonapartisme – explique peut-être le succès. Si, écrit Pierre Nora, aucun historien avant Lavisse n'avait « fait un pareil effort pour souder le passé monarchique au présent républicain » et « pour donner à l'aventure nationale sa cohérence et sa portée exemplaire[20] », c'était dans des termes qui n'étaient autres que ceux de la tradition conservatrice, simplement retournée au profit de la République comme accomplissement de l'histoire de France. Son enseignement, ajoute Nora, « se présente comme une inversion simple, mais décisive, du sens et des valeurs du néomonarchisme », plus proche, en définitive, de l'*Histoire de France* de Bainville que de celle de Michelet :

> Même obsession de la faiblesse du sentiment national, même enracinement dans la tradition française, même culte de la terre, du ciel et des morts, invoqués comme ses plus hautes fidélités, même sens religieux de l'unité et du devoir – Lavisse a transposé, sur le mode laïque et républicain, les justifications de la monarchie. La République est devenue la Providence de la France ; elle *appelle* les citoyens à l'*unité* nationale pour le *salut* de la patrie comme le roi, chez Bossuet, rassemble ses sujets pour faire leur salut[21].

Les deux France, que tout ou presque séparait, à commencer par la question religieuse, pouvaient ainsi et enfin communier autour d'une histoire racontée par les deux camps avec les mêmes mots ou presque. Le panthéon des grands hommes célébrés par Lavisse et par l'école de Jules Ferry n'allait pas jusqu'à annexer les champions de l'Eglise catholique, mais enfin, l'idée d'une certaine continuité historique nationale conduisait à rééquilibrer la mémoire du côté de l'Ancien Régime. Augustine Fouillée n'accorde que peu de place aux rois dans cet autre monument de la France d'après 1870 que fut *Le Tour de la France par deux enfants* (1877), mais l'école des hussards noirs enrichit la liste des gloires nationales de valeureux guerriers – Du Guesclin, Bayard et Turenne –, de dévoués ministres – Sully, Colbert et Vauban –, de généreux philanthropes et de savants bienfaisants – de Parmentier et Lavoisier à Pasteur. Il y avait bien sûr des exclus, quelques repoussoirs : Louis XI qui personnifiait à la fois les abus de la royauté et la cruauté – « Louis XI ! oh, le méchant », fait dire à une fillette Georges Montorgueil au début du magnifique album de Job[22] ; Richelieu, que *Les Trois Mousquetaires* interdisaient de tout à fait admirer ; Robespierre, qui sentait trop le sang de la guillotine et que beaucoup de républicains n'aimaient pas parce qu'ils voyaient dans le culte de l'Etre suprême la preuve d'une bigoterie de mauvais aloi ; Napoléon, enfin, qui évoquait la figure du despote écrasant l'Europe après avoir trahi la République... A l'heure de la Revanche, il n'était pas évident de célébrer celui qui, sans doute, avait illustré la grandeur de la France, mais aussi perdu la plupart des conquêtes de la Révolution et, en définitive, laissé à ses successeurs un territoire moins étendu qu'il ne l'avait trouvé en accédant au pouvoir. En outre, la chute sans gloire de Napoléon III en 1870 avait ranimé le souvenir du coup d'Etat sanglant grâce auquel le prince-président de 1848 s'était ouvert le chemin de l'Empire, et l'opprobre qui s'attachait désormais au souvenir du neveu rejaillissait fatalement sur l'oncle. Napoléon entrait dans une de ces périodes de discrédit qui jalonnent son histoire posthume.

Vers 1900, la galerie des hommes illustres d'une République enfin installée dans ses meubles, sinon légitime pour tous les Français, était presque complète. Lorsque *Le Petit Parisien* organisa en 1906 un « jeu des grands hommes », plusieurs centaines de milliers de lecteurs répondirent, plaçant en tête Pasteur, Hugo et Gambetta, que suivait immédiatement... Napoléon[23]. C'était là l'aboutissement d'un récit historique mis en place depuis l'époque de la Restauration, devenu après 1880 « bien commun des Français[24] », et qui le demeura jusque dans les années 1960.

⋆

Aux murs des classes de mon enfance étaient suspendues de grandes planches géographiques en couleurs. Elles y étaient accrochées par de gros œillets qui permettaient de les changer à volonté. La carte géologique de la France comportait toutes les couleurs de l'arc-en-ciel : le jaune dominait autour de Paris, le vert en Normandie, le marron en Bretagne, le rose dans le Massif central, le bleu ciel dans le Jura, toutes ces couleurs se fragmentant et s'associant dans les Alpes ; il y avait la carte des cours d'eau et des canaux à dominante bleue, celle des chemins de fer dont les lignes étaient figurées par un tracé rouge plus ou moins épais selon leur importance, la France des départements et celle des provinces d'avant 1789, dans l'un et l'autre cas si harmonieuse, celle des productions agricoles – la betterave dans le Nord, les forêts dans l'Est, le vin en Bourgogne et dans le Bordelais, les moutons du Berry et les bœufs du Charolais – et celle de l'industrie – toiles de Bretagne, soieries lyonnaises et textiles du Nord, les mines et la sidérurgie, les machines du Creusot et la papeterie d'Angoulême[25]... J'en ai gardé une passion pour les atlas. On apprenait sur ces planches l'Hexagone, la variété de son relief, la diversité de ses paysages et de ses climats. On sentait la France riche et forte. Elle était riche encore, elle n'était déjà plus aussi forte, mais il y avait encore, au-delà des mers, ces taches de couleur orange qui indiquaient ses possessions lointaines, certes plus aussi nombreuses qu'une dizaine d'années auparavant, mais encore suffisamment pour que notre présence fût attestée sur toute la surface du globe et qu'on en tirât l'impression que la France brillerait pour toujours au firmament des nations et que, si elle n'était plus, comme disait Mauriac, « la grande nation », elle demeurait « l'irremplaçable nation[26] ».

L'un de mes premiers maîtres s'appelait M. Lévy. Il portait, comme ses élèves, une blouse. La sienne était grise. Il enseignait, entre autres choses, la morale. Lorsque nous avions été sages, il relevait la manche de sa blouse et nous montrait le numéro tatoué sur son avant-bras. Il avait été déporté à Auschwitz. Je me souviens avoir dessiné dans sa classe des camps de concentration, des miradors et des barbelés. Il inculquait à ses élèves, à sa manière, l'amour de leur pays, de son histoire et de ses valeurs. Pour un enfant, les adultes sont tous vieux. M. Lévy l'était à mes yeux. J'ignore quel était son âge. Je découvre aujourd'hui qu'il n'avait pas cinquante ans[27]. Il était l'un des derniers représentants des « hussards noirs » de la République. L'enseignement de la morale a disparu après 1968, remplacé par des cours d'instruction civique insipides, les cartes de géographie ont été décrochées des murs et le professeur d'histoire n'a plus utilisé ces autres merveilles qu'étaient les planches en couleurs où l'on voyait un village gaulois, Vercingétorix se rendant à César, une ville gallo-romaine, Charlemagne dans ses œuvres, un chevalier du Moyen Age prêtant hommage, un genou en terre, à son suzerain, les bourgeois de Calais la corde au cou, Jeanne d'Arc sous les murs d'Orléans, le château de Versailles, le serment du Jeu de paume et la fête de la Fédération, des citoyens courant s'enrôler pour répondre à l'appel de la patrie en danger, le sacre de Napoléon, les barricades de 1830, une locomotive crachant de la vapeur, les tranchées de Verdun, le général de Gaulle descendant les Champs-Elysées en 1944 et ces mêmes Champs-Elysées remplis d'une foule d'élégants promeneurs représentant la France en paix et prospère des années 1960, celle du *France* et, bientôt, du *Concorde*. Ces mêmes gravures se retrouvaient dans les manuels d'histoire, le Léon Brossolette et Marianne Ozouf destiné au cours élémentaire, *Mon premier livre d'histoire de France*, qui fit l'objet de nombreuses éditions depuis l'avant-guerre[28], ou le *Livret-guide d'histoire pour le cours élémentaire 1re et 2e année* de Danton et Baudin[29], qui commentait une collection de soixante illustrations résumant l'histoire de la France, de Vercingétorix à de Gaulle. C'est dans un manuel de ce genre que j'appris l'histoire, à moins que ce ne fût dans le Malet-Isaac, réimprimé pour la dernière fois en 1961, l'année où j'entrai à l'école. La liste des héros qu'on y célébrait était encore celle établie au temps de Jules Ferry et à laquelle le XXe siècle avait, en définitive, peu ajouté. La Première Guerre mondiale avait entraîné la promotion de quelques figures nouvelles, civiles – Clemenceau – et militaires – Foch, Joffre –, la guerre suivante celles du général de Gaulle, de Leclerc, de Jean Moulin. On dit souvent que les années 1960 ont vu voler en éclats l'ancienne société ; ce n'est pas vrai : Mai 68 et le *flower power* ne concernèrent qu'une infime partie d'une société dont la plupart des membres continuaient de vivre selon les codes de la décennie précédente. Ses effets furent différés, comme l'avaient été ceux de la Révolution française. Il faut dire que celle-ci avait été faite par des hommes grandis sous l'Ancien Régime, qui en parlaient la langue et en avaient appris les usages. Sous le Directoire, sous l'Empire encore, on cherchait moins à inventer une nouvelle société qu'à restaurer ce qui pouvait l'être de l'ancienne, et c'est seulement après le milieu du XIXe siècle, pas avant, que l'ancien monde disparut tout à fait.

A l'époque dont je parle, Napoléon était partout. La visite au tombeau des Invalides faisait partie, avec celles du musée de la Marine et du si cher musée de l'Homme, des sorties du jeudi après-midi. C'était l'époque où André Castelot triomphait avec sa biographie de Napoléon en deux volumes (*Bonaparte* et *Napoléon*, 1967-1968). Le général de Gaulle venait d'être sacré par le suffrage universel et, en dépit de la violence des passions qu'il suscitait, il présidait à l'un de ces moments – rares – où les Français semblaient fiers d'eux-mêmes. Le dernier datait de 1918. C'était loin. Phénomène étrange que d'être gouvernés par un homme dont on pressentait qu'il entrerait plus tard dans la légende, mais qui lui appartenait déjà : « En rentrant chez moi, dira Léon Noël après l'avoir vu à l'automne 1944, si étrange que cela pût paraître, je notai que je n'aurais guère été plus ému et à peine plus étonné si j'avais, tout à coup, vu surgir devant moi Henri IV, Louis XIV ou Napoléon[30]. » Comment parler d'un tel homme ? Au moment d'écrire les premières pages de son *De Gaulle* (1964), François Mauriac, ne se sentant ni la force ni le goût de devenir historien amateur, disait vouloir moins retracer l'histoire du Général que continuer à se mesurer à cette « certaine idée du général de Gaulle » qu'il s'était forgée, et dans laquelle mythe et réalité entraient à parts égales : « Que faire donc ? Rien que de regarder mon modèle, que de continuer à le dévorer des yeux comme je le fais depuis 1944, et de rêver tout haut de lui comme je faisais durant l'Occupation – car une part de rêve demeure dans les rapports que nous entretenons avec lui. Le mythe qu'il fut pour nous durant les quatre années de la résistance ne s'est jamais tout à fait dissipé[31]. » On a beaucoup moqué ces lignes d'un Mauriac fasciné par son modèle – elles inspirèrent à Jacques Laurent un pamphlet drolatique : « Foudroyé par l'idole, Mauriac s'est évanoui[32] » –, mais elles expriment assez bien la dévotion qui, chez une partie des Français, s'attachait à l'homme du 18 Juin et du 13 Mai.

Comme l'Empereur, de Gaulle était même présent dans les collections destinées à la jeunesse. Je me souviens avoir lu, vers l'âge de dix ou onze ans, *Guerre et paix* dans l'édition de la Bibliothèque verte (1965), édition quasi intégrale expurgée seulement des fastidieux chapitres où Tolstoï expose sa philosophie de l'histoire, et c'est dans cette même collection aujourd'hui disparue que je lus alors mon premier livre sur

Charles de Gaulle[33]. L'auteur en était Jean d'Esme, de son vrai nom Jean-Marie d'Esménard, prolifique auteur de livres de voyages et de romans exotiques – de *Thi-Bâ fille d'Annam* (1920) à *Compagnons de brousse* (1965). Il avait également écrit la biographie de militaires illustres comme Foch, Joffre, Gallieni, de Lattre et Leclerc. Relisant aujourd'hui ce petit livre qui, après avoir rapidement évoqué les années d'avant-guerre du Général, s'attache principalement à l'histoire de la France libre, de l'appel du 18 Juin à la descente des Champs-Elysées, je me dis que l'école faisait bien son travail, car ce livre destiné aux enfants n'était pas écrit dans un style et une langue singeant ceux des enfants. Il apprenait l'essentiel tout en excitant l'imagination de ses jeunes lecteurs. Jean d'Esme laissait de Gaulle dans son bureau du ministère de la Défense, après la visite à Notre-Dame et les coups de feu qui claquaient autour du grand homme, et concluait par ces mots qui donnaient la leçon du livre :

> La cérémonie terminée, Charles de Gaulle rentre au ministère de la Défense nationale. Et, tandis que Leclerc reprend sa marche vers Strasbourg ; tandis que de Lattre monte du Sud, en une avance foudroyante ; cependant que les Britanniques et les Américains continuent leur progression victorieuse, refoulant l'Allemand devant eux ; tandis qu'en un mot s'achève la libération de la Patrie – Charles de Gaulle poursuit son destin. Ce destin auquel demeure indissolublement liée la grandeur de la France[34].

★

Il est inutile de consulter les manuels scolaires du siècle qui commence : ils sont pleins de trous, des pans entiers de l'histoire ont disparu, et plus sûrement encore ceux qui l'ont faite ou incarnée. Tout comme l'enseignement de la géographie ne consiste plus à apprendre la nomenclature des départements ou celle des Etats, à situer les cours d'eau et les chaînes de montagnes, à localiser les capitales ou les grands gisements de ressources naturelles, bref, à savoir où la Seine prend sa source, mais à « aider l'élève à penser le monde » et lui permettre « de vivre et d'analyser des expériences spatiales et le conduire à prendre conscience de la dimension géographique de son existence », tout cela afin qu'il puisse « se construire » « en tant qu'habitant » – *dixit* la dernière en date des réformes des programmes[35] –, de la même façon l'enseignement de l'histoire a depuis longtemps débordé les frontières de l'Hexagone pour aborder les rivages de l'Europe comme de la planète – « s'ouvrir au monde », dans le jargon des pédagogues – et s'émanciper de la chronologie[36].

A vrai dire, la querelle des programmes n'est pas nouvelle. C'est en 1979, il y a près de quarante ans, qu'Alain Decaux publia dans le *Figaro Magazine* une tribune qui fit du bruit : « Parents, on n'apprend plus l'histoire à vos enfants[37] ! » Il y voyait la conséquence moins de l'ignorance ou de l'incompétence que d'une intention délibérée. C'était vrai, plus encore qu'aujourd'hui. Les années 1970 n'avaient pas été favorables à l'enseignement de l'histoire. Il faut dire que les gouvernements qui succédèrent à ceux du général de Gaulle, sous Georges Pompidou et Valéry Giscard d'Estaing, étaient si pressés d'en finir avec l'héritage gaulliste que l'Histoire, qui imprégnait si fortement la « certaine idée de la France » du Général, devait en faire les frais. Curieux homme que Georges Pompidou, dont l'amour pour la littérature et la poésie françaises ne s'étendait pas jusqu'à l'histoire de son pays qu'il incarnait pourtant, y compris par ses traits, comme aucun autre président n'a pu le faire. La cigarette collée aux lèvres, le regard charbonneux sous les sourcils broussailleux, il avait l'air d'un bougnat lettré. Mais l'histoire de France, qu'il connaissait comme on la connaissait en son temps, c'est-à-dire à la perfection, lui évoquait d'abord cet « énorme magasin de rancune » dont parlait Bernanos, cet « arsenal d'arguments [que les Français] se jettent à la tête les uns des autres[38] », si obsédant qu'il empêchait la nation d'avancer et de se moderniser. Le successeur du général de Gaulle n'avait pas pris part à la Résistance, aussi les querelles autour du passé de la France lui étaient-elles étrangères. Son esprit pragmatique et positif était tourné vers l'avenir. Il était plus occupé d'art contemporain, de musées futuristes, de villes livrées à la circulation automobile et d'industrie conquérante que de controverses à propos des choses de jadis. On ne pouvait, pensait-il, indéfiniment ressasser les tragédies anciennes. La guerre était finie, les colonies émancipées, il fallait maintenant tourner la page, regarder résolument vers l'avenir et profiter d'un présent encore placé sous le signe des Trente Glorieuses[39]. Valéry Giscard d'Estaing, lui, voyait la France comme un palimpseste sur lequel il était appelé à écrire les premiers chapitres d'une histoire entièrement neuve. Il le dit avec une naïveté désarmante après avoir été élu président : « Voici que s'ouvre le livre du temps, avec le vertige de ses pages blanches. Ensemble, comme un grand peuple uni et fraternel, abordons l'ère nouvelle de la politique française[40]. » C'en était fini de la « vieille » histoire, de ses tragédies et de ses déchirements. Le nouveau président se faisait fort de rallier les Français, au moins la majorité d'entre eux – deux sur trois, dira-t-il –, autour des réformes qu'il se proposait d'engager. Les projets pilotés par les ministres de l'Education nationale de l'époque, Joseph Fontanet en 1973 et René Haby en 1977, portaient la marque de cette indifférence à l'histoire, l'un la supprimant des filières scientifiques, l'autre la réduisant à une option. Place aux sciences, à l'économie, aux disciplines « utiles » les mieux faites pour favoriser l'entrée sur le marché du travail. Les humanités semblaient condamnées comme liées à un passé désormais révolu.

Au moment où Alain Decaux lança son cri d'alarme, l'enseignement de l'histoire était réellement menacé. Elle n'était plus le ciment de la nation, cet ensemble de souvenirs partagés où les enfants apprenaient moins à reconnaître dans les Gaulois leurs ancêtres que la grandeur de leur pays et l'excellence de ses valeurs, mais seulement, comme les textes officiels le précisaient dès le mois d'octobre 1968, une « discipline d'éveil ». Il s'agissait d'une véritable destitution[41]. Paradoxalement, ce qui explique pour beaucoup l'écho rencontré par l'appel de l'académicien, l'histoire ne s'était jamais mieux portée. Livres, films, émissions de télévision ou de radio, elle faisait un tabac. Les Trente Glorieuses, tournées vers la croissance indéfinie, avaient brutalement pris fin après le premier choc pétrolier. La réaction contre l'esprit de 68 avait commencé. L'heure était à la redécouverte du passé et des racines : on se souvient de l'immense succès du *Cheval d'orgueil*, des romans d'Henri Vincenot ou d'Antonine Maillet, ou encore, dans un genre très différent, de *Montaillou, village occitan*. L'école des Annales était alors au Zénith de son rayonnement ; elle avait même influencé la manière d'enseigner l'histoire, et c'est également contre elle qu'Alain Decaux s'élevait. Il ne contestait pas ce qu'elle avait apporté à la connaissance historique, mais il niait que les résultats de ses recherches pussent servir de base à l'éducation des enfants. Il s'agissait d'une approche trop complexe, privilégiant les grandes échelles – les civilisations, le temps long de l'histoire –, mettant le social, la culture, au-dessus du politique et reléguant au cimetière des illusions du passé la chronologie, le rôle de la volonté humaine dans le changement historique, cherchant enfin moins à étudier les bifurcations soudaines et imprévues que l'action des forces silencieuses ou souterraines – intérêts, mentalités, langage même – qui les avaient rendues possibles ou, au contraire, avaient fait obstacle à de possibles évolutions. L'histoire y perdait ses repères, ses visages familiers, elle se fragmentait en une myriade d'objets sans liens les uns avec les autres, en même temps qu'elle brisait le carcan des dates et celui des frontières nationales hors desquelles les excursions étaient moins rares dans l'enseignement de jadis qu'on ne le dit parfois. La catastrophe fut telle qu'elle provoqua, à partir de la fin des années 1970, une réaction dont Alain Decaux fut en effet, par sa notoriété, le fer de lance. La « restauration » de l'histoire, avec sa chronologie et ses grands hommes, fut alors le fait de la gauche. Ministres, Alain Savary puis Jean-Pierre Chevènement, et historiens, à l'instar de Max Gallo, se mobilisèrent pour réintroduire son enseignement dans les programmes. Il y avait dans tout cela une logique. Autant Georges Pompidou et Valéry Giscard d'Estaing avaient été les hérauts d'une religion de la modernité dont le credo s'appelait croissance, prospérité, progrès technique et bien-être matériel, autant François Mitterrand fondait sa légitimité, en sus du vote des Français, sur l'Histoire. Son premier geste ne fut-il pas de se rendre au Panthéon pour déposer une rose sur les tombeaux de Victor Schœlcher, Victor Hugo et Jean Jaurès ? La gauche voyait bien sûr son élection comme un nouveau départ, le commencement d'une ère nouvelle qui « changerait la vie », pour reprendre le slogan de l'époque, mais également comme un aboutissement : celui d'une longue marche qui, commencée en 1789, avait été marquée par les espérances déçues de 1848, la tragédie de la Commune, l'affaire Dreyfus, le Front populaire, la Résistance et Mai 68. Représentant du « peuple de gauche », Mitterrand incarnait pour ses partisans une histoire en même temps qu'un espoir, et lui-même le revendiquait ; ses prédécesseurs avaient au contraire rêvé d'échapper à l'Histoire, dans laquelle ils voyaient surtout une malédiction[42].

★

C'est plus tard que l'enseignement de l'histoire sombra pour de bon, après le grand tournant que fut, symboliquement, le changement de millénaire. Cette fois, ce n'était plus une philosophie de la modernité qui était à l'œuvre, comme dans les années 1970, mais la conviction que la nécessaire ouverture au monde passait par un renouvellement complet de l'enseignement. C'est en 2002 que les civilisations extra-européennes entrèrent en force dans les programmes scolaires, jusqu'à occuper le quart du temps consacré à la matière. Il fallait, au nom du « vivre-ensemble », faire une place à d'autres histoires, du reste réputées aussi importantes que celle enseignée traditionnellement. Le Moyen Age chrétien à parité avec le royaume du Monomotapa, le riche et l'insignifiant mêlés, l'essentiel et l'accessoire également distingués, les histoires « pourvues d'une activité [si] médiocre », disait Joseph de Maistre, qu'elles ont « marqué à peine sur la route des siècles », élevées au même rang que celles des nations qui ont le plus compté dans l'histoire du monde[43].

De ces programmes en miettes, Jacques Julliard écrivait récemment qu'ils « fichent le cafard » : « Ils respirent la gêne d'être français, voire la honte d'être français ; la conviction que nous ne sommes nous-mêmes que dans la relation avec l'autre, et qu'en nous-mêmes nous ne sommes que le vide[44]. » On ne saurait mieux dire. C'est bien le procès du « roman national » qui inspire la plupart des projets de réforme. Celui-ci aurait été « l'invention » des historiens du XIXe siècle, de Michelet à Lavisse, animés par la double volonté d'annexer à la république ce long passé que la Révolution avait qualifié d'« ancien régime » et de signifier que l'avènement et l'enracinement des institutions républicaines ne marquaient pas seulement la fin de la Révolution française mais, surtout, celle de l'histoire même d'une nation enfin dotée du régime le mieux fait pour défendre et promouvoir les valeurs de liberté, d'égalité, de progrès et de justice qui étaient celles du système républicain. Mensonge, a-t-on dit depuis ; « idéologie » même, qui n'insistait tant sur l'émancipation du peuple comme fil conducteur de l'histoire de France que pour mieux cacher de combien d'injustices et de crimes il avait fallu la payer. Traites négrières et colonialisme, oppression des minorités religieuses, nationalisme, misogynie, xénophobie et racisme, exploitation des plus faibles, il aurait existé un envers détestable de cette « légende dorée » où l'influence prêtée à de prétendus « grands hommes » dépossédait en outre de leur rôle tous ceux, hommes et femmes, connus ou anonymes, qui avaient véritablement fait la France[45]. Le moment semblait donc venu de faire entrer dans l'histoire ceux qui en avaient été jusqu'ici exclus, la foule des obscurs, des sans-grade, des oubliés, et celle, innombrable, des victimes. Histoire sans héros – ceux-ci ont l'inconvénient d'être souvent du côté du positif –, histoire en noir et blanc, manichéenne, compassionnelle et pleurnicharde ; histoire de la souffrance en bandoulière et du ressentiment ; histoire arrachée à l'Histoire – celle-ci tragique, toujours tragique[46] – et réduite à une leçon de morale à l'usage des descendants des supposés bourreaux de supposées victimes, invités à se repentir et à réparer les crimes de leurs ancêtres : soit la France foncièrement raciste et fasciste du *Chagrin et la pitié*, dont Robert Paxton, Zeev Sternhell et Bernard-Henri Lévy furent, il y a maintenant quarante ans, les principaux évangélistes[47].

Relativisme, haine de soi, autodénigrement, repentance et désir d'expiation, n'est-ce pas ce long « sanglot de l'homme blanc[48] » rattrapé par ses prétendus « péchés[49] » qui a récemment présidé – à la fin de 2013 – à la rédaction d'un rapport, aussitôt remisé dans un tiroir, sur la *Refondation de la politique d'intégration* où l'on pouvait lire que l'histoire de France devait faire l'objet d'une « (re)mise à plat » pour mieux inscrire « chacun dans une histoire commune », notamment en reconnaissant « la dimension arabo-orientale » de la France et en révisant la liste des « figures incarnées » de l'histoire de France, trop exclusivement composée de « "grands hommes" mâles, blancs et hétérosexuels[50] » ?

Le propos des partisans d'une réécriture de l'histoire de France n'est pas toujours aussi violemment polémique et grotesque. Certains d'entre eux sont animés par une préoccupation que, certes, on ne qualifiera pas de médiocre : le désir de forger un récit historique commun dans une société de plus en plus marquée par la diversité d'origines et de cultures de sa population. Une volonté civique d'inclusion explique donc aussi l'appauvrissement de l'histoire enseignée, son évidement. La tentation est grande en effet d'ôter du passé national tout ce qui lui est particulier, spécifique, tout ce qui le singularise, événements ou acteurs, pour n'en garder que ce qui « parle » à tous. Dès lors, tiendra lieu de récit commun une histoire réduite à des épisodes à forte charge morale – persécutions, génocides –, supposés délivrer un message recevable collectivement et contribuer à la naissance d'une identité renouvelée qui renverrait, par-delà les origines de chacun, à l'appartenance commune à l'humanité – histoire condamnée dès lors à se confondre avec une leçon de morale, car on ne voit pas comment pourrait être rempli le programme esquissé, par exemple, par Dominique Borne :

> Nombreux sont les Français d'aujourd'hui qui ne se reconnaissent plus dans le dialogue entre le récit providentiel [Bossuet] et le récit républicain [Lavisse]. Les citoyens – cela s'entend dans les cours de récréation – ne sont pas tous des *Gaulois*. Le nouveau récit doit embarquer en histoire tous ceux qui, jusqu'à maintenant, s'en sentent exclus. Pour essayer encore *de faire France ensemble*, pour permettre l'entrée dans le récit intégrateur de tous ceux qui n'y ont pas trouvé leur place, pour construire une histoire qui croise l'histoire de France avec les appartenances européenne et mondiale, pour tenter, donc, de penser l'histoire de France non comme un objet isolé, mais comme un tissu dont les fils entrelacés symboliseraient toutes ses interdépendances, pour oser envisager l'avenir à partir du passé, c'est-à-dire pour

réinventer la politique, nous avons besoin d'histoire de France, nous avons besoin d'une *autre* histoire de France.

Louable projet s'il était loisible de changer l'histoire à volonté, de lui attribuer un autre point de départ, de lui faire emprunter des chemins qu'elle n'a pas suivis et de lui donner une autre direction. Mais il est impossible de jouer avec les faits. Ce fameux « roman national » si vilipendé aujourd'hui n'est pas une invention, une construction de l'imagination, une idéologie. La démarche « déconstructiviste » à la mode – déconstruction de l'histoire, des traditions, des croyances, des idées ou des institutions – porte en elle cette idée qu'au fond la France n'existe pas, qu'elle est un simple nom, une « invention », un échafaudage mémoriel sans assise réelle que l'on pourrait aussi bien démonter pièce à pièce, un espace dont on pourrait réécrire l'histoire pour en changer l'avenir.

Pareille démarche est grosse de fables en tous genres, de « romans » justement. Ne permet-elle pas, par exemple, d'assigner à la préhistoire, sinon à l'histoire, de la France un autre commencement que celui traditionnellement admis, en remplaçant les druides et les guerriers chevelus des vieux livres par… la fondation de la colonie grecque de Marseille en 600 av. J.-C.[51] ? Que l'arrivée des Grecs venus de Phocée, en Asie Mineure, constituât un événement important, nul ne le contestera. De là à choisir cette date comme « début symbolique » de l'histoire de la France d'avant la France – celle antérieure à l'an mille –, il y a un pas qu'on se gardera de franchir. Après tout, les Gaulois, Celtes ou Ibères, vivaient là depuis longtemps lorsque les Grecs débarquèrent. Leurs villages fortifiés et leurs aristocraties guerrières témoignaient d'une présence ancienne[52] et l'établissement d'une colonie grecque sur les bords de la Méditerranée n'eut guère d'influence sur la manière de vivre des autochtones, si ce n'est de leur faire prendre goût au vin. Innovation certes capitale, mais résultant des échanges commerciaux – fer et esclaves contre jarres de vin – plutôt que d'une volonté politique ou d'une fusion des populations. Michelet l'avait dit déjà : les Grecs de Massilia étaient tournés vers la mer, qu'ils colonisèrent de Nice jusqu'à Malaga, pas vers la terre[53].

Si l'histoire de France fut le produit d'une hybridation, ce n'est pas vers les Grecs qu'il faut se tourner, mais vers Rome, qui conquit et « romanisa » les Gaules. L'oubli de l'exigence de vérité est l'un des grands problèmes de notre temps. On le voit à l'œuvre dans tous les domaines, et aussi bien chez les historiens. La Révolution française fut pendant longtemps la victime d'idéologues qui lui faisaient dire ce qu'eux-mêmes voulaient entendre. Ils voyaient un prolétariat là où on ne rencontrait que des bourgeois et la volonté de la majorité là où régnaient les factions. Ces élucubrations sont un peu passées de mode, mais elles ont gagné la plupart des autres questions historiques revues au prisme de l'actualité et de l'idéologie dominante. Il n'en est aucune, pour peu qu'elle ait un rapport, même vague, avec les affaires du présent, qui ne soit susceptible d'être soumise à la novlangue du politiquement correct. N'a-t-on pas vu un épisode aussi lointain que les grandes invasions du Ve siècle faire l'objet d'une réévaluation si complète qu'elle en change radicalement la signification ?

Longtemps on crut que Rome avait été renversée par ces « myriades de sauvages qui marchèrent au sac de Rome », par les Huns qui « bâtirent leurs palais de bois en regard du Colisée » et par les hordes d'Alaric qui « franchirent le Danube en 376 pour renverser l'empire grec civilisé[54] ». Cette vision traditionnelle est, il est vrai, contestée depuis longtemps. Fustel de Coulanges déjà n'y croyait pas. Les Barbares étaient trop peu nombreux pour avoir pu submerger l'empire. Fustel affirmait que la thèse de la chute brutale de Rome n'avait pas deux siècles d'existence ; elle remontait, précisait-il, aux disputes des XVIIe et XVIIIe siècles sur les origines respectives de la noblesse et du tiers état. Lui-même avait une idée en tête. Si l'historien de *La Cité antique* s'efforçait avec tant d'application de minimiser l'ampleur et les conséquences des « grandes invasions », c'est que, s'opposant à la thèse « germaniste » des origines franques de la royauté et de la féodalité, il lui attribuait des origines romaines, prétendant que les Francs avaient moins détruit Rome que succédé aux empereurs[55]. Dès lors, si Rome était à l'origine de la monarchie française, la continuité devait l'emporter sur la rupture dans le passage de l'une à l'autre époque[56].

Nos modernes Fustel sont plus radicaux que le maître dans leur réfutation de la thèse classique. A la distinction traditionnelle entre Antiquité et haut Moyen Age, qui suggère une césure, une fracture, un changement soudain, ils substituent, entre les époques classique et médiévale, une « Antiquité tardive » qui irait du IIe ou IIIe siècle de notre ère jusqu'au VIIe ou VIIIe. Ces cinq ou six siècles auraient vu le monde se transformer peu à peu, toutes ses structures évoluer. Avec cette hypothèse, qui remplace l'idée de « chute » par celle de « transformation », l'hybridation salutaire fait oublier la réalité de la violence[57]. Douces invasions, si l'on peut dire. L'Empire et la civilisation romaine ne se sont pas écroulés, ils sont entrés dans un processus de « transition » et d'« adaptation » ; les Barbares n'ont pas détruit l'Empire, ils l'ont transformé, tout en adoptant « la romanité et la christianité[58] ». A cette école aujourd'hui dominante qui s'efforce d'accommoder les Barbares au méchant brouet du « vivre-ensemble » contemporain, l'historien et archéologue Bryan Ward-Perkins rappela que, s'agissant des infrastructures, du confort des maisons, du savoir-faire des artisans, de la frappe des monnaies ou de la production et du commerce des tuiles, la « transition » ressemblait fort à un cataclysme[59]. Ici, point d'adaptation en douceur, mais la ruine déconcertante, étalée dans le temps sans doute, d'une civilisation supérieure. « Fantastique collapsus du monde antique », écrivait déjà Pierre Chaunu, « effondrement énorme », politique, social, démographique, culturel, technique, qui avait vu disparaître en quelques décennies « les villes, les routes, le réseau des communications, de la reproduction du savoir, de la culture et d'abord de la lecture et de l'écriture[60] ». Les témoignages qui nous sont parvenus ne parlent-ils pas d'un âge de fer, d'un temps de terreur et de destructions ?

L'élagage de l'histoire n'a pas d'autre motif que l'idéologie, et l'effacement des « grands hommes » du récit historique n'en est qu'une manifestation supplémentaire. Ne donnent-ils pas un visage à cette histoire que beaucoup jugent terminée ? Nombre de héros dont on enseignait il n'y a pas si longtemps les tribulations ont disparu des manuels scolaires. Où sont passés Clovis et Charles Martel ? Et Saint Louis ? Et François Ier ? Et Louis XIII ? Et Louis XIV, que seul Versailles sauve de l'oubli ? Et Napoléon même, dont aucune des guerres n'est plus évoquée[61] ? Cette dépersonnalisation est d'autant plus singulière que s'il y a une histoire qui toujours fut racontée à la première personne, y compris par ceux qui y répugnaient, c'est bien l'histoire de France. Rien de moins anonyme que le roman national : « Les quarante rois qui ont fait la France », disait une collection qui connut un grand succès, pas toujours mérité, voici une trentaine d'années, et qui reprenait un genre si ancien que ces ouvrages n'eussent pas dérouté un Français cultivé du temps de Louis XIV[62].

⋆

Comme il fallait à cette histoire quelques fondateurs, les historiens d'avant la Révolution allaient les chercher très loin, dans des siècles si brumeux qu'il était impossible d'établir avec certitude l'authenticité de ces premiers rois. La frontière entre histoire et fable devient toujours un peu floue quand on approche des origines. Ouvrant son *Histoire de France* (1643-1651) par le règne du mystérieux Pharamond, François de Mézeray, un contemporain de Louis XIII, ne pouvait s'empêcher d'exprimer quelques doutes, reconnaissant sacrifier à une tradition qu'un historien parfaitement scrupuleux n'eût peut-être pas suivie aussi facilement[63]. Il est vrai que ces rois contemporains des derniers empereurs romains, ces guerriers païens aux contours indécis, aux noms incertains et à l'histoire conjecturale n'intervenaient que pour préparer l'entrée en scène de Clovis dont la conversion marquait véritablement, aux yeux de nos vieux chroniqueurs, le commencement providentiel de l'histoire de France. Tout était dit dès les premières pages, une fois expédiés les prolégomènes gaulois et gallo-romains : « Roy I », disait le titre du chapitre consacré à Pharamond. Un portrait aurait dû l'orner. A sa place, un médaillon vide avec cette légende : « On ne voit point ici la naturelle image de ce roi qui fonda l'empire des Français, mais on peut remarquer qu'il eut cet avantage d'avoir joint le premier les armes et les lois[64] », car la légende lui attribuait la paternité de plusieurs règles qui, plus tard, devaient régir la succession royale. L'existence des successeurs de Pharamond, Clodion et Mérovée, n'était pas mieux attestée, si peu que les graveurs ne s'étaient pas risqués à leur donner un visage. Et pas davantage au « roi IV » – Childéric, le père de Clovis –, même si celui-ci n'était pas un personnage légendaire puisqu'en 1653 on découvrit sa tombe à Tournai.

Cette manière d'écrire l'histoire, règne après règne, eût été ennuyeuse si elle n'avait bénéficié du style plein de verve de Mézeray. Peut-on en vouloir à un historien qui met dans la bouche de ses personnages des harangues de son invention parce qu'il craint de voir ses lecteurs se lasser de « suivre toujours une armée par des pays ruinés et déserts » ? Ou lorsqu'il admet avec candeur ou désinvolture, au choix, de nombreuses erreurs, déclarant pour toute justification : « Et vraiment il n'est pas au pouvoir d'un homme mortel de faire une course de douze siècles sans broncher[65] » ? Mézeray a longtemps passé pour le grand historien de la France. Son valet de chambre en lisait chaque soir quelques pages au jeune Louis XIV[66]. La postérité s'est montrée très sévère. Sainte-Beuve avouait cependant lire Mézeray avec plaisir ; il le jugeait « droit et sensé, négligé et libre, irrégulier, inconséquent peut-être, véridique avant tout » et doué du talent de raconter « la vieille France dans son propre langage », avec ses mots, ses images et ses idées[67]. Le compliment n'est pas mince ; il est mérité.

Admettons quelques longueurs. Après tout, l'histoire de France a, elle aussi, ses temps morts. Mais à tous ces monarques, ce pionnier s'efforçait de rendre justice, convaincu d'ailleurs que la France était née de leur action plus ou moins libre et volontaire et qu'avec des fortunes diverses ils avaient contribué l'un après l'autre à élever l'édifice. C'est ainsi qu'à travers Mérovingiens et Carolingiens, Mézeray – et après lui ses imitateurs – conduisait ses lecteurs jusqu'au morceau de choix, et de roi, de son *Histoire* : les Capétiens, par qui le *Rex francorum* – roi des Francs – des siècles antérieurs devint progressivement *Rex franciae* – roi de France – et l'histoire de France prit pour de bon, autour de l'an mille, son envol[68].

Le xe siècle marque assurément l'une de ces époques où l'on éprouve le sentiment de la puissance de la volonté. Temps « atroce », dira Jacques Bainville, où « tout ce qu'on avait vu à la chute de Rome et pendant l'agonie des Mérovingiens fut dépassé[69] ». Bainville fut le dernier grand représentant de la vieille école historique. Si la France, disait-il, ayant pour ainsi dire cessé d'exister dans le grand naufrage des derniers Carolingiens, ne disparut pas, elle en fut redevable à l'action d'une poignée d'individus de grande capacité et volonté, ou plutôt d'une lignée d'hommes remarquables : les Capétiens. Lorsqu'il lui fallait nommer les pères fondateurs de la nation, ce n'est pas à Pharamond que Bainville remontait, à peine à Clovis, même si celui-ci avait eu le mérite de sceller, le premier, l'alliance avec l'Eglise qui devait peser si fortement sur les destinées de la France ; quant à Charlemagne, son principal titre de gloire avait été de faire revivre les idées d'unité, d'autorité et de grandeur tombées en déshérence depuis la chute de l'Empire romain. Non, c'est vers un obscur préfet du palais que Bainville se tournait, Robert le Fort, et vers son fils Eudes. Patiemment, ils s'étaient taillé un fief dans l'ombre des Carolingiens dont ils étaient les serviteurs et, avec persévérance et ténacité, ils avaient réuni les moyens nécessaires pour, le jour venu, recueillir l'héritage de leurs maîtres. 987 voit commencer le roman national.

« Pendant une centaine d'années, poursuit Bainville, cette royauté fit petite figure[70]. » Le roi, dont le prestige était surtout moral, n'était pas, et de loin, le plus puissant seigneur de son royaume. S'interrogeant sur les héritiers du « roi de peu[71] » qu'avait été Hugues Capet, l'historien disait tout ce qu'il avait fallu de chance et d'efforts pour fonder une monarchie sans laquelle la France n'eût peut-être même pas existé. La chance avait tenu à l'existence d'héritiers mâles en ligne directe qui, pendant trois cent trente ans, épargnèrent à cette fragile royauté l'épreuve d'une crise de succession, contribuant au contraire à faire accepter l'idée, longtemps contestée, que les rois se succédaient de père en fils. Cette chance ne suffit pas à expliquer la fortune des Capétiens. Aucun d'entre eux ne dilapida l'héritage reçu de ses prédécesseurs, s'attachant au contraire à le grossir pour le léguer, plus imposant et plus solide encore, à son propre successeur. C'était une famille qui avait le souci tout bourgeois – avant l'heure – de la propriété et des bons mariages. Sous la direction de cette lignée plus appliquée que géniale, la France prit forme entre le XIe et le XIIIe siècle.

Bainville marche d'un pas plus vif que Mézeray. Il enjambe les règnes, servi par un style qui conjugue le sens de la formule et l'esprit de synthèse du journaliste au savoir de l'historien. Les titres de ses chapitres n'ont pas la monotonie de ceux de son lointain devancier, mais comme celui-ci, arrivant à l'époque moderne il eût pu titrer : « Henri IV le Grand, Roy XLII[72]. »

⋆

Lorsque Bainville publia son *Histoire de France*, en 1924, il y avait déjà près d'un siècle que les frondeurs de la génération romantique avaient commencé de tirer à boulets rouges contre cette histoire « à l'ancienne » où les rois et leurs serviteurs occupaient seuls ou presque le devant de la scène[73]. Augustin Thierry résumera ainsi le programme qui avait été le sien dans les années 1820 : « Guerre à Mézeray, à Velly, à leurs continuateurs et à leurs disciples[74]. » La Révolution française était passée par là. Elle avait rempli l'Histoire de la présence innombrable du peuple et, du même coup, bouleversé la manière de l'écrire. Tocqueville fera observer que la démocratie succédant à l'aristocratie, la part attribuée respectivement aux causes particulières et aux causes générales devait changer : tandis que, dans les temps aristocratiques, on privilégie volontiers les causes particulières en expliquant l'histoire par « la volonté et l'humeur de certains hommes », dans les temps démocratiques on est si convaincu que le changement est nécessairement l'effet d'une œuvre collective que l'on cherche « de grandes causes générales » à tous les événements, même, ajoutait-il, à de « petits faits particuliers ». L'aristocratie croit aux individus, la démocratie aux forces sociales ; la première au pouvoir de la volonté, la seconde aux fatalités historiques ; la première envisage l'Histoire du point de vue de ses acteurs, la seconde la considère d'après ses résultats ; la première croit que les acteurs savent – plus ou moins – quelle histoire ils sont en train d'accomplir, la seconde que les hommes font l'histoire sans savoir quelle histoire ils « font » réellement[75]. Il est curieux de constater combien une philosophie politique de la liberté – celle de la Révolution française – engendra une philosophie de l'histoire qui faisait si peu de cas de la liberté.

Les années qui suivirent la Restauration de 1814-1815 virent triompher parmi les historiens les idées de nécessité et de fatalité, lorsque les défenseurs de l'héritage de la Révolution – Guizot, Thierry, Sismondi ou Barante – entreprirent de remonter aux sources de l'histoire de France. Leur but était de démontrer l'irréversibilité de la Révolution en la rattachant à un passé si ancien qu'elle recevrait de ce lest historique un supplément de légitimité[76]. Ainsi Guizot avait entrepris de présenter la révolution de 1789 comme l'aboutissement nécessaire de l'émancipation des communes commencée au XIIe siècle, tandis que les frères Thierry, Amédée et Augustin, remontaient jusqu'aux Mérovingiens, et à la Gaule avant ceux-ci, pour retracer les origines de la lutte des deux peuples – descendants des Gallo-Romains conquis et des Germains conquérants, tiers état d'un côté, nobles de l'autre – qui, à les en croire, avait rempli de son tumulte les siècles obscurs. Lutte de classes sans aucun doute, mais aussi bien affrontement de « races » qui avaient conservé leurs caractères originaux au travers des vicissitudes de quatorze siècles. Après être remonté de la Révolution française à « l'immense désordre qui, dans le VIe siècle, avait succédé, pour une grande partie de l'Europe, à la civilisation romaine », Augustin Thierry ajoute :

> Je crus apercevoir, dans ce bouleversement si éloigné de nous, la racine de quelques-uns des maux de la société moderne : il me sembla que, malgré la distance des temps, quelque chose de la conquête des barbares pesait encore sur notre pays, et que, des souffrances du présent, on pouvait remonter, de degré en degré, jusqu'à l'intrusion d'une race étrangère au sein de la Gaule, et à sa domination violente sur la race indigène[77].

Ce débat n'était pas nouveau. Au siècle précédent, il avait eu pour enjeu la légitimité, ou au contraire l'illégitimité, des privilèges de la noblesse, laquelle prétendait descendre des conquérants francs. La dispute avait inspiré à l'abbé Sieyès un passage fameux de *Qu'est-ce que le tiers état ?* dans lequel il proposait tout bonnement de renvoyer les nobles dans les forêts d'outre-Rhin d'où ils prétendaient venir[78]. En opposant le tiers état gallo-romain à la noblesse franque, Guizot et les frères Thierry, plus de trente ans après la Révolution, continuaient Sieyès, à un moment où la conjoncture politique laissait croire que l'épreuve de force engagée en 1789 était loin d'être terminée :

> La Révolution, écrivait ainsi Guizot au lendemain de l'assassinat du duc de Berry qui avait vu le réveil du parti ultraroyaliste, a été une guerre, la vraie guerre, telle que le monde la connaît entre peuples étrangers. Depuis plus de treize siècles, la France en contenait deux, un peuple vainqueur et un peuple vaincu. Depuis plus de treize siècles le peuple vaincu luttait pour secouer le joug du peuple vainqueur. Notre histoire est l'histoire de cette lutte. De nos jours une bataille décisive a été livrée. Elle s'appelle la Révolution[79].

La France se voyait ainsi pourvue d'une histoire si prévisible qu'elle devait, pour finir, connaître la fin appelée par son commencement : le retour à l'indépendance d'un peuple qui n'avait tant souffert que pour n'avoir pu, ou su, réaliser son unité au moment de repousser l'envahisseur, romain d'abord, barbare ensuite. C'était une histoire sans héros ou presque, l'histoire d'un peuple, toujours le même, la chronique de son tempérament, de ses instincts, de la « race » qui parle en lui. On était loin des héros hauts en couleur, bons ou méchants, compatissants ou cruels, braves ou lâches, doués ou médiocres, habiles ou pataudes, qui peuplent l'*Histoire* de Mézeray. L'histoire selon Thierry ou Guizot parle, jusque dans son dénuement, la langue de la Révolution. Elle témoigne de ce qui avait été l'une des grandes passions de cette dernière : la quête de l'impersonnalité.

Convaincus de n'être que les porte-parole du peuple souverain, c'est en effet à ce grand être collectif existant pour ainsi dire indépendamment d'eux-mêmes et qu'ils croyaient doué de sentiment, de raison et de volonté que les révolutionnaires avaient réservé leurs hommages. Les « meneurs » de la Révolution, ses héros, ne pouvaient être, dans le meilleur des cas, que des porte-parole, des représentants, des instruments. Ils le croyaient. Auraient-ils, sinon, accepté si facilement de monter à l'échafaud dès lors que l'échec leur démontrait qu'ils avaient perdu le soutien de cette divinité populaire dont ils révéraient la toute-puissance ? Ils avaient bien accepté de faire une exception en décrétant un Panthéon national où la patrie exprimerait sa reconnaissance envers ses grands hommes, mais ces hommages, ils les avaient réservés aux morts. Dans le monde des vivants, ils avaient au contraire fiévreusement cherché à donner forme à l'idéal d'une communauté de citoyens égaux se gouvernant elle-même au moyen d'un pouvoir le plus anonyme possible : mandats électifs réduits à un ou deux ans, non-réélection pour contrer la formation d'une oligarchie, trône vacant placé au centre de l'Assemblée nationale pour matérialiser le principe de l'anonymat d'un pouvoir qui, appartenant à tous, ne devait appartenir à personne, ils avaient tout essayé. Las, le rêve avait fait long feu. Depuis 1789, les événements n'en finissaient pas de faire surgir des « héros », même si ces idoles ne régnaient pas longtemps et finissaient brutalement. Reste que la société rêvée, si parfaitement égalitaire qu'on n'y admirerait personne, restait dans les limbes. Et devait le rester. Deux ans après la mort de Robespierre, Bonaparte faisait irruption sur la scène et, trois ans et une brassée d'exploits plus tard, il allait à son tour « refaire une tête à la France[80] », pour reprendre le mot d'un contemporain. Vraiment ? Rendre à la France un roi, même sous une forme plus compatible avec les principes républicains ? La perspective était loin de faire l'unanimité et les Cassandre ne manquaient pas qui dénonçaient l'existence d'un penchant populaire pour « l'idolâtrie individuelle[81] ».

★

Plus d'un demi-siècle après, Michelet devait pousser le même cri, plaçant en exergue de son *Histoire de la Révolution française* cette phrase d'Anacharsis Cloots, guillotiné en 1794 : « France ou Gaule, tu seras heureuse lorsque tu seras guérie des individus[82]. » Cloots visait Robespierre, mais Michelet songeait à un autre *individu*, à un autre usurpateur de la souveraineté du peuple, Napoléon III. Badinguet n'était-il pas le successeur de son oncle, et celui-ci, selon l'historien, l'héritier de Robespierre ? L'Incorruptible avait été, avant l'heure, un Napoléon civil, et l'Empereur, pour reprendre la formule de Mme de Staël, un « Robespierre à cheval ». De l'un à l'autre, et de ceux-ci à Napoléon III, c'était le même mal français, la même pathologie qui, quelle que fût la forme des institutions, ramenait toujours la monarchie et son idée du pouvoir incarné. L'espérance d'un monde « guéri des individus », dont Michelet voyait l'expression la plus pure dans la fête de la Fédération du 14 juillet 1790, s'était révélée durer ce que durent les songes. L'affrontement des partis et des factions en avait eu vite raison. Le principe de division l'avait emporté sur l'élan unitaire. Le règne du « tyran bavard », Robespierre, issu de ces luttes intestines, avait amené pour finir celui du « tyran militaire », Napoléon. Du règne de celui-ci, Michelet dit qu'il représenta l'acmé de cette pathologie, même s'il n'en marqua pas la fin. Lorsque Bonaparte entra avec fracas sur la scène de l'histoire, les Français, victimes d'une sorte « d'aliénation mentale », étaient prêts à l'accueillir et à se soumettre :

> Le mauvais rêve de la Terreur et de la guerre universelle avait bouleversé les esprits, les mettant hors de la raison et de tout équilibre, et les rendant surtout avides d'émotions. [...] La vive entrée en scène d'un acteur étranger [ravit] les spectateurs et les [jeta] hors d'eux-mêmes. Et ce n'est pas seulement la masse qui s'extasie devant ce Bonaparte. Les artistes, qui sont des enfants, battent des mains. “Quel bonheur ! changement à vue !... Quel merveilleux spectacle, inexplicable !” L'humanité tout à coup ne compte plus dans les affaires humaines. Quelle

> simplification sur le théâtre ! Un seul acteur ! Ah ! voilà bien le spectacle classique, la vraie peinture d'histoire[83].

La pièce avait ensuite été rejouée, pour le meilleur et pour le pire, en 1815 au moment des Cent-Jours, en 1830 et encore en 1851… « Nos Fédérations de 1790, écrivait encore Michelet, cet élan, le plus unanime que l'on ait vu parmi les hommes, qui réunit la France, le monde, ne sont pas moins qu'un Evangile. La France a eu cela, nul autre peuple que je sache. Et ne l'a-t-elle eu qu'une fois ? N'avons-nous pas revu le même élan aux débuts admirables de Juillet [1830] et de Février [1848][84] ? » Mais 1851 avait brisé le rêve de 1848, comme 1794 puis 1799 avaient broyé le grand élan fraternel de 1790. Depuis toujours la France, nation hétérogène, divisée comme aucune autre, était en quête de son unité. Après l'avoir longtemps cherchée, et souvent subie, par l'Eglise ou dans la personne de ses rois, elle s'efforçait désormais, assurait Michelet, de la réaliser par elle-même. De ce point de vue, la Révolution était bien autre chose qu'un événement, même immense, de l'histoire de France : elle en était l'apogée et comme un résumé de son esprit ; plus qu'une annonciation, un accomplissement. Elle éclairait tout ce qui l'avait précédée. Tout devenait évident à sa lumière. 1789 conférait un sens à l'histoire millénaire de la France. Mais, envers de la médaille, si la Révolution éclairait le passé, elle rendait incompréhensibles les événements qui avaient suivi. Comment la fin de l'Histoire pouvait-elle avoir une suite ? Et pourtant, 1830, 1848 et 1851 le prouvaient, l'Histoire continuait, la France n'en avait pas fini avec ses « grands hommes » :

> Le XIXe siècle est bien gênant, remarque justement Roland Barthes dans son étude sur Michelet ; pourquoi continue-t-il, puisqu'il n'a plus sa place dans le combat de la liberté ? Et pourtant il existe. Qu'est-il donc ? rien qu'un sursis, un temps gracieux ou affreux, mais en tout cas un temps surnuméraire, tout comme le Temps de la Patience de Dieu, offert aux chrétiens entre la mort du Christ et le Jugement dernier. La Révolution étant avènement religieux du Juste […], tout ce qui sépare la Révolution de la Cité future est un temps incompréhensible,

c'est-à-dire retiré de l'Histoire, ne participant plus à sa signification[85].

L'histoire de France bégaie après 1790. Michelet voulait cependant espérer, croire qu'elle reprendrait son cours, autrement dit qu'elle finirait par trouver sa fin naturelle : « Le temps avance, écrivait-il en 1869. Nous sommes un peu moins imbéciles. La manie des incarnations, inculquée soigneusement par l'éducation chrétienne, le messianisme, passe. Nous comprenons à la longue l'avis [d]'Anacharsis Cloots[86]. »

⋆

Michelet était si pénétré de l'esprit de la Révolution française qu'il en avait écrit l'histoire « de l'intérieur » ; fort de « l'espèce d'intimité » qu'il entretenait avec l'événement, il comprit mieux que personne « ce qui avait mis en mouvement, pendant ces années fameuses, tous ses acteurs, connus ou anonymes, et d'abord le premier d'entre eux : le peuple[87] ». Il revivait l'épopée en la racontant, elle ressuscitait par lui et en lui : son nez ne saignait-il pas lorsqu'il couchait sur le papier les scènes sanglantes des massacres de Septembre[88] ? C'est au point qu'en achevant son grand œuvre, cette *Histoire de France* dont l'*Histoire de la Révolution* devait être le couronnement, il ne savait plus très bien qui, du créateur ou de la créature, avait engendré l'autre : « Mon livre m'a créé. C'est moi qui fus son œuvre. Ce fils a fait son père[89]. » Les paradoxes de la période devaient revivre dans son œuvre. Dans quelle autre histoire, tout entière vouée à mettre en scène l'avènement populaire et collectif d'une nouvelle ère – celle de l'Humanité s'élevant sur les ruines du christianisme –, trouve-t-on une étude aussi approfondie des motifs qui commandèrent les discours et les actes des principaux acteurs de la Révolution ? Michelet ne se vante pas lorsque, dans une postface qu'il renonça à publier, il dit s'être surtout efforcé de *spécifier*, de « retrouver la personnalité, la pénétrer en soi, la suivre en ses variations, la noter jour par jour[90] ». Cette histoire dont l'acteur principal est le peuple est aussi, et peut-être surtout, une histoire des individus qui le composent et qui, dans bien des circonstances, lui volèrent la vedette :

> Dans toute cette histoire, qui fut ma vie dix ans et mon monde intérieur, je formai, sur ma route, parmi ces morts renés et recréés, des amitiés très chères où se prenait mon cœur. Puis, quand ils étaient miens, [...] il me fallait les briser, les arracher de moi. Croit-on qu'il ne m'ait rien coûté d'immoler Mirabeau ? Combien plus j'aimais la Gironde, sa glorieuse croisade pour les libertés de la terre ! [...] je ne l'ai pas moins jugée et condamnée. Mais mon plus grand arrachement fut de quitter Danton. [...] Le croira-t-on ? Le plus grand vide à cette table de bois blanc, d'où mon livre s'en va maintenant et où je reste seul, c'est de n'y plus voir mon pâle compagnon, le plus fidèle de tous, qui, de 89 en Thermidor, ne m'avait point quitté ; l'homme de grande volonté, laborieux comme moi et pauvre comme moi, avec qui, chaque matin, j'eus tant d'âpres discussions. Le plus grand fruit de mon étude morale, physiologique, c'est justement cette dispute, c'est d'avoir sérieusement anatomisé Robespierre[91].

Michelet aurait pu reprendre ces lignes au mot près lorsqu'en 1867 il termina son *Histoire de France.* Quarante années s'étaient écoulées depuis qu'il en avait écrit la première page. Il avait « passé et repassé tant de fois le fleuve des morts », dira-t-il, que dans cette « poursuite ardente », plus d'une fois il se perdit de vue : « Je m'absentai de moi », confessera-t-il. Il avait trente-trois ans lorsqu'il s'était engagé dans ce long labeur, il en avait maintenant soixante-dix : « J'ai passé à côté du monde, et j'ai pris l'histoire pour la vie », avouait-il avec un peu de mélancolie. Le moment était venu de faire ses adieux à son œuvre :

> Chère France, avec qui j'ai vécu, que je quitte à si grand regret ! [...] Que d'heures passionnées, nobles, austères, nous eûmes ensemble [...] ! Que de jours de labeur et d'études au fond des Archives ! Je travaillais pour toi, j'allais, venais, cherchais, écrivais. Je donnais de moi-même tout, peut-être encore plus. Le lendemain matin, te trouvant à ma table, je me croyais le même, fort de ta vie puissante et de ta jeunesse éternelle[92].

Ces mots rappellent ceux adressés à son « pâle compagnon » de la Révolution française ; mais cette fois, le cœur de Michelet s'était rarement pris aux personnages de l'histoire de France, si ce n'est à ces « figures de héros naïfs » qui surgissent de loin en loin et dont Jeanne d'Arc restera à tout jamais la figure sublimée. Il y avait à cela une raison. Ecrire l'histoire de la nation, c'était nécessairement, déplorait-il, « reprendre [un] long cours de misère, de cruelle aventure, de cent choses morbides et fatales » : « J'ai avalé trop de fléaux, trop de vipères et trop de rois », au point que, sortant du sombre Moyen Age, il lui avait fallu, avant de toucher aux siècles de la monarchie absolue, « se retremper dans le peuple » pour reprendre courage, en écrivant sans plus attendre l'histoire de la Révolution[93].

C'est après la révolution de juillet 1830, où tant de bons esprits crurent les promesses de 1789 enfin accomplies, que Michelet avait jugé le moment venu de donner à la France l'histoire que, d'après lui, elle ne possédait pas encore. Elle avait des annales, expliquera-t-il, « non point une histoire » ; on l'avait étudiée de bien des façons, sous bien des angles, mais jamais dans la totalité de son cours et sous ses différents aspects : « Le premier, je la vis comme une âme et une personne[94]. » En disant que la France n'avait que des annales, il pensait bien sûr aux historiens d'antan, Mézeray, l'abbé Velly et Anquetil, le premier si connu encore que le gouvernement de Juillet venait de subventionner la réimpression de son *Histoire de France* pour donner du travail aux ouvriers d'imprimerie au chômage[95]. C'est la preuve que la nouvelle école historique n'avait pas encore secoué le joug des habitudes. Ni Guizot ni Augustin Thierry n'avaient été à la hauteur de la tâche, Michelet en était convaincu. Guizot s'intéressait surtout aux institutions ; quant à Thierry, dont Michelet tenait pourtant l'*Histoire de la conquête de l'Angleterre par les Normands* (1825) pour un chef-d'œuvre, il s'obstinait à voir dans les circonstances si variées de l'histoire française l'action d'un principe unique – la race –, qui non seulement laissait échapper les neuf dixièmes de la réalité, mais soumettait le destin français à une fatalité – du tempérament, des pesanteurs culturelles – qui semblait aller contre ce qui, au contraire, frappait Michelet dans le cours tumultueux de l'histoire nationale : la liberté, cet incessant travail de la nation sur elle-même par lequel la France était devenue la France, non pas constituée une fois pour toutes, mais sans cesse se faisant et se renouvelant au fil des générations et au gré de circonstances toujours changeantes. Voir dans le peuple français le descendant des Gaulois ou des Gallo-Romains et vouloir expliquer par cette ascendance le cours d'une histoire millénaire semblait à Michelet par trop réducteur. L'histoire selon Thierry manquait de chair, elle était trop abstraite, trop déterminée, trop sèche en un mot. Il y manquait la vie. Il y manquait d'abord un décor, un sol, des rivières et des montagnes, des terroirs et des villes, bref, la géographie sans laquelle l'histoire est borgne. Ne voyons pas pour cette raison Michelet comme un précurseur d'Ernest Lavisse qui confia à Vidal de La Blache le soin de consacrer le premier volume de son *Histoire de France* à la géographie. En plaçant ce *Tableau géographique* en tête de l'œuvre, Lavisse suggère que la France existait de toute éternité, au moins en puissance, avant même que l'histoire n'en eût dévoilé les contours. Michelet place significativement son poétique « Tableau de la France » au début du second volume, après l'évocation, dans le premier, du passé gaulois, romain, mérovingien et carolingien de ce qui, pour lui, n'est pas encore la France. Pour que la France devînt la France, il avait fallu qu'elle se délivrât de la nostalgie de l'empire dont Charlemagne avait été la dernière expression, qu'elle rejetât tout élément germanique et qu'enfin, très tard, elle prît conscience de son individualité, de sa personnalité, en se donnant une langue qui lui était propre. Alors commença le roman vrai de la patrie dont le premier acte coïncide chez Michelet, comme chez les historiens anciens, comme chez Bainville, avec l'avènement des Capétiens et plus précisément avec le long règne de Robert le Pieux (996-1031). Pour autant, Michelet ne suivait pas les traces de Mézeray. Pour celui-ci, comme ensuite pour Bainville, les Capétiens avaient littéralement *fait* la France. Pour Michelet, l'Eglise avait *fait* les Capétiens, inaugurant une alliance qui devait durer jusqu'à la formation de la monarchie absolue ; quant à la France, elle s'était *faite* toute seule. Il n'avait pas conçu son histoire comme une histoire dynastique des Capétiens, puis des Valois, puis des Bourbons, mais comme la restitution du « grand travail des nations » sur elles-mêmes, « chaque peuple se faisant, s'engendrant, broyant, amalgamant des éléments, qui y restent sans doute à l'état obscur et confus, mais sont bien peu de chose relativement à ce que [fait] le long travail de la grande âme ». Histoire de l'auto-engendrement de la nation, histoire de la liberté : « La France a fait la France [...], elle est fille de sa liberté. Dans le progrès humain, la part essentielle est à la force vive, qu'on appelle homme. *L'homme est son propre Prométhée*[96]. »

L'Homme, pas *les hommes* ; l'Homme, pas les individus, ou alors tous ensemble, les premiers rôles n'étant en fait que les masques d'une époque, les vignettes de ce grand travail collectif et anonyme de la nation s'inventant et se réinventant sans cesse à partir de l'infinie variété de ses éléments constitutifs, matériels, politiques et spirituels. On s'en doute, aucun Pharamond pour commencer l'histoire de Michelet. C'est à peine si Clovis y figure, chef de tribu barbare et cruel dont seule la conversion au christianisme mérite d'être signalée puisque, par elle, l'Eglise « prit solennellement possession des Barbares[97] », comme plus tard elle devait régner à l'ombre des Capétiens. L'exemple le plus frappant du mauvais sort réservé par Michelet aux grands hommes est assurément celui de Charlemagne. De l'empereur, l'histoire de Lavisse peindra le portrait en majesté[98]. Celui proposé par Michelet n'est guère flatteur : l'homme est médiocre, l'œuvre à l'avenant. « On a proportionné l'empereur à l'empire, ajoutait-il dans une note, et conclu que celui qui régnait de l'Elbe à l'Ebre devait être un géant[99]. » C'était tout le contraire[100], et l'œuvre elle-même rien d'autre qu'une restauration de l'Empire romain d'Occident si artificielle qu'elle survécut à peine à son fondateur. En réalité, ce dernier « jouait de son mieux l'Empire[101] », il le singeait. Rien de solide ni de durable ne pouvait naître de lui. Michelet n'était, à son époque, pas le seul à chercher à expulser Charlemagne de l'histoire de France. Augustin Thierry l'avait précédé. Ils avaient l'un et l'autre une bonne raison : Charlemagne avait beaucoup servi sous Napoléon, et d'abord à légitimer le rétablissement en 1804 d'une monarchie héréditaire. L'hostilité envers le régime napoléonien rejaillissait sur « l'empereur à la barbe fleurie[102] ».

Mais il y avait une autre raison au dédain de Michelet pour les supposés fondateurs de l'histoire de France, de Clovis à Hugues Capet en passant par Charlemagne. D'un côté, l'historien appartenait à une génération à qui la Révolution française avait inculqué l'idée que toute histoire est d'abord collective, que la volonté individuelle y jouit d'une efficacité très relative et que le changement est moins le fait des initiatives de quelques-uns que de l'élan du plus grand nombre. Paul Viallaneix a montré combien le jeune Michelet se trouvait alors sous l'influence de la pensée de Vico dont il avait traduit en 1827 les *Principes de la philosophie de l'histoire.* La *Scienza nuova* du philosophe napolitain convenait à « son amour plébéien de l'égalité » ; elle l'encourageait à « renverser les idoles[103] ». Dans son *Histoire romaine*, publiée en 1831, Michelet avait encore répété ce qu'il devait à Vico, notamment au point de vue du rôle des grandes individualités dans l'histoire :

> *L'humanité est son œuvre à elle-même.* [...] L'humanité est divine, mais il n'y a point d'homme divin. Ces héros mythiques, ces Hercule dont le bras sépare les montagnes, ces Lycurgue et ces Romulus, législateurs rapides, qui, dans une vie d'homme, accomplissent le lent travail des siècles, sont les créations de la pensée des peuples. [...] Les miracles du génie individuel se classent sous la loi commune. Le niveau de la critique passe sur le genre humain. Ce radicalisme historique ne va pas jusqu'à supprimer les grands hommes. Il en est sans doute qui dominent la foule, de la tête ou de la ceinture ; mais leur front ne se perd plus dans les nuages. Ils ne sont pas d'une autre espèce, l'humanité peut se reconnaître dans toute son histoire, une et identique à elle-même[104].

La même année, dans une *Introduction à l'histoire universelle*, il expliquait pourquoi la révolution de 1830 avait fait naître en lui un tel enthousiasme. C'est comme si les idées de Vico sur l'interprétation des mythes et des symboles étaient sorties des pages de son œuvre pour façonner la réalité :

> Ce que la révolution de Juillet offre de singulier, c'est de présenter le premier modèle d'une révolution sans héros, sans noms propres ; point d'individu en qui la gloire ait pu se localiser. La société a tout fait. [...] Pas un nom propre ; personne n'a préparé, n'a conduit ; personne n'a éclipsé les autres. Après la victoire, on a cherché le héros, et l'on a trouvé tout un peuple[105].

La déception, tôt venue, s'était révélée proportionnelle à l'illusion. Loin de présider à la naissance d'une fraternité nouvelle, la révolution de 1830 avait sombré dans le règne des petits calculs, des intérêts égoïstes et médiocres décrit par Stendhal dans *Lucien Leuwen* ; l'heure était à « la lassitude des temps et la vilenie des âmes[106] ». En fait d'aurore, on était loin du compte. Au détour d'un paragraphe, Michelet avait noté une spécificité française qui ne cadrait pas tout à fait avec sa chère théorie de l'« anéantissement des grandes individualités historiques[107] » :

> La France agit et raisonne, décrète et combat ; elle remue le monde, elle fait l'histoire et la raconte. L'histoire est le compte rendu de l'action. Nulle part ailleurs vous ne trouverez de mémoires, d'histoire individuelle, ni en Angleterre, ni en Allemagne, ni en Italie. [...] Dans l'Italie du Moyen Age, la vie de l'homme était celle de la cité. La morgue anglaise est trop forte pour que la personnalité se soumette à rendre compte de soi. La nature modeste de l'Allemand ne lui permet pas d'attacher tant d'importance à ce qu'il a pu faire. [...] L'Allemagne est plus faite pour l'épopée que pour l'histoire ; elle garde la gloire pour ses vieux héros, et dédaigne volontiers le présent. Le présent est tout pour la France. Elle le saisit avec une singulière vivacité. Dès qu'un homme a fait, a vu quelque chose, vite il l'écrit. Souvent il l'exagère. Il faut voir dans les vieilles chroniques tout ce que font nos gens[108]...

Certes, s'empressait-il d'ajouter, en France « l'individu tire sa gloire de sa participation volontaire à l'ensemble, il peut dire, lui aussi : *Je m'appelle légion*[109] », et c'est confiant dans le bien-fondé de l'enseignement de Vico que Michelet s'était engagé dans l'étude des origines de notre histoire où, sur une durée de cinq ou six cents ans, peu nombreuses étaient en effet les figures historiques à qui l'on pouvait prêter une influence même relative.

⋆

Dix ans plus tard, son *Histoire de France* avait pris une tonalité très différente. Bien avant que n'entrent en scène Henri IV et surtout Louis XIV, deux figures individuelles dominent les derniers volumes – le cinquième et le sixième – consacrés au Moyen Age : Jeanne d'Arc, qui annonce la sortie de « l'âge théologique » ; Louis XI, dont le règne fait entrer la France dans les Temps modernes. Changement comparable à celui observé dans *Histoire de la Révolution française* : le héros individuel se faisant jour dans une histoire qui l'avait au départ répudié. Quelques semaines après avoir publié le tome V, en 1841, Michelet notait dans son *Journal* : « Je me suis mis ce matin à revoir mon vieux *Vico*. Le principe est bien celui déjà signalé : l'humanité est son œuvre à elle-même. Seulement, j'ai eu tort, dans cette préface, de trop lier ce principe à l'anéantissement des grandes individualités historiques[110]. » On ne saurait imaginer plus complet démenti des principes professés en 1827 et 1831[111].

Michelet fut véritablement « l'inventeur » – comme on dit de celui qui découvre un trésor – de Jeanne d'Arc. Le XVIIIe siècle ne l'avait pas aimée, qui ne la connaissait plus qu'à travers les railleries de Voltaire ; le XIXe libéral l'avait réhabilitée, mais comme le simple porte-parole du peuple, tandis que le XIXe clérical se méfiait de cette sainte qui sentait un peu le soufre[112]. Michelet réhabilita la figure du Héros à travers la vie de cette héroïne populaire, restituée comme jamais on ne l'avait fait encore et comme jamais plus on ne le fera. Elle donne un visage au peuple innombrable. « Quelle légende plus belle que cette incontestable histoire ? Mais il faut se garder bien d'en faire une légende[113] », ajoutait Michelet ; quelle plus profonde énigme que l'histoire de « cette mystérieuse créature que tous jugèrent surnaturelle, cet ange ou ce démon, qui, selon quelques-uns, devait s'envoler un matin, [dont] il se trouva que c'était une jeune femme, une jeune fille, qu'elle n'avait point d'ailes, qu'attachée comme nous à un corps mortel, elle devait souffrir, mourir, et de quelle affreuse mort[114] » ? Jeanne d'Arc est le premier personnage aux traits vraiment prononcés de l'épopée de Michelet, l'héroïne dont il explore le destin et s'efforce de dévoiler les mystères afin de mieux comprendre la mission dont elle se sentit investie et l'enthousiasme qu'elle provoqua. Point de psychologie dans l'étude de Charlemagne ou dans celle des premiers Capétiens : c'est qu'ils appartiennent à un âge encore tout entier dans la main de Dieu, où l'espérance de la vie éternelle l'emporte sur le soin de la vie terrestre. Au contraire, Michelet « anatomise » Jeanne, comme il « anatomisera » Robespierre. Tous deux vrais phénomènes, tous deux investis du pouvoir d'incarner, à un moment donné, plus qu'eux-mêmes, elle la France, lui la Révolution. Jeanne, première apparition du personnage du « sauveur » dans l'histoire de France, marque aussi bien l'émergence de la conscience moderne : l'individu se dressant contre les fatalités apparentes.

Jeanne ne fut pas la simple création de ceux qui l'attendaient et la suivirent. Elle ne répondit pas à l'appel de la foule, même confusément exprimé. Elle s'engagea et, suivant le chemin qu'elle s'était tracé, elle y entraîna tous ceux qui, pour la plupart, avaient déjà renoncé à tout espoir. Elle ne fut pas portée, c'est elle qui porta la France, au moment où celle-ci se trouvait, comme il lui arriva si souvent au cours de son histoire, dans une période de « prostration d'esprit » à laquelle, dit Thomas de Quincey, « la folie du misérable roi Charles VI » avait mis le comble, « triplant l'horreur de ces misérables jours[115] ». Par sa force d'âme, par son inflexible volonté, « elle régénère les âmes défaillantes[116] » ; elle ne les représente pas.

Le secret de cette puissance d'entraînement se trouvait d'abord dans les replis de sa personnalité ; ensuite dans son origine populaire, son « cœur simple », sa candeur, sa naïveté mêlée de « finesse » et même de ruse, son inébranlable volonté soutenue par les voix qu'elle entendait ; enfin, dans la nature de l'héroïsme qui fut le sien et consista à faire le don total d'elle-même à la mission qu'elle s'était assignée – forcer les Anglais à lever le siège d'Orléans et conduire Charles VII à Reims pour qu'il y fût sacré. Patriote, populaire, femme,

Jeanne est l'anti-Napoléon, si l'on voit celui-ci par les yeux de Taine, qui, tout en reconnaissant qu'il avait, au moins au début, rendu quelques services à la patrie, ne serait-ce qu'en mettant fin aux violences révolutionnaires, lui reprochait d'avoir bientôt outrepassé l'espèce de mandat qui lui avait été décerné pour utiliser les ressources de la France – et sacrifier celle-ci – à son ambition jamais rassasiée. Jeanne avait fait le don d'elle-même sans réclamer aucune contrepartie. C'est de ce sacrifice qu'elle tira l'extraordinaire puissance qui, d'Orléans à Reims, fit venir à elle tant de dévouements et lui permit de surmonter tous les obstacles en entraînant, au moins pour un temps, jusqu'aux plus timorés et aux plus sceptiques : « Chaque jour affluaient des gens de toutes les provinces qui venaient au bruit des miracles de la Pucelle, ne croyaient qu'en elle et, comme elle, avaient hâte de mener le roi à Reims. C'était un irrésistible élan de pèlerinage et de croisade. L'indolent jeune roi lui-même finit par se laisser soulever à cette vague populaire, à cette grande marée qui montait et poussait au nord[117]. » Paule Petitier écrit justement que l'apparition de Jeanne d'Arc joue le même rôle que le « Tableau de la France » placé en ouverture du second volume, après la fin de l'Empire carolingien, au moment où la nation, délivrée du monde germanique « vaste et vague » qui s'était mêlé à elle au moment des invasions barbares[118], prit conscience d'elle-même et accéda à l'existence[119]. L'histoire héroïque de Jeanne est plus qu'un tournant dans l'histoire de France, c'est un « redémarrage », un recommencement[120].

Michelet confère une importance particulière à *L'Imitation de Jésus-Christ*. Les idées développées dans ce livre écrit au tournant du XIVe et du XVe siècle avaient commencé de se répandre en Europe peu avant le siège d'Orléans et l'entrée en scène de Jeanne d'Arc. Comme le moine allemand qui l'avait écrit insistait beaucoup sur la relation directe entre le fidèle et la Parole sacrée et sur l'intériorisation du sentiment religieux, Michelet y voyait l'expression d'une « Renaissance anticipée », une première Réforme, aussi importante, aussi considérable par ses conséquences que celle du XVIe siècle. « Il n'est pas douteux que tous les facteurs jouent à partir du

XIIe siècle dans le sens d'une individualisation renforcée dans le cadre d'une société moins fruste et moins fragile, écrivait Pierre Chaunu à propos de *L'Imitation.* [...] Le jugement s'est rapproché, la comptabilité des œuvres se fait plus pressante, la requête est précise et personnelle[121]. » Michelet n'avait pas tout à fait tort d'y voir le signe d'une lente sortie du monde ancien, du monde vivant dans l'attente de Dieu. On était à l'aube d'une ère nouvelle que l'extraordinaire destin de Jeanne illustre : la petite paysanne de Domrémy n'a-t-elle pas obéi à ce que lui dictait sa conscience en se levant à l'appel des voix, des saintes et des anges qui la visitaient ? C'était l'esprit de *L'Imitation de Jésus-Christ* qui vivait en elle, phénomène si nouveau que les esprits encore ignorants de la nouvelle théologie voyaient facilement dans cette jeune fille une folle ou une sorcière[122].

Contemporaine d'une mutation du rapport au sacré, Jeanne tourne la page d'un monde tandis que, dans le domaine politique, le voyage de Reims ouvre un nouveau chapitre : celui d'une monarchie devenue, grâce à elle et dans la confrontation avec l'Angleterre, pour la première fois « nationale », dans laquelle le roi n'est plus seulement le représentant ici-bas des puissances de l'au-delà mais le pasteur de la communauté dont il a la charge et dont il doit défendre les intérêts terrestres. Avec Jeanne d'Arc, le ciel s'éloigne un peu plus de la terre. Michelet y insiste dans la préface qu'il donne à son *Histoire de France* achevée : « L'innocente héroïne a fait, sans s'en douter, bien plus que délivrer la France, elle a délivré l'avenir en posant le type nouveau, contraire à la passivité chrétienne. Le moderne héros, *c'est le héros de l'action.* La funeste doctrine, [...] la liberté passive, intérieure, occupée de son propre salut, qui livre au Mal le monde, l'abandonne au Tyran, cette doctrine expire au bûcher de Rouen[123]. »

Pas de héros sans génie propre, donc ; pas de héros sans une légitimité qui réside avant tout dans la mission qu'il s'est assignée lui-même ; pas de héros, bien sûr, sans reconnaissance, même si jamais celui-ci n'est le simple fidéicommis de ceux qui répondront à son appel ; pas de héros qui ne soit l'instrument ou le catalyseur d'un tournant dans l'histoire ou de l'avènement d'une nouvelle époque ; pas de héros, enfin, sans la Passion qui, pour finir, couronne l'épopée par le martyre.

Lorsque Charles VII fut sacré par l'archevêque de Reims, Jeanne se jeta à ses genoux et lui dit : « O gentil roi, maintenant est fait le plaisir de Dieu, qui voulait que je fisse lever le siège d'Orléans et que je vous amenasse en votre cité de Reims recevoir votre saint sacre, montrant que vous êtes vrai roi et qu'à vous doit appartenir le royaume de France. » « La Pucelle avait raison, commente Michelet ; elle avait fait et fini ce qu'elle avait à faire. Aussi, dans la joie même de cette triomphante solennité, elle eut l'idée, le pressentiment peut-être de sa fin prochaine[124]. » La France sauvée, Jeanne devait disparaître. On dit que Michelet partageait sur ce point, une fois n'est pas coutume, l'opinion des historiens royalistes, lesquels soutenaient qu'elle avait reçu la mission de restaurer la royauté, pas de continuer de sa propre initiative la guerre contre les Anglais. Il ne juge pas vraiment la désobéissance de Jeanne, son obstination, son refus de voir que beaucoup de ceux qui l'avaient suivie se détournaient d'elle à présent, car la tragédie est un chapitre nécessaire pour parachever l'assomption de l'héroïne : « Qu'il en dût advenir ainsi, elle le savait d'avance ; cette chose cruelle était infaillible, disons-le, nécessaire. Il fallait qu'elle souffrît. Si elle n'eût pas eu l'épreuve et la purification suprême, il serait resté sur cette sainte figure des ombres douteuses parmi les rayons ; elle n'eût pas été parmi les hommes *la Pucelle d'Orléans*[125]. »

★

Michelet s'était « pris le cœur » à Jeanne *Darc*, comme il orthographiait le nom de la famille pour mieux rappeler ses origines populaires[126]. Il voyait dans cette vie si pleine, si brève, si tragique, l'image même d'une « poésie suprême[127] ». Certainement le ton est très différent s'agissant, dans le volume suivant, du règne de Louis XI. Il est vrai que la qualité de roi de celui-ci ne plaidait pas en sa faveur aux yeux du très républicain Michelet. En outre, la réputation de ce souverain méchant et sournois, à l'aspect disgracieux et même débile, était déjà si mauvaise – Walter Scott et Victor

Hugo y avaient contribué[128] – qu'il était inutile de tenter de le réhabiliter. L'historien n'y songeait pas. De ce monarque dont le règne, dit-il, marqua « le brusque réveil de la royauté[129] », l'histoire telle qu'il la reconstitue vaut moins par l'analyse proprement dite du règne – le triomphe de la raison d'Etat brisant les féodaux et asservissant le peuple – que pour sa mise en scène littéraire : l'affrontement entre Louis XI et Charles le Téméraire. Elle vaut surtout par un trait fort singulier si l'on se souvient du principe d'« anéantissement des grandes individualités historiques » adopté par Michelet et dont l'histoire de Jeanne l'avait déjà forcé à se départir : l'éclipse quasi complète du peuple et même de tout autre protagoniste que le roi et ceux qu'il combat et brise. Si la France, en cette fin du XVe siècle, prend un nouveau tournant, celui de l'Etat moderne appuyé sur la raison d'Etat, c'est à l'initiative d'un homme faisant violence à son temps et qui occupe d'autant plus aisément la scène qu'il succède à des rois – Charles VI, le fou, et son fils Charles VII – dont le moins qu'on puisse dire est qu'ils manquaient à ce point de relief qu'ils étaient pour ainsi dire destinés à n'occuper que le second rang[130]. Avec l'avènement de « l'aragne » en 1461, la monarchie occupe l'avant-scène. Elle ne la quittera plus jusqu'à la Révolution française, sauf pendant les troubles du XVIe siècle et la minorité de Louis XIV.

*

Le temps qui passe est sans indulgence. Il fait vieillir les livres d'histoire comme le reste. Ce n'est pas tant l'histoire qui prend des rides que la manière de la raconter. Michelet n'était pas encore mort – il tira sa révérence en 1874 – que déjà son œuvre passait davantage pour celle d'un écrivain et d'un poète que d'un historien. Le XIXe siècle, son zénith franchi, ne jurait plus que par la Science. L'œuvre d'un Taine est aujourd'hui encore plus démodée que celle de Michelet dont jamais elle n'eut la fraîcheur, mais pendant un demi-siècle environ elle en imposa par sa rigueur et son sérieux. A l'école de Michelet, Taine avait contracté le goût des archives. Comme le vieux maître, il aimait les manuscrits et les parchemins, mais tandis que Michelet y trouvait l'opportunité de respirer l'air du passé et de ramener à la vie des faits oubliés et des hommes disparus depuis des siècles, Taine y cherchait des preuves. Il ressembe aux chasseurs de papillons ; il en a le côté maniaque. Comme eux, il traque le spécimen rare, en l'occurrence les faits susceptibles d'étayer sa démonstration ; l'ayant identifié et isolé, il l'épingle à son tableau de chasse, puis, se livrant à des rapprochements, à des confrontations mystérieuses, il compose des familles dont il tire finalement la « faculté maîtresse » qui, à l'en croire, résume et éclaire toute une époque. A ceux qui reprochaient à sa méthode de dépouiller l'histoire de toute poésie et de manquer d'âme, il objectait la Science, qui, grâce à lui, mettait l'histoire au pair de la physiologie et de la géologie :

> J'ai fait ce que font les zoologistes lorsque, prenant les poissons et les mammifères par exemple, ils extraient de toute la classe et de ses innombrables espèces un type idéal, une forme abstraite commune à tous, persistante en tous, dont tous les traits sont liés, pour montrer ensuite comment le type unique, combiné avec les circonstances spéciales, doit produire les espèces. C'est là une construction scientifique semblable à la mienne[131].

Il y a des montagnes qui accouchent de souris ; Taine expliquait le monde à partir d'une tête d'épingle ou d'un trait de caractère d'un personnage. Il avait la démonstration un peu lourde parfois, mais d'une rigueur et d'une précision sans pareilles. « Pas une maille faible ou manquante dans cette étoffe d'une texture impeccable[132] », disait Emile Boutmy. Tandis que Michelet se promène dans le passé au gré de sa fantaisie et sans toujours se soucier de la vérité, Taine creuse, analyse, dissèque. Taine est moderne. Il veut à tout prix prouver et écraser l'adversaire sous le poids de son raisonnement. Ne soyons pas trop sévères, il appartient à une famille peu nombreuse en France, celle des libéraux conservateurs. Il aimait trop la liberté pour éprouver la moindre tendresse vis-à-vis de l'Ancien Régime, et détestait trop l'égalité pour admirer la Révolution. Ses principes faisaient de lui un historien plus lucide que beaucoup d'autres, à commencer par Michelet.

Ses *Origines de la France contemporaine* regorgent de portraits qu'on trouvera forcément supérieurs à ceux de son illustre devancier. Il est moins naïf, on ne lui en impose pas aussi facilement, il ne se laisse pas enfumer par les grands principes que Michelet gobait facilement. Taine a l'œil perçant, le trait acéré. Sa détestation de la Révolution française lui évite bien des pièges. Et pourtant, je trouve Michelet supérieur. Taine est sec comparé à lui, il manque de grâce ; surtout, il brosse toujours de ses « héros » des portraits qui manquent de fluidité et de nuances. Aucun de ceux qui ont eu l'honneur de son pinceau n'était resté tel quel, ainsi qu'il les campe, du début à la fin de leur carrière. Robespierre avait mieux commencé qu'il n'a fini et Danton mieux fini qu'il n'avait commencé. Tandis que Michelet s'efforce de saisir ses héros dans leurs métamorphoses successives, Taine les peint d'un bloc et une fois pour toutes, au risque, disait Sainte-Beuve, de manquer « le plus vif de l'homme[133] ». Marat apparaît ainsi comme le « type » du fou, Danton du flibustier, Robespierre du cuistre de province et Napoléon du condottiere, la combinaison de ces quatre figures aidant à comprendre sinon la Révolution, du moins la mentalité révolutionnaire. Explication novatrice en son temps, originale, stimulante même, mais trop systématique et absolue pour comprendre une époque caractérisée au plus haut degré par sa complexité et la diversité de ses manifestations. Un critique littéraire de l'époque s'était gentiment moqué de l'esprit de système de Taine. Evoquant la dernière partie des *Origines*, consacrée au « Régime moderne », il écrivait :

> C'est le triomphe de la construction littéraire. Tout repose sur une définition du caractère de Napoléon. Admettez seulement que Napoléon ait été un condottiere italien, vous verrez aussitôt se dresser en pleine lumière devant vous toute l'histoire du XIXe siècle, vous comprendrez pourquoi la France possède tant de préfets et de sous-préfets, pourquoi les prêtres sont si aveuglément soumis aux évêques et les évêques au pape, pourquoi les écoles françaises, depuis les primaires jusqu'aux supérieures, se montrent si peu aptes à former des hommes. Inutile de chercher, à travers les deux gros volumes, une exception,

l'ombre d'un argument qui contredise la thèse. Ah ! comme l'on voudrait que la réalité eût ce bel ensemble, cette harmonieuse unité si claire et si raisonnable[134] !

Taine tenait les hommes pour quantité négligeable. Il n'accordait pas d'importance à ce qu'ils avaient voulu faire, et souvent manqué, à leurs enthousiasmes et leurs passions mauvaises. Il croyait trop à l'existence des forces qui les faisaient agir à leur insu. Il n'existe pas d'hommes supérieurs pour lui. Les plus grands eux-mêmes ne sont que la manifestation extérieure de ce qui, intérieurement, les fait mouvoir. Ce sont des marionnettes dont on ne voit pas les fils.

Si Taine est plus ou moins tombé dans l'oubli, c'est pourtant moins à cause de sa méthode que de ses attaques en règle contre la Révolution[135]. Car, pour ce qui concerne la méthode, il eut de très nombreux successeurs, tous épris de science et tous convaincus que la libre action des individus est un mythe, une illusion, un mensonge. Le XXe siècle a abondé dans ce sens. De la droite la plus radicale à la gauche révolutionnaire, de l'Action française au communisme, on y a célébré un même culte, celui du sens de l'histoire et de la fatalité. Sale temps pour les grands hommes.

⋆

De tous les pays, la France fut celui où on leur fit le plus mauvais sort. Acharnement singulier, si l'on se souvient de l'observation de Paul Valéry sur le nombre impressionnant de nos « phénomènes ». Le XXe siècle, de ce point de vue, amplifia le XIXe. L'histoire emboîta le pas à la sociologie, s'attachant comme elle à l'étude des grands nombres et cherchant à établir les lois propres à rendre compte du développement des sociétés, de leurs mutations et même de leurs crises. Toutes les théories déterministes qui étendirent leur ombre sur le siècle, du marxisme à la psychanalyse et au structuralisme, trouvèrent en France un terrain favorable. Grands hommes, monstres et héros y perdirent le privilège d'infléchir, pour le meilleur ou pour le pire, le cours des événements. Après avoir été les acteurs privilégiés de l'histoire, ils en devinrent les sujets mystifiés dont l'historien avait pour tâche de « déconstruire » les discours et les actes afin de mieux comprendre ce qui « parle » ou « agit » en eux : tantôt les infrastructures qui dominent le sujet et l'« agissent » de l'extérieur ; tantôt l'inconscient et le langage qui l'« agissent » de l'intérieur. D'où l'effacement durable du sujet dans son autonomie et sa capacité de maîtrise du réel ; d'où, encore, une attention privilégiée pour les structures déterminantes ; d'où enfin, dans le domaine des études historiques, le privilège accordé d'une part à la longue durée (contre l'événement), d'autre part aux masses anonymes (contre les individus et les « grands acteurs »), bref, à tout ce qui manifeste plutôt la nécessité que la liberté de l'action[136]. Ce modèle, qui n'eut certes jamais cette simplicité d'épure, a régné sur les sciences sociales et l'histoire pendant au moins un demi-siècle, des années 1930 aux années 1980. S'il domine toujours, plus que jamais même, les pauvres restes de ce qui fut jadis la sociologie, il a presque complètement disparu des études historiques. Il faut dire que rarement on aura vu discours plus éloigné de l'expérience que celui-là. Le XXe siècle n'a-t-il pas manifesté comme aucun autre avant lui le rôle déterminant que peut jouer, dans certaines circonstances, la volonté individuelle ? François Furet y avait insisté dans *Le Passé d'une illusion* : si l'avènement du fascisme et du communisme dépendit de conditions particulières, si ces deux régimes s'incarnèrent dans des passions collectives, ils furent avant tout des aventures de la volonté incarnées dans des chefs charismatiques. « Un trait apparente les trois grandes dictatures de l'époque, ajoutait Furet, leur destin est suspendu à la volonté d'un seul homme. » Mussolini, Lénine et Hitler « ont conquis le pouvoir en brisant des régimes faibles par la force supérieure de leur volonté, tout entière tendue, avec une incroyable obstination, vers ce but unique[137] ». On n'a jamais autant cru à la loi d'airain de la nécessité que dans le siècle le plus rempli par l'action de la volonté. En 1950, Roger Stéphane, s'interrogeant sur la possibilité de l'héroïsme dans les sociétés modernes, concluait ainsi par la négative, soutenant que les derniers héros n'avaient été que des aventuriers dont la passion de l'action, dissociée de tout élan collectif, était par cela même condamnée à l'échec :

> L'ère des aventures individuelles est close depuis que l'action des forces collectives s'est ouvertement substituée à la prise de l'individu. Un homme seul, aujourd'hui, n'a guère de chances de marquer l'histoire. [...] Il fallut de singulières circonstances pour qu'à deux reprises le général de Gaulle, fort seulement de sa solitude, pût imprimer sa marque à l'histoire de France[138].

De Lech Walesa à Margaret Thatcher et de Jean-Paul II à Deng Xiaoping, la suite montra qu'il était encore possible « d'imprimer sa marque à l'histoire ». Mais le rayonnement du marxisme – même aussi hétérodoxe qu'il le fut en France – n'explique pas à lui seul le phénomène. Aux travaux des historiens dont la « discipline » avait toujours été mêlée de philosophie et de littérature – Michelet offrait le modèle de l'historien écrivain et philosophe –, l'invocation d'un « fil providentiel de la nécessité » conférait l'apparence trompeuse d'une science, avec ses vérités et ses certitudes. Les historiens, avouera Georges Duby, eurent alors « l'obsession du nombre, de la moyenne, de la courbe », cherchant au-delà de « l'écume des événements » « les oscillations de la conjoncture » et les fameuses « structures » « imperceptiblement entraînées par des mouvements plus lents[139] ». Si l'histoire appareillait pour ces contrées rébarbatives, c'était aussi la preuve de ce qu'elle se sentait alors assez puissante pour prétendre unifier sous sa bannière l'ensemble des sciences sociales. Fernand Braudel, qui avait, plus que les fondateurs de l'école des Annales, Marc Bloch et Lucien Febvre, infléchi le mouvement vers l'étude d'une longue durée supposée ouvrir mieux que toute autre approche à l'intelligence du passé, ne se départit jamais de ces principes. Il en donna une ultime illustration en 1986 dans *L'Identité de la France*, alors qu'autour de lui la petite armée des Annales s'égaillait aux quatre vents. En conclusion de sa seconde partie, « Les hommes et les choses », Braudel rappelait ce que lui avait appris l'étude de l'histoire de très longue durée, qu'il refusait de comparer à un fleuve, à une vague ou à une houle qui emporterait tout sur son passage, mais plutôt à « une énorme surface d'eau quasi stagnante » :

> A peine s'écoule-t-elle à la lenteur du *trend* séculaire, mais, de façon irrésistible, elle entraîne tout sur elle : les barques légères qui sont les nôtres et les navires des pilotes orgueilleux de la grande histoire. Et c'est pourquoi il y a forcément continuité d'une certaine lente histoire, permanence du semblable, répétition monotone, réflexe aisé à prévoir, car toujours ou presque le même… Evidemment, il y a des cassures, des ruptures, mais jamais telles que l'histoire entière en soit coupée en deux. L'histoire de longue durée est ainsi une sorte de référence par rapport à laquelle tout destin non pas se juge, mais se situe et s'explique. C'est la possibilité, si je ne me trompe, de distinguer l'essentiel et l'accessoire. […] Ne limite-t-elle pas (je ne dis pas supprime) à la fois la liberté et la responsabilité des hommes ? Car ils ne font guère l'histoire, c'est l'histoire, elle surtout, qui les fait et du coup les innocente[140].

L'innocence est ici la rançon de l'impuissance. Jamais peut-être on n'a congédié si définitivement la possibilité d'une action humaine réfléchie et efficace, considéré avec une même indifférence le bien et le mal, proclamé qu'à l'aune des siècles les hommes sont les simples jouets d'une force qui les dépasse. On songe à Hérodote décrivant le franchissement de l'Hellespont par l'armée perse lancée à l'assaut de la Grèce. Xerxès regardait ses soldats s'engager sur le pont de navires qui fermait le détroit quand, soudain, des larmes coulèrent de ses yeux. « Seigneur, lui dit l'un de ceux qui se tenaient à ses côtés, votre conduite actuelle est bien différente de celle que vous teniez peu auparavant. Vous vous regardiez comme heureux, et maintenant vous versez des larmes. » « Lorsque je réfléchis, répondit Xerxès, sur la brièveté de la vie humaine, et que de tant de milliers d'hommes il n'en restera pas un seul dans cent ans, je suis ému de compassion[141]. » L'empereur perse ne pleurait pas sur la mort imminente de tant de ces soldats qui allaient affronter les phalanges grecques, mais sur l'insignifiance de ces vies au regard des siècles. Le chef-d'œuvre de Fernand Braudel, *La Méditerranée au temps de Philippe II*, relève de la même philosophie : rien ne compte à l'échelle des siècles, surtout pas les événements qui, si tragiques eussent-ils été, sont comme les rides que fait le vent à la surface de l'eau. Braudel avait écrit *La Méditerranée* pendant la guerre, dans un camp de prisonniers, sans aucun livre ni aucune note à sa disposition, citant de mémoire les sources qu'il avait rassemblées auparavant. L'entreprise était prodigieuse. L'historien méditait depuis longtemps ses hypothèses sur la longue durée, mais les circonstances l'avaient conforté dans cette direction. Prisonnier, dira-t-il, confronté à l'effondrement de son pays, il éprouvait plus que jamais le besoin, cette fois vital, de croire à l'existence de forces si impérieuses, si libres de toute espèce d'influence, qu'elles permettaient de relativiser les malheurs présents et de croire qu'à l'échelle de l'histoire les mauvais jours finiraient[142]. Une historienne américaine a souligné combien cette attitude par elle-même bien compréhensible et louable rendait Braudel aveugle, car justement ce qui le conduisait à investir tant d'espoir dans la durée démentait ses théories : n'était-il pas là, dans ce camp, non en vertu d'une logique historique impersonnelle, de forces impossibles à maîtriser, mais d'événements, de ces *événements* qu'il abhorrait, que n'expliquaient aucun facteur déterminant, aucune logique fatale, mais les intentions, les projets, la détermination farouche, les actes et le tempérament criminel de ceux qui avaient déchaîné l'apocalypse sur l'Europe et le monde[143] ?

L'Identité de la France fut accueillie diversement, comme on dit pudiquement. La dernière œuvre de Fernand Braudel illustrait une conception de l'histoire qui avait vite et mal vieilli. Même si, malgré les références à Marx dont le maître n'était pas avare, cette école avait eu peu à voir avec le marxisme, elle essuya le contrecoup de la crise où, vers la fin des années 1970, celui-ci s'enfonça. La croyance en un sens de l'Histoire s'écroulait, et avec elle toutes les théories qui mettaient en avant l'action de structures déterminantes. La discipline sortit transformée de cette crise. D'un côté, l'histoire sociale entra dans une longue phase de déclin, tandis que l'histoire politique, centrée sur l'étude des événements, du contingent, des intentions et des initiatives des acteurs, revenait au premier plan. La biographie sortit du purgatoire où elle avait été reléguée depuis des décennies. On l'avait accusée de faire trop bon ménage avec la littérature, de consentir une part trop importante à l'imagination, de reposer sur une « illusion » – la vie comme destin, une, continue, cohérente et transparente –, de s'appuyer, enfin, sur une conception dépassée de l'histoire exagérant l'efficacité de la volonté humaine et la souveraineté des individus. On a tant écrit sur le procès instruit contre ce « genre impur » qu'il n'est pas utile de s'y attarder[144].

Le « retour de la biographie », dont la publication en 1983 – en français – du *Louis XI* de Paul Murray Kendall (paru en anglais en 1971) donna en quelque sorte le signal, témoignait de la réhabilitation du caractère fluide et ouvert, à l'image des trajectoires individuelles, du devenir historique, et du regain d'intérêt pour l'observation de « la part explicite et réfléchie de l'action[145] ». Après plusieurs décennies d'attention privilégiée pour les masses, les contraintes et la nécessité, l'individu était de retour[146]. Le phénomène n'a épargné personne, pas même ceux qui, disciples de l'école des Annales, s'étaient toujours montrés les plus réfractaires au genre. Bernard Guenée, un éminent médiéviste de cette école, a dit combien écrire une biographie lui avait permis d'échapper au carcan trop rigide du déterminisme social et historique :

> Il me semblait que l'étude des structures était irremplaçable. Elle éclairait le passé d'une merveilleuse cohérence. Mais elle le rendait trop simple. Et une biographie permettait de jeter un premier regard sur l'accablante complexité des choses. L'étude des structures me semblait aussi donner une trop large part à la nécessité [...], une biographie permettait d'accorder plus d'attention au hasard, à l'événement[147].

Nul n'ignore que Jacques Le Goff couronna la longue liste de ses travaux par un *Saint Louis* (1996), non sans faire précéder sa narration de prudentes et savantes remarques destinées à désamorcer d'éventuelles critiques[148]. La crainte de déchoir est si forte que tous les historiens formés à l'école des Annales qui s'adonnent au plaisir un peu honteux de la biographie croient nécessaire de s'excuser. Même Georges Duby fit l'école buissonnière, d'abord avec son *Dimanche de Bouvines* (1973) qui l'entraînait du côté de l'histoire événementielle, ensuite avec *Guillaume le Maréchal* dont il publia la biographie en 1984. « Ce n'était pas à l'individu que nous nous intéressions[149] », croira-t-il bon de préciser dans ses souvenirs. Aussi ces expéditions en terre ennemie en surprirent plus d'un. Certains de ses amis « s'indignèrent » même lorsqu'il accepta d'écrire l'histoire d'une bataille, et dix ans plus tard, son incursion sur le territoire maudit provoqua des réactions identiques : « On pouvait m'accuser de trahir l'esprit des Annales, dit-il en évoquant la sortie de *Guillaume le Maréchal*. J'étais en effet le premier des épigones de Marc Bloch et de Lucien Febvre qui acceptât d'écrire la biographie d'un *grand homme*[150]. »

Georges Duby exagérait. Il s'appropriait un mérite dont il n'avait pas l'exclusivité. Lucien Febvre en personne n'avait-il pas donné l'exemple en publiant en 1928 une vie de Martin Luther devenue l'un des grands classiques de l'historiographie ? Et ne peut-on considérer qu'il commença une entreprise similaire en consacrant à Michelet son enseignement au Collège de France[151] ? C'était en 1943-1944. A cette date, faire le choix de l'*Histoire de France* de Michelet n'avait rien d'académique. C'était, pour Lucien Febvre, le moyen de proclamer son amour de la France et la conviction qui était la sienne qu'en dépit de 1940 et de ce qui avait suivi elle ne disparaîtrait pas. Il ne pouvait se résoudre, disait-il lors de la leçon inaugurale, au « naufrage » et à la « disparition » de la nation, « cette meurtrie, cette vaincue, cette cruellement vaincue... ». Et de s'exclamer aussitôt : « Mais enfin, combien de fois déjà au cours de l'Histoire n'a-t-elle pas touché le fond de l'abîme ? » Et de rappeler les désastres de 1356, de la guerre de Cent Ans, de 1525, des guerres de Religion, de 1815, de 1870. Et « toujours la France survit – toujours la France se relève. Toujours descendue aux abîmes, elle remonte d'un coup des profondeurs et reprend place au sein des nations[152] ». C'est Charles V qui la sauve, Jeanne d'Arc ou Henri IV. Febvre faisant du Bainville, vingt ans après la publication de l'*Histoire de France* de ce dernier ? Certes pas. Il critiquera vivement l'historien d'Action française dans l'une de ses leçons, lui reprochant une vision étroitement politique et diplomatique de l'histoire nationale[153], mais il a, pour célébrer la patrie, des mots qui ne sont pas inférieurs à ceux de son antagoniste ni à ceux de Marc Bloch dans *L'Etrange Défaite* ou dans le *Testament* de 1941[154] :

> France, pays un et multiple qu'il faut aimer si on veut le comprendre, dans son unité et dans sa multiplicité tout à la fois ; France qui n'est jamais tout à fait elle-même, et qui se renouvelle constamment ; France qui, plus qu'aucun pays au monde, appartient à tous ses fils pareillement, également, à tous ses fils porteurs d'idéaux nullement contradictoires – et qui, les uns après les autres, fournissent à l'heure qu'il faut l'homme qu'il faut, tantôt Etienne Marcel, et tantôt Jeanne d'Arc, tantôt Louis XI, Richelieu, Colbert ou Carnot, chaque fois l'homme qui peut le mieux incarner, à l'heure juste, la réaction de la Nation dressée pour la sauvegarde de son génie propre[155].

On est loin, ici, de l'épistémologie des Annales ; la tragédie de la défaite et de l'Occupation ramenait Febvre vers une représentation héroïque de l'histoire nationale, celle qui, au même moment, inspirait l'émouvant discours de Pierre Brossolette au Royal Albert Hall[156]. « Guérir des individus », vraiment, comme l'espérait Michelet ? Plus facile à dire qu'à faire. Dans l'histoire de la France, tout y ramène.

★

L'Angleterre et la France sont les deux plus anciens – et à dire vrai les seuls – Etats-nations en Europe. L'Allemagne fut, par la langue, une nation bien avant de devenir un Etat (1871), du reste pas toujours très à l'aise dans ses frontières politiques : ses frontières linguistiques les débordent. Quant à l'Espagne, si on a pu dire que sa monarchie avait exercé une forte influence sur son homologue française, son existence politique résultait de la réunion de couronnes qui conservaient chacune son autonomie et, à ce jour, ne l'ont pas perdue. Si l'Espagne est un Etat sans former une nation, l'Italie n'est ni un Etat ni une nation. Le « campanilisme » que Bonaparte considérait comme le principal obstacle à l'unification de la péninsule n'a pas disparu, et à cet « esprit de localité », ce particularisme généralisé renforcé par les différences culturelles et linguistiques, la coupure entre Nord et Sud et la présence, au centre même du pays, du chef de l'Eglise catholique ont ajouté aux difficultés : ni Mazzini, ni Garibaldi, ni Mussolini n'ont réussi dans leurs tentatives successives pour faire des Italiens un même peuple et une même nation.

De l'Angleterre et de la France, on peut dire que la première fut une « nation » avant d'avoir un Etat, et la seconde un Etat avant de devenir une nation. Le facteur décisif, dans le premier cas, fut le caractère tardif de l'invasion normande (1066). Guillaume le Conquérant trouva une Angleterre saxonne déjà solidement organisée, notamment dans ses institutions locales : l'idée que le souverain doit gouverner par « esprit de conseil » était fortement enracinée, les limites des paroisses et celles des comtés qui formeront le cadre de la vie locale étaient fixées et ne changeront plus guère, la noblesse saxonne y était davantage de service que de naissance... Les rois saxons laissaient un précieux héritage qui facilita la tâche du Conquérant : il n'eut pas à beaucoup batailler pour imposer sa domination sur l'Angleterre et s'y heurta à moins de résistances que les souverains français qui, au même moment, luttaient pour imposer leur autorité à des féodaux souvent plus puissants qu'eux. Les sujets du roi de France étaient plus enclins que les Anglais à consentir de plus grands pouvoirs au monarque, pourvu qu'il les protégeât des exactions des seigneurs, tandis que ceux du roi d'Angleterre y étaient davantage hostiles parce qu'ils avaient moins besoin de cette protection. Cela n'empêchera pas les successeurs de Guillaume de bâtir une monarchie pas moins souveraine, centralisée et sacrée que la française, plus forte même, dès l'époque du règne d'Henry II (mort en 1189) – l'Angleterre et la France seront les deux pays où se développera, à travers le toucher rituel des scrofuleux, la doctrine des pouvoirs thaumaturgiques du roi –, mais les franchises locales sont incomparablement plus précoces et plus solides en Angleterre. Encore un siècle et les Anglais seront en mesure, avec la Grande Charte de 1215, de poser des limites à l'autorité royale, au moment même où, le règne de Philippe Auguste finissant, la royauté française s'engage sur le long chemin de quatre siècles qui mènera à l'absolutisme louis-quatorzien.

Les Anglais furent certainement favorisés par l'existence d'une dynastie normande dont les souverains parlaient français, et le parlèrent jusqu'au XIIIe siècle, si bien que l'Angleterre pratiquait deux langues : la société l'anglais, le pouvoir le français. Les descendants du Conquérant ne se sentaient pas toujours insulaires : ainsi Richard Cœur de Lion, ce « roi non résident » qui préférait si bien la Normandie de ses ancêtres à son royaume qu'il « appartient peu à l'histoire anglaise[157] ». La société anglaise gagna en autonomie à l'existence de ces rois normands puis angevins en partie étrangers à leur nouvelle patrie, et le phénomène devait se reproduire à la fin du XVIIe siècle avec l'avènement, au lendemain de la Glorieuse Révolution de 1688, de Guillaume d'Orange et de ses successeurs.

En France, l'histoire suivit le chemin inverse. Celle de l'Etat se confond avec l'histoire de la dynastie capétienne issue de l'échec de la tentative carolingienne de restauration impériale. Bien du temps et bien des efforts furent nécessaires avant que les descendants d'Hugues Capet (mort en 996) n'imposent leur autorité aux féodaux, mais, au XIIIe siècle, du règne de Philippe Auguste à celui de Philippe le Bel, la Couronne se dota, à défaut d'un appareil d'Etat encore très développé, d'une doctrine de l'*imperium* et de la *summa potestas* qui faisait du roi de France un « empereur en son royaume », doctrine à laquelle les siècles ultérieurs ajouteront peu[158]. Le soutien des communes a joué un grand rôle dans cette évolution. La monarchie française procède d'une alliance entre le roi et celles-ci, ou le « tiers état », contre les féodaux et une noblesse qui d'emblée fut moins de service que de privilèges. La grande querelle historique que dénouera la Révolution française est commencée.

Mais ce n'est pas dans la lutte contre la féodalité que se forme le sentiment national. On dit souvent que l'histoire de la nation en France n'est pas antérieure à la Révolution française, que celle-ci fit naître le sentiment de former une communauté moins d'histoire que de destin. Ce serait trop prêter à cet événement considérable, mais qui, sur ce plan, eut moins pour effet d'« inventer » la nation que d'en changer les formes et le sens : non plus une communauté d'histoire médiatisée par la figure du roi, mais une communauté de destin procédant de la répudiation d'une histoire déjà presque millénaire et du double rejet de l'hétéronomie du politique et des inégalités fondées sur la naissance. Le sentiment national est antérieur à la Révolution. Faut-il en fixer le début aux guerres de Religion du XVIe siècle, dont les violences auraient fait naître la conscience qu'il existait, entre les Français, un lien plus fort que la différence des opinions religieuses[159] ? Ou remonter beaucoup plus loin et penser que la confrontation avec les Anglais fit naître ce sentiment, devenu très vite assez puissant pour pallier l'éclipse de la royauté, lorsque celle-ci vacilla[160] ? Ou conclure qu'il fut le résultat du patient travail d'amalgame des parties désunies de l'ensemble qui devait devenir la France auquel se consacra la monarchie ?

L'un des traits les plus frappants de l'histoire française réside, passé le cap de l'an mille, dans la puissance toujours croissante de l'Etat, non sans à-coups, et la faiblesse pour ainsi dire structurelle de la « société » : la France ne possède rien qui ressemble à la *gentry* anglaise. Son seul moyen d'expression face au pouvoir royal se réduira bientôt aux états généraux, eux-mêmes dans la main du roi, et à la fin du Moyen Age le royaume restera à l'écart du mouvement qui, sous l'influence du thomisme, conduira un peu partout à l'établissement d'assemblées plus ou moins représentatives, le plus souvent corporatives et consultatives, appelées à éclairer autant qu'à limiter *de facto* le pouvoir du prince. En France, au contraire, la monarchie poursuit son ascension et rogne autant qu'il est en son pouvoir les privilèges de la noblesse et les franchises des corporations et des corps intermédiaires qui se dressent sur son chemin. Au fond, les Français furent en Europe le peuple le plus tôt délivré de la tutelle des privilégiés, sans pour autant accéder à la liberté politique qui s'esquissait partout ailleurs, puisque l'abaissement des grands n'y profita qu'au roi.

La doctrine des tempéraments nationaux est un peu suspecte aujourd'hui, même si on continue d'y recourir couramment lorsqu'on évoque, par exemple, ce qui différencie « les Allemands » des « Français », ou les peuples de l'Europe septentrionale de ceux de l'Europe méridionale[161].

Longtemps on a appelé « génie » ces traits propres à chaque peuple mais qui, pour être gravés en chacun de façon indélébile et offrir un principe de distinction entre *nous* et *eux*, ne constituent pas un carcan auquel on ne pourrait jamais échapper ni une donnée si fondamentale que rien ne pourrait jamais l'altérer ou la modifier. Camille Jullian était un disciple – injustement oublié – de Michelet dont il avait retenu la leçon : les nations ne procèdent pas d'une race mais d'une histoire partagée, et, du plus mystérieux des principes, celui du tempérament national, il écrivait :

> D'où vient-il ? Comment s'est-il formé ? Par suite de quelles influences s'est constitué, par exemple, le tempérament du peuple américain ? Pourquoi, d'éléments si divers, anglais, français, allemands et autres, pourquoi est-il sorti une physionomie nationale d'une puissante originalité ? Nature du sol, nécessités matérielles, organisation politique, conditions sociales, leçons religieuses, événements historiques, exemples ou volontés de certains hommes, d'innombrables faits surgis de la terre et de l'esprit, du temps et de l'espace, ont conflué pour créer ce génie de la nation américaine, qui, une fois créé, descend ensuite dans les âmes des générations nouvelles comme un héritage irrépudiable[162].

Jusqu'à une époque pas si lointaine, les historiens qui n'avaient pas encore jugé Michelet infréquentable trouvaient dans le vieux fonds gaulois l'origine de plusieurs éléments du tempérament national que la colonisation romaine puis la domination franque n'avaient pu étouffer. Je ne vais pas entrer dans la « querelle des Gaulois » – ceux-ci sont-ils vraiment nos ancêtres ? –, mais, sans vouloir rappeler que la plupart de nos terroirs étaient déjà connus des contemporains de Brennus et que nos villes occupent pour la plupart l'emplacement d'habitats gaulois, je rappellerai seulement que les historiens distinguaient, dans cet héritage, deux caractéristiques dont on ne peut nier qu'elles ont joué un rôle cardinal dans notre histoire politique : la passion de l'égalité et l'exagération de la liberté. La première était si forte que les Gaulois ne trouvaient à satisfaire leur répugnance pour toute espèce de subordination que dans la soumission à une caste de prêtres qui ne blessait pas la susceptibilité extrême de nos lointains ancêtres parce qu'elle exerçait son joug au nom de puissances invisibles qu'il n'était au pouvoir de personne de contrôler ; la seconde si impérieuse que même le danger commun ne pouvait persuader les différentes tribus de s'unir et de se donner un même chef, au moins le temps de repousser l'envahisseur. Goscinny connaissait bien ses classiques lorsqu'il inventa le personnage d'Astérix. Bien sûr, tout cela n'a plus guère de sens aujourd'hui puisque bientôt les Gaulois seront censés ne jamais avoir existé. Mais, n'en déplaise à ceux qui réécrivent l'histoire de France comme le pouvoir soviétique effaçait des photographies ceux de ses dirigeants que des purges avaient éliminés, l'héritage de la Gaule permet de comprendre, en partie du moins, la nature des relations qui se sont tissées en France entre Etat et société, si différentes en l'espèce de l'Angleterre. Ici, la société, peu égalitaire et pas du tout libérale, eut assez de force pour entourer de barrières le pouvoir royal – Charles Ier paya de sa tête en 1649 sa tentative pour s'affranchir de ces limites –, tandis qu'en France la société chercha dans l'Etat à la fois une protection contre l'inégalité et un principe d'unité qu'elle ne trouvait pas en elle-même[163]. Il faut dire qu'il a toujours été plus facile de gouverner l'Angleterre, société où les différences sociales sont très marquées, que la France, de tout temps plus égalitaire[164].

L'Angleterre a hérité de son histoire une classe dirigeante remarquablement stable à travers les siècles – propriétaires fonciers et nobles mêlés – qui conservait il y a peu encore toute son influence ; la France, au contraire, n'a jamais eu de véritable classe dirigeante indépendante du pouvoir. Elle a bénéficié, en revanche, d'une administration où très tôt les roturiers firent jeu égal avec les nobles et les clercs. Le service de l'Etat y fonde une « aristocratie » que la propriété ne suffit pas à conférer.

C'est bien pourquoi la France ne peut se passer, pas plus que d'un Etat fort, de grands hommes ou de héros. Ils figurent son introuvable unité. Mieux, ils lui permettent de continuer à survivre à ces moments, pas si rares dans son histoire, où elle frôle l'abîme. Joseph de Maistre, grand admirateur de la

France, était particulièrement sensible à ce trait permanent de notre histoire :

> Le caractère français n'est pas susceptible d'une marche uniforme et continue. Cette obstination imperturbable avec laquelle l'Anglais ou l'Allemand marchent à leur but, sans tomber ni se détourner, n'est pas à l'usage des Français. Chez eux l'abattement succède à l'enthousiasme et les bévues aux grands coups politiques. Le vaisseau de l'Etat ne vogue pas sur une mer tranquille : il est tantôt aux nues et tantôt dans l'abîme. [...] De là ces hauts et ces bas, ces alternatives de gloire et d'humiliations si communes dans l'histoire de France[165].

Sur cette mer agitée, la France a toujours eu besoin de sauveurs. L'Angleterre n'a pas manqué de grands hommes, mais au temps de sa puissance elle préférait célébrer les « perdants magnifiques » de son histoire, comme si elle avait moins besoin de trouver dans le culte de ces figures de proue la preuve de son existence que de se souvenir, à travers le récit de leurs échecs, que les nations, fragiles, doivent se garder d'abuser de leur puissance[166]. Quand elle manqua de sombrer, vers 1810 ou en 1940, ce fut sous les coups de ses ennemis extérieurs, France napoléonienne et Allemagne nazie. La France, au contraire, manqua toujours périr sous ses propres coups, résultant de sa vieille propension à la guerre civile. Wellington et Churchill n'ont pas joué le rôle de Napoléon et de De Gaulle. Ils ont soutenu l'Angleterre dans l'épreuve, ils ont incarné son esprit de combat ou de résistance, ils ne l'ont pas sauvée. Si la France possède une si longue liste de héros, c'est aussi parce que pendant longtemps elle n'en eut qu'un seul : le roi. En le décapitant en 1793, les révolutionnaires détruisirent le corps qui, symboliquement, figurait l'unité de ce royaume de constitution si hétérogène par la diversité des langues, des paysages, des cultures et des traditions. C'est précisément pour combler le vide laissé par la disparition de ce « corps visible et signifiant » de la nation, qu'au XIXe siècle ses historiens, ses écrivains, ses hommes politiques s'attachèrent à « produire [ce] corps symbolique manquant » à travers « un corpus d'insignes, d'images, de rites et de récits[167] » qui conférât à la nation nouvelle cohésion et pérennité. C'est ainsi qu'une pléiade de héros sans pareils occupa l'espace laissé vacant, après deux siècles – depuis le règne de Louis XIV – pendant lesquels, à l'inverse, la multiplicité des héros de l'histoire de France avait été comme absorbée par l'héroïsation toujours plus poussée du monarque absolu.

3

Les meilleurs d'entre nous ?

« Le troisième millénaire semble sourire aux grands hommes et aux héros[1]. » Ainsi commence l'enquête de Christian Amalvi sur *Les Héros des Français*. Des expositions en témoignent, des émissions de télévision et de radio, des biographies, des essais par dizaines... En 2005, c'est France 2 qui demandait aux téléspectateurs de désigner « le plus grand Français de tous les temps » – Charles de Gaulle, bien sûr –, tandis qu'en 2010 les Journées du patrimoine mettaient à l'honneur les grands hommes. L'Empereur reste pourtant une valeur sûre : « Deux cents ans après le sacre, ce que l'on ne vous a pas dit sur Napoléon » et « Napoléon, le héros idéal » (*L'Express*), « Napoléon, empereur ou dictateur ? » (*Historia*), « Napoléon, ses femmes, ses manies, sa mort, son héritage », « Napoléon, une passion française » et « Napoléon, l'éternel retour » (*Figaro Magazine*), devenu dans *Le Monde* « Napoléon Bonaparte, l'éternel retour d'une passion française », « Napoléon, la légende, la vérité » (*Le Nouvel Observateur*), « Napoléon, le mythe toujours recommencé » (*Figaro littéraire*), « Portrait de Napoléon en précurseur de Staline et de Hitler », « Napoléon était-il un monstre ? » et « Le scandale Napoléon » (*Marianne*), « La folie Napoléon » (*Le Point*), « Napoléon superstar » (*France-Soir*), « Napoléon superman » (*Le Monde*) et « Napoléon, on se l'arrache » (*Télérama*)... Quant au « plus illustre des Français », il ne fallut pas moins que le bicentenaire de Waterloo pour lui voler la vedette le 18 juin 2015.

Pour connaître le panthéon des Français, on peut s'appuyer sur les enquêtes régulièrement réalisées par des revues, des sites internet ou des émissions de télévision. Il faut en interpréter les résultats, bien sûr, avec précaution. Après tout, on ne sait pas très bien comment ni par qui elles sont menées, ni auprès de quel échantillon. Mais, aux sempiternelles questions posées : « Quels sont vos personnages historiques préférés ? Avec lesquels aimeriez-vous vous entretenir ? Lesquels ont sinon votre sympathie, du moins votre admiration ? », les réponses sont remarquablement stables, l'absence de variations significatives témoignant sinon du sérieux de la méthode, du moins de l'intérêt du résultat[2]. Depuis la mort du général de Gaulle en 1970, le résultat semble s'être figé. De sondage en enquête, le trio de tête ne varie plus : lorsque ce n'est pas Napoléon, de Gaulle et Louis XIV, c'est de Gaulle, Napoléon et Louis XIV[3]. Aux places d'honneur, loin derrière, Pasteur, Henri IV, Charlemagne, Jeanne d'Arc, Jaurès, Clemenceau, Jean Moulin et Marie Curie. Ces classements, déduction faite des personnages issus de l'histoire du XXe siècle, auraient pu être établis au temps de Lavisse. Le grand homme des sondages est encore celui des vieux manuels scolaires.

On aurait tort, cependant, de croire que le « roman » national échappe à l'air du temps. S'appuyant sur un éventail plus large d'enquêtes d'opinion et tenant compte non seulement de ces palmarès, mais de travaux sur la culture historique des Français, un collectif d'historiens dirigé par François Bédarida a brossé il y a déjà vingt ans un tableau moins réjouissant, constatant « un réel affaiblissement du contenu de la mémoire nationale[4] ». Si le trio de tête ne change pas, derrière c'est la débandade. Chaque année, des noms disparaissent d'une liste dont les heureux élus appartiennent de plus en plus souvent à l'époque contemporaine. L'histoire se contracte, elle compte moins de siècles qu'avant, et partant moins de héros. En 1987, remarque Philippe Joutard dans cette même étude, « 62 % des réponses significatives [les noms cités par au moins 1 % des personnes interrogées] sont constituées par des contemporains des sondés ; ils préfèrent discuter avec Mitterrand qu'avec Napoléon [...]. Vercingétorix, Saint Louis, Jeanne d'Arc ont disparu de la liste : l'actualité a remplacé l'histoire[5]. » Cet Alzheimer mémoriel ne s'est pas arrangé depuis, d'autant qu'à côté de ceux qui répondent tant bien que mal aux questions des enquêteurs il y a les nombreux autres, incapables de citer le moindre nom. Ils représentaient déjà un quart de l'échantillon en 1980. C'est la France ignare, qui ne sait plus rien de son histoire et dont on pourrait dire qu'elle se trouve vis-à-vis du passé comme les invités de la noce de Gervaise et Coupeau devant les peintures du Louvre où, après un gueuleton bien arrosé, ils ont décidé d'aller faire un tour : « Des siècles d'art passaient devant leur ignorance ahurie, la sécheresse fine des primitifs, les splendeurs des Vénitiens, la vie grasse et belle de lumière des Hollandais[6]. » Tout est indifférent à la France ignare, puisque inconnu. Vercingétorix, Du Guesclin, Henri IV, Colbert, Louis-Philippe, Clemenceau défilent devant ses yeux effarés. Mais il y a à ce phénomène d'autres explications que le recul de ce qu'on appelait il n'y a pas si longtemps la culture générale. Le passé importe peu à une société aussi préoccupée du présent que la nôtre non seulement parce qu'on y croit être nés de la veille, mais parce qu'on ne s'y intéresse pas plus à l'avenir qu'au passé. A quoi bon se soucier de ce qui a été et des traditions s'il n'y a rien d'autre qu'un présent perpétuel, un jour sans fin rythmé par le bruit en continu et le « tout à l'ego » – le mot est de Régis Debray – des réseaux sociaux ? L'intérêt pour le lendemain, et lui seul, donne du prix au passé.

Je ne jurerais pas que la notoriété de nos grands hommes, voire l'attention accrue dont ils font l'objet, remplisse aujourd'hui la même fonction. Je crains que, face aux incertitudes de l'avenir, le passé délivre de nos jours moins des leçons pour le présent qu'il ne constitue, au même titre que la littérature ou la poésie, un refuge. Si le goût du passé pour le passé, la tradition antiquaire, s'est éteinte au siècle des Lumières qui lui substitua une conception de l'histoire comme annonciation du futur et philosophie de l'action, l'histoire prend aujourd'hui la teinte délicate et fanée des choses mortes. L'étude du passé nous enseigne… le passé, pas l'avenir. L'histoire est devenue de la « mémoire », ou, pis, se confond avec le « patrimoine » tant célébré et couru, toute une brocante de vieilles pierres et de casseroles rouillées où l'on respire, comme entre les pages des vieux bouquins, le parfum des jours enfuis. L'illusion du présent perpétuel n'est pas favorable aux grands hommes : ils y perdent leur emploi. L'égalitarisme pas davantage : quelle idée de la grandeur peut-on concevoir lorsque tout se vaut, lorsque tous se valent ? La confusion des genres est le prix de cette indifférence à la qualité. Le seul fait d'être connu, surtout si l'on n'y a aucun titre, hisse le plus médiocre au niveau des plus grands. La célébrité, même éphémère, même dénuée de motifs, se trouve de plain-pied avec la gloire. Quelle importance, puisque sous le ciel de l'égalité on ne connaît plus ni supérieur ni inférieur ? « Il n'y a pas de héros pour son valet de chambre », disait Hegel, précisant que cela ne signifie pas que le héros n'est pas un héros, mais que le valet n'est qu'un valet. L'individu démocratique est semblable, vis-à-vis des grands hommes, aux petits « maîtres d'école » dont Hegel dénonçait la volonté de ramener toute grandeur, tout héroïsme, à des proportions communes :

> Alexandre de Macédoine a conquis une partie de la Grèce, puis l'Asie ; il a *donc* été un obsédé de conquêtes. Il a agi par manie de conquêtes, par manie de gloire, et la preuve en est qu'il s'est couvert de gloire. Quel maître d'école n'a pas démontré d'avance qu'Alexandre le Grand, Jules César et les hommes de la même espèce ont tous été poussés par de telles passions et que, par conséquent, ils ont tous été des hommes immoraux ? D'où il suit aussitôt que lui, le maître d'école, vaut mieux que ces gens-là, car il n'a pas de ces passions et en donne pour preuve qu'il n'a pas conquis l'Asie, ni vaincu Darius et Porus, mais qu'il est un homme qui vit bien et a laissé également les autres vivre. […] Les personnages historiques qui sont servis dans les livres d'histoire par de tels valets psychologiques s'en tirent mal ; ils sont nivelés par ces valets et placés sur la même ligne ou plutôt quelques degrés au-dessous de la moralité de ces fins connaisseurs d'hommes[7].

Cette mentalité niveleuse a gagné l'ensemble des sociétés démocratiques. Il n'est pas de héros pour celles-ci, car elles regardent les passions élevées qui animent ceux-ci avec le regard critique du valet jugeant les faiblesses bien humaines de son maître. Mêler d'authentiques génies – Charles de Gaulle – et des vedettes du showbiz ou du sport, c'est diminuer « les grands hommes historiques » (Hegel) et rendre semblable ce qui, par nature, est exceptionnel. La démocratie ne peut se passer de héros. C'est vrai, elle en a eu d'authentiques, à foison même et qui, loin de se prêter à l'identification, invitaient au dépassement de soi[8]. Or l'un des traits marquants de notre époque est de privilégier la relation d'identification au détriment de l'élévation : aux héros appelant par leur exemple à l'effort et au sacrifice, elle préfère les antihéros à son image, qui témoignent de leur proximité avec ceux qui les admirent et non de l'incommensurable distance qui, dans la mythologie, situait les héros à mi-chemin des hommes et des dieux.

Louis XIV, Napoléon et de Gaulle, héros préférés des Français ? Peut-être parce que ce sont les noms qui restent après qu'on a tout oublié.

★

Nos trois héros ont été les plus controversés des personnages de notre histoire. D'ailleurs, quand on passe du registre de l'admiration à celui de la sympathie, aucun d'eux n'est cité une seule fois dans les sondages évoqués à l'instant. Ils sont admirables, pas aimables. Même de Gaulle. Les haines qu'ils ont fait naître sont au moins égales à l'admiration qui les entoure.

Prenez Napoléon : quoi de plus faux que le portrait à charge peint par Taine ? Et quoi de moins exact que le *Napoléon intime* qu'un historien honorable mais sans génie, Arthur-Lévy, s'appliqua à écrire pour réfuter l'auteur des *Origines de la France contemporaine* ? Pour Taine, Napoléon est un monstre, au sens propre ; il sort de l'ordre des choses : étranger à la France parce que corse, étranger à son siècle car animé de passions – la guerre, la conquête, la gloire – auxquelles la société moderne avait tourné le dos. Il avait fallu rien moins qu'un bouleversement de l'ampleur de la Révolution française pour qu'un personnage aussi anachronique trouvât un rôle à jouer dans la France de la fin du XVIIIe siècle. Il s'était abattu sur celle-ci comme un rapace fond sur sa proie, pour ensuite en faire la matière d'une aventure personnelle que ni les circonstances ni le contexte matériel et moral ne permettaient d'expliquer entièrement. Artiste ? Assurément ; puissant génie qui avait entraîné tout un peuple à la poursuite d'un rêve personnel de gloire et de domination universelle, n'hésitant pas à ruiner le pays et à sacrifier sa jeunesse pour, finalement, laisser à ses successeurs la France plus petite qu'il ne l'avait trouvée. L'épopée napoléonienne selon Taine ? Un désastre à la mesure du génie du personnage, et qui ne fut pas une simple et déplorable parenthèse dans l'histoire de France. Elle l'eût été si elle n'avait laissé aucune trace, aucun monument, aucune institution, aucun code de lois, si le cauchemar avait pris fin aussi soudainement que l'histoire de l'Empereur après Waterloo. Mais il n'en fut pas ainsi et soixante ans après la mort du tyran le cauchemar continuait. L'Empereur avait disparu, son œuvre survécu. Non seulement les Français subissaient, après la tyrannie de son pouvoir, celle de son souvenir[9], mais tout, autour d'eux, portait l'empreinte du défunt empire. Loin d'avoir sacrifié la France à un rêve sans lendemain, Napoléon lui avait imprimé sa marque indélébile. Par les institutions qu'il avait fondées et les lois qu'il avait promulguées, il avait inoculé au pays sa propre détestation de la liberté et sa religion du despotisme. Il y avait étouffé, par la centralisation administrative et l'arbitraire des préfets, ce que la nation avait pu conserver d'esprit d'indépendance et de capacité d'initiative. Du peuple frondeur qui avait toujours mis en échec les tentatives royales pour restreindre les libertés locales et affaiblir les corps intermédiaires, Napoléon avait fait un peuple d'administrés soumis au bon vouloir des agents du pouvoir central. Il avait ainsi – donc pas aussi étranger à la France que Taine le soutient – poursuivi la politique que l'absolutisme centralisateur s'était efforcé de mettre en œuvre depuis le règne de Louis XIV et donné une nouvelle impulsion à la réaction antidécentralisatrice engagée par la Convention en 1793. Une idée puissante traverse les *Origines de la France contemporaine*. Elle n'est pas entièrement nouvelle. Depuis Chateaubriand, elle se trouve au centre du procès instruit par la pensée libérale contre l'absolutisme royal, la

Révolution et Napoléon. Elle est délayée, triturée, déclinée en mille versions dans les six volumes de Taine, ramassée en un unique paragraphe dans Chateaubriand :

> Les Français vont instinctivement au pouvoir ; ils n'aiment pas la liberté ; l'égalité seule est leur idole. Or, l'égalité et le despotisme ont des liaisons secrètes. Sous ces deux rapports, Napoléon avait sa source au cœur des Français, militairement inclinés vers la puissance, démocratiquement amoureux du niveau. Monté au trône, il y fit asseoir le peuple avec lui ; roi prolétaire, il humilia les rois et les nobles dans ses antichambres ; il nivela les rangs, non en les abaissant, mais en les élevant : le niveau descendant aurait charmé davantage l'envie plébéienne, le niveau ascendant a plus flatté son orgueil[10].

Le « fatal étranger », le « ravageur », comme l'appelle Chateaubriand, n'avait pas réussi par hasard à établir sur la France une domination comme jamais celle-ci n'en avait connu. Au moins autant qu'il avait fait main basse sur le pays, il avait été le produit des instincts les plus profonds de celui-ci. Le procès allait au-delà d'un réquisitoire contre le bilan en effet mitigé du règne. Chateaubriand et Taine après lui reprochaient moins à Napoléon d'avoir ruiné et affaibli durablement la France par des guerres incessantes que d'avoir corrompu et abâtardi les âmes, de les avoir façonnées à l'obéissance tout en donnant une extension inédite aux passions mauvaises des Français, à commencer par leur amour de l'égalité, autrement dit, concrètement, à la jalousie niveleuse qui les tourmente[11]. En cela, dira même Chateaubriand, Napoléon s'était révélé pire que les révolutionnaires dont la violence et le culte de la vertu civique avaient, certes, décimé l'ancienne société, mais sans l'avilir : « La morale était blessée, mais elle n'était pas anéantie », tandis que le despotisme l'anéantissait sans que la société eût à subir de violences extrêmes[12]. C'est oublier, bien sûr, combien la gloire fut à cette époque non point un poison, mais un puissant stimulant dont les effets se prolongeront bien après la mort de Napoléon pour donner au XIXe siècle tout entier des couleurs qui ne sont pas, c'est même tout le contraire, celles de la servitude ; c'est oublier, encore, combien cette même gloire perpétua des valeurs héritées des temps aristocratiques auxquelles la société nouvelle n'était pas, *a priori*, accueillante. Taine est plus aveugle encore que Chateaubriand à cet aspect des choses, mais il écrit moins l'histoire d'une époque que celle d'une pathologie nationale.

Taine avait l'art de se faire des ennemis : la gauche applaudit la première partie des *Origines*, fort hostile à l'Ancien Régime, et conspua la deuxième, encore plus critique envers la Révolution. De ceux qui, amis de l'ordre, se frottaient les mains en lisant ses attaques contre le Comité de salut public, il disait, goguenard : « Je les attends à Napoléon[13]. » La troisième partie, consacrée justement à « l'Ogre » et au « régime moderne », ravit les libéraux qui, depuis Tocqueville, voyaient dans la centralisation administrative la cause de tous les maux qui assaillaient la France, et fâcha tous les autres. Taine était un familier du salon de la princesse Mathilde, fille de Jérôme Bonaparte. Elle fut si mécontente – n'avait-il pas osé écrire de la mère de l'Empereur qu'elle était malpropre ? – qu'elle ferma sa porte à « ce traître, ce fuyard de sa patrie », lui expédiant pour finir un billet où figuraient ces trois lettres : P.P.C. « Princesse Pas Contente », traduisirent les rieurs[14]. Elle avait seulement voulu dire : « Pour prendre congé » ; elle tint parole, Taine ne fut plus jamais admis dans le salon de la rue de Berry[15].

C'est dans ce contexte que, quelques années plus tard, Arthur-Lévy prit la plume pour venir au secours de l'Empereur. Son *Napoléon intime* (1893) fut un grand succès de librairie, tout comme le *Napoléon et la paix* qu'il donna une dizaine d'années plus tard. Si, dans le second volume, Arthur-Lévy accumulait les citations et les extraits de Mémoires pour laver l'Empereur des accusations de bellicisme ou de manie conquérante et démontrer qu'il n'avait jamais entrepris de guerre qui ne lui eût été imposée, rejetant dans le premier de ces ouvrages tout soupçon de monstruosité il s'était donné pour but de montrer que Napoléon n'était qu'un homme, mais un homme dans le plein sens du terme : « Rien d'humain ne lui était étranger, écrit-il ingénument. Le haut sentiment familial, en effet, la bonté, la gratitude, la cordialité furent ses qualités essentielles[16]. » François Coppée, autre grand enthousiaste de l'Empereur qui consacra un compte rendu à ce livre, exagère un peu lorsqu'il dit voir dans *Napoléon intime* « la contrepartie [...], la réfutation de l'œuvre de Taine[17] ». C'est aller trop loin, entre Taine et Arthur-Lévy la lutte est inégale. Le second n'est pas de taille. N'est pas Taine qui veut ; il n'y a pas l'ombre d'une idée chez Arthur-Lévy. Il réfute et décrit, il n'interprète pas, il ne cherche pas à bâtir un « système ». Cependant, dans l'adoration qu'il voue à son héros et dans sa naïveté, il saisit un côté de la personnalité de Napoléon auquel Taine reste aveugle, alors même qu'il livre les clés pour comprendre ce même trait caractéristique. Le Napoléon d'Arthur-Lévy est bonhomme, agréable dans les relations privées, il a de bonnes manières quand il veut bien s'en donner la peine, un sourire charmeur, un beau regard et de belles mains ; il n'est pas difficile, il se contente de peu ; il est bienveillant, pas rancunier pour deux sous : si les pinçons qu'il inflige à ceux qu'il apprécie les font atrocement souffrir, il épargne ceux qui le trahissent – et, en effet, difficile de trouver maître plus oublieux des offenses. Il le regrettera après Waterloo, disant qu'il aurait dû faire fusiller Fouché ; mais il ne l'a pas fait, sachant pourtant que Fouché, comme Talleyrand, le trahissait. Napoléon ? Un bon zigue, sans aucun doute. Tout ce que dit Arthur-Lévy est exact. Et pourtant, il ne comprend pas son personnage. Il voit dans cet heureux tempérament l'expression d'une bonté et de sentiments de compassion innés. C'est tout le contraire, et sur ce chapitre Taine est plus vrai : chez Napoléon, la mansuétude n'est pas l'effet de la bienveillance, mais de l'indifférence et de la misanthropie. Ce n'est pas parce qu'il aime ses contemporains qu'il leur pardonne, mais parce qu'il les méprise. D'eux, jamais il n'attend rien. La véritable colère, qui suit souvent la déception ou la trahison, lui est inconnue. Toujours ses colères ont été calculées, devant tout à la raison, rien à l'impulsion. Au fond, Taine est plus juste qu'Arthur-Lévy sur les causes, mais moins exact dans la description des effets. Il y a de la monstruosité – au sens propre –, de l'*extra-ordinaire*, dans le personnage de Napoléon, où s'expriment son génie, sa supériorité, sa démesure, l'étrangeté de son caractère si l'on rapporte celui-ci aux valeurs et aux croyances de ses contemporains. Taine le sent et s'efforce de l'exprimer en échafaudant une interprétation sans doute forcée – s'il y a du condottiere en Napoléon, il y a en lui, au moins autant, un rejeton des Lumières –, mais il saisit mieux que ne le fait son contradicteur la grandeur du personnage. Taine « anatomise » le héros engendré par la Révolution française, tandis que l'idolâtre Arthur-Lévy aurait pu répondre comme le vieux Dupin, un ancien ministre de Louis-Philippe, à qui on demandait si dans sa jeunesse il avait vu l'Empereur : « Oui, je l'ai vu. C'était un gros, l'air commun[18]. »

Napoléon, dont Nietzsche disait qu'en lui se mêlaient l'inhumain et le surhumain[19], est ici simplement humain ; il n'est pas « trop humain », non, rien qu'humain. On rapetisse les grands hommes lorsqu'on s'efforce de les innocenter, lorsqu'on nie la démesure qui leur est constitutive et la tragédie dont leur histoire porte la marque.

Je m'étonne toujours quand les historiens rejettent la responsabilité de l'exécution du duc d'Enghien sur Talleyrand, Caulaincourt ou Réal. Le mot est fameux : pire qu'un crime, une faute. Un crime, certainement : comment qualifier autrement l'enlèvement en terre étrangère du fils du prince de Condé, son rapatriement forcé à Paris et son exécution dans les fossés de Vincennes après un simulacre de jugement ? Un crime, oui ; mais une faute ? Cela se discute. En versant le sang de ce cousin des Bourbons, Bonaparte voyait s'ouvrir devant lui le chemin du trône. Ce crime était en effet la garantie attendue par les rescapés de la Révolution qui craignaient par-dessus tout le retour de l'Ancien Régime – à cette époque, les princes en exil n'avaient pas encore renoncé à punir les régicides. Le doute taraudait les survivants de 1793 : Bonaparte, en dépit de toutes les assurances qu'il avait pu leur donner, ne pouvait-il envisager, un jour, de rappeler Louis XVIII ? En tuant l'un d'eux, le Premier consul se faisait à son tour régicide, il liait son sort à celui des anciens conventionnels, il rétablissait le trône à son profit, oui, mais en lui donnant pour base le sang des Bourbons. De surcroît, comme la suite le prouva, ce quasi-régicide désarma les royalistes comme les déportations qui avaient suivi l'attentat de la rue Saint-Nicaise avaient brisé les Jacobins : jusqu'en 1812 et les premiers revers, il n'y eut plus de complots contre la vie de l'Empereur.

J'aime l'image de Bonaparte le soir du 20 mars 1804. Il est à la Malmaison. Il s'est assis par terre pour jouer avec le fils de son frère Louis. Il rit de bon cœur. Autour de lui, ce ne sont, c'est le cas de le dire, que des mines d'enterrement. Joséphine, sa mère, ses sœurs ont l'œil humide. La nouvelle s'est répandue, le duc d'Enghien est emprisonné à Vincennes où il va être jugé. Le Premier consul a déjà repoussé les prières de son épouse, lui disant que ce n'était pas son affaire. Il se lève et s'approche d'une table où se trouve un jeu d'échecs. Il invite Mme de Rémusat, une intime de Talleyrand alors dame d'honneur de la citoyenne Bonaparte, à jouer contre lui. Il joue mal, refuse de se plier aux règles. Sa partenaire est très pâle. Soudain, il la regarde fixement : « Pourquoi n'avez-vous pas de rouge ? Vous êtes trop pâle ! » Elle balbutie qu'elle a oublié d'en mettre. Il se tourne alors vers sa femme et dit en riant que ce n'est pas elle qui oublierait. Puis, dans un silence pesant, il commence à chantonner avant de s'interrompre et de réciter quelques vers de *Cinna* : « Soyons amis, Cinna, c'est moi qui t'en convie/ Comme à mon ennemi je t'ai donné la vie/ Et, malgré la fureur de ton lâche destin/ Je te la donne encor comme à mon assassin[20]. » Récite-t-il ces vers, à mi-voix, précise toujours Mme de Rémusat, en feignant de jouer ? En la regardant ? En souriant ? On annonce le général Hulin, qui arrive de Paris[21]. Il est venu rendre compte. Bonaparte repousse brusquement la table, se lève et, sans un mot, rejoint ses officiers. Lorsqu'il reparaîtra, le lendemain matin, le duc d'Enghien aura été fusillé[22].

C'est là moins le Napoléon débonnaire d'Arthur-Lévy que celui dont Stendhal avait loué l'absence de fausse pitié lors du massacre de Jaffa, ajoutant qu'il fallait imputer la réprobation à l'égard de cet acte terrible mais nécessaire au « mélange de catholicisme et d'aristocratie qui aplatit nos âmes depuis deux siècles[23] ». La sensiblerie humanitaire a, depuis, eu raison du catholicisme, mais en a prolongé les effets. On instruit aujourd'hui le procès de Napoléon au nom sinon des principes, du moins des préjugés que dénonçait Stendhal. C'est même plus vrai maintenant qu'à son époque, car jusqu'à Bainville au moins les historiens ne s'appesantirent guère sur la morale des actions de Napoléon. S'était-il montré à la hauteur des circonstances ? Fidèle à l'héritage de la Révolution ? Telles étaient les questions qui les préoccupaient. Les uns rappelaient le Code civil, les préfets, la garantie des biens nationaux, les trônes renversés, les Juifs partout émancipés, les portes des couvents ouvertes, les idées et les lois françaises se répandant avec les armées ; les autres, l'asservissement des assemblées et de la presse, le retour des prêtres, la conscription, la police omniprésente, les prisons d'Etat, le livret ouvrier, le rétablissement de l'esclavage, celui de l'hérédité et des titres nobiliaires, la création de royaumes fantoches au profit de la famille… Ces controverses remplissent les cinq cents pages du livre que l'historien néerlandais Pieter Geyl leur a consacrées : *Napoleon, For and Against.* Napoléon, pour et contre… Ils sont tous là, défenseurs et détracteurs, rangés en bataillons serrés comme deux armées qui s'apprêtent à en découdre[24].

⋆

Sauveur ou fossoyeur de la Révolution, héros ancien ou héros moderne, libérateur ou dictateur, la physionomie de Napoléon n'a cessé de changer[25]. Les uns le voient comme un démiurge qui, pour le meilleur ou pour le pire, changea l'histoire en soumettant le cours des événements à la force supérieure de sa volonté ; pour d'autres, il fut au contraire victime de ces mêmes événements, moins libre qu'on ne le croit et s'épuisant, et la France avec lui, à tenter de faire plier l'Angleterre sans avoir les moyens matériels de la vaincre – une marine digne de ce nom –, condamné comme Sisyphe à rouler éternellement son rocher ou, nouveau Prométhée, à périr prisonnier des Anglais sur une île perdue au milieu des océans, le foie dévoré par un aigle : Napoléon victime de la fatalité plutôt que maître du destin. D'autres encore coupent sa vie et son histoire en deux, opposant Bonaparte à Napoléon, le Premier consul à l'Empereur, le magistrat d'une république au souverain d'un empire héréditaire, l'homme nécessaire à l'aventurier mégalomane. Car il y eut un temps, sous le Consulat, où le futur prisonnier de Sainte-Hélène avait été, disait Chateaubriand, un Washington français. Comme Washington quelques années plus tôt, Bonaparte avait lui aussi voulu ce qu'il devait vouloir, en accord avec les intérêts et les besoins de son époque. Il avait alors, approuvé par la majorité des Français, « établi un gouvernement régulier et puissant, un code de lois adopté en divers pays, une administration forte, active, intelligente » ; il avait encore « fait renaître l'ordre au sein du chaos et réduit de furieux démagogues à servir sous lui[26] ». Bonaparte, Chateaubriand l'admet, est grand par son œuvre, une œuvre appelée à lui survivre, mais aussi par les qualités personnelles et l'évidente supériorité qui lui permirent de réussir là où personne ne l'avait pu avant lui, trouvant dans son génie l'autorité qu'il ne trouvait ni dans les lois ni dans les traditions. Mais, pour cette raison même, déjà Napoléon perçait sous Bonaparte… Si ses facultés extraordinaires lui permirent de s'imposer, c'est aussi à cause d'elles que, très vite, il s'affranchit de toute espèce de dépendance envers les hommes et les intérêts de son temps, mettant son époque au service de ses désirs et de ses ambitions après s'être d'abord plié aux contingences. Bonaparte avait peut-être été le Washington français, mais seulement l'espace de deux ou trois ans ; il n'avait ni su ni voulu le rester. Au rôle de législateur et de fondateur de la liberté de sa patrie, il avait finalement préféré celui de conquérant. Il n'était pas mort, comme Washington, en père de la patrie, entouré de l'affection de tous, mais prisonnier, seul et, du moins à cette époque, peu regretté.

Que de Napoléon différents, inconciliables, contradictoires, mais comportant tous quelque parcelle de vérité. Ces débats n'ont jamais cessé ; ils durent encore, le jugement dominant reflétant chaque fois les préoccupations du temps où il est émis. Un récent essai de Lionel Jospin, *Le Mal napoléonien*, en témoigne, qui reprend, contre l'Empereur, les principaux griefs de la tradition républicaine en les assaisonnant – trait d'époque – d'une pincée de morale[27].

Les comparaisons récurrentes entre Napoléon et Hitler sont le signe de cette contamination du discours historique par la morale et l'anachronisme[28]. Déjà Pieter Geyl avait fait le rapprochement dans l'introduction de son *Napoleon, For and Against*, rédigée en octobre 1944 alors que les combats faisaient rage encore et que sa patrie, les Pays-Bas, restait occupée par les Allemands. Le parallèle était déjà courant, au grand dam de Churchill qui, admirant Napoléon au point de songer à lui consacrer une biographie, souffrait de voir son héros comparé au maître du IIIe Reich[29]. Geyl en convenait : il pouvait paraître insultant d'accoler ces deux noms, et pourtant, il ne pouvait pas ne pas voir en Hitler un successeur de l'empereur des Français. Ce dernier n'avait-il pas hérité de la Révolution française la croyance en la possibilité de fonder un monde entièrement nouveau ? N'était-il pas convaincu d'avoir à ses côtés le droit et la vérité, enclin à traiter ses adversaires comme des criminels et à fonder son pouvoir sur l'action de la propagande et l'enrégimentement des Français ? Ne se croyait-il pas appelé à créer, par le fer et par le sang, un nouvel ordre européen ? N'avait-il pas en horreur le régime parlementaire ? N'opposait-il pas à la légitimité de celui-ci, issu du suffrage, celle procédant du lien direct entre le peuple et son chef charismatique ? Mais l'historien néerlandais n'était pas aussi simple d'esprit que ceux qui reprennent aujourd'hui à leur compte ce parallèle et assimilent le rétablissement de l'esclavage à la Guadeloupe et à Saint-Domingue à un « génocide ». Après avoir mis en parallèle les deux destins de Napoléon et de Hitler, Pieter Geyl en soulignait les limites, si étroites en vérité qu'elles conduisaient en fait à conclure à l'absurdité de l'exercice : quoi de semblable, dans l'histoire napoléonienne, aux camps d'extermination ? Et à l'enrégimentement et l'endoctrinement totalitaires de la société ? Quel rapport, enfin, entre l'Europe des Lumières que Napoléon aspirait à fédérer et le IIIe Reich, qui, pour mille ans, prétendait assurer la suprématie de la race aryenne[30] ? Si la Grande Armée s'était lancée à l'assaut de l'Europe, ce n'était pas pour l'asservir mais pour l'émanciper.

C'est pourtant ce Napoléon tyran colonialiste, génocidaire et raciste qui, en 2005, fut au centre d'un épisode à la fois navrant et ridicule. Depuis 2002, date du bicentenaire du rétablissement de l'esclavage, l'Empereur était sur la sellette. Un méchant brouillon, *Le Crime de Napoléon*, avait fait beaucoup de bruit. La couverture montrait Napoléon et Hitler côte à côte. Les Tartuffe s'étaient mobilisés, associations, groupuscules et prétendus descendants d'esclaves. Quand vint le moment de commémorer le bicentenaire d'Austerlitz, le 2 décembre 2005, le président de la République, Jacques Chirac, et son Premier ministre, Dominique de Villepin, lequel avait pourtant trois ans plus tôt chanté les louanges de Napoléon dans un livre sur les Cent-Jours[31], décidèrent de n'écouter que leur courage. En conséquence, habitués à affaler les voiles à la moindre brise, ils préférèrent s'abstenir. On ne commémora donc pas la victoire éclatante du 2 décembre 1805, la France s'associant en revanche aux cérémonies organisées en Angleterre pour le bicentenaire de Trafalgar. Nos deux vaillants dirigeants étaient au moins certains qu'en commémorant une défaite plutôt qu'une victoire on leur ficherait la paix[32].

★

Napoléon n'est pas tout à fait mort, puisqu'il continue de déchaîner les passions. On ne peut en dire autant de Louis XIV et de Charles de Gaulle, ses compagnons de podium. Ces deux-là appartiennent dorénavant à l'Histoire. Si l'on excepte le drame algérien, les passions se sont éteintes. Ils sont morts, bien morts. Louis XIV, c'est Versailles et Trianon, la musique de Lully et le théâtre de Molière, la langue de Racine et de Boileau, les jardins de Le Nôtre, l'architecture austère et solennelle de la cour des Invalides et les forteresses de Vauban ; le roi a le visage et la voix de Didier Sandre qui l'interpréta avec tant de grâce et de subtilité dans *L'Allée du roi*[33]. Nous voyons aujourd'hui le Roi-Soleil avec les yeux de Voltaire qui écrivait, après avoir évoqué les initiatives de Louis « pour rendre sa nation plus florissante » :

> Il me semble qu'on ne peut guère voir tous ces travaux et tous ces efforts sans quelque reconnaissance, et sans être animé de l'amour du bien public qui les inspira. [...] Louis XIV fit plus de bien à sa nation que vingt de ses prédécesseurs ensemble ; et il s'en faut de beaucoup qu'il fît ce qu'il aurait pu. [...] Ce pays cependant, malgré ses secousses et ses pertes, est encore un des plus florissants de la terre, parce que tout le bien qu'a fait

> Louis XIV subsiste, et que le mal, qu'il était difficile de ne pas faire dans des temps orageux, a été réparé. Enfin la postérité, qui juge les rois, [...] avouera, en pesant les vertus et les faiblesses de ce monarque, que, quoiqu'il eût été trop loué pendant sa vie, il mérita de l'être à jamais[34].

Il s'en faut de beaucoup que le vœu de Voltaire eût été respecté. Aucun monarque ne fut plus détesté que Louis XIV. Longtemps, la révocation de l'édit de Nantes et les guerres incessantes pesèrent plus lourd que Versailles dans la balance. La Révolution ajouta un grief de taille qui valait condamnation : « ce faux grand règne », comme dira Hugo, avait incarné le despotisme le plus absolu. La légende noire était encore bien vivante au milieu du XXe siècle, quand Pierre Goubert publia son *Louis XIV et vingt millions de Français*, tableau plutôt sombre du Grand Siècle. Le vent tourna dans les années 1980. La conjoncture était favorable à une réhabilitation du Roi-Soleil. Avec la première cohabitation (1986-1988), la politique, faisant son deuil de toute grandeur et s'abaissant aux petits calculs et aux petites manœuvres, entama sa descente aux enfers qui n'a plus cessé depuis de la conduire toujours plus bas. Le moment était venu de revenir aux héros du passé[35].

★

Si près de trois siècles ont été nécessaires pour que l'histoire du Roi-Soleil passe « de la mythologie à l'histoire », vingt années auront suffi pour que celle du général de Gaulle parcoure le chemin inverse, de l'histoire à la mythologie :

> L'homme d'Etat de son vivant le plus contesté est devenu pour tous les sondages [...] le plus incontestable [...]. Le plus grand diviseur national s'est transformé en dernier symbole de l'unité et du rassemblement. L'homme du *Coup d'Etat permanent* est maintenant celui auquel on doit les institutions les plus largement approuvées depuis deux siècles. [...] Le contemporain en esprit de Barrès et de Péguy grandit en visionnaire du XXIe siècle. L'homme de la différence, glacial et taciturne Commandeur, est devenu, par la grâce des médias, par la sympathie

> de la caricature, par la vertu d'un interminable commentaire, l'image d'Epinal la plus consommable de l'imagination populaire, le grand Charles, notre Astérix national et notre tour Eiffel[36].

Le voici embaumé, canonisé, enseveli sous les hommages. Il faut dire que la misère des temps incite là encore à la nostalgie. Un de Gaulle est si précieux que son souvenir vaut bien quelques génuflexions. La pénurie de grandes âmes est même telle qu'il faut se contenter de ce qu'on trouve. Les heureux récipiendaires n'ont pas toujours tous les titres voulus à la reconnaissance nationale, mais enfin, comment se montrer trop strict ? Ainsi Jacques Chirac dont, à défaut de pouvoir louanger l'œuvre politique, en vérité inexistante, on célèbre les goûts artistiques et la si politiquement correcte « ouverture au monde ». La canonisation n'est pas loin. Si l'assomption du Général intervint pour le vingtième anniversaire de sa disparition, lequel coïncidait avec le centenaire de sa naissance et le cinquantenaire de l'appel du 18 Juin, elle avait commencé plus tôt. La publication du *De Gaulle* de Jean Lacouture l'inaugura. C'était au milieu des années 1980. La gauche était au pouvoir, en goûtait les délices et s'accommodait fort bien d'institutions qu'elle avait longtemps considérées comme liberticides. L'œuvre de Lacouture n'était pas nouvelle, puisque deux fois déjà il l'avait remise sur le métier. Dans une première version, publiée en 1965, il n'avait pas ménagé le Général : sinon le résistant de 1940, du moins le président qui, cette année-là, devait être mis en ballottage par François Mitterrand. C'est bien au candidat de Gaulle, plutôt qu'à l'homme du 18 Juin, que Lacouture faisait un sort, dénonçant un réactionnaire doublé, dans le domaine international, d'un homme à courtes vues dont l'anticommunisme « primaire » devait d'ailleurs occuper une place centrale dans la deuxième version de l'ouvrage, publiée après Mai 68. C'était l'époque où le journaliste refusait de croire à la réalité d'événements au prétexte que le quotidien de la réaction, *Le Figaro*, en avait parlé. C'est ainsi que, quelques années plus tard, il douta longtemps de la réalité des crimes imputés aux Khmers rouges. Lorsque la troisième et dernière version de son *De Gaulle* fut mise en vente, en 1984, Lacouture avait, depuis quelques années, reconnu s'être trompé, même s'il persistait à qualifier les partisans de Pol Pot de « nazis » pour ne pas avoir à leur appliquer les épithètes de communistes ou de maoïstes, plus honorables à ses yeux. Mais enfin, les rêveries révolutionnaires qui l'avaient conduit jadis à encenser *Hô Chi Minh* (1967) ou *Nasser* (1971) n'étaient plus de saison. Sa conversion était totale : de détracteur à tous crins du Général, il s'était mué en fervent admirateur, d'autant plus facilement que François Mitterrand, qu'il avait toujours soutenu – même les caméléons politiques ont leurs petites faiblesses –, avait endossé le costume de l'illustre disparu, sans doute trop grand pour lui, mais qu'il devait porter moins mal que ses successeurs. Cette fois, le récit de la vie de De Gaulle avait pris de l'ampleur : trois forts volumes avaient remplacé le petit livre de 1965, avec l'ambition de proposer « un récit cohérent, aussi équitable que possible (mais non pas neutre !) de cette traversée épique du XXe siècle par le plus illustre, et en tout cas le plus singulier des Français[37] ». Il faut le reconnaître, Jean Lacouture est venu à bout de l'escalade de cette « montagne » qu'il ne considérait pas, avouera-t-il, « sans quelque vertige ». On le comprend : « Les parois sont abruptes, l'altitude épuisante. » Ce livre, devenu un classique dont on a oublié la tortueuse genèse, ouvrait la voie au déluge d'hommages consensuels qui s'abattit en 1990 sur la dépouille du Général.

Finies, les polémiques ; éteintes, les haines ! « Tout le monde a été, est ou sera gaulliste ! », plaisantait volontiers l'intéressé. La prédiction est réalisée depuis un quart de siècle, droite et gauche se prosternant devant le grand homme dans l'espoir d'en recevoir un petit supplément d'image, puisqu'on en est là. N'a-t-on pas vu récemment le chef d'Etat le plus médiocre de l'histoire de la France contemporaine, Paul Deschanel excepté, se rendre ostensiblement à Colombey (le 13 juin 2016), dans l'espoir d'en tirer quelques improbables bénéfices ? Et Florian Philippot, leader d'un parti historiquement façonné par un antigaullisme viscéral, accomplir chaque 18 juin le même pèlerinage ?

Les années 1990 – et le mouvement a continué ensuite –, depuis *A demain de Gaulle* de Régis Debray (1990) jusqu'au spectacle de Robert Hossein et Alain Decaux, *Celui qui a dit non* (1999), en passant par *De Gaulle où es-tu ?* d'André Glucksmann (1995), virent les hommages et les repentirs pleuvoir sur l'illustre mort. C'était à qui répudierait le premier l'antigaullisme de sa jeunesse ou expliquerait combien il avait été gaulliste sans oser l'avouer, et parfois même sans le savoir. Régis Debray ne nous explique-t-il pas qu'il n'avait été antigaulliste que parce qu'au fond il était profondément gaulliste ? C'est de Gaulle qu'il était allé chercher aux antipodes, ne comprenant pas que le héros auquel il rêvait était là, sous ses yeux. Les gaullistes faisaient écran, comme la forêt cache l'arbre. Comment, en effet, s'enflammer quand le gaullisme a le visage de Debré et de Malraux au premier rang de la manifestation des Champs-Elysées, le 30 mai 1968 ? Debray ne pouvait même deviner le grand homme dans « l'exaspérant escogriffe » dont la présence obsédante lui donnait l'envie de prendre la tangente. De Gaulle, lui serinait-on, c'est « le pouvoir personnel », Franco et Salazar réunis. « Pour retrouver le rebelle, je lui ai tourné le dos ; pour rejoindre Londres 1940, j'ai fui Paris 1960. [...] Autre décor, même distribution : la guérilla dans le rôle du maquis, les Yankees dans celui des nazis et Guevara en de Gaulle des Andes[38]. » L'aventure, la vraie, était au coin de la rue. Chez lui. Pas besoin de traverser les océans pour rencontrer de prétendus héros qui, le Che en tête, n'étaient que d'effroyables assassins. Mais il était trop tard ; lorsque Régis Debray revint en France, le dernier héros de l'histoire de France avait quitté la scène : « Je me suis trompé de continent, de grand homme et d'épopée[39] », avouera notre ex-*barbudo*. Il n'était pas le seul : « On a beau savoir qu'on finit par faire le contraire de ce qu'on voulait et que le quiproquo règne en maître sur nos vies, celui-là me sidérera toujours : les don Quichotte du quartier Latin dressés contre notre dernier don Quichotte et faisant la courte échelle à Sancho Pança [Mitterrand]. Prenant un prophète pour un notaire, et vice versa[40]. » Décidément, cette génération d'après guerre aura tout raté. Elle ne laissera rien après elle.

★

Le Général eut tant d'ennemis que certains voudraient qu'à tout âge il eût été en butte à l'hostilité et à l'incompréhension. François Broche, auteur d'une *Histoire des antigaullismes*, écrit que de Gaulle fut le premier et le plus persévérant de ses adversaires, tant son comportement hautain, la sévérité de son caractère et son inaptitude à la cordialité multipliaient autour de lui les détracteurs sans qu'il l'eût cherché[41]. Il est certain que « l'assurance excessive, la rigueur pour les opinions des autres et l'attitude de roi en exil » qui, selon l'un de ses professeurs, faisaient le fond de son caractère ne le rendaient pas populaire. « Bien noté, peu aimé[42] », aurait-il pu dire, comme Napoléon, de ses jeunes années[43]. Le précieux *Dictionnaire de Gaulle* de la collection « Bouquins » ne comporte pas d'entrée au mot « Haine ». On trouve en revanche des notices sur les « antigaullistes », de gauche, de droite ou ralliés. « Antigaullistes » est préférable à « antigaullismes » : le mot a l'avantage de suggérer combien le rejet a toujours visé au moins autant la personne du Général que sa politique. L'antigaullisme n'est pas réductible à un discours argumenté susceptible de réfutation ; il s'agit d'une passion, et l'une des plus violentes de l'histoire tumultueuse de la politique française. De Gaulle ne suscita pas seulement des oppositions, il fit naître des haines, entières, féroces, définitives, inaccessibles aux arguments comme aux preuves et qui, dans bien des cas, ne s'éteignirent qu'avec ceux qui les avaient éprouvées.

En cela, il fut plus violemment détesté encore que Napoléon. Ce dernier le fut surtout de ses ennemis politiques, de ceux qui n'avaient pas leur place dans la France postrévolutionnaire qu'il avait entrepris de reconstruire en s'appuyant sur l'idée d'une fusion des traditions, des histoires et des partis. Cette politique pour ainsi dire « centriste », également accueillante aux partisans de l'Ancien Régime et aux héritiers de la Révolution, n'était possible qu'à condition d'exclure, d'un côté, ceux qui n'avaient pas renoncé à replacer les Bourbons sur le trône, de l'autre ceux qui croyaient la révolution simplement ajournée – les royalistes intransigeants et les Jacobins irréductibles. Il était logique que Bonaparte fût exposé aux coups des uns et des autres. Les bleus tentèrent à plusieurs reprises de l'assassiner sous le Consulat, les blancs y réussirent presque le soir de l'attentat de la rue Saint-Nicaise, le 28 décembre 1800, et royalistes et républicains esquissèrent même une alliance lors de la conspiration de Cadoudal en 1804. Le général de Gaulle fut, quant à lui, haï d'abord par ceux de son camp. C'est à droite, dans la famille politique qui était la sienne par héritage, par éducation, par conviction aussi, même s'il n'en était pas toujours un représentant très orthodoxe, qu'il trouva ses adversaires les plus déterminés, ceux qui jamais ne lui pardonnèrent, les uns l'opprobre jeté sur Vichy, les autres « l'abandon » de l'Algérie[44].

⋆

De l'appel du 18 Juin, Jean-Louis Crémieux-Brilhac écrit qu'il fut « un acte de raison en même temps qu'un acte de foi », et, de ce fait, « le rendez-vous réfléchi d'un homme et de son destin[45] ».

Acte de foi, certainement. Lorsqu'il lance le fameux appel, de Gaulle répond lui-même à un appel. Peu lui importent alors les perspectives de succès ou d'échec, la probabilité de voir, ou non, un mouvement important se rallier autour de son nom : l'armistice n'est pas une faute, mais un crime ; en déposant les armes, en abandonnant les alliés de la France, en déchirant les traités et les engagements souscrits, le gouvernement Pétain laissait s'échapper de ses mains le « trésor de la souveraineté française qui, depuis quatorze siècles, n'avait jamais été livré[46] ». Pis encore, demander l'armistice alors qu'aucun autre gouvernement d'un pays vaincu ne l'avait fait, ce n'était pas seulement jeter le déshonneur sur la France, mais compromettre sa renaissance future[47]. C'était un refus viscéral. Il en fut de même de ceux qui, sans répondre à un appel que très peu entendirent, prirent les premiers le chemin de l'Angleterre. Ils le firent par instinct, refusant la défaite et plus encore l'occupation de leur patrie par les « Boches ». Rien de moins réfléchi que leur départ. Ils partaient parce qu'il le fallait, parce qu'ils le devaient. Olivier Guichard aurait été de ceux-là si sa tentative n'avait pris fin à la frontière espagnole : « Je n'avais jamais entendu parler de De Gaulle. L'idée de continuer la guerre était tout simplement une réaction viscérale[48]. » Et peu importe le nombre de ceux qui venaient à lui. Il faut dire qu'à peine était-il arrivé à Londres que ce fut comme un envol de moineaux. Il y eut ceux – Paul Morand ou Alexis Corbin – qui préférèrent rentrer en France, et ceux – André Maurois, Saint-John Perse, Jean Monnet – qui, souvent hostiles à ce général aux propos infatués et que l'on disait fort peu démocrate, préférèrent aller se mettre à l'abri aux Etats-Unis. « La fuite des rats au moment du naufrage[49] », résumera Philippe de Gaulle. A la fin du mois d'août, trois officiers généraux seulement avaient rallié de Gaulle : le vice-amiral Muselier, le général Legentilhomme qui commandait en Somalie et le général Catroux, gouverneur de l'Indochine[50]. C'était peu pour assurer la légitimité d'un général de brigade à titre temporaire qui avait siégé douze jours dans le gouvernement Reynaud, comme sous-secrétaire d'Etat à la Guerre, et laissé si peu de traces de son passage que Marc Bloch écrira quelques semaines plus tard, dans son « Procès-verbal de l'an 1940 » : « A vrai dire, un très récent général de brigade fut bien appelé aux Conseils du gouvernement. Qu'y fit-il ? Je ne sais. Je crains fort, cependant, que, devant tant de constellations, ses deux petites étoiles n'aient pas pesé bien lourd. Le Comité de salut public eût fait de lui un général en chef[51]. » L'histoire a donné raison à de Gaulle et revêtu le geste de 1940 d'une forme de nécessité. On oublie ce qu'il eut d'extravagant, d'insensé, à l'instant où, en effet, le Reich paraissait invincible. Acte doublement insensé même : non seulement la victoire finale de l'Allemagne semblait à ce moment plus que plausible, mais de Gaulle n'était rien lorsqu'il emporta à Londres le « tronçon du glaive ». Autant dire qu'à aucun moment il ne fut simplement un officier en rupture de ban venant se mettre au service de ceux qui continuaient la lutte ; il n'était pas le major Schill qui, désapprouvant la neutralité de la Prusse en 1809, avait levé des troupes de son propre chef afin de combattre les Français aux côtés des Autrichiens. C'est au nom de la France que de Gaulle s'exprima d'emblée, refusant du même coup toute légitimité au gouvernement qui venait, quoique dans le respect des formes légales, de succéder au cabinet Paul Reynaud[52]. Dès le premier jour il eut conscience d'assumer la France, face à ceux qui l'avaient abandonnée et trahie.

L'acte de foi du 18 Juin a une histoire, presque aussi longue que celle du Général. A l'âge de quinze ans, le jeune homme se voyait commander des armées et bouter l'Allemand hors de France, à l'âge de vingt ans il se persuadait qu'il serait appelé un jour à rendre quelque grand service à la patrie[53]. Il n'était pas de ces militaires rêvant d'une carrière tranquille qui, sans trop de fatigues, les conduirait jusqu'à une retraite honorable. Mais, à près de cinquante ans, sa carrière était pour ainsi dire derrière lui. Elle n'avait pas suivi le cours dont il rêvait. De Gaulle ? Un soldat contrarié. Il avait eu pourtant le bon âge en 1914 – vingt-quatre ans –, mais, comble de malchance, il avait passé les trois dernières années de la guerre dans divers camps de prisonniers, loin des champs de bataille où tant d'autres succombaient ou s'illustraient. Il avouera plus tard qu'ayant embrassé la vocation militaire, la perspective d'une guerre prochaine était loin de l'horrifier quand il était jeune ; il l'appelait même de ses vœux[54]. Si la guerre est synonyme de destructions et de souffrances, ne l'est-elle pas aussi d'actions héroïques et de dévouements sublimes ? Quand il songeait au métier des armes, ce n'était certainement pas dans un bureau d'état-major qu'il l'imaginait. Courageux au feu, intrépide même[55], deux fois il avait été blessé ; deux fois il avait rejoint le front[56]. La troisième blessure, reçue le 2 mars 1916 devant Douaumont, lui fut fatale. Il fut capturé, tenu pour mort. L'Histoire n'avait pas voulu de lui. Pis, elle lui avait infligé la peine à ses yeux la plus déshonorante pour un officier de carrière : la captivité. Le sentiment d'être passé à côté de son destin le poursuivit longtemps. Ses lettres d'alors abondent en notations désenchantées : « Un chagrin qui ne se terminera qu'avec ma vie et dont je ne pense pas devoir rencontrer jamais d'aussi profond ni d'aussi amer m'étreint en ce moment plus directement que jamais, écrit-il à ses parents du fort d'Ingolstadt, le 19 décembre 1917. Etre inutile aussi totalement, aussi irrémédiablement que je le suis dans les heures que nous traversons quand on est de toutes pièces construit pour agir, et l'être par surcroît dans la situation où je me trouve et qui pour un homme et un soldat est la plus cruelle qu'on puisse imaginer ! Excusez-moi de montrer cette faiblesse de me plaindre[57]. » Maintenant que la guerre allait finir, quel serait son avenir ? La vie de garnison, la routine, une de ces carrières monotones et sans relief qu'offre l'armée en temps de paix ? Lui qui devait, dans *Le Fil de l'épée*, faire l'éloge des « ambitieux de premier rang », il partait avec un lourd handicap. De son *stalag* en Allemagne, il s'interroge sur son avenir :

> Quel but puis-je avoir ? Ma carrière, me direz-vous ? Mais, si je ne peux combattre à nouveau d'ici la fin de la guerre, resterai-je dans l'armée ? et quel avenir médiocre m'y sera fait ? 3 ans, 4 ans de guerre auxquels je n'aurai pas assisté, davantage peut-être ! Pour avoir quelque avenir dans la carrière, en ce qui concerne les officiers de mon âge et qui ont quelque ambition, la première, l'indispensable condition sera d'avoir fait la campagne, d'avoir, au fur et à mesure qu'elle changeait de forme, appris à la juger, formé ses raisonnements, trempé son caractère et son autorité. Au point de vue militaire je ne me fais aucune illusion, je ne serai moi aussi qu'un « revenant »[58].

Il était un peu dans la situation de l'enfant du siècle de Musset, venu au monde après la fin de l'épopée napoléonienne ; lui n'était pas venu après la tragédie, il l'avait vue se dérouler sous ses yeux, mais dans l'impossibilité d'y jouer sa partition. C'était encore pis que d'être né trop tard. Cinq fois il avait tenté de s'évader, cinq fois il avait été repris. Le destin s'acharnait sur lui. La marque sur l'Histoire qu'il n'avait pu laisser par l'action, il la laisserait par l'écriture. C'est pour cette raison que le ciel de ses relations avec le maréchal Pétain, dont il fut quelques années le protégé, se couvrit bientôt de lourds nuages.

⋆

On a dit que, dans la prédilection du Maréchal pour son cadet, il y avait « une affection de vieillard sans enfant et de chef jusqu'alors privé de disciples dignes de lui[59] ». Pétain avait en tout cas décelé chez le jeune homme du talent et de l'avenir : « l'officier le plus intelligent de l'armée française[60] », disait-il. Quant à de Gaulle, il avouera beaucoup plus tard avoir éprouvé « de l'affection[61] » pour le vainqueur de Verdun. Affection, admiration, il y eut un moment où le vieux soldat et le jeune officier entretinrent des relations qui allaient au-delà de celles qui attachent un aide de camp à son chef, un moment où le second vit dans le premier le modèle du chef de guerre qu'il rêvait lui-même de devenir[62]. De Gaulle allait déjeuner chez le Maréchal, ils visitèrent ensemble le champ de bataille de Verdun[63], Pétain dédicaça une photo au petit Philippe de Gaulle[64], il serait intervenu pour que le jury de l'Ecole de guerre relève la note de son protégé[65] et, en 1927, il l'imposa comme conférencier dans cette même école où l'aspirant de Gaulle avait laissé des souvenirs pour le moins mitigés. Cette prédilection n'était un secret pour personne et, de son côté, le capitaine de Gaulle n'oubliait jamais, lorsque l'occasion se présentait, de rappeler qu'il était « de l'entourage de Pétain[66] ».

Les historiens n'aiment guère l'idée que de Gaulle ait d'abord été très proche du futur chef de l'Etat français. Leur relation, affirme ainsi Jean Lacouture, fut toujours, du moins pour de Gaulle, « suspendue et conditionnelle ». Il aurait trouvé en Pétain un patron plutôt qu'un maître[67]. Est-ce si sûr ? Si de Gaulle n'était pas avare de critiques contre les doctrines qui ravalent l'art de la guerre au rang de procédé et dont Pétain était friand[68], il publiait à la même époque – le milieu des années 1920 – des articles qui confortaient les thèses du Maréchal sur le front continu et l'importance des fortifications[69]. Le de Gaulle de 1925 n'avait pas encore écrit *Vers l'armée de métier* (1934).

Le vainqueur de Verdun croulait alors sous les honneurs. On annonçait son élection prochaine à l'Académie française, du moins après que Foch aurait eu le bon goût de laisser la place. Futur Immortel, Pétain s'était donc mis en tête d'étoffer une œuvre littéraire en vérité fort mince[70], en signant une histoire du *Soldat à travers les âges* qui, par son ampleur de vue et sa profondeur historique, serait digne d'un maréchal académicien. Il avait confié la tâche à ses « nègres » habituels, mais, peu satisfait du résultat, décidé de faire venir auprès de lui l'auteur de *La Discorde chez l'ennemi*. C'était au début de 1925. De Gaulle connut, à l'état-major du Maréchal, de belles années partagées entre vie familiale et vie professionnelle, entre l'appartement du square Desaix et le petit bureau enfumé du boulevard des Invalides, au centre de ce Paris monumental et militaire de la rive gauche qui convenait si bien à son caractère. Les journées étaient remplies. Il y avait le travail d'état-major, la préparation du manuscrit du *Soldat*, des allocutions et des articles à rédiger. De Gaulle se réchauffait au soleil de Verdun.

On voudrait qu'il ait toujours été à l'image de sa statue, impassible, clairvoyant, sans illusions, collé à la réalité, sachant comme nul autre la jauger et en tirer des enseignements. Tout indique au contraire que dans ses relations avec Pétain il se prit à des chimères. De Gaulle n'était pourtant pas un « nègre » ordinaire. Rien à voir avec ceux qui partageaient avec lui la besogne, le colonel Laure ou le colonel Audet. De Gaulle ne se contentait pas d'être la « plume » du Maréchal. La sujétion qui est l'ordinaire du « nègre » littéraire, il la voyait au contraire comme une collaboration. C'étaient ses mots qu'il couchait sur le papier, ses phrases qu'il tournait et retournait jusqu'à ce qu'il eût trouvé la tournure exacte ; ce n'étaient pas les mots du Maréchal, même s'il acceptait que celui-ci relût son travail comme il avait coutume de le faire, très attentivement, traquant les adverbes ou les adjectifs en trop, rayant ici un mot, portant là une note dans la marge. De Gaulle connaissait la règle du jeu, mais s'il acceptait les observations et les corrections portant sur la forme, il se montrait moins accueillant aux objections de fond. Alors il discutait, ergotait, argumentait, résistait pied à pied, n'hésitant pas à noircir des feuillets et des feuillets pour répondre à la moindre remarque[71]. Ce manuscrit destiné à être signé par le maréchal, c'était son texte, son œuvre, au même titre que *La Discorde chez l'ennemi* ou, plus tard, *Le Fil de l'épée*. Crut-il réellement qu'il était devenu le « collaborateur » du Maréchal et pas seulement sa plume ?

Il tomba en tout cas de haut lorsque Pétain, à la fin de 1927, trouvant que de Gaulle n'avançait pas assez vite, décida de confier au colonel Audet le soin de terminer l'ouvrage. Pétain n'avait rien compris à de Gaulle, preuve qu'à ses yeux il n'était qu'un membre de plus de son état-major, certes plus doué que les autres. Le banni s'insurgea. Il protesta auprès d'Audet – « Un livre, c'est un homme. Cet homme, jusqu'à présent, c'était moi[72] » – et auprès du Maréchal, rappelant à ce dernier que grâce à lui il avait eu la possibilité de publier un vrai livre, plutôt que « l'honorable exposé » que des « rédacteurs » moins doués auraient rédigé, mais qu'en changeant de plume il s'exposait à la pire des mésaventures : en dépit de sa signature, le public ne reconnaîtrait-il pas le style de son premier « collaborateur » ? Non seulement le maréchal devait le laisser terminer ce livre qui était son œuvre, mais il devait avouer sa participation[73].

Cette lettre furibonde témoigne de l'immensité de la déception éprouvée par de Gaulle. Le Maréchal prit d'abord un ton conciliant, promettant à son peu commode « nègre » une préface reconnaissant son rôle[74] ; mais Pétain ne tarda pas à penser que cette affaire avait assez duré. Il rangea le manuscrit dans un tiroir d'où, pensait-il, il ne devait jamais ressortir. De Gaulle l'exhortant à faire enfin paraître *Le Soldat*, il garda le silence[75]. Les ponts n'étaient pas complètement coupés, mais quelque chose s'était brisé pour de bon. De Gaulle confiera plus tard au général Catroux que le Maréchal était mort en 1925[76]. Pourquoi 1925 ? Parce que cette année-là, le vieux soldat avait accepté d'aller au Maroc mater la révolte d'Abd el-Krim dont Lyautey ne venait pas à bout. Pétain avait, dira de Gaulle, par « ambition sénile de tout », accepté de prêter la main à la disgrâce du grand Lyautey. Mais 1925, c'était aussi l'année où de Gaulle avait rejoint l'état-major du Maréchal et cru devenir son plus proche collaborateur, l'un et l'autre marchant de concert et s'enrichissant de leurs échanges. Si Pétain, donc, était alors mort à ses yeux, c'est aussi parce qu'il n'avait pas su reconnaître ce qu'il gagnait à l'arrivée de De Gaulle auprès de lui, s'imaginant qu'il ajoutait simplement une plume à la collection qu'il possédait déjà.

Les relations entre les deux hommes ne se détériorèrent vraiment qu'après la publication, en 1934, de *Vers l'armée de métier*. De Gaulle, qui n'avait jamais considéré le manuscrit du *Soldat* comme la propriété de son ancien mentor, décida alors de le sortir du tiroir où il dormait et, après l'avoir remanié pour en effacer les ajouts du Maréchal, de le publier sous son seul nom. « Si je vous comprends bien, lui écrivit Pétain, vous avez l'intention d'utiliser pour cette publication l'étude dont je vous avais antérieurement chargé. Vous m'en voyez profondément étonné. [...] Le plan du travail est mon œuvre, de nombreuses retouches et corrections achèvent de définir son caractère : je considère que ce livre m'appartient personnellement et exclusivement. [...] Votre attitude m'est très pénible[77]. » De Gaulle répondit par une longue lettre en réponse aux griefs du Maréchal. On y trouve cette confession qui en dit long sur le malentendu qui avait d'emblée empoisonné leurs relations :

> Sans nullement méconnaître, Monsieur le Maréchal, le rôle que jouèrent dans l'élaboration d'une partie de mon livre l'impulsion que vous m'aviez jadis donnée et l'ambiance dans laquelle vous m'aviez placé, je ne puis, je l'avoue, concevoir que cette impulsion, cette ambiance, suffiraient à faire d'une telle synthèse « un travail d'état-major ». Sa nature littéraire, historique, philosophique, le tour extrêmement personnel de la pensée et du style [...] donnent à l'étude en question un caractère tout à fait différent de celui que revêt et doit revêtir un travail d'état-major. En un mot, [...] elle n'est pas « rédigée », elle est « écrite ». Au surplus, Monsieur le Maréchal, et sans épiloguer sur les raisons qui vous firent, voici onze ans, mettre fin à ma collaboration, il ne vous échappera certainement pas qu'au cours de ces onze années les éléments de cette affaire ont changé pour ce qui me concerne. J'avais 37 ans ; j'en ai 48. Moralement, j'ai reçu des blessures – même de vous, Monsieur le Maréchal –, perdu des illusions, quitté des ambitions. Du point de vue des idées et du style, j'étais ignoré, j'ai commencé à ne plus l'être. Bref, il me manque, désormais, à la fois la plasticité et « l'incognito » qui seraient nécessaires pour que je laisse inscrire au crédit d'autrui ce que, en matière de lettres et d'histoire, je puis avoir de talent[78].

De Gaulle ? « Un ambitieux et un homme dépourvu d'éducation », « un orgueilleux, un ingrat, un aigri », vitupérait Pétain à qui voulait l'entendre, furieux de l'humiliation que le colonel, non content d'avoir signé *La France et son armée*, lui avait infligée en refusant la dédicace qu'il avait pourtant sollicitée et fait mine d'agréer[79].

Les deux hommes devaient se croiser trois fois encore en 1940. La première fois, ce fut le 6 juin, lorsque de Gaulle, nommé par Reynaud sous-secrétaire d'Etat à la Guerre, s'assit à la table du Conseil des ministres dont Pétain était le vice-président ; la deuxième, le 11 juin au château de Briare où le gouvernement faisait étape. De Gaulle venait d'être promu au grade de général : « Vous êtes général ! lui lança Pétain. Je ne vous en félicite pas. A quoi bon les grades dans la défaite[80] ? » La dernière, à Bordeaux à l'hôtel Splendide, le 14. Le secrétaire d'Etat avait rejoint Geoffroy de Courcel, son aide de camp, pour le déjeuner. Le Maréchal était assis à une table un peu plus loin. De Gaulle alla le saluer, en silence : « Il me serra la main, sans un mot. Je ne devais plus le revoir, jamais[81]. »

★

Le temps, beaucoup de temps avait passé depuis l'époque où de Gaulle se rêvait en sauveur de la patrie. Quelques missions à l'étranger – en Pologne en 1920, au Levant en 1930 –, de mornes garnisons, les bureaux du Maréchal et ceux de la Guerre à Paris ne faisaient pas un parcours bien brillant. Il montait lentement l'échelle des grades, à l'ancienneté, grâce à des recommandations aussi. Eric Roussel reproduit une note destinée à Joseph Paul-Boncour. Ecrite à la fin de 1935, de Gaulle y sollicite l'intervention du député pour passer du grade de lieutenant-colonel à celui de colonel[82].

Le plus frappant, tout au long de ces années un peu grises, c'est l'assurance avec laquelle de Gaulle s'adresse même à ses supérieurs, comme s'il avait déjà été emporté par l'Histoire dont on peut dire qu'à ce moment elle n'avait pas daigné poser son regard sur lui. Il a pourtant le pressentiment d'un destin, foi dans la mission qu'il *sait* devoir être la sienne. De Gaulle précède de Gaulle ; surtout, de Gaulle précède l'Histoire par laquelle il deviendra de Gaulle. Car, si rien ne manque ou presque au personnage, l'Histoire, elle, n'est pas là, pas encore là. Le personnage attend son décor. Il se tient sur une ligne de front imaginaire, capitaine d'un vaisseau endormi dont il *sait* qu'il appareillera bientôt pour l'une de ces grandes épreuves dont l'histoire de France offre tant de douloureux exemples. On songe au héros du *Rivage des Syrtes*, gardien des confins perdu au bord de la mer au-delà de laquelle s'étend le Farghestan inconnu et vaguement menaçant. Relégué sur ce bord du monde, guettant un invisible ennemi dont nul ne sait si, un jour, on le verra approcher, mais confusément certain que sa patience sera récompensée, qu'il n'aura pas en vain monté la garde pendant tant d'années : il se sentait « de la race de ces veilleurs chez qui l'attente interminablement déçue alimente à ses sources puissantes la certitude de l'événement[83] ». La tempête viendrait. Mais viendrait-elle à temps ? De Gaulle allait « fêter » – les guillemets s'imposent, car chez les de Gaulle on ne fêtait aucun anniversaire, pas même ceux des enfants – ses cinquante ans en 1940 ; à cet âge, Napoléon avait depuis longtemps conquis, puis perdu l'Europe. L'Empereur sort de l'Histoire à l'âge où le Général y entre.

★

Si de Gaulle attend l'Histoire, Napoléon naît de l'événement qui l'emporte sans qu'il l'eût anticipé. L'un guette l'épreuve qui aurait pu ne pas survenir et, ne survenant pas, l'eût privé du grand rôle auquel il aspirait, tandis que l'autre eût pu passer à côté de la Révolution s'il ne s'y était trouvé mêlé malgré lui.

Chez le jeune Napoléon, celui de Brienne, de l'Ecole militaire, de la garnison de Valence ou des intrigues et des luttes d'Ajaccio, c'est en vain que l'on chercherait à deviner le futur général Bonaparte. Lui-même n'en a pas l'idée. Son avenir, il le voit en Corse. Il a, très tôt, la passion du combat politique ; des ambitions aussi : imposer les Buonaparte à Ajaccio, couler ses pas dans ceux de Paoli et arracher la Corse à la domination française comme Paoli l'avait délivrée de la domination génoise. Mais, avant 1793 et son expulsion de l'île, jamais le regard de Bonaparte ne s'éloigne de son rivage natal. Lui dont l'imagination était, dira Mallet du Pan, « un magasin de romans héroïques[84] » se contente longtemps d'une sphère étriquée, alors même que sur le continent commence la plus extraordinaire aventure dont un jeune homme ambitieux et sans scrupules comme il l'est peut rêver : la Révolution française qui, déracinant l'ancien monde, renversant les hiérarchies, les usages et les traditions, ouvre à toute une génération la route de la fortune, des honneurs et de la gloire. Il avait lui aussi le bon âge, vingt ans en 1789 ; de Gaulle, vingt-quatre en 1914. Tous deux ont manqué l'occasion, mais pour des raisons différentes : de Gaulle – on l'a dit – a été fait prisonnier, tandis que Bonaparte n'a tout simplement pas compris que les événements lui offraient des opportunités que jamais le théâtre étroit de la politique corse ne lui donnerait. Même lorsque la France eut déclaré la guerre à l'Autriche, en 1792, et bientôt après à toute l'Europe, lui, le militaire, n'avait qu'une pensée en tête : obtenir le congé qui lui permettrait de revenir chez lui pour y culbuter ses ennemis et consacrer le triomphe de la « casa » Buonaparte. Ce sont les Corses qui, en définitive, lui mirent le pied à l'étrier en l'expulsant de l'île. Sans l'avoir voulu, Bonaparte fut jeté sur un théâtre à sa mesure.

Il y a, entre le révolutionnaire qui, le 9 juin 1793, s'échappe de Corse et l'officier nommé le 15 ou le 16 septembre de la même année à la tête de l'artillerie de l'armée qui assiège Toulon, une conversion si complète qu'on ne peut l'expliquer. C'est le moment le plus mystérieux de la vie de Napoléon. Un autre surgit de lui-même à la faveur des circonstances. Avec lui se vérifie l'adage de Victor Hugo qui disait, après avoir étudié la vie de Rubens : « Un grand homme a deux naissances : la première comme homme, la seconde comme génie[85]. » Napoléon est né deux fois, la première à Ajaccio en 1769, la seconde à Toulon en 1793, sans que l'on puisse trouver de mesure commune entre celui qu'il avait été et celui qu'il deviendra. La transplantation géographique est ici synonyme de renaissance, ou plutôt de nouvelle naissance. Cette dernière a le caractère du surgissement. Rien ne l'annonçait. Bonaparte n'existe pas en puissance dans le jeune Napoléon. Il surgit d'un coup et abolit celui qui l'a précédé comme si celui-ci n'avait jamais existé. A Toulon, le voici entier, avec son style, ses idées, ses mots, son charisme, la force qui fera fléchir tant de volontés et en subjuguera bien d'autres. Il ne changera plus. Le phénomène est d'autant plus étrange que Bonaparte n'a point d'expérience de la guerre, si ce n'est une incursion – du reste ratée – sur les côtes de Sardaigne au début de 1793. Arrivant devant Toulon et nommé un peu par hasard au commandement de la maigre artillerie de l'armée républicaine qui assiège la ville passée aux royalistes, le voici, soudain, en possession de ce « coup d'œil » sans pareil qui, joint à l'audace et à la vitesse d'exécution, lui donnera si longtemps la supériorité sur ses adversaires, tant sur les champs de bataille que dans l'arène politique. Aux officiers qui s'obstinent à parfaire le blocus de la ville en attendant de pouvoir lancer un assaut général, il objecte la topographie et soutient qu'on n'emportera pas la place en l'attaquant depuis les hauteurs qui l'entourent, mais en bombardant la flotte anglaise ancrée dans la rade pour la contraindre à s'éloigner ; alors, dit-il, la ville tombera comme un fruit mûr. A ceux qui crient au fou, il ne se lasse pas de le répéter : il faut concentrer l'artillerie sur la pointe de l'Eguillette, en avant de La Seyne-sur-Mer, à la jonction de la petite et de la grande rade. Là est la clé du succès. Il lui faudra des semaines pour convaincre les représentants du peuple dépêchés sur place par la Convention et, finalement, les généraux. Il entrait dans l'Histoire, il n'en sortira plus.

On dira qu'il connaissait bien les lieux. C'est vrai, et cette familiarité avec la topographie eut son importance. Mais, l'année suivante, promu au commandement de l'artillerie de l'armée d'Italie qui guerroyait depuis des mois sur les crêtes des Alpes, s'efforçant en vain de se frayer un chemin vers Turin, il entrevoit là encore d'un coup d'œil la manœuvre qui, en 1796, lui livrera en un mois à la fois le Piémont sarde et la Lombardie autrichienne. Campé au carrefour de Carcare et de Cairo, les Piémontais sur sa gauche, les Autrichiens sur sa droite, il aperçoit devant lui « deux larges trouées s'ouvrant vers la plaine, l'une au nord-est, du côté d'Alexandrie, l'autre à l'ouest vers Ceva[86] ». Qu'il occupe ce point stratégique et il interdira la jonction des deux armées ennemies, libre alors d'attaquer les Piémontais sur sa gauche en tenant en respect les Autrichiens sur sa droite, puis, les premiers rejetés sur Turin, de marcher sur Milan en suivant la ligne du Pô, pour, enfin, chasser les Autrichiens de Lombardie.

Il ne prit pas immédiatement la mesure de ce qu'il avait accompli. Certainement pas après Toulon : « Tout cela n'allait pas fort haut[87] », dira-t-il. Sinon, aurait-il songé en 1795 encore à prendre du service chez les Turcs, craignant que la France thermidorienne n'ait plus rien à lui apporter ? Il ne le comprit peut-être pas davantage après l'armistice imposé aux Piémontais le 27 avril 1796 ; mais à Lodi, le 10 mai, puis en faisant une entrée triomphale à Milan le 15, il sentit que ce qu'il venait d'accomplir l'égalait aux plus grands chefs de guerre de l'histoire. « Le 15 mai 1796, résumera Stendhal, le général Bonaparte fit son entrée dans Milan à la tête de cette jeune armée qui venait de passer le pont de Lodi, et d'apprendre au monde qu'après tant de siècles César et Alexandre avaient un successeur[88]. » Lui-même trouvera les mots pour décrire cette métamorphose à présent complète : « Je voyais le monde fuir sous moi comme si j'étais emporté dans les airs[89]. » C'est alors qu'il prit conscience que s'ouvrait devant lui un chemin que personne n'avait encore parcouru et qui, moins de dix ans plus tard, le verrait, lui, l'ancien « patriote » corse, le partisan de l'indépendance de son île natale, le fils d'un petit notable d'une ville minuscule, succéder à une royauté presque millénaire. Mais c'est en décembre 1793, au moment de la reconquête de Toulon, qu'il avait mystérieusement quitté l'homme qu'il avait été jusqu'alors et qu'il ne serait plus jamais : il était, d'un coup, devenu Napoléon ; en 1796, il le comprit.

★

De Gaulle ? Un héros en quête d'Histoire ; Napoléon ? L'acteur d'une histoire en quête de héros.

Bonaparte prit le pouvoir, le 18 Brumaire, pour recréer un corps politique à partir d'un pays déchiré, divisé, tombé en poussière après dix années de chaos. Il lui revint aussi de donner un visage à la société éclatée issue de 89, d'incarner ses valeurs nouvelles : l'égalité bien sûr, dont il allait brandir le drapeau jusque sur le trône impérial, mais aussi, et plus fortement encore, la croyance aux pouvoirs sans limites de la volonté, individuelle ou collective. C'est toutefois au-dehors qu'il ajouta un nouveau chapitre, et le plus grand, à l'histoire de la représentation qui avait été celle de la Révolution, du monde comme page blanche sur laquelle il était possible de recommencer l'Histoire ; car, au-dedans, il soumit au contraire les principes de la Révolution à une censure sévère, n'acceptant de les conserver que s'ils ne contrevenaient pas à la nature des choses et à l'élargissement de son pouvoir. Plus profondément encore, il donnait forme, par son incroyable destin, à la croyance moderne aux « possibilités infinies », à la faculté pour chacun de se délivrer du carcan des origines ou des héritages et, ce faisant, de repousser toujours plus loin les limites du possible.

Après le volontarisme, le culte de la jeunesse. La révolution n'est-elle pas un recommencement du monde dont les révolutionnaires voudraient croire que jamais plus il ne vieillira ? Qui pouvait mieux incarner cette espérance, surtout après la Terreur qui avait donné des rides à 1789, que les jeunes généraux des armées républicaines, et le plus brillant et le (presque) plus jeune d'entre eux ? Les portraits de Napoléon en contre-révolutionnaire manquent ce point : général à vingt-quatre ans, chef de l'armée d'Italie à vingt-sept, Premier consul à trente, empereur à trente-cinq, vaincu à quarante-cinq, mort à cinquante et un. L'épopée napoléonienne fut celle de la jeunesse, un tourbillon de vie comme, probablement, on n'en connaîtra jamais plus et dont Marmont disait :

> Nous étions tous très jeunes, […] tous brillants de force, de santé, et dévorés de l'amour de la gloire. Notre ambition était noble et pure ; aucun sentiment d'envie, aucune passion basse ne trouvait d'accès dans nos cœurs, une amitié véritable nous unissait tous, et il y avait des exemples d'attachement allant jusqu'au dévouement : une entière sécurité sur notre avenir, une confiance sans bornes dans nos destinées nous donnait cette philosophie qui contribue si fort au bonheur, et une harmonie

> constante, jamais troublée, formait d'une réunion de gens de guerre une véritable famille ; enfin cette variété dans nos occupations et dans nos plaisirs, cet emploi successif de nos facultés du corps et de l'esprit, donnaient à la vie un intérêt et une rapidité extraordinaires[90].

Jamais depuis Montaigne on n'avait chanté si éloquemment la vie militaire et la guerre comme l'expérience humaine la plus intense et la plus noble. Ces sentiments, nous peinons aujourd'hui à les comprendre : pour la première fois dans l'histoire, notre génération n'est pas « d'après-guerre ». La guerre ne fait plus partie, ou alors de loin, de l'expérience vécue ou transmise de père en fils[91]. Nous n'en comprenons plus la grandeur tragique ; nous n'en saisissons plus que l'horreur. Napoléon fut le héros emblématique de cette époque ; Charles de Gaulle sera celui d'une période très différente, non plus à l'unisson de son temps mais s'opposant à lui. Napoléon, ou Bonaparte pour mieux garder à l'esprit l'image de la jeunesse, est le héros d'une France qui, après dix années de secousses révolutionnaires et en dépit d'un coup de fatigue sous le Directoire, garde assez d'énergie en réserve pour faire danser l'Europe quinze ans encore – et quelle danse ! La France de 1800 pousse Bonaparte en avant, elle le porte. Celle de 1940, saignée à blanc par les effroyables pertes de la guerre précédente, minée par ses divisions et les haines mauvaises qui la travaillent, peuplée de « quarante et un millions de Français qui ne s'aiment pas[92] », la France du lâche soulagement de Munich et de l'armistice, vaincue et humiliée, est portée par de Gaulle. C'est là toute la différence. Elle est de taille.

⋆

L'acte de foi du 18 Juin est en même temps acte de raison. La décision marquait l'aboutissement d'une réflexion de plusieurs années. On peut lui assigner comme point de départ la publication, en 1934, de *Vers l'armée de métier* qui devait ouvrir à de Gaulle les portes du monde politique et lui fermer plus ou moins celles du monde militaire. C'est par cet ouvrage qu'il fit la connaissance de Paul Reynaud, qui succédera bientôt à Pétain dans le rôle de mentor et de protecteur.

On s'est souvent interrogé sur l'originalité de ce livre, les uns y voyant une œuvre visionnaire et prémonitoire, les autres une compilation d'idées banales. De Gaulle ne prétendait pas avoir fait œuvre originale : « Pour dresser ce projet d'ensemble, dira-t-il dans ses Mémoires, j'avais, naturellement, mis à profit les courants d'idées déclenchés à travers le monde par l'apparition du moteur combattant. [...] Mon plan visait à bâtir en un tout et pour le compte de la France ces vues fragmentaires mais convergentes[93]. » La réflexion sur le rôle futur des chars avançait un peu partout, si bien qu'on ne doit pas s'étonner quand les généraux allemands, interrogés après la guerre, affirmèrent que de Gaulle les avait peu influencés, d'autant moins, dira l'un d'eux, que l'auteur « planait dans les nuages[94] ». De Gaulle avait en effet délibérément écarté toute considération technique[95]. La raison de ce choix était évidente : l'auteur ne s'adressait pas à ses pairs dont il connaissait l'animosité ou l'indifférence à son égard, mais aux politiques qu'il ne désespérait pas encore de convaincre de l'urgence d'une révision de la doctrine française de défense. « J'en appelais à l'Etat, dira-t-il. Pas plus qu'aucun autre corps, l'armée, en effet, ne se transformerait d'elle-même[96]. »

Il proposait de créer six grandes divisions blindées et, surtout, de changer la doctrine d'emploi des chars qui, jusqu'ici, les cantonnait dans un rôle d'appui aux opérations de l'infanterie. Les blindés étaient alors censés suivre les fantassins, et même régler leur vitesse sur le pas de ces derniers[97]. Comme le résumera un officier, ils étaient attachés à l'infanterie par « un fil à la patte ». La supériorité allemande en 1940 ne tiendra pas tant à la supériorité du matériel qu'à une doctrine nouvelle de son emploi. Les Français ne possédaient pas moins de chars que les forces du Reich, ni de moins bonne qualité[98]. Le problème est que les gérontes au pouvoir imaginaient les guerres du futur d'après celle de 1914 qu'ils avaient connue. Pour eux, la guerre restait synonyme de tranchées, d'immobilisation prolongée du front, d'opérations limitées sur un espace restreint et de batailles vouées à décider de l'issue du conflit. En Allemagne, de jeunes officiers avaient révolutionné ces schémas obsolètes. Ils n'attendaient pas des chars qu'ils s'adaptent à la marche lente de l'infanterie ; ils exigeaient des fantassins qu'ils s'adaptent à la rapidité de mouvement des chars. L'objectif de la stratégie nouvelle n'était pas de rechercher à tout prix la bataille qui déciderait de l'issue de la guerre, mais de se faufiler dans les lignes ennemies, de les contourner, de les envelopper pour, avec l'appui de l'aviation, les désorganiser, les disloquer et briser le moral de l'armée ennemie. « Tandis que les chefs alliés pensaient à préparer la bataille, les jeunes chefs allemands cherchaient à l'éliminer en obtenant la paralysie stratégique de leurs adversaires[99]. » Dans cette guerre nouvelle où vitesse, surprise et terreur provoquée par les attaques aériennes remplaçaient le choc des infanteries, les chars se voyaient accorder une importance inédite. Jusqu'alors couverture des fantassins, ils devaient s'émanciper de ce lien qui limitait leurs possibilités d'action. De Gaulle proposait justement de couper le fil entre infanterie et blindés, afin de donner aux seconds l'autonomie qui, six ans plus tard, allait faire le succès allemand. Il proposait de réinventer la bataille en exploitant les possibilités offertes par l'apparition du « moteur combattant » et en substituant à l'usure statique des fantassins enterrés dans les tranchées une stratégie fondée sur la surprise et la rapidité. Cet aspect des choses devait beaucoup frapper Marc Bloch en 1940 : « Les Allemands ont fait une guerre d'aujourd'hui, sous le signe de la vitesse. » Il ajoutait, plein d'amertume :

> Nous n'avons pas seulement tenté de faire, pour notre part, une guerre de la veille ou de l'avant-veille. Au moment même où nous voyions les Allemands mener la leur, nous n'avons pas su ou pas voulu comprendre le rythme, accordé aux vibrations accélérées d'une ère nouvelle. Si bien, qu'au vrai, ce furent deux adversaires appartenant chacun à un âge différent de l'humanité qui se heurtèrent sur nos champs de bataille[100].

De Gaulle avait justement voulu faire entrer l'armée française dans « l'ère nouvelle ». Sans succès. Certes, dit-on, il n'était qu'à demi prophète, puisqu'il sous-estimait notamment le rôle futur de l'aviation à laquelle il n'assignait que de classiques missions de reconnaissance ou d'épandage de fumée pour masquer les mouvements des blindés[101]. On était loin de Guderian, pour qui chars et avions devaient agir en étroite coordination, mais c'était assez pour irriter l'état-major. De quoi se mêlait ce géant arrogant ? Le fait qu'il fût issu des rangs de l'infanterie aggravait son cas ; les cavaliers n'appréciaient guère ses leçons ni ses manières. Enfin, la doctrine défensive du front continu, des bastions fortifiés et des chars en appui régnait sans partage dans les hautes sphères. Si quelques spécialistes se rangèrent aux propositions de De Gaulle, celui-ci trouva parmi ses collègues plus de détracteurs que d'approbateurs. L'accueil ne fut guère plus chaleureux du côté des politiques. Il avait espéré convaincre Léon Blum[102]. Peut-être ce dernier se serait-il rangé à ses côtés si les propositions de De Gaulle en faveur des chars n'avaient été accompagnées d'un plaidoyer pour la professionnalisation de ce corps d'élite. Une armée professionnelle ? Inacceptable pour la plupart des républicains, si attachés à la mystique de la levée en masse et au système de la conscription. A cela s'ajoutaient quelques pages qui sentaient le soufre, où de Gaulle en appelait à l'apparition non d'un chef, mais du « maître » qui aurait le courage et la force nécessaires pour imposer les réformes organisationnelles et stratégiques indispensables : « Serviteur du seul Etat, dépouillé de préjugés, dédaigneux de clientèles ; commis enfermé dans sa tâche, pénétré de longs desseins, au fait des gens et des choses du ressort ; chef faisant corps avec l'armée, dévoué à ceux qu'il commande, avide d'être responsable ; homme assez fort pour s'imposer, assez habile pour séduire, assez grand pour une grande œuvre, tel sera le ministre, soldat ou politique, à qui la patrie devra l'économie prochaine de sa force[103]. » Loin de succomber aux idées fascistes en vogue, comme on l'en a accusé, il espérait bien plutôt l'apparition d'un Louvois ou d'un Carnot assez énergique pour imposer le rattrapage à marche forcée du retard français. On le sait, c'est en Paul Reynaud qu'il crut alors avoir trouvé l'oiseau rare qui ferait valoir ses idées et présiderait au redressement militaire de la France. Evoquant son premier entretien avec Reynaud, le 5 décembre 1934, le Général écrira : « Je le vis, le convainquis et, désormais, travaillai avec lui[104]. » C'est par la petite porte qu'il entrait en politique, en même temps qu'il prenait ses distances avec l'armée incapable de l'entendre.

Il y poursuivit pourtant une carrière sans éclat, passé des bureaux de l'état-major au commandement du 507e régiment de chars de combat en 1937 puis à celui des blindés de la 5e armée pendant la « drôle de guerre ». De Gaulle en 1939, c'est un peu Pétain en 1914, la campagne pour les chars en plus. A la fin de 1939 il crut le moment venu de repartir à l'attaque. Voyant bien que l'inaction allemande tenait seulement au fait que le Reich, occupé en Pologne, ne pouvait mener la guerre sur deux fronts et devait attendre pour attaquer à l'ouest, il rédigea une note à l'intention des vieillards qui commandaient l'armée et vivaient encore à l'heure du « miracle de la Marne[105] ». Croyait-il possible de secouer leur torpeur ? C'est plutôt d'un Reynaud devenu chef du gouvernement qu'il espérait le sursaut et, lorsque l'hypothèse se précisa, il rédigea une « Note sur la création d'un ministère de la Conduite de la guerre » qui, centralisant l'effort de guerre et la conduite des opérations sous l'autorité directe du président du Conseil, permettrait de surmonter les blocages qui, à tous les niveaux, faisaient obstacle à tout effort de rénovation. Dans ce projet, il avait prévu la création d'un poste de « chef d'état-major général de la Conduite de la guerre » qui lui allait comme un gant[106]. Douche froide lorsque, en mars 1940, Reynaud fut appelé à former un nouveau gouvernement. Lorsqu'il informa Daladier, qu'il n'avait pu écarter de la Défense, de son intention d'appeler de Gaulle au ministère, le président du Conseil sortant opposa son veto. L'éconduit fit ses bagages et regagna la 5e armée[107].

★

« Voici donc la guerre, la véritable guerre, commencée[108] », écrivit-il à Yvonne le 10 mai. Elle était là, l'occasion qu'il attendait depuis si longtemps, même s'il est douteux qu'il ait placé beaucoup d'espoirs dans la suite des événements. Certes, il se prit parfois à espérer au cours de ces journées tragiques, mais il ne pouvait pas ne pas avoir tiré les conséquences du triste spectacle qui s'offrit à lui lorsque, le 15 mai, alors que les forces allemandes se déversaient par la brèche de Sedan, il arriva à Laon pour y prendre le commandement de la 4e division cuirassée.

L'idée avait fait son chemin. Au début de l'année, la création de trois divisions blindées avait été décidée, mais sans l'indispensable révision de la doctrine de leur emploi. De fait, elles se volatilisèrent dès les premiers jours de l'attaque allemande. C'est alors que le général Georges, en charge du front nord-est, convoqua de Gaulle à son QG : « Allez, de Gaulle ! Pour vous, qui depuis longtemps avez les conceptions que l'ennemi applique, voilà l'occasion d'agir[109]. » Etait-ce ironique ? On faisait appel à lui au moment où la bataille était virtuellement perdue. Reynaud l'avouait le même jour à un Churchill stupéfait : « Nous sommes battus, nous avons perdu la bataille », et, la veille, le général Georges avait été pris de malaise en apprenant l'ampleur du désastre[110]. Le 17 mai, de Gaulle lança ses chars sur le carrefour routier de Montcornet pour tenter de freiner les panzers de Guderian. Sur le papier, il disposait de près de 200 chars, dont trois dizaines de B1-bis, les plus lourds et les plus solides du monde. Après Montcornet, il se replia sur la Serre où, à Crécy, il affronta à nouveau les blindés allemands le 19. Contraint de battre en retraite, il se dirigea à la fin du mois vers Abbeville où les forces alliées tentaient de s'ouvrir un chemin vers le nord. Des historiens, cela va sans dire hostiles, se sont étonnés qu'avec des forces aussi importantes le colonel « Motor » n'ait pas fait mieux que donner quelques coups d'épingle au cheval allemand et, surtout, qu'il ait fait manœuvrer ses chars de façon très classique, bien loin de la tactique audacieuse qu'il préconisait depuis 1934. Ne les éparpillait-il pas sur le terrain pour qu'ils aident à la progression de l'infanterie[111] ? En vérité, il ne pouvait faire mieux qu'il ne fit avec cette division rameutée « en bousculade[112] ». S'il disposait d'une trentaine de chars modernes, bon nombre d'autres dataient de la Première Guerre mondiale. Les pertes étaient lourdes : à Montcornet et Crécy il perdit 141 de ses 219 blindés, à Abbeville il ne lui en restait plus que 57 le soir du 28 mai, contre 187 le matin[113].

De surcroît, il n'avait ni artillerie ni fantassins en quantité suffisante, aucun soutien aérien, pas de système radio pour coordonner les mouvements des chars ; c'est en voiture que de Gaulle allait de l'un à l'autre ; des soldats à bicyclette tentaient de maintenir la liaison sous le feu ennemi[114]. Les témoignages sont accablants. Les fantassins étaient conduits à la bataille en autobus, les tankistes, dont certains ne totalisaient pas quatre heures de conduite, montaient dans les chars à leur descente du train. Les hommes ne se connaissaient pas, les officiers ne les connaissaient pas[115]. De Gaulle réalisa un exploit en les menant au combat où, malgré les circonstances désespérées, ils firent plus que défendre l'honneur.

L'importance de cet épisode n'est certainement pas militaire : ni Montcornet ni Abbeville ne dérangèrent les plans allemands. En revanche, c'est « au spectacle de ce peuple éperdu et de cette déroute militaire », assure de Gaulle, qu'il prit la grande décision : continuer à se battre, « où il faudra, tant qu'il faudra, jusqu'à ce que l'ennemi soit défait et lavée la tache nationale ». En France, s'il était possible, dans l'empire si le territoire de la métropole tombait aux mains de l'ennemi[116]. Ces combats contribuèrent également d'une manière décisive au développement de la légende gaullienne. Ils accréditèrent l'idée d'un de Gaulle qui non seulement savait ce qu'il eût convenu de faire pour opposer une résistance plus efficace à l'envahisseur et d'un chef, qui, en dépit de la pauvreté des moyens mis à sa disposition, avait remporté une victoire partielle sans doute, mais une victoire tout de même. Il était fier de cette bande de 14 kilomètres – pas plus de 7 en réalité – conquise à Abbeville et des 500 prisonniers – plutôt 250 – qu'il fit sur les rives de la Somme[117]. Cette victoire lui conféra la légitimité militaire – la liste des victoires, même sans lendemain, était si réduite que la nouvelle de ses succès remportés devant Abbeville provoqua une explosion de joie au QG de Weygand[118] – et, le 6 juin, lui permit d'entrer au gouvernement comme sous-secrétaire d'Etat à la Guerre, officialisant ainsi le rôle de conseiller qu'il jouait auprès du président du Conseil depuis plusieurs mois. « Battu devant Abbeville, remarque justement Henri Amouroux, de Gaulle n'aurait pu – quelque désir qu'il en ait eu – être appelé par

Paul Reynaud au gouvernement. Il n'aurait pu rencontrer Churchill, s'envoler le 17 juin pour Londres, parler à la BBC, devenir de Gaulle[119]. » Rétrospectivement, ce n'est pas sans motif qu'il fixa à Abbeville – son Lodi – le point de départ de l'histoire de la France libre. Il le dit aux anciens de la 4e DCR à l'occasion d'un rassemblement commémoratif, le 29 mai 1949 : « C'est de ces événements-là qu'est partie une autre Histoire[120]... »

★

Abbeville est un point de départ symbolique ; si l'on veut à tout prix dater le moment où commence l'histoire de De Gaulle, c'est plutôt au 26 janvier 1940 qu'il faut remonter.

Ce jour-là, il adressa à quatre-vingts personnalités un « Mémorandum » qu'il faut considérer non seulement comme le premier texte au ton vraiment « gaullien », mais comme l'ébauche du futur appel[121]. Le style en est lapidaire, le ton ferme, les formules frappantes. C'est, en version écrite, l'équivalent des grands discours que cet orateur-né prononcera. Pour secouer la torpeur qui s'emparait du haut commandement au cours de cette « drôle de guerre » où rien ne se passait, il martelait : « La position Maginot, quelques renforcements qu'elle ait reçus et qu'elle puisse recevoir, quelques quantités d'infanterie et d'artillerie qui l'occupent ou s'y appuient, est susceptible d'être franchie. » Franchie, ou tournée, comme toute ligne fortifiée. Défense aussi illusoire que l'inaction allemande. La Wehrmacht allait attaquer, dès qu'elle serait prête, et elle le ferait suivant les règles de la guerre moderne, ces règles que le commandement français ignorait avec tant d'obstination, à savoir la vitesse, représentée au sol par les unités de chars, dans les airs par les escadrilles de chasseurs. Bref, si la France ne se réveillait pas, elle connaîtrait le sort de la Pologne. Le remède, c'était bien entendu toujours le même, la création de grandes unités de chars appuyées par l'artillerie, épaulées par l'infanterie et agissant en étroite coordination avec l'aviation (il avait, cette fois, retenu les leçons de l'invasion de la Pologne). Deux convictions l'animaient, qui légitimeraient à ses yeux le départ pour Londres dans quelques mois : d'abord, l'issue de cette guerre aux formes entièrement nouvelles dépendrait en dernier ressort de la capacité industrielle des belligérants, la victoire revenant finalement à celui qui aurait les moyens d'opposer une « force mécanique » supérieure à celle de son adversaire[122] ; ensuite, la guerre qui commençait, pensée sur le modèle de la précédente où des Etats s'étaient affrontés pour défendre ou promouvoir des *intérêts*, n'obéirait pas au même schéma classique : « Ne nous y trompons pas ! Le conflit qui est commencé pourrait bien être le plus étendu, le plus complexe, le plus violent, de tous ceux qui ravagèrent la terre. La crise, politique, économique, sociale, morale, dont il est issu, revêt une telle profondeur et présente un tel caractère d'ubiquité qu'elle aboutira fatalement à un bouleversement complet de la situation des peuples et de la structure des Etats[123]. » C'était bien, avec six mois d'avance, l'appel du 18 Juin.

Il y a, dans ce regard à la fois lucide et passionné sur la réalité, quelque chose d'énigmatique. Le jugement est froid, assuré. Il tranche avec la confusion générale des esprits. Les événements de mai et juin 1940 ne feront que confirmer les prédictions du 26 janvier. Olivier Guichard, impressionné par « l'acte de raison » qui conduisit le Général à Londres, explique que celui-ci réunissait trois qualités dont aucun autre que lui ne pouvait se prévaloir à ce moment : d'abord, parmi les hommes de gouvernement de l'époque il était le seul « à ne pas sentir peser sur ses épaules le poids de vingt années de discrédit parlementaire » ; ensuite, il était l'un des rares, parmi les officiers, « pour qui la déroute des armes n'ait pas signifié aussi la déroute des idées, sinon des réflexes », puisqu'il en avait décelé les causes avant même que l'irréparable ne se produise ; enfin, parmi ceux qui gardaient la volonté de combattre – comme le général Noguès, alors au Maroc –, il avait l'avantage de ne pas subir le prestige de Pétain et de Weygand – il a rompu avec le premier dès 1934 et les douze jours passés au gouvernement lui ont donné une piètre opinion du second[124]. Il était libre de toutes les entraves qui paralysaient ceux qui auraient pu, *a priori*, occuper sa place.

Tant de lucidité est difficilement pardonnable. On ne la lui pardonna pas. Ni ceux qu'avait gagné cet « obscur sentiment d'impuissance[125] » qu'il voyait se répandre, de proche en proche, dans toutes les couches de la société et de l'armée ; ni ceux qui croyaient la guerre déjà finie, l'Angleterre inéluctablement perdue et l'Allemagne déjà vainqueur ; ni ceux qui désiraient voir la France expier par une salutaire défaite ses errements passés ; ni ceux qui avaient d'ores et déjà choisi le IIIe Reich contre leur patrie ; ni ceux qui, chez les résistants de la première heure, étaient prêts à consentir à de Gaulle un rôle de chef militaire mais répugnaient à lui reconnaître des pouvoirs politiques. Cela faisait beaucoup de sceptiques et d'ennemis, et encore ne compte-t-on pas les Américains dont les Français de Washington – les pires de tous – entretenaient les préventions à l'égard de ce condottiere surgi de nulle part et soupçonné de maurrassisme, ni les Anglais dont les bonnes dispositions devinrent plus tièdes dès la fin de l'été 1940 et l'eussent été plus encore si Churchill n'avait pu rompre tout à fait la « mésentente cordiale » qui le liait à de Gaulle[126].

Dans ses Mémoires, Raymond Aron déplore la violence avec laquelle de Gaulle traita d'emblée ceux – l'immense majorité – qui avaient fait un autre choix que le sien pour des raisons, dit-il, qui n'étaient pas toutes déshonorantes. Plus que l'armistice lui-même, qu'Aron inclinait à croire « inévitable », étaient déshonorants les mobiles de ceux qui l'avaient signé. Aussi, plutôt que d'excommunier tous les vichystes sans distinction, aurait-il mieux valu « ramener la plupart d'entre eux à la cause de la France et de ses alliés[127] ».

Il est vrai que de Gaulle n'y allait pas de main morte. S'il s'était contenté de parler du « gouvernement » pour désigner Pétain et consorts tant que l'armistice n'avait pas été signé, ensuite ce fut très différent. Il n'eut pas de mots assez durs pour stigmatiser la « clique de politiciens tarés, d'affairistes sans honneur, de fonctionnaires arrivistes et de mauvais généraux » qui s'était emparée du pouvoir à la faveur de la défaite[128], condamnation étendue *de facto* à tous ceux qui les suivaient et qui, sans être des traîtres, suivaient la voie du déshonneur.

La foi du Général en la victoire avait quelque chose d'incongru en juin 1940. L'idée même de poursuivre le combat à partir de l'empire semblait aussi irréelle que le projet d'organiser la résistance dans un réduit breton ou celui d'une union franco-britannique qui avaient été, l'un et l'autre, évoqués pendant la débâcle. Raymond Aron lui-même tenait cette idée pour chimérique, faisant remarquer que la décision aurait de toutes les façons été prise trop tard pour que l'on eût le temps de transférer en Afrique du Nord suffisamment de troupes et de matériel pour être en mesure de continuer la lutte. De plus, où étaient, dans l'empire, les ressources qui permettraient à la France de continuer la guerre sans dépendre de ses alliés ? De Gaulle ne sera-t-il pas contraint d'approuver – certes du bout des lèvres – l'attaque anglaise contre Mers el-Kébir ? De Gaulle, l'homme des Anglais ? Le soupçon devait laisser des traces, surtout chez ceux qui, plus tard, accusèrent le Général de ne pas hésiter à faire couler le sang français pour mieux servir les intérêts de ses nouveaux maîtres. Peu importe que les forces vichystes aient, en réalité, ouvert le feu les premières, c'est à de Gaulle que l'on fit grief du prix payé pour le « fiasco douloureux » de Dakar en septembre 1940 et le « succès douteux » de Syrie en mai 1941[129]. Après le féal d'Albion, l'homme de la guerre civile. Les doutes ne manquaient pas qui limitaient d'autant les ralliements à l'homme du 18 Juin. Le moins évident était sa prétention à représenter la France et même à *être* la France. La France hors de France, sans la France, sans les Français ? Le sort des parlementaires qui avaient embarqué à bord du *Massilia* pour rejoindre l'Afrique du Nord et y préparer le transfert des pouvoirs publics montra suffisamment que l'idée était incompréhensible pour une large fraction de l'opinion. La France pouvait-elle être ailleurs qu'en France ? Les passagers du *Massilia* furent conspués et dénoncés comme de lâches fuyards, tant à l'embarquement à Port-Vendres, le 21 juin, qu'à leur débarquement à Casablanca trois jours plus tard (avant d'être arrêtés sur ordre du gouvernement Pétain)[130]. La légitimité du Maréchal tint pour beaucoup, dans ces sombres journées, au serment qu'il fit de ne pas quitter les Français et de les protéger dans l'épreuve.

Il s'adressait aux Français, de Gaulle à la France. Leurs deux légitimités n'étaient pas complémentaires – la fameuse thèse du glaive et du bouclier[131] – mais résolument contraires.

A la légitimité qu'il revendiquait, le gouvernement du Maréchal pouvait ajouter la légalité de son pouvoir. De plus, le « crime » de l'armistice dénoncé par de Gaulle n'avait-il pas permis à la France de ne pas être rayée de la carte, d'avoir conservé un gouvernement, un territoire et même une armée, certes réduite, si bien que son abaissement présent n'excluait peut-être pas une renaissance future ? Un précédent venait à l'esprit : l'Allemagne – ou plutôt la Prusse – s'était trouvée dans une situation analogue en 1806, après la défaite infligée par Napoléon. Frédéric-Guillaume III s'était alors soumis aux dures conditions imposées par le vainqueur, préférant l'humiliation à la disparition[132]. La Prusse ne s'en était pas mal trouvée. Alors que, depuis la paix signée avec la France révolutionnaire en 1795 elle s'était souvent déshonorée, se donnant à tous dans l'espoir de retirer le maximum de bénéfices de ses trahisons successives, la défaite – terrible puisqu'elle fut amputée de la moitié de son territoire – l'avait ramenée dans le chemin de l'honneur. Le désastre avait permis au gouvernement de Berlin de mener à bien des réformes – structurelles, économiques, sociales – qui, en temps de paix, s'étaient heurtées à des oppositions catégorielles. Il avait patiemment et en secret préparé la revanche et, en 1813, avait pu rejoindre les rangs des puissances coalisées contre la France impériale. Son armée, quasi détruite en 1806, bivouaquait sur les Champs-Elysées en 1814[133]. Ce précédent était connu. Les plus âgés des Français étaient plus proches par leur date de naissance de la défaite de 1815 que de celle de 1940. C'était le cas de Pétain, dont il n'est pas sûr que, né sous Napoléon III, il ait exactement compris à qui il avait affaire lorsqu'à Montoire il passa devant les soldats allemands qui lui rendaient les honneurs[134]. Combien de Français croyaient voir dans ces soldats ceux de 1914, de 1870, de 1815 ou de 1806, et dans cette guerre un conflit classique ? Combien s'imaginèrent qu'on pouvait « amadouer » ces Allemands-là et les entraîner dans un jeu de donnant-donnant qui permettrait de sauver l'essentiel ? Il fallait la lucidité de De Gaulle pour décrire l'affreuse nouveauté de cette « guerre de trente ans » entamée en 1914 et qui, commencée sous les formes classiques d'une rivalité entre nations, s'était transformée en un conflit de civilisations faisant rage au cœur même de l'Europe :

> A la base de notre civilisation, dit-il dans le grand discours qu'il prononça à Oxford en novembre 1941, il y a la liberté de chacun dans sa pensée, ses croyances, ses opinions, son travail, ses loisirs. Cette civilisation, née dans l'occident de l'Europe, a traversé bien des tourmentes. [...] Mais, jusqu'à présent, elle avait su garder assez de vitalité interne et de puissance d'attraction pour l'emporter finalement. Bien plus, elle s'est faite conquérante et a gagné, pour leur bien, d'immenses contrées de l'univers. Elle a imprégné l'Amérique, au point de s'y être, par excellence, épanouie. Elle a pénétré l'Asie, l'Afrique et l'Océanie. Grâce à la colonisation, puis à l'affranchissement progressif de populations innombrables, le moment approchait où tous les hommes de la terre eussent reconnu les mêmes principes supérieurs et revêtu la même dignité[135].

La tourmente était née, cette fois, de « la transformation des conditions de la vie par la machine, [de] l'agrégation croissante des masses et [du] gigantesque conformisme collectif qui en sont les conséquences [et] battent en brèche les libertés de chacun ». Sur le terreau de la crise de l'individualisme libéral classique s'est développé « un mouvement diamétralement opposé [...] qui ne reconnaît de droits qu'à la collectivité raciale ou nationale, refuse à chaque particulier toute qualité pour penser, juger, agir comme il l'entend, lui en arrache la possibilité et remet à la dictature le pouvoir exorbitant de définir le bien et le mal, de décréter le vrai et le faux, de tuer ou de laisser vivre[136] ». L'Allemagne de 1940, qui avait trouvé dans cette idéologie le moyen de satisfaire ses « perpétuelles ambitions[137] », n'était plus celle de 1806, mais la France de 1940 n'était pas non plus semblable à la vaincue d'Iéna. Celle-ci, unie derrière Frédéric-Guillaume III, avait consenti les efforts nécessaires au redressement. Stein et Hardenberg, qui furent les artisans de la renaissance prussienne, ne vivaient pas dans un pays déchiré comme l'était la France des années noires, divisée depuis tant d'années par les luttes sociales et les affrontements idéologiques et en proie à une profonde crise morale. Lorsque l'heure sonna, les Français désunis ne trouvèrent à se serrer qu'autour de la figure protectrice, mais vacillante, du maréchal Pétain. A tous ceux qui croyaient à la possibilité de ruser avec Hitler comme les Prussiens avaient rusé avec Napoléon – ils étaient nombreux dans « l'armée de l'armistice » à le croire –, il eût été utile de faire lire la lettre où Joseph de Maistre, craignant que la Russie ne se laissât aller à négocier avec « l'Ogre corse », mettait en garde contre l'engrenage fatal des concessions et des humiliations honteuses. Du chancelier Roumiantsev qui, « bon Russe et bon sujet de l'empereur » pourtant, semblait pencher du côté d'une politique accommodante envers Napoléon, Maistre disait : « Qui peut soupçonner seulement qu'il ait eu envie d'avilir ou d'enchaîner son maître ou sa nation ? Son système d'adhésion à la France et de complaisance sans bornes n'est donc fondé que sur la croyance antérieure que la Russie n'est pas en état de résister et qu'elle doit plier. » Mais « terrible carte » à jouer, ajoutait Maistre, puisque le risque de cette politique était que l'empire des tsars, à force d'accommodements et de concessions, « perde tout à la fois son honneur et sa sûreté[138] ». N'est-ce pas là le résumé de l'histoire de Vichy ?

⋆

Jamais Napoléon ne se trouva dans une situation aussi délicate que le général de Gaulle en 1940. En effet, à aucun moment la légitimité ne fit défaut au futur empereur. Il n'eut pas à la conquérir de haute lutte. Ses victoires en Italie, puis les « merveilles » de sa campagne d'Egypte – on ne savait pas exactement, en France, le détail des événements – la lui avaient acquise. N'avait-il pas donné à la « Grande Nation » ses plus belles victoires, de Montenotte aux Pyramides ? Il l'avait enrichie des dépouilles des vaincus, de l'or par millions, des tableaux et des statues par centaines, il l'avait augmentée du Piémont et du Milanais, de Venise et d'Ancône, de l'île d'Elbe et de Corfou, et, ajoutant la poésie à la gloire, il était allé planter le drapeau tricolore dans la vallée du Nil et en Palestine. Comme si ce n'était pas assez, il avait rétabli la paix en signant avec l'Autriche le traité de Campoformio. Il était à la fois conquérant et pacificateur. Comme aucun genre de supériorité n'était susceptible de rassasier son ambition, il se voulait aussi défenseur des arts et des sciences, entraînant dans son aventure orientale un cortège de savants et d'artistes, et législateur, donnant des constitutions et des lois aux Etats nouveaux qu'il semait un peu partout derrière lui. Il ne faut pas s'étonner qu'en revenant d'Egypte il fut accueilli « comme un souverain qui rentre dans ses Etats[139] ». Les ministres venaient à son domicile lui rendre compte des affaires du jour et les comploteurs – Paris n'en manquait pas en 1799 – révisaient leurs plans pour faire une place à celui dont ils savaient déjà qu'il serait le prochain maître de la France. Il n'avait pas encore le pouvoir, il l'exerçait déjà.

Cette légitimité qui tenait plus aux victoires qu'il avait remportées qu'à un quelconque système de légitimation – constitutionnel et plébiscitaire sous le Consulat, héréditaire et religieux sous l'Empire – était si forte qu'elle lui facilita ensuite considérablement la tâche. Elle suffit pour désarmer le plus grand nombre de ses adversaires, elle lui permit de surmonter les divisions héritées de l'époque révolutionnaire et, même, d'imposer une politique qui suscitait parfois de fortes préventions : ainsi en fut-il du concordat, de la création de la Légion d'honneur ou de l'amnistie des émigrés. Les succès inouïs remportés par Napoléon dans les premières années de l'Empire, d'Austerlitz à la paix de Tilsit, ne firent évidemment que consolider son autorité, sans pour autant, il faut le noter, contribuer à l'enracinement des institutions créées après 1799. C'est au conquérant qu'allaient les vivats, non à un système dont beaucoup pensaient qu'il ne survivrait pas à l'Empereur. L'identification du pouvoir à sa personne faisait en même temps la force et la faiblesse du régime. La suite des événements montra que les premiers revers entamèrent peu cette légitimité personnelle. Certes, la confiance dans l'avenir commença de sérieusement fléchir après la campagne de 1812, mais en 1814 encore les Français ne s'étaient pas tout à fait détachés du « petit caporal ». Ils attendaient encore de lui des prodiges. Quant aux Alliés, ils craignaient qu'une fois de plus il se tirât de ce mauvais pas et redoutaient toujours de le combattre en personne. Il régnait par les victoires et la peur qu'elles inspiraient. Là était sa légitimité. Qu'il cessât de vaincre, elle devait s'écrouler. Quand il prit le chemin de l'île d'Elbe, ce fut sous les huées.

Si le courant entraîne Napoléon, il contrarie les efforts de De Gaulle. Le paradoxe est que Bonaparte était le produit d'une crise – la Révolution française – incomparablement plus grave par sa portée et ses conséquences que celle provoquée par l'effondrement de 1940. A long terme, il n'y a aucun doute. La Révolution a renversé une société, mis fin à mille ans d'histoire, fondé un nouveau pacte social et vainement cherché la forme de gouvernement qui conviendrait le mieux à cette société nouvelle ; la défaite de 1940 a à peine interrompu le fonctionnement des institutions, lequel reprendra son cours dès 1945, et sous des formes peu différentes de celles du régime parlementaire en place avant la guerre. Mais à brève échéance, la perspective est différente : l'effondrement est plus brutal, plus complet en 1940, mais de moindres conséquences.

En 1800 – laissons de côté les Cent-Jours où Napoléon revint pour trouver une fin digne de son extraordinaire destin –, il fallait reconstruire un Etat et refaire une société, réconcilier les Français séparés par dix années de révolution et de guerre civile, dresser des barrières contre une restauration monarchique et contre un recommencement de la Terreur, obtenir la reconnaissance de la France issue de 1789 par l'Europe monarchique et, pour cela, la vaincre si complètement qu'elle ne puisse plus jamais retirer son consentement au nouvel ordre des choses. La tâche est immense, les moyens considérables. Bonaparte peut compter sur une armée, la première du monde, sur une administration qu'il a réorganisée, sur des ressources budgétaires qui, les premiers temps passés, augmentent ; il peut compter sur le soutien d'une grande partie des élites formées sous la Révolution et même sur l'appui d'un nombre non négligeable de revenants de l'Ancien Régime. De Gaulle, au contraire, est seul, démuni. Ses armes ? Son verbe et une inébranlable volonté. Avec ce seul viatique, il lui faut inventer une armée, rallier autour de lui les bonnes volontés, recréer un semblant d'Etat, enraciner la France libre dans une terre française, fût-elle impériale, et, surtout, en imposer la reconnaissance à des alliés dont il dépend en tout ou presque. A court terme il était plus difficile d'être de Gaulle en 1940 que Bonaparte en 1800. Le premier évoque Louis XVIII, esseulé loin de la patrie, avec pour seul bagage la foi en son destin et le soutien intéressé d'alliés étrangers.

C'est la faiblesse, et matérielle et symbolique, de De Gaulle qui le contraignait à l'intransigeance. La brutalité avec laquelle il traita tous ceux qui n'étaient pas de son camp était la rançon de son isolement. Il faut sans doute consentir une part au tempérament – l'égocentrisme de De Gaulle, son absence de magnanimité, « son maniement assez raide de l'autorité » ou du commandement[140] –, mais c'est parce qu'il n'était rien, ou si peu, qu'il lui fallait se prétendre tout et, face au pouvoir légal en place à Vichy, se déclarer investi d'une légitimité supérieure à celle des institutions, celle que lui conférait la garde du « trésor de la souveraineté française ».

La différence de position explique au moins en partie pourquoi Bonaparte réconcilie une grande majorité de Français sous l'égide de la paix civile et de la gloire militaire qu'il prodigue également, et pourquoi de Gaulle divise. L'un peut se montrer magnanime, l'autre pas. Napoléon divisera lui aussi – au moment des Cent-Jours –, de Gaulle a toujours divisé.

En 1940, les traîtres, les timorés, les lâches, les mous ne lui pardonneront jamais d'avoir jeté l'opprobre sur leur conduite ; pendant la guerre, les partisans des Américains ne lui pardonneront pas davantage d'avoir ressuscité la France ; en 1944, on lui reproche les femmes tondues, l'épuration sauvage, les écrivains exécutés – Georges Suarez, Robert Brasillach, Paul Chack –, en 1947 l'aventure du RPF, en 1958 le 13 Mai, en 1962 la « trahison » des accords d'Evian et le « coup d'Etat permanent », en 1968 la « fuite » à Baden-Baden… Gauche communiste ou non, droite Algérie française ou libérale et européenne, ex-gaullistes animés d'une haine d'autant plus inexpiable qu'ils avaient davantage adulé « le grand Charles » – on pense à Jacques Soustelle –, officiers, pieds-noirs, étudiants, intellectuels, l'antigaullisme a pris de multiples visages. Jamais le Général n'a connu d'état de grâce semblable à celui qui fit cortège au Premier consul et même à l'Empereur quelques années durant.

★

Les gaullistes n'apprécient guère que l'on compare de Gaulle à Napoléon. Olivier Guichard, ayant accolé leurs deux noms, s'empresse d'ajouter : « Ils n'ont en commun que d'avoir eu du génie[141]. » De leur point de vue, ces derniers ont raison : le rapprochement entre le Général et l'Empereur – l'oncle ou le neveu – a toujours été le fait des antigaullistes. Le parallèle trouvait sa source dans une série de soupçons qui, tant à Londres qu'au sein de la résistance intérieure, collaient à l'homme du 18 Juin : son maurrassisme supposé et les liens qu'on lui prêtait avec l'Action française ou les ligues d'avant guerre ; le « Moi général de Gaulle » des interventions au micro de la BBC qui le faisait soupçonner de vouloir être le seul opposant à Vichy, le seul résistant, de qui toute légitimité provenait, et les intentions qu'on lui prêtait de vouloir changer les institutions après la guerre pour instaurer un régime autoritaire. Ces soupçons coalisaient contre lui une bonne part des forces de la Résistance, un spectre large où l'on trouvait Jean Monnet qui qualifiait de Gaulle d'« hitléro-fasciste[142] », Henri Frenay qui rejetait la filiation entre Résistance et appel du 18 Juin que les gaullistes s'efforçaient d'imposer, Yvon Morandat qui soupçonnait le Général de songer à « un régime dictatorial » pour la France d'après guerre, et le petit groupe londonien de *La France libre* réuni autour d'André Labarthe et de Raymond Aron où de Gaulle n'était pas en odeur de sainteté. De « Képi Ier », Labarthe ne disait-il pas qu'il était « menteur, déloyal et déséquilibré », « un fasciste entouré de cagoulards[143] » ? Ces mots ne faisaient pas partie du lexique de Raymond Aron, mais il n'était pas éloigné de partager ces jugements aussi lapidaires qu'injustes.

« L'ombre des Bonaparte » parut en août 1943 dans *La France libre*. Le nom du Général n'y est jamais cité, mais c'est bien de lui qu'il s'agit, présenté comme le successeur potentiel de Napoléon, de Badinguet et de Boulanger, trois noms qu'Aron associait comme autant d'étapes dans la genèse d'une version spécifiquement française du fascisme. La thèse fera florès, jusqu'à aujourd'hui, sur la profonde connivence entre notre tropisme césarien et l'invention d'un fascisme qui, certes, devait s'épanouir ailleurs en Europe, mais qui, n'ayant grâce à cela « jamais pu être altéré par la corrosion du pouvoir », serait resté en France le plus authentique[144].

Inspirée des thèses de Max Weber sur le pouvoir charismatique, l'analyse du bonapartisme par Aron n'est guère originale, ni convaincante. Le bonapartisme, nous dit-il, repose d'abord sur l'existence d'un être convaincu de sa prédestination au rôle d'homme providentiel et doué des qualités qui lui permettent de soutenir honorablement cette croyance (qualités qui, manifestement, manquaient au malheureux Boulanger) ; ensuite, sur l'existence d'un public prêt à le suivre ; enfin, sur un contexte de crise qui délégitime les institutions et les acteurs (individus et partis) de la vie politique :

> Le bonapartisme, écrit Aron, est donc tout à la fois l'anticipation et la version française du fascisme. Anticipation française parce que l'instabilité politique, l'humiliation patriotique et le souci des conquêtes sociales – mêlé d'une certaine indifférence aux conquêtes politiques – de la Révolution ont créé, à diverses reprises, une situation plébiscitaire dans le pays [...]. Version française parce qu'il se trouve toujours, dans des circonstances favorables, des millions de Français pour compenser leur hostilité coutumière à leurs gouvernants par des élans passionnels, cristallisant autour d'une personne désignée par les événements. Version française encore parce qu'un régime autoritaire, en France, inévitablement, se réclame de la grande Révolution, paie tribut verbal à la volonté nationale, adopte un vocabulaire de gauche, fait profession de s'adresser, par-delà les partis, au peuple entier. Même les despotismes s'y veulent républicains[145].

L'analyse de la tradition bonapartiste telle qu'elle se cristallise à l'époque du Second Empire n'est pas absurde ; le rapprochement avec le fascisme l'est, dont Aron ne mesurait pas, bizarrement, l'affreuse spécificité, pas plus, du reste, qu'il n'avait mesuré le caractère du régime de Vichy, envers lequel, peut-être par antigaullisme, il se montra toujours plutôt compréhensif[146].

C'est évidemment de Gaulle qui était la cible de cet article. La conjoncture y était pour beaucoup. L'éviction de l'amiral Muselier, l'un des premiers à contester ouvertement le pouvoir du Général, avait conduit la rédaction de *La France libre* à prendre ses distances avec les gaullistes[147]. Préfigurant très exactement les propos d'Aron, André Labarthe écrivait en janvier 1943 dans *La France libre* : « Rien n'est plus absurde, rien n'est plus contradictoire que de lier à un nom l'idée de la démocratie française, alors que [...] la prétendue incarnation de la démocratie en un homme risque d'aboutir à l'anti-démocratie et à un régime autoritaire[148]. » L'attaque était concertée et devait prendre tout son sens au moment de la création du Comité français de libération nationale (CFLN) au début de juin 1943, quelques jours après l'arrivée de De Gaulle à Alger – le 30 mai – et la publication de « L'ombre des Bonaparte ». Les détracteurs du Général voulaient voir dans la mise en place de cet organisme une tentative pour normaliser et pérenniser le pouvoir extraordinaire consenti à « Jean d'Arc » en raison de circonstances elles-mêmes extraordinaires. Aron ne contestait pas le 18 Juin, au contraire, disant du Général qu'il avait fait ce jour-là « un geste tout autant moral que politique[149] » ; il contestait le sens et la portée que de Gaulle donnait à cet acte héroïque : « L'appel du 18 Juin conserve sa signification morale et politique, mais les discours qui suivirent immédiatement, dira-t-il, relevaient déjà d'un chef de parti, et non d'un porte-parole d'un pays bâillonné[150]. » C'est la transformation de l'Appel en ambition politique et, à ses yeux, partisane qu'il refusait et qui fondait, comme dira Crémieux-Brilhac, plus que son antigaullisme, son « a-gaullisme[151] ». Signe de cette normalisation souhaitée qui devait faire rentrer l'autorité charismatique du Général dans le cadre d'une organisation légale-bureaucratique – pour parler comme Max Weber –, la coprésidence du CFLN confiée à Giraud et l'annonce de la convocation prochaine d'un Comité consultatif faisant office de parlement. Aron suspectait-il de Gaulle de refuser dans son for intérieur de quitter le rôle d'homme providentiel qu'il jouait depuis 1940 ? Il concluait en tout cas son étude en affirmant que si le pays s'engageait une nouvelle fois dans une voie assez souvent suivie dans le passé pour qu'on puisse la considérer comme une pathologie française, autoritaire et antidémocratique, alors il fallait s'attendre à ce que bientôt, comme en 1814 et en 1870, « l'aventure d'un homme s'achève en tragédie d'une nation[152] ».

Quarante ans plus tard, dans ses Mémoires, Raymond Aron dira regretter « L'ombre des Bonaparte », reconnaissant avoir sous-estimé les convictions républicaines du Général dont les événements de 1946 puis ceux de 1958 devaient démontrer qu'il n'était, écrit-il, « ni général Monck, ni général de coup d'Etat[153] ». L'aveu d'Aron était sincère, ses regrets partiels. Du reste, si en 1958 il se rangea derrière lui, c'est surtout parce qu'il attendait du Général qu'il trouve une solution à la crise algérienne ; et s'il donna ensuite sa bénédiction à la Constitution du 4 octobre 1958 dans une étude fameuse, intitulée « La Ve République ou l'Empire parlementaire » (novembre 1958), qui effectuait un nouveau rapprochement, cette fois positif, entre de Gaulle et Napoléon – le neveu –, il n'approuva jamais le 13 Mai. Le Général ayant évoqué dans sa conférence de presse du 19 mai 1958 le « capital moral » qu'il tenait de ce qu'il avait accompli entre 1940 et 1945, Aron ajoutait non sans aigreur que les Français n'avaient pas tous condamné l'armistice, et qu'en tout cas l'appel du 18 Juin n'avait pu créer une légitimité personnelle qui devait subsister après la fin de la guerre. C'est donc bien en retombant dans ses vieux travers, et les Français avec lui, que le Général était revenu au pouvoir[154].

Mais on était loin du texte de 1943, puisque Aron reconnaissait finalement que de Gaulle avait fait un usage légitime d'un pouvoir reconquis de façon si douteuse : « Il se trouve toujours des millions de Français, dans des circonstances favorables, pour compenser leur hostilité coutumière à leurs gouvernants par des élans passionnels, cristallisant autour d'une personne désignée par les événements [passage textuellement repris du texte de 1943 où il peignait le gaullisme comme bonapartisme et néofascisme]. [...] Le général de Gaulle est par excellence un chef charismatique, mais avec des ambitions historiques comparables à celles d'un Washington. Il ne veut ni prolonger la dictature romaine qui lui a été accordée par l'Assemblée (le 1er juin 1958), ni utiliser la fonction de législateur pour rendre son règne permanent[155]. » De Gaulle-Bonaparte ? Le 13 Mai, sans aucun doute ; mais la suite l'avait innocenté de tout soupçon de parenté avec Napoléon III (sauf celui de l'Empire parlementaire de 1869) ou Boulanger. Alors, va pour un de Gaulle-Washington, Washington que Bonaparte n'avait pas su devenir. Le Général, lui, avait la mémoire longue. Quand on lui parlait de son contradicteur, il disait : « Raymond Aron, ce n'est pas cet homme qui est professeur au *Figaro* et journaliste au Collège de France[156] ? » Il avait quelques motifs de lui en vouloir. « L'ombre des Bonaparte », publié quelques jours avant son arrivée à Alger et le début du bras de fer avec Giraud et les protecteurs américains de ce dernier, n'était rien d'autre qu'un coup de poignard dans le dos.

★

De droite ou de gauche, les libéraux français ont toujours regardé de Gaulle avec un mélange d'admiration, de réprobation et d'appréhension qui n'est pas sans rappeler les sentiments mêlés de Mme de Staël envers Napoléon. Elle avait admiré l'homme, ses facultés exceptionnelles et son génie, elle avait aimé en lui l'héritier de la Révolution française, et lorsque les puissances réunies à Vienne évoquèrent la possibilité de l'enlever de l'île d'Elbe pour le transporter dans un lieu – Sainte-Hélène, déjà – d'où il ne pourrait revenir, c'est elle qui fit prévenir Joseph Bonaparte retiré à Prangins, non loin de Coppet où elle résidait. Sa correspondance, il est vrai surtout les premières années, abonde en notations positives. Elle avait espéré de Bonaparte qu'il entrerait dans la peau de Washington et qu'il mettrait fin à la Révolution et à son cortège de troubles non par une dictature, mais par des institutions libérales qu'il eût fondées en se conformant au génie du siècle et dont il aurait accompagné les premiers pas avec l'intention de transmettre le flambeau dès que les circonstances l'auraient permis. Ce rêve avait fait long feu. Le sauveur avait pris prétexte du soutien populaire pour augmenter sans cesse son pouvoir, jusqu'à coiffer la couronne impériale. Loin de respecter les assemblées représentatives dont il avait dû s'accommoder après le 18 Brumaire et de protéger les libertés individuelles et la liberté de la presse, il avait supprimé la plupart des journaux, établi des tribunaux d'exception et réduit les chambres au silence ou à la disparition. Plus grave encore, ce qu'elle ne pouvait pardonner, il avait humilié ceux qu'il appelait avec mépris « philosophes » ou « idéologues », et, ce qu'elle n'avouait pas volontiers, il l'avait dédaignée, elle qui n'avait eu de plus grand désir que de le servir.

De la même façon, Raymond Aron et tous ceux qui, par la suite, furent à un moment ou à un autre antigaullistes ou « a-gaullistes » étaient loin de haïr le général de Gaulle. A défaut d'avoir de la sympathie pour l'homme, ils admiraient le rebelle du 18 Juin ; ils approuvaient même le rôle qu'il avait fini par jouer dans la décolonisation qu'ils souhaitaient ou jugeaient inévitable, et sans doute reconnaissaient-ils même que ce militaire qui avait par deux fois restauré la république, n'avait pas supprimé le Parlement et s'était révélé l'artisan de la réconciliation franco-allemande et de l'Europe unie faisait un singulier fasciste.

L'antigaullisme des libéraux recouvre un large spectre. On y trouve le pire comme le meilleur. Du côté du pire, je pense au très médiocre livre que Jean-François Revel publia en 1959, *Le Style du général*, qu'on ne peut relire aujourd'hui sans ennui ni même tristesse, si l'on songe combien l'auteur était un grand esprit : cet examen, plume en main, du style écrit ou oratoire du Général ne ressemble-t-il pas aux corrections qu'un instituteur porterait en marge de la copie d'un mauvais élève, à l'encre rouge, et dans le but de dénoncer le mensonge et l'illusion – le « roman » – qui seraient fondamentalement à la base de l'épopée gaullienne, mensonge d'une France résistante et illusion d'une politique de grandeur[157] ? Du côté du meilleur, j'ai relu les articles que François Furet publia dans *L'Observateur* entre 1959 et 1965. Mis bout à bout, ils composent un réquisitoire aussi brillant qu'implacable[158]. Plus que le « bonapartisme » de De Gaulle, plus que ses accointances avec le « militarisme » ou le « fascisme », plus que son « maurrassisme » ou sa culture d'inspiration « cléricale », plus même que tout ce qui l'apparente, idéologiquement, aux réactionnaires de la « révolution nationale » vichyste, ce qui le caractérise c'est le mensonge, soutient Furet, le mensonge comme politique ; non pas le verbe se faisant action, comme l'affirment ses laudateurs, mais le verbe travestissant la réalité, remplaçant l'histoire vraie par une romance qui comblait les « ambitions périmées » de ce militaire vieillissant et, aussi bien, celles d'un pays qui préférait faire l'autruche qu'affronter la réalité. La grande entreprise de mystification avait commencé le 18 Juin, orchestrée par un homme qui, toujours, espéra l'orage : 1940 le vengea d'une carrière militaire manquée, 1958 – où il n'hésita pas à aider l'orage à crever – lui rouvrit le chemin du pouvoir, et lorsque l'Algérie devenue indépendante cessa de lui fournir le drame dont il avait besoin, il le chercha dans les tumultes de la politique internationale. « Aujourd'hui – Furet écrit ces lignes en février 1963 –, voici les temps calmes revenus. Or l'homme qui est pour les Français le garant de ces temps calmes, l'homme qui vient de réinstaller son pouvoir sur le goût du Frigidaire et de l'automobile, continue à être un aventurier de la diplomatie, un maniaque du suspense historique[159]. » Des tensions franco-américaines récurrentes au discours de Mexico et aux propos tonitruants de Québec, c'est un vieux comédien qui ressasse un rôle. Mais il y a là plus que l'expression d'une manie : la trace d'une politique toujours fondée sur le mensonge et l'illusion. Furet était d'accord avec Aron. Serait-il vrai que de Gaulle ait été, entre 1940 et 1944, « pour la France captive, la figure abstraite de sa liberté[160] », il ne possédait pour autant aucun titre personnel à la gouverner après la Libération. Sa supposée légitimité ne lui donnait pas le pouvoir de faire main basse sur un pays dont les forces vives, dans la Résistance en particulier, n'avaient jamais été gaullistes ni inspirées par l'appel du 18 Juin. Au lieu de laisser la France se réinventer à partir de ce qu'elle était à ce moment, entraînée vers la gauche en raison de l'opprobre pesant sur la droite vichyste ou collaborationniste, de Gaulle l'avait enfermée dans un mythe de la réconciliation nationale dont il se présentait comme l'unique garant : ne s'était-il pas, en 1944, employé d'abord « à contenir l'effervescence populaire, à sauver ce qui pouvait être sauvé à l'époque des cadres traditionnels du pays, à rétablir ce qu'il faut bien appeler par son nom, non pas l'ordre tout court, mais l'ordre *bourgeois*, compromis par la collaboration avec l'occupant[161] » ? Plus grave, de Gaulle a jeté sur la société de la Libération un voile tissé de mensonges : la France vainqueur à part entière (mais exclue de la conférence de Potsdam) et la France réconciliée (alors qu'elle était, et devait rester, travaillée en profondeur par les séquelles de la guerre et, déjà, par la révolte des colonies). Ce roman faux eut pour conséquence de retarder, voire d'empêcher « la transition qui mène de l'exaltation chauvine [propre aux temps de guerre] à l'acceptation des données nationales du monde d'aujourd'hui[162] ». C'est là la faute cardinale du gaullisme. Si la IVe République répondit au défi posé par la nécessaire modernisation industrielle de la France, elle ne put trouver de solution à la décolonisation dont de Gaulle avait singulièrement accru les difficultés en se prêtant à la terrible répression des manifestations de Sétif en 1945. La politique de l'illusion, reposant sur ses deux piliers de la grandeur et de l'unité, avait eu des conséquences tragiques à court terme, dommageables à long terme : l'impossible adaptation de la France au monde qui l'entoure. En cela, concluait Furet, le gaullisme, pour être « de filiation plébiscitaire et bonapartiste », n'en était pas moins un bonapartisme de troisième rang, et peu fécond :

> Les deux Bonaparte avaient apporté des solutions relativement durables aux problèmes de la société française. La réconciliation nationale, l'Etat bourgeois centralisé, la politique de grandeur sont des réalités du Consulat et de l'Empire. L'expansion économique, la conquête des colonies, la puissance de la France en Europe sont des réalités du Second Empire. Depuis vingt ans, au contraire [Furet écrit en mai 1961], nous avons affaire à un bonapartisme de la décadence : c'est à ce titre que le gaullisme reste le phénomène politique capital de la France du milieu du XXe siècle. Alors qu'une France nouvelle naît de l'expansion démographique et économique, les deux idées force [*sic*] de la propagande gaulliste, l'Etat fort et la grandeur nationale – l'un étant la condition de l'autre –, ne font plus partie que d'une idéologie de compensation psychologique. La réalité est que de Gaulle a disloqué l'Etat bourgeois traditionnel et préside à la fin de la vieille France nationaliste. Ce vieillard sceptique et

> cultivé orne d'un vocabulaire de prestige la mort lente de son rêve et de l'idée de la France qu'il a apprise à l'école libre. C'est ce qui donne à son régime cette odeur de crépuscule qui attendrit le monde entier : le provincialisme français fait partie de la poésie du XXe siècle[163].

Pierre Nora ne sera pas plus tendre avec le Général dont le génie consista, dira-t-il, « à envelopper la diminution réelle de la puissance française dans le vocabulaire de la grandeur[164] ». De Gaulle ? Un prestidigitateur. La France gaullienne ? Un poulet mort qui ne le sait pas et court encore après qu'on lui a tranché la tête. L'histoire de France ? Des « lieux de mémoire ». Les Français, plutôt que la France désormais rangée au musée des choses mortes, ont payé cher « l'illusionnisme passéiste » du gaullisme – et du communisme – qui, de concert, entretenaient la croyance en la pérennité d'un modèle national historiquement obsolète. Corsetée d'illusions et « d'ambitions périmées » qui n'ont pas encore tout à fait disparu, elle a du mal à voir le monde tel qu'il est et à s'y adapter en faisant le deuil de la puissance. Au fond, l'antigaullisme libéral reproduit l'orléanisme de 1830 qui, déjà, plaidait la cause du réveil et du retour aux froides réalités, contre les marchands d'illusions réactionnaires ou révolutionnaires qui rêvaient les uns du retour à un Ancien Régime repeint aux couleurs de la douceur de vivre, les autres à un au-delà de 89 conjuguant mystique républicaine et gloire de l'Empire. Aux uns et aux autres, Guizot répondait par la fin de l'Histoire et, déjà, par l'aspiration à une « république du centre[165] » qui arracherait la France à ses mythologies et lui permettrait de poursuivre son histoire, ou plutôt de la recommencer, mais délivrée désormais du poids de son passé. Au fond, le rejet de Napoléon et de De Gaulle, nonobstant les reproches que l'on peut légitimement faire à l'un comme à l'autre – le despotisme du premier, la cruauté du second dans le traitement des partisans de la France en Algérie –, se nourrit à la même source : tous deux auraient été des « illusionnistes » qui ont, l'un par la guerre, l'autre par le verbe, retardé, un peu, pas longtemps, l'irrésistible déclin d'une nation portée par la conviction de sa destinée manifeste. Napoléon avait fait croire aux Français qu'ils pouvaient renouer avec la suprématie qui avait été la leur au temps de Louis XIV et qu'ils avaient irrémédiablement perdue depuis la guerre de Sept Ans, tandis que de Gaulle rallongea de quelques années le pacte de la France avec l'universel, en effaçant fictivement les conséquences inéluctables du désastre de 1940.

En définitive, tant Napoléon que de Gaulle figurent, pour le libéralisme français, les champions de l'anachronisme, enveloppant leur œuvre réelle – la modernisation de l'Etat – dans une poésie de la grandeur nationale, certes plus justifiée dans le cas du premier que du second. Alors que l'Empereur s'est emparé de l'Europe, sans pouvoir la garder, le Général a moins remporté une victoire que « fait oublier une défaite[166] ». Napoléon aura accompagné la fin de l'hégémonie française en Europe et de Gaulle « la fin d'un certain exceptionnalisme français ». La différence entre eux ? « La légende napoléonienne véhiculait une idée de la nation extraordinairement forte », tandis que de Gaulle, en voulant conjurer le déclin, n'a fait que le suspendre. Si la « Grande Nation » sortait de l'Histoire, la politique l'y maintenait par la puissance d'illusion du discours :

> L'ironie des dix ou quinze premières années de la Ve République, pendant lesquelles le général de Gaulle et ses partisans ont gouverné le pays, tient à ce qu'elles superposent une idée traditionnelle de la nation, la monarchie et la Révolution ensemble, à ce qui est en train de le subvertir : l'enrichissement du pays, l'hédonisme des mœurs, la naissance d'une économie et d'une conscience européennes, observe François Furet. La fêlure originelle du premier gaullisme avait été de réinventer la grandeur nationale sur une victoire imaginaire, et d'en faire vivre l'illusion dans un monde dominé par les Etats-Unis et l'Union soviétique. La politique du second gaullisme n'a cessé de creuser cette contradiction sous couvert de la résoudre, comme une fatalité infiniment plus forte que la passion du Général pour l'histoire de France[167].

Ces lignes furent écrites en 1988. C'était juste avant que la légende ne s'empare du personnage. Que l'on en partage ou non les thèses, elles sont devenues inaudibles. L'antigaullisme est mort. Le gaullisme aussi. Les passions se sont éteintes et le solitaire de Colombey est devenu l'ombre tutélaire d'une France à peu près moribonde. C'est que, depuis ces années 1980 où l'effondrement du communisme et la fin de la guerre froide parurent ouvrir une nouvelle ère, elle est entrée dans l'une de ces périodes de dépression et d'atonie dont elle a le secret et durant lesquelles le souvenir d'un héros protecteur lui sert de béquille. En quelque sorte, la légende gaullienne a « pétainisé » de Gaulle : « La France a enfin un homme à aimer[168] », pouvait-on lire dans un journal annonçant en décembre 1940 un voyage du Maréchal. En de Gaulle, la France des années 2000 trouve à son tour « un homme à aimer », mais qui assurément n'est plus celui qui, en 1940 et 1958, lui avait indiqué le chemin de l'effort.

4

La plume et l'épée

« Oh ! quel sinistre bruit font dans le crépuscule les chênes qu'on abat pour le bûcher d'Hercule. » Composés par Victor Hugo pour la mort de Théophile Gautier, ces vers vont bien à de Gaulle et à son ultime entretien avec Malraux. La scène du 11 décembre 1969 à Colombey est fameuse. L'ancien ministre est venu rendre visite à l'ancien président reclus à la Boisserie. Ils ont déjeuné avec Yvonne et le fidèle Geoffroy de Courcel, puis les deux hommes se sont retirés dans le bureau du Général. A rencontre au sommet, décor à la hauteur. La neige a eu la bonne idée de tomber en abondance. Elle met de la clarté sous le ciel plombé qui déjà allonge les ombres du crépuscule sur la campagne figée et silencieuse. « La cellule de saint Bernard, ouverte sur la neige des siècles et la solitude[1]. » Alexandre et Aristote – eh oui ! les laudateurs du grand homme ont la comparaison généreuse – dissertent sur la vie, l'histoire, la France ingrate et le monde condamné. L'heure impartie à Malraux écoulée, de Gaulle se lève. L'audience est terminée. Son invité la prolongera dans *Les chênes qu'on abat* dont on comprend bien qu'il ne s'agit pas du compte rendu d'un entretien mais du testament d'un long compagnonnage.

A l'heure du déjeuner. Malraux avait mis la conversation sur les chats. Ces excellentes bêtes l'ont conduit d'Azincourt à Concarneau en passant par le pays des Eskimos, mais, lorsque le rôti a succédé aux soles, la conversation, après un détour par le Niger, est revenue à l'histoire de France. Yvonne surveille le service, Geoffroy de Courcel se tait, Malraux brille. Avec Malraux, et seulement avec Malraux, « c'est de Gaulle qui écoute, c'est de Gaulle qui interroge, qui en quelque sorte "joue" pour déclencher un feu d'artifice[2] ». L'écrivain est en vedette, son hôte s'amuse de l'entendre passer en revue sans reprendre son souffle Rousseau, Victor Hugo, Cagliostro et Casanova, jusqu'à ce que le Général lui demande tout à trac : « Où en êtes-vous avec l'Empereur ? » Et Malraux, qui a le sens du raccourci : « Un très grand esprit, et une assez petite âme. » Trop positif, trop éloigné de toute interrogation métaphysique, se contentant de s'en rapporter, sur ces questions épineuses, aux convictions religieuses, en vérité fort vagues, de sa mère. Bref, un grand homme plus occupé des choses d'ici-bas que de celles de l'au-delà, du reste à l'image de tous les conquérants, trop obsédés d'eux-mêmes pour regarder vers le ciel. Malraux : « Alexandre, César, Gengis, Timour… Quand ils sont venus devant Dieu, je suppose qu'il les a tous envoyés au catéchisme… » Demi-sourire du Général : « Pour l'âme, il [Napoléon] n'a pas eu le temps… » Mais avec cela, ajoute-t-il, il n'avait certainement pas « l'âme commune ». La preuve ? Ces mots de Bonaparte entrant aux Tuileries, non en 1815 comme le suppose Malraux, mais en 1800, non après l'écroulement des illusions, mais au commencement, alors que la gloire lui souriait : « Oui, c'est triste, comme la grandeur… » Dite dans ce contexte, la phrase jette une lumière plus vive encore sur l'âme de Napoléon. « Et puis, ajoute de Gaulle, chez ces personnages apparemment surhumains, la force de création légendaire, vous voyez ce que je veux dire, prend la place de l'âme[3]. » Yvonne fait signe de débarrasser.

Napoléon : le sujet n'était pas nouveau entre de Gaulle et Malraux. Ils l'avaient évoqué, souvent. Ce jour-là, ils ne faisaient que reprendre la conversation là où ils l'avaient laissée. Ils s'étaient l'un et l'autre beaucoup occupés de l'Empereur. Malraux lui avait consacré un *Napoléon par lui*-même, recueil de citations qui demeure, près d'un siècle après sa publication (1930), le plus réussi dans ce genre. Quant au Général, il avait grandi dans la fréquentation des hommes illustres et des actions héroïques. Son père lui avait appris l'Histoire qu'à son tour il apprendra à son fils[4]. Il était d'une génération où les masses restaient au second plan dans un récit historique que dominaient les hauts faits des figures célèbres. Histoire principalement politique, où Michelet puis Lavisse avaient mis un peu de géographie. Les contraintes qui conféraient à l'histoire de la France sa cohérence et ses constantes tenaient au tracé des fleuves, à l'orientation des massifs montagneux plus qu'à l'économie ou aux mentalités. La vie des nations se développait entre nécessité et accidents, la première tenant à la géographie, la seconde à l'action pas toujours heureuse des hommes. C'est aussi pour cela que le Général sera, dans ses Mémoires, un si bon portraitiste. A ses yeux, c'est dans le caractère de Churchill, de Roosevelt, de Staline ou de Pétain que l'histoire trouve – en partie – son explication. Celle-ci croise psychologie et géographie, volonté des individus et intérêts permanents des peuples, événements et données fondamentales.

L'histoire chère au Général a de l'allure, de la tenue ; elle ne se laisse pas aller, elle tutoie les cimes. C'était comme une ambroisie dont il avait bu si jeune qu'elle l'avait à tout jamais dégoûté de la piquette[5]. Napoléon y occupe, bien sûr, une place de choix, même si ce ne sera jamais, à ses yeux, la première. Trop d'aventure, pas assez de morale chez le grand conquérant. Il lui préfère Hoche ou Carnot, moins doués sans doute, mais meilleurs patriotes. Il avait fréquenté Napoléon à Saint-Cyr où l'étude des campagnes de l'Empereur initiait les élèves à la grande stratégie[6] ; devenu à son tour professeur, il avait enseigné ces mêmes campagnes à ses élèves de l'Ecole de guerre. On a gardé les notes de quelques-unes des leçons qu'il donna en 1921, sur la campagne de 1805 et sur celle de 1813[7]. L'Empereur ne le quitta plus. A la toute fin de sa vie, tandis qu'il travaillait d'arrache-pied pour terminer ses *Mémoires d'espoir*, craignant de n'en avoir pas le temps, il avait imaginé conclure l'ouvrage par un dialogue où, aux portes de la mort, il rencontrerait les grandes figures du récit national : Clovis, Charlemagne, Sully, Richelieu, Louis XIV, Colbert, Danton, Napoléon, Clemenceau. Il leur aurait demandé comment ils auraient agi dans la situation où lui-même s'était trouvé[8]. Ce dialogue, il le poursuivait de longue date. Il ne *s'imaginait* pas vivre au milieu de ces ombres tutélaires ; il vivait avec eux, instruit de leur expérience. Il poursuivait une conversation avec la France dont il pensait que son histoire s'incarnait dans ses figures de proue, des fondateurs et des sauveurs, d'Hugues Capet et de Jeanne d'Arc, les uns et les autres aussi indispensables à un pays qui, plus que tout autre, roule périodiquement à l'abîme[9].

⋆

Le Napoléon du général de Gaulle est avant tout soldat. Dans ses livres ou ses propos, il est rare qu'il manifeste un intérêt pour le politique ou l'homme d'Etat. C'était un effet de génération. En 1900, on vibrait encore au souvenir de la bataille des Pyramides ou à celui d'Austerlitz. Deux guerres mondiales n'avaient pas encore tué la magie des combats. L'Empereur en campagne devançait, dans le cœur des Français, le Premier consul venant au Conseil d'Etat délibérer sur le Code civil. Ce qu'il avait finalement perdu l'emportait sur ce qu'il avait légué : les victoires et les conquêtes plutôt que les institutions. Le désintérêt relatif du Général pour le Napoléon politique tenait aussi à ses études. A Saint-Cyr, c'était aux principes de l'art de la guerre qu'on s'intéressait. Dans *Le Fil de l'épée*, ce sont les secrets de l'art du commandement militaire qui occupent de Gaulle et qu'il cherche, plus ou moins explicitement, dans l'histoire du maître des batailles. Si le « caractère » et le « prestige » sont les deux appuis principaux de l'autorité, qui en était mieux pourvu que Napoléon ? Lorsque de Gaulle évoque les avantages du laconisme, de la réserve et du silence dans l'art de commander, c'est encore « la redingote grise » qu'il convoque : « Qui donc est taciturne autant que Bonaparte[10] ? » Et de qui d'autre parle-t-il dans une page fameuse sur le caractère de grandeur dont doivent être toujours revêtus les ordres du chef ?

> Il lui faut viser haut, voir grand, juger large, tranchant ainsi sur le commun qui se débat dans d'étroites lisières. Il lui faut personnifier le mépris des contingences, tandis que la masse est vouée aux soucis de détail. Il lui faut écarter ce qui est mesquin

> de ses façons et de ses procédés, quand le vulgaire ne s'observe pas. Ce n'est point affaire de vertu et la perfection évangélique ne conduit pas à l'empire. L'homme d'action ne se conçoit guère sans une forte dose d'égoïsme, d'orgueil, de dureté, de ruse. Mais on lui passe tout cela et, même, il en prend plus de relief s'il s'en fait des moyens pour réaliser de grandes choses. Ainsi, par cette satisfaction donnée aux secrets désirs de tous, par cette compensation offerte aux contraintes, il séduit les subordonnés et, lors même qu'il tombe sur la route, garde à leurs yeux le prestige des sommets où il voulait les entraîner[11].

N'est-ce pas là Bonaparte échouant à franchir le pont d'Arcole et tombant dans le fossé rempli d'eau, d'où on le tira à grand-peine ? Ce revers momentané, réparé le lendemain, n'entama nullement le prestige du jeune général en chef de l'armée d'Italie. Mais en même temps, ce portrait n'est qu'à moitié vrai. Je ne suis pas sûr que Napoléon se serait reconnu dans cet éloge du commandement comme ascèse, tout de retenue, de silence, de mystère, de sentiments maîtrisés, de distance avec « le commun » et, pour le chef, de « contrainte incessante » dont il résulte « un état de lutte intime, plus ou moins aigu suivant [le] tempérament, mais qui ne laisse pas à tout moment de blesser l'âme comme le cilice à chaque pas déchire le pénitent[12] ». Le prestige de Napoléon auprès de ses hommes ne résidait pas dans une distance jamais relâchée, mais, au contraire, dans une proximité qui était loin d'être toujours calculée. Les grognards étaient sa vraie famille[13]. S'il gouvernait aussi bien qu'il guerroyait, c'est au milieu de ses soldats, et non entouré de ministres et de courtisans, qu'il se sentait chez lui. Il faut dire qu'il devait tout à l'armée. Elle avait permis son incroyable ascension, c'est en son sein qu'il avait pour la première fois déployé son talent. Dès 1793 on avait pu juger de ce « coup d'œil » qui fascinait tant Clausewitz ; dès ce moment aussi on avait pu mesurer à quel point il possédait, d'instinct – où l'aurait-il appris ? –, l'art de commander aux hommes. Quelques années, que dis-je, quelques mois suffirent pour que l'armée dont on lui avait confié le commandement en Italie devienne *son* armée plutôt que celle de la République. Il en imposait par sa seule présence et ce pouvoir ne fit bien sûr qu'augmenter avec la notoriété et les succès. Il savait séduire, entraîner, flattant tour à tour la cupidité des soldats et leur amour de la gloire, évoquant les « riches provinces » et les « grandes villes » qui tomberaient en leur pouvoir[14] ou faisant appel à leur sens de l'honneur pour leur arracher toujours plus d'efforts et de sacrifices. Il n'ignorait pas que les hommes auxquels il commandait – et cela restera vrai jusqu'au bout – étaient animés, même les plus soudards d'entre eux, de valeurs et d'idéaux inculqués par la Révolution française. Combattants d'une armée de citoyens et non d'automates, ils se seraient crus insultés d'être traités en mercenaires. Leur chef savait, dans ses rapports comme dans ses proclamations, magnifier leurs exploits, changer en épopée le moindre combat, assigner à chacun la place qui lui reviendrait dans l'Histoire. Il les grandissait. Dans sa bouche, la guerre devenait le « drame effrayant et passionné » (Jomini) dans lequel chacun, du général en chef au plus obscur des fantassins, joue un rôle irremplaçable.

Aucun chef d'armée n'était, comme lui, capable de se mettre à la fois au pair et hors de pair. C'est délibérément qu'il affectionnait une tenue qui, par sa simplicité, le singularisait au milieu de ses officiers aux uniformes chamarrés. Le chapeau enfoncé sur la tête et la célèbre capote grise, faisant croire aux soldats qu'il n'était pas différent d'eux, le hissaient à cent coudées au-dessus du plus resplendissant de ses maréchaux. « Dans mes campagnes, dira-t-il, j'avais coutume d'aller sur les lignes, dans les bivouacs, m'asseoir auprès du plus simple soldat, de causer, de rire et de plaisanter avec lui. Je me suis toujours fait gloire d'être *l'homme du* peuple[15]. » Le « petit caporal », comme ses soldats l'appelèrent dès la bataille de Lodi, en 1796, était le premier de ses grognards, payant de sa personne pour mieux le paraître. Il tutoyait volontiers ses hommes alors qu'il voussoyait ses courtisans, leur tirait l'oreille et, sous l'Empire, il n'hésitait pas à décrocher sa propre Légion d'honneur pour l'épingler sur la poitrine de ces héros anonymes. Pour de Gaulle, l'art du commandement est l'art de cultiver la distance, pour Napoléon l'art de l'effacer. La troupe prêtait volontiers à son chef des forces surhumaines, « un corps qu'aucune marche ne lasse, un sommeil auquel il commande à volonté, un estomac qui supporte tout et se passe de tout[16] ». On ignore à quel moment il commença à tenir à jour les fameux « livrets » sur lesquels étaient inscrits le numéro de chaque régiment, son effectif, le nom de ses chefs, ses positions successives[17]. Sur ce chapitre, il était incollable. Il avait « toute son armée dans sa tête[18] ». On comprend que, les jours de revue, il sidérait les soldats devant lesquels il s'arrêtait, leur contant l'histoire de leur régiment mieux qu'ils ne l'eussent fait eux-mêmes. De telles attentions, s'ajoutant à un soin réel de leurs conditions de vie – nourriture, habillement, chaussures, soins aux blessés, paiement de la solde –, les galvanisaient, renforçaient leur loyauté et permettaient d'obtenir d'eux toujours plus. Il n'était pas de ces chefs qui s'attirent le respect en prouvant « qu'ils sont aussi exigeants avec eux-mêmes qu'avec leurs subordonnés, que leur dureté est une règle de conduite qui ne doit rien au caprice, et qu'on peut leur faire confiance sous le feu », mais de ceux qui « gagnent l'affection et l'admiration des troupes par leurs réactions inattendues et leur capacité d'improvisation et d'initiative[19] ». Le général Moreau était du premier type ; ses soldats appréciaient sa sagesse, la modération de ses calculs, son refus de toute action aventurée ; il était aimé et longtemps l'armée fut divisée en deux clans qui ne s'appréciaient guère, les casse-cou de l'armée d'Italie et les troupes disciplinées de l'armée d'Allemagne. Mais si les secondes estimaient Moreau, l'admiraient-elles ? Napoléon était aimé et admiré en raison même des souffrances et des sacrifices qu'il imposait à ses hommes. Il les poussait à accomplir des exploits, il les conduisait à la victoire, mieux, à la gloire et partant à l'immortalité. Napoléon ne fait pas la guerre, il l'aime ; il s'y épanouit, certain qu'elle fait la vie plus large, plus grande, plus intense. Pour le comprendre, il suffit de lire sa correspondance des années 1810 et 1811, des années sans guerre (sauf en Espagne). L'énergie que l'Empereur ne dépense pas sur les champs de bataille, il la consomme en écrivant plus de lettres encore qu'à l'accoutumée. Il se mêle de tout, contrôle et surveille chaque détail. On sent qu'à l'instar de ses biographes, que ces deux années embarrassent car ils ne savent trop qu'en faire, il s'ennuie.

Jamais, depuis les légions de César, on n'avait vu une armée comme la Grande Armée, soudée par le patriotisme, l'ambition de la gloire, l'amour de la guerre et l'attachement à son chef. Aucun revers n'entama jamais le prestige de Napoléon. Il faudra attendre 1815 et Waterloo pour que, cette fois, le charme soit rompu.

*

André Malraux se disait gêné de mettre en parallèle Napoléon et de Gaulle, le premier car il était « le plus grand capitaine des temps modernes », alors que le second était certes « une figure historique considérable », mais « pas un grand capitaine[20] ». Il manquait au Général l'expérience de la guerre. Il la pensait, il ne l'avait pas vraiment faite, du moins dans un poste de commandement. Napoléon, lui, en possédait à la fois l'instinct et l'expérience. Sainte-Beuve, dans une de ses *Causeries du lundi*, distingue trois types différents de militaires : le brave en quête de gloire, le savant, l'exécutant fidèle et modeste. Si de Gaulle ne relevait certainement pas de cette troisième catégorie où se trouvent les soldats « toujours prêts à servir, à combattre, ne demandant rien, contents et presque étonnés lorsque leur vient la récompense, inviolablement fidèles au drapeau et au serment », il n'était pas non plus de la « race de vaillants, [...] brave, glorieuse, évidemment née pour la guerre, avide des occasions, impatiente de les faire naître, toujours en avant, en dehors, confiante, brillante, la plus prompte au danger, mais ardente aussi à l'honneur et à la récompense » ; ni Drouot ni Masséna, il était plutôt de l'espèce des Catinat et des Vauban, « celle des militaires qui joignent aux qualités de leur profession des mérites presque contradictoires de penseurs, de philosophes, de raisonneurs » : « Ils jugent, ajoutait Sainte-Beuve, ils ont des idées politiques, des vertus civiles ; [...] la réflexion les marque au front et leur ôte de ce qui caractérise les [autres], je veux dire l'éclair et l'entraînement[21]. » De Gaulle, militaire savant, avait pensé le commandement avant de l'exercer. Quand l'occasion se présenta, peut-être s'efforça-t-il de se conformer aux règles qu'il avait lui-même énoncées dans *Le Fil de l'épée*. Si l'armée de

Napoléon aurait suivi son chef en enfer – et elle l'y suivit en Russie puis à Waterloo –, aucun de ceux qui servirent sous les ordres du colonel de Gaulle en mai 1940 ne le rejoignit à Londres[22].

En lisant sous la plume d'Henri de Wailly le récit de la bataille d'Abbeville où, du 28 au 31 mai, de Gaulle attaqua avec les blindés de la 4e division cuirassée la tête de pont allemande sur la Somme, on comprend pourquoi. Rien à voir avec Rommel qui, pour remonter le moral de ses tankistes, n'hésitait pas à grimper dans un char en tête de colonne. Je ne veux pas dire que de Gaulle manquait de ce courage si admiré des subordonnés ; au contraire, il était intrépide, indifférent au danger, négligeant la plupart du temps de coiffer le casque, ne s'accordant aucune faveur, la nuit venue « jamais déshabillé, jamais tout à fait assoupi ». Intrépide, mais insensible, ignorant les mots qui réconfortent, ceux qui ramènent au combat les hommes épuisés ou terrorisés. L'armée de 1940, contrairement à une idée reçue, a lutté. Cent mille des siens sont morts en un mois[23]. Ceux qui servaient sous de Gaulle se seraient battus sous n'importe quel autre chef. Du reste, ils continuèrent de se battre après son départ pour Paris, le 1er juin. S'il obtint d'eux ce qu'ils étaient capables de donner, il ne les aida pas à se surpasser. Il s'emportait, les réprimandait devant leurs camarades, il abreuvait ses officiers de sarcasmes, refusait de rien entendre, même lorsqu'il se trompait, il les rudoyait, les tenait à distance. Son commandement ? « Indépendant, exclusif, autoritaire et égocentrique[24] », conclut un autre historien de cet épisode. Un témoin, le père Bourgeon, le trouva, après une énième explosion de colère, « dur, injuste et presque méchant » : « En ces lieux, après une offensive courageuse et victorieuse, devant l'héroïsme et les sacrifices de ces combattants, il ne trouve aucun mot pour partager les deuils, féliciter la vaillance[25]. » Le tableau ne sert pas la réputation du personnage. Le chef politique vaut mieux, de beaucoup, que le chef de guerre. L'issue des opérations militaires lui importait moins que les événements qui se jouaient au même moment dans les coulisses du pouvoir. Il cherchait le succès, n'importe lequel, qui le délivrerait de l'armée, d'une armée insuffisamment préparée, insuffisamment entraînée, insuffisamment outillée et d'ores et déjà vaincue, et le ramènerait à la politique et à Paris. Le 28 mai, au soir du premier jour d'offensive contre la tête de pont construite par les Allemands au sud d'Abbeville, il appela Reynaud – oubliant de prévenir un Weygand furieux – pour crier victoire : ses chars avaient avancé de quelques kilomètres et occupé Huppy et Caumont[26]. Le lendemain, ils devaient faire mieux, répandre la panique dans plusieurs unités allemandes, entrer dans Villers en feu et s'approcher ainsi des hauteurs du « mont » Caubert – un ancien camp romain – et de la tête de pont allemande, mais, faute d'avoir immédiatement exploité cette percée, ou d'avoir pu poursuivre l'effort, de Gaulle n'avait pu empêcher les Allemands de reformer leurs lignes avant la tombée du jour. Le 30 mai, lorsqu'il devint évident qu'ils avaient reçu des renforts et ne pourraient être délogés, il se désintéressa de la bataille. Les succès du 28 et du 29 avaient précédé l'échec du 30. Mais, c'était l'essentiel, il tenait « sa » victoire. « La 2e grande bagarre que j'ai menée avec ma division s'est terminée par un grand succès vers Abbeville[27] », écrivit-il à sa femme en prenant quelques libertés avec la vérité. Il quitta ses hommes et ses chars – ou ce qu'il en restait – sans regrets. Lorsque les opérations devant Abbeville reprirent le 4 juin, pour être peu après abandonnées, il était loin. Roulant vers Paris, sans doute informé de l'imminence du remaniement ministériel qui verrait le départ de Daladier, c'était plus qu'un portefeuille secondaire qui l'attendait. Le général de Gaulle – il avait été élevé à titre provisoire à ce grade le 25 mai – courait à son destin.

⋆

Le Fil de l'épée a longtemps nui à la réputation du Général. Rétrospectivement, on a voulu y voir une sorte d'autoportrait idéal, puisqu'au moment de la rédaction de l'ouvrage rien ne laissait prévoir que l'Histoire, la grande, passerait bientôt à la portée de cet officier certes brillant, mais qui ne pouvait se prévaloir d'une « grandeur » proprement militaire. Ce livre, le plus personnel de tous ceux qu'il écrira, *Mémoires* compris, serait comme une fenêtre ouverte sur l'âme de son auteur.

Ainsi croit-on pouvoir saisir le *vrai* de Gaulle dans certaines pages que les détracteurs du personnage ne manquent jamais de citer. Celle-ci par exemple :

> Face à l'événement, c'est à soi-même que recourt l'homme de caractère. Son mouvement est d'imposer à l'action sa marque, de la prendre à son compte, d'en faire son affaire. Et loin de s'abriter sous la hiérarchie, de se cacher dans les textes, de se couvrir des comptes rendus, le voilà qui se dresse, se campe et fait front. Non qu'il veuille ignorer les ordres ou négliger les conseils, mais il a la passion de vouloir, la jalousie de décider. Non qu'il soit inconscient du risque ou dédaigneux des conséquences, mais il les mesure de bonne foi et les accepte sans ruse. Bien mieux, il embrasse l'action avec l'orgueil du maître, car il s'en mêle, elle est à lui ; jouissant du succès pourvu qu'il lui soit dû et lors même qu'il n'en tire pas profit, supportant tout le poids du revers non sans quelque amère satisfaction. Bref, lutteur qui trouve au-dedans son ardeur et son point d'appui, joueur qui cherche moins le gain que la réussite et paie ses dettes de son propre argent, l'homme de caractère confère à l'action la noblesse ; sans lui morne tâche d'esclave, grâce à lui jeu divin du héros[28].

De Gaulle ? Un composé de Machiavel, de Nietzsche et du Barrès du *Culte du moi*. De ce mélange détonant, on a conclu que sa conception de la vie se confondait avec une philosophie de l'action et de la volonté, avec une mystique du destin impliquant l'affirmation permanente de soi – tout cela dans une indifférence presque complète aux idées de bien et de mal, indifférence à peine voilée par le patriotisme ou plus précisément l'identification à la patrie. Ce de Gaulle « nietzschéen » a beaucoup compté dans la méfiance qui lui a longtemps fait cortège. Qui était vraiment ce général qui prétendait avoir, par deux fois, rétabli la république ? Un républicain ? Son imagination était trop pleine de l'idée du « chef » ou du « maître » pour qu'il le fût vraiment. L'enracinement des institutions de la Ve République a fait oublier l'image du « fasciste ». Elle lui a pourtant collé à la peau, en particulier outre-Atlantique où pendant la guerre l'aversion de Roosevelt, certes entretenue par Jean Monnet, Saint-John

Perse et consorts, ne se démentit jamais[29]. Elle n'a pas tout à fait disparu. Il faut dire que la religion gaulliste ne s'étend guère hors de l'Hexagone. A l'étranger, le personnage continue d'irriter, quand il ne prête pas à sourire. L'image d'un de Gaulle tantôt nietzschéen tantôt maurrassien, parfois les deux, n'a pas disparu. Dans un essai justement écrit pour réfuter ces « préjugés » antigaullistes, Daniel Mahoney en cite bien des exemples[30]. De Gaulle ? « Un surhomme nietzschéen au-delà du bien et du mal » selon les uns ; un intellectuel « néo-nietzschéen » selon les autres, convaincu avec Sartre et Camus que l'existence est dépourvue de sens et qui se serait attaché à donner une signification à la sienne par « un acte de volonté extraordinaire dans des circonstances extrêmement difficiles[31] ». Aucun sens moral, aucune limite, mais l'action, l'action toujours, l'action pour unique horizon.

Cette vulgate a fait de nombreux adeptes : Jean Monnet, je l'ai dit, mais aussi Emmanuel d'Astier de La Vigerie, le fondateur du réseau Libération-Sud, ou, dans le camp d'en face, Alfred Fabre-Luce. Il en subsiste un vague écho dans le gaullisme paradoxal de Régis Debray, davantage dédié à l'artiste qu'à l'œuvre, au Général qu'à la France. Quant à celle-ci, elle n'est certainement pas à la hauteur de celui-là. Qu'a réussi de Gaulle ? A repousser de quelques décennies la fin d'une histoire de France que 1940 avait irrévocablement condamnée. Par le verbe, le magicien a repoussé le moment de l'exécution, ce qui certes n'est pas rien, et même à faire asseoir ce cadavre en puissance à la table des vainqueurs, lui obtenant un siège au Conseil de sécurité de l'ONU, avec droit de veto. Grâce à lui, la France put ainsi accomplir « une traversée en première classe avec un ticket de seconde[32] ». Il a embelli notre crépuscule. Il n'a pas ressuscité la France, il ne lui a pas donné une seconde chance ; il a fait mieux, dans les circonstances où elle se trouvait, il lui a permis de sortir de l'Histoire « par le haut ». L'homme qui avait la passion de la France et de son histoire aura été *in fine* l'homme de la fin de l'histoire de France, celle-ci trouvant en lui, dans sa personne, au moment de finir, l'unité qu'elle n'avait jamais eue : « Le baptême de Clovis et la bataille de Valmy, en un seul être récapitulés[33]. » La « princesse des contes » chère au

Général, « la madone aux fresques des murs » accédait enfin à l'être. Il n'y avait plus qu'à tirer l'échelle. Les Français s'en chargèrent en 1969 à l'occasion d'un référendum dont certains des partisans du Général murmurèrent qu'il ne l'avait organisé que parce qu'il savait sa défaite certaine[34]. Lui-même sortait de l'histoire auréolé par l'ingratitude de ceux qu'il avait conduits bien plus haut qu'ils ne le méritaient ; quant à ceux-là, le moment arrivait pour eux de retourner, soulagés, à la médiocrité et la décadence.

Dans ses mauvais moments, de Gaulle n'était pas loin d'être, lui aussi, un gaulliste paradoxal : « Je suis le personnage du *Vieil Homme et la mer*, confia-t-il à Malraux, je n'ai rapporté qu'un squelette[35]. » Mais il n'était pas toujours dans cette disposition d'esprit amère et mélancolique. Dans les bons jours, il tenait un autre langage. Malraux le questionnant sur son retour aux affaires en 1958, il lui disait : « S'il ne s'agissait que de liquider, quel besoin avait-on de moi ? Pour fermer un grand livre d'histoire, la IVe suffisait[36]. » Liquidateur ? Non, il avait été l'homme de l'espoir et du renouveau, contre tous ceux qui, précisément, partageaient l'idée que la France était morte en 1940, ce mythe où, disait aussi de Gaulle, se complaisent les « bourgeois français » dans leur « rage à vouloir effacer la France à tout prix[37] ». Revenant dans les *Mémoires d'espoir* sur la situation au sortir de la guerre, il écrit :

> En dépit de tout, [la France] est vivante, souveraine et victorieuse. Il y a là, certes, un prodige. Combien avaient cru, en effet, qu'ayant essuyé d'abord un désastre inouï, assisté à l'asservissement de ses gouvernants sous l'autorité de l'ennemi, [...] subi l'abaissement que lui infligeait un pouvoir érigé sur l'abandon et l'humiliation, elle ne guérirait jamais des blessures de son corps et de son âme ? Combien avaient tenu pour certain, qu'après un pareil écrasement, sa libération, si elle devait avoir lieu, ne serait due qu'à l'étranger et que c'est lui qui déciderait de ce qu'il adviendrait d'elle au-dehors et au-dedans ? [...] Cependant, en fin de compte, elle [est] sortie du drame intacte dans ses frontières et dans son unité, disposant d'elle-même et au rang des vainqueurs[38].

Il croyait en la France et, même, il l'aimait. De Gaulle n'était pas un esthète de l'action dont la politique aurait consisté à travestir le déclin de la France par une rhétorique de la grandeur. Il s'efforçait, par le discours comme par l'action, de la retenir sur la pente. La véritable grandeur du Général fut non pas d'avoir *cru* qu'il était lui-même la France et qu'elle vivait en lui par on ne sait quelle aberration de l'esprit, mais d'avoir *décidé* qu'il serait la France, ou plutôt qu'il en assumerait le fardeau à un moment où elle était passée sans transition ou presque du sommet à l'abîme. A cette aune, il y a en effet chez de Gaulle une démesure, un héroïsme dont, paradoxalement, on pourrait dire qu'on les trouve mieux exprimés par ses détracteurs que par ses avocats. Ainsi Daniel Mahoney, qui insiste un peu trop sur ce qu'il y a de raisonnable chez le personnage, au point de négliger ce qui le distingue. Que de Gaulle n'ait jamais été un rebelle se soulevant par pur amour de la rébellion, rien de plus vrai – encore qu'il eût tous les traits d'un « homme-contre » ; qu'il ait toujours reconnu une limite à son action dans des valeurs qui le dépassaient – la France et son histoire, la foi qui était la sienne, la cause de la civilisation opposée à celle de la barbarie, le refus de la tyrannie ou de la dictature –, rien de plus exact encore, mais, dans ce vaste cercle, il y avait place pour l'affirmation de soi et une aventure égocentrique dont témoigne, en définitive, la relation qu'il entretenait avec la France : il se soumettait d'autant plus à la « loi » qu'elle lui imposait qu'elle devenait, par le jeu de l'identification, sa propre « loi[39] ». Nietzsche n'est certainement pas l'auteur le plus utile pour saisir la personnalité d'un homme qui devait bien plus à la religion de Péguy et à la politique de Barrès – non pas celui du *Culte du moi* mais celui des *Déracinés* –, mais le surhomme nietzschéen – pris au figuré, bien sûr – n'est pas tout à fait étranger à son histoire.

Lors du déjeuner de Colombey, le Général tint à Malraux des propos significatifs à mon sens. Il faut en rappeler le contexte. Au moment où, au printemps de cette même année 1969, de Gaulle perdit le référendum du 27 avril et quitta ses fonctions, on préparait la commémoration officielle du bicentenaire de Napoléon. Il avait été décidé que le Général prononcerait un discours aux Invalides, tandis que Malraux se rendrait à Ajaccio[40]. Les événements en décidèrent autrement. C'est Georges Pompidou qui présida les cérémonies. Il fit le voyage en Corse, où il prononça un discours peu inspiré de bon élève[41]. De Gaulle, qui manquait rarement le journal télévisé, dut s'amuser de voir le « Borgia gentilhomme », avec ses airs de fondé de pouvoir, célébrer l'Empereur en termes aussi plats. Un mois avant le bicentenaire, Marcel Jullian, alors directeur des éditions Plon, était venu voir le Général à la Boisserie pour parler avec lui de ses *Mémoires d'espoir.* Il n'avait pu s'empêcher de lui demander ce qu'il aurait dit dans la cour des Invalides. Réponse de l'intéressé : « J'aurais dit que lui [Napoléon] et moi avons été trahis par les mêmes félons que nous avions engraissés... Et que, tous les deux, nous avons eu le même successeur : Louis XVIII[42]. » Déjeunant à la Boisserie avec Malraux, le Général s'abstint cette fois de mentionner Pompidou. Même si la rancœur contre le « traître » était intacte, plusieurs mois s'étaient écoulés. Ce qu'il aurait dit aux Invalides ? « Il a laissé la France plus petite qu'il ne l'avait trouvée, soit ; mais une nation ne se définit pas ainsi. Pour la France, il devait exister. C'est un peu comme Versailles : il fallait le faire. Ne marchandons pas la grandeur[43]. » Versailles, en effet, avait coûté cher à la France, et plus encore à la monarchie, l'enfermant dans ce splendide isolement qui avait l'inconvénient de rompre les liens qui, depuis mille ans, attachaient le roi aux Français ; mais l'éclat du château royal, comme les victoires de Napoléon, illustrait une épopée dont l'univers avait été ébloui. La France en était magnifiée, même si Versailles avait eu sa part dans le déclenchement de la Révolution et si Napoléon avait finalement perdu ses conquêtes. On est loin, chez de Gaulle, du jugement par lequel Jacques Bainville concluait en 1931 son *Napoléon*, que de Gaulle lut certainement : « Sauf pour la gloire, sauf pour *l'art*, il eût probablement mieux valu qu'il n'eût pas existé[44]. » C'était juger Napoléon d'après le passif de son bilan ; de Gaulle le jaugeait à l'aune de son rayonnement.

★

Lorsque Churchill s'inclina en octobre 1944 sur le tombeau de Napoléon, il dit à de Gaulle : « Dans le monde, il n'y a rien de plus grand[45] ! » La grandeur, sans nul doute le mot-clé du lexique gaullien. L'idée ouvre les *Mémoires de guerre* – « la France ne peut être la France sans la grandeur[46] » – et inscrit ainsi l'épopée sous le signe de cette notion pour le moins difficile à définir. Elle est, d'abord, le contraire de la « médiocrité » si souvent stigmatisée par le Général. Elle témoigne d'une conception romantique de la politique dont Philippe Braud souligne qu'elle n'empêchait pas, chez de Gaulle, « un solide sens des réalités[47] ». Elle conjugue à la fois un but, une politique, une règle de conduite. Le but, c'est, pour la France, de conserver ou de retrouver le premier rang hors duquel elle n'est plus tout à fait la France ; comme politique elle consiste dans les « grandes entreprises » qui seules sont à même de rassembler les Français naturellement divisés et, cimentant leur unité, de garantir l'indépendance et la souveraineté de la nation ; enfin, c'est une morale, individuelle et collective, qui fait préférer l'effort au relâchement, le sacrifice au déshonneur et aide à « viser haut et se tenir droit[48] ». La grandeur, par bien des côtés, se confond avec une éthique exigeante de l'honneur. Besoin vital pour la France, cette mosaïque de morceaux désunis, elle ne l'est pas moins pour les individus. Elle fonde, chez de Gaulle, la conviction d'être prédestiné, appelé à rendre au pays « un service signalé », une mission qu'au soir de sa vie il décrira ainsi :

> Sur la pente que gravit la France, ma mission est toujours de la guider vers le haut, tandis que toutes les voix d'en bas l'appellent sans cesse à redescendre. Ayant [il évoque son retour au pouvoir en 1958] une fois encore choisi de m'écouter, elle s'est tirée du marasme et vient de franchir l'étape du renouveau. Mais, à partir de là, tout comme hier, je n'ai à lui montrer d'autre but que la cime, d'autre route que celle de l'effort[49].

La grandeur se confond, enfin, avec la volonté, laquelle donne à la France la force de se relever après chaque chute, la force même d'atteindre à une hauteur que ses moyens matériels réels lui interdisent. Elle dissocie pouvoir économique et puissance politique. De Gaulle y trouvera le principe d'une diplomatie que Maurice Vaïsse a justement définie par ce même mot de « grandeur », même si, il faut bien le reconnaître, les résultats ne furent pas toujours au rendez-vous[50]. Alain Peyrefitte l'interroge un jour à ce sujet : « Vous parlez souvent de la grandeur, mon général. Qu'est-ce que la grandeur ? – C'est le chemin qu'on prend pour se dépasser. – Alors, reprend Peyrefitte, pour la France, la grandeur… – C'est de s'élever au-dessus d'elle-même, pour échapper à la médiocrité et se retrouver telle qu'elle a été dans ses meilleures périodes. – C'est-à-dire ? – Rayonnante[51]. » Peyrefitte écrit qu'il n'osa pas poser d'autres questions : mais tout n'était-il pas dit ?

★

C'est bien le sens de la grandeur qui rapproche de Gaulle de Napoléon ; c'est lui aussi qui, paradoxalement, l'en éloigne. Le Général n'aurait certainement pas souscrit aux propos de Foch qui, dans une conférence faite au début du siècle, soutenait que le vainqueur de Wagram était tombé parce qu'il avait dressé contre lui les peuples dont il bafouait les droits :

> En lui, disait alors celui qui n'était pas encore maréchal, le conquérant a tué le souverain. […] En face, l'Europe s'est levée à la voix de ses patriotes ; elle a couru aux armes, entraînant ses souverains à la défense de ses libertés […] : Laon [où Napoléon est battu par les Prussiens les 9 et 10 mars 1814] est bien la défaite du génie par le Droit révolté. […] C'est Valmy recommencé ; 1792-1793 retournés contre nous. Oui enfin, après avoir montré à l'Europe les peuples se levant victorieusement pour sauver leur indépendance, c'est l'Europe que nous retrouvons victorieuse pour la même cause, avec les mêmes armes, du génie militaire le plus colossal de l'histoire, coupable d'avoir porté atteinte à ses droits[52].

En réalité, Napoléon, avant d'être vaincu par ses ennemis coalisés, et pour des raisons qui n'avaient guère de rapport avec le droit des peuples ou des nations, fut vaincu par lui-même, par l'excès de son génie, par l'absence de toute mesure qui en découlait, par l'incapacité qui était la sienne d'assigner une fin à son action, fût-elle élevée, empreinte d'une grandeur à tout autre inaccessible, et de n'en pas franchir la limite. De Gaulle partageait sur ce point l'opinion de l'historien marxiste Georges Lefebvre, pour qui Napoléon était l'incarnation même de l'illimitation de la volonté :

> L'ambition de Bonaparte n'est pas du tout une ambition comme celle que nous pouvons tous éprouver : d'atteindre un certain but dont nous nous contentons ; c'est une ambition qui n'a pas de but final et le plus beau mot qu'il ait eu là-dessus, c'est sa réponse à Murat, qui lui disait : « On assure que vous êtes si ambitieux que vous voudriez vous mettre à la place de Dieu le Père », et Bonaparte de s'écrier : « Dieu le Père ? Jamais, c'est un cul-de-sac ! » C'est pourquoi il est vain de chercher le but final de la politique de Bonaparte[53].

Lefebvre suivait Chateaubriand. Lorsque l'historien écrit de Napoléon qu'on ne peut le comparer à Richelieu ou à Bismarck, qui, l'un et l'autre, savaient où ils voulaient aller, le romantique estimait qu'on ne pouvait même pas le comparer à Alexandre le Grand. L'un, Alexandre, voulait multiplier les conquêtes, étendre toujours plus loin son empire, l'autre trouvait son bonheur, forcément éphémère, dans l'acte de la conquête plutôt que dans la possession. C'était un conquérant qui ne savait pas garder et perdit plus vite son empire qu'il n'avait mis de temps à le créer : « Au lieu de s'arrêter après chaque pas pour relever sous une autre forme derrière lui ce qu'il avait abattu, il ne discontinuait pas son mouvement de progression parmi des ruines : il allait si vite, qu'à peine avait-il le temps de respirer où il passait. [...] Le Macédonien [Alexandre] fondait des empires en courant, Bonaparte en courant ne les savait que détruire ; son unique but était d'être personnellement maître du globe, sans s'embarrasser des moyens de le conserver[54]. » Tel un joueur, le frisson du jeu lui importait plus que le gain et, sur une main qu'il espérait favorable, il était prêt à tout remettre sur le tapis en espérant qu'une fois de plus son génie militaire ou la « fortune » le tireraient d'un éventuel mauvais pas.

Le tempérament – cet esprit d'escalier que jamais aucun succès ne comble – n'était pas seul en cause. Il faut compter avec le caractère prodigieux d'une ascension politique et d'une gloire militaire à nulle autre pareilles. On n'est jamais assez attentif à la durée lorsqu'on parle de Napoléon. Un simple quart de siècle. Une génération et déjà cette extraordinaire aventure n'est plus qu'un souvenir. Ce n'est pas très long, un quart de siècle, même lorsque les années sont peu remplies. Là, elles le sont à ras bord. Les jeunes gens qui avaient eu vingt ans en 1789, comme Bonaparte, en ont quarante-six au moment de Waterloo. Un tiers d'existence qui avait donné matière à plusieurs vies. Tous les contemporains ont eu conscience de l'accélération du rythme, de la rapidité des changements, de l'accumulation de tant d'événements dans un laps de temps aussi court. Rétrospectivement, il ne leur était pas facile de croire que tout cela avait été bien réel : « Il me faut une réflexion soutenue et aidée de la solitude pour me persuader qu'il est certain que j'ai assisté à la fédération de 1790 au Champ de Mars, que j'ai vu Louis XVI, Robespierre, Barras, Buonaparte, Napoléon, Louis XVIII, et que je n'ai que quarante-cinq ans[55] », dit l'un d'entre eux. La vie de Napoléon court comme une eau vive : de son entrée en scène en 1793 au 18 Brumaire, on ne compte que six années, trois entre la conquête du pouvoir et la proclamation du Consulat à vie, deux entre celle-ci et l'avènement de l'Empire :

> Dix ans plus tard, moins de dix ans plus tard, Louis XVIII sera là, observe Jacques Bainville. [...] Dix ans, quand il y en a dix à peine qu'il a commencé à sortir de l'obscurité, rien que dix ans, et ce sera déjà fini. [...] Petit officier à vingt-cinq ans, le voici, chose merveilleuse, empereur à trente-cinq. Le temps l'a pris par l'épaule et le pousse. Les jours lui sont comptés. Ils s'écouleront avec la rapidité d'un songe si prodigieusement remplis, coupés de si peu de haltes et de trêves, dans une sorte d'impatience d'arriver plus vite à la catastrophe, chargés enfin

de tant d'événements grandioses que ce règne, en vérité si court, semble avoir duré un siècle[56].

Enfin, qui d'autre livra et remporta autant de batailles ? Sans doute passa-t-il parfois tout près du désastre, comme à Marengo en 1800, ou bien ne resta-t-il maître du terrain qu'au prix de pertes si lourdes qu'elles assombrissaient la victoire, comme à Eylau en 1807 ; mais il fallut attendre 1809 et le combat d'Essling pour le voir subir sa première défaite[57]. Dans l'intervalle, il avait défait les Piémontais et les Napolitains, étrillé les Autrichiens par trois fois, écrasé la Prusse, battu les Russes dans tous les engagements qui l'avaient opposé à eux. Même les défaites furent sublimes : Essling, la retraite de Russie, Leipzig, la campagne de 1814 et Waterloo ont des airs de tragédie héroïque. Il fut battu mais jamais humilié comme les Autrichiens l'avaient été à Ulm et les Prussiens à Iéna. Qui peut lui être comparé ? Personne. On a souvent cherché à définir sa « doctrine ». Il n'aimait pas que l'on envisageât l'art de la guerre comme une science. S'il admettait volontiers l'existence d'un certain nombre de principes élémentaires que tout officier se devait d'apprendre et d'appliquer, en même temps il jugeait absurde de concevoir la guerre indépendamment du rapport des forces en présence, de la qualité des chefs et des combattants, du terrain et des mille circonstances qui, d'une seconde à l'autre, changent la face des choses. « Malheur au général qui vient sur le champ de bataille avec un système[58] », prévenait-il. La guerre ? « Un art simple et tout d'exécution » : « La part des principes y est minime ; rien n'y est idéologie[59]. » On songe au *Fil de l'épée*, qui contient une charge en règle contre les partisans d'une « science » de la guerre et rappelle avec force que « l'action de guerre revêt essentiellement le caractère de la contingence[60] ». Elle est un art, au sens propre. Napoléon ne l'ignorait pas, ne négligeant pas de former son jugement par l'étude de ses prédécesseurs, mais adaptant ce qu'il en avait appris aux circonstances nouvelles et changeantes qui, chaque fois, s'offraient à lui. En définitive, son traité eût pu tenir dans les quelques mots qu'il écrivait à l'intention du général Lauriston envoyé aux Antilles et en Guyane à la fin de 1804 :

> La saison est déjà trop avancée ; partez sans retard ; arborez mes drapeaux sur ce beau continent ; justifiez ma confiance, et si, une fois établi, les Anglais vous attaquent, souvenez-vous toujours de ces trois choses : réunion de forces, activité et ferme résolution de périr avec gloire. Ce sont ces trois grands principes de l'art militaire qui m'ont toujours rendu la fortune favorable dans toutes mes opérations. La mort n'est rien ; mais vivre vaincu et sans gloire, c'est mourir tous les jours[61].

Sa théorie de la guerre était d'abord une philosophie. Elle lui donna la capacité de marier ce qu'il appelait « la partie divine de la guerre » et sa « partie matérielle », d'un côté « tout ce qui dérive des considérations morales du caractère, du talent, de l'intérêt de votre adversaire, de l'opinion, de l'esprit du soldat », d'un autre côté « les armes, les retranchements, les positions, les ordres de bataille, tout ce qui tient à la combinaison des choses matérielles[62] ». Au « petit nombre de principes fondamentaux » auquel peut être ramené l'art de la guerre, il associait le « génie naturel » et ses « inspirations heureuses », savoir technique et puissance d'imagination, l'imagination empêchant de tomber dans la routine des règles apprises, la compétence technique évitant – en principe – de trop donner libre cours, au mépris des réalités, à l'inspiration[63]. Quand on s'inquiétait de ses « châteaux en Espagne », ne répondait-il pas qu'il était un rêveur très éveillé ? « Je mesurais mes rêveries au compas de la réalité[64] », disait-il. Ce fut vrai jusqu'en 1812, car même le génie militaire de Napoléon devait entrer dans son automne. En Russie, c'est à Moscou seulement que la réalité se rappela brutalement à lui. Mais il était déjà trop tard.

★

La victoire est une drogue puissante. Napoléon avait toujours été vainqueur, de telle sorte que la guerre finit par lui apparaître comme le moyen le plus direct et le moins coûteux d'atteindre ses objectifs politiques ou diplomatiques. Là comme ailleurs, il sut longtemps faire preuve d'un certain pragmatisme. Il songea, dit-on, à détrôner les Hohenzollern après la campagne éclair de 1806 en Prusse et en 1809 il n'excluait pas de démanteler l'empire des Habsbourg, qui, en dépit des trois raclées reçues en 1797, 1800 et 1805, avaient décidé de tenter leur chance une fois de plus. Mais dans un cas comme dans l'autre, il ne mit pas ses menaces à exécution, ni même y songea sérieusement. Au contraire, il savait devoir ménager la Prusse s'il voulait s'entendre avec le tsar et, en même temps, ne pas trop affaiblir l'Autriche s'il ne voulait pas voir les Russes étendre leur influence en Europe orientale. Le problème se situait moins à la fin des conflits qu'au début. Il est certes toujours facile de décider après coup qu'une guerre aurait pu être évitée avec un peu de bon sens et de modération. Napoléon n'était pas plus libre de ses initiatives que ses adversaires. Au grand jeu des relations internationales, chacun détermine plus ou moins les décisions d'autrui. L'Angleterre n'étant pas encline à la paix, sauf sporadiquement – en 1802 puis en 1807 –, la poursuite de la guerre en Europe était inévitable, mais il est vrai qu'en plusieurs occasions Napoléon ne fit rien pour l'éviter, la déclenchant même dans des conditions qui, avec moins talentueux et chanceux que lui, auraient pu se révéler catastrophiques. Je pense tout particulièrement à la campagne de 1805 contre l'Autriche et la Russie. « L'Aigle » atteignait au zénith de sa carrière : à Paris il avait été couronné empereur avant de coiffer à Milan la couronne des rois lombards. Il est certain que ce double couronnement, cette double consécration qui faisait de lui le successeur de Charlemagne, ne fut pas sans conséquences. Alors qu'il était toujours occupé du projet d'invasion de l'Angleterre, il ne fit rien pour dénouer la coalition entre Autrichiens et Russes qui se formait derrière lui. Les premiers hésitaient à se lancer dans une nouvelle guerre – eu égard aux précédentes –, mais pas question pour eux de laisser les Français étendre leur domination, déjà considérable, en Italie. Tandis que les discussions entre Russes et Anglais progressaient, Napoléon s'était donc rendu à Milan où, six mois après le sacre de Notre-Dame, il fut couronné roi d'Italie. « La vue de cette Italie, dit Thiers, le remplissait de desseins nouveaux pour la grandeur de son empire et l'établissement de sa famille. Loin de la vouloir partager avec quiconque, il songeait, au contraire, à l'occuper tout entière et à y créer quelques-uns de ces royaumes vassaux qui devaient fortifier le nouvel empire d'Occident[65]. » Il menaçait Naples de détrôner les Bourbons et, sans attendre, il prononça la réunion de Gênes à l'Empire français et céda à sa sœur Elisa la république de Lucques. C'était plus qu'une provocation, la première manifestation d'*hubris* d'une carrière qui en verrait bien d'autres. Il était si sûr de son fait – soit atteindre Londres avant qu'Autrichiens et Russes eussent fait leurs préparatifs, soit les battre comme il les avait toujours battus – que le risque d'un conflit sur deux fronts ne lui faisait pas peur. Sans doute savait-il que, quoi qu'il fît, les puissances continentales l'attaqueraient tôt ou tard ; peut-être la descente en Angleterre n'était-elle qu'un leurre destiné à enhardir ses ennemis continentaux, afin de provoquer la guerre générale qui réglerait une fois pour toutes la situation du continent. Cette hypothèse fût-elle juste, il n'en resterait pas moins que ses victoires passées comme son ascension inouïe conspiraient pour abolir chez lui toute notion de limite et imposer la guerre comme l'*ultima ratio* de la politique. Ne fut-il pas, plus tard, « le seul des modernes qui ait entrepris volontairement deux, et même trois effroyables guerres à la fois, celles d'Espagne, d'Angleterre et de Russie[66] » ?

En 1805, sitôt que l'échec de l'amiral Villeneuve, incapable de prendre le contrôle de la Manche le temps que l'armée française franchisse le détroit et débarque sur les côtes anglaises, eut compromis l'opération, Napoléon dirigea ses armées de la Manche et de la mer du Nord sur le Rhin, procédant en un temps record aux préparatifs de ce qui allait être sa plus belle campagne. Jamais une armée ne marcha plus rapidement et avec plus d'ordre. Les différents corps, séparés le temps de la marche pour aller plus vite en évitant l'encombrement des routes et pour tenir compte des possibilités de ravitaillement – pas question de s'encombrer de magasins qui auraient ralenti l'avancée –, se rapprochaient les uns des autres à mesure qu'on arrivait en vue du Danube[67]. A Donauworth, ils passèrent le fleuve et tombèrent sur les arrières de l'armée autrichienne à Ulm où celle-ci, convaincue que les Français surgiraient par la Forêt-Noire, attendait le renfort des Russes. La manœuvre d'Ulm n'est pas restée pour rien comme un chef-d'œuvre de stratégie. Les Autrichiens hors de combat, la Grande Armée se rua sur Vienne, courant au-devant des Russes. Arrivé dans la capitale autrichienne, Napoléon bifurqua vers le nord. Il allait si vite que ses lignes s'étiraient dangereusement. C'est seulement le matin d'Austerlitz que le 3e corps de Davout rejoignit le gros des troupes françaises après une marche harassante. Si les Russes, à ce moment, avaient refusé la bataille et marché directement sur Vienne, sans s'arrêter, il est probable que Napoléon, coupé de ses bases et de ses renforts, était perdu. Il joua, et gagna. Il montra dans cette occasion combien il était maître de lui-même. Il réussit à tromper les Russes en leur faisant croire qu'il se trouvait en difficulté – ce qui était vrai – et sur le point de battre en retraite – ce qui était faux. Ils tombèrent dans le piège, attaquèrent, et furent écrasés.

On pourrait citer d'autres exemples encore. Ne fallait-il pas qu'il se crût invincible pour décider en 1812, contre l'avis de son entourage, qu'envahir la Russie était le moyen le plus approprié pour rétablir au forceps l'alliance conclue avec le tsar en 1807 ?

En 1814 encore, alors qu'il luttait à un contre trois, il crut que la guerre pouvait toujours, plutôt que la diplomatie, décider la question politique. Certes, la marge de manœuvre devenait étroite. A la fin de 1813, la France était rentrée dans ses « frontières naturelles », féaux et alliés l'abandonnaient les uns après les autres, les armées coalisées s'apprêtaient à forcer les frontières. Cependant le reflux des armées napoléoniennes fragilisait paradoxalement la coalition. L'objectif poursuivi par celle-ci n'avait-il pas été atteint ? Si les Anglais faisaient une condition de la renonciation à la rive gauche du Rhin – donc à la Belgique ; si les Prussiens voulaient toujours venger l'humiliation de 1806 ; si le tsar Alexandre se rêvait en sauveur de l'Europe[68] et en restaurateur de la paix, non seulement les Alliés avaient des intérêts divergents, mais ils se méfiaient les uns des autres, et notamment de l'Autriche, qui, en passe de reprendre pied en Allemagne comme en Italie, pouvait être tentée de signer une paix séparée qui lui donnerait l'avantage dans la lutte pour l'hégémonie qui l'opposait depuis longtemps à la Prusse. Tout n'était peut-être donc pas perdu pour Napoléon. Du moins en théorie. Le 9 novembre 1813, à Francfort, les Alliés lui offrirent la paix sur la base des traités de 1797 (Campoformio) et 1801 (Lunéville), ce qui revenait à laisser à la France la Belgique et la frontière du Rhin. Or, ces offres n'eurent pas de suite. Maret, ministre des Relations extérieures, oublia-t-il de transmettre le courrier à Napoléon qui n'accepta les propositions ennemies que le 2 décembre, tandis que les Alliés, interprétant le silence français comme un refus, décidaient le 4 d'attaquer[69] ? Ou bien, informé des propositions de Francfort, différa-t-il sa réponse parce qu'il craignait de révéler la faiblesse de sa position en acceptant trop vite l'offre[70] ?

On connaît les grands événements de la campagne de France : l'invasion du territoire national dans les premiers jours de 1814, puis la contre-attaque de Napoléon à partir de la fin janvier, si heureuse qu'un mois plus tard, le 23 février, l'Empereur crut pouvoir repousser l'offre autrichienne d'un armistice en réclamant le maintien des « frontières naturelles » et le retrait des armées alliées derrière la Meuse. Russes et Prussiens craignaient tant la défection de l'Autriche que le 8 mars, à Chaumont, ils renouvelèrent leur engagement de ne pas conclure de paix séparée avec Napoléon, forçant Vienne à souscrire à ce pacte, sauf à le tenir pour nul et non avenu si la fortune des armes tournait décidément en faveur des Français. Mais, le lendemain même de la signature du traité, la situation basculait : Napoléon ayant été battu à Laon (9-10 mars), les Alliés rompaient les conférences de Châtillon (19 mars) et le tsar Alexandre obtenait, le 24, qu'ils marchent droit sur Paris pour y devancer l'Empereur. Deux fois celui-ci avait donc écarté la possibilité d'exploiter les divergences des Alliés : le 9 novembre puis le 23 février, espérant encore, envers et contre tout, dans la fortune des armes.

★

Dans *La France et son armée*, de Gaulle fait porter la responsabilité du désastre final à la fois sur le caractère de Napoléon et sur la situation où il se trouvait. En effet, son pouvoir restait intrinsèquement fragile. En dépit des plébiscites, des constitutions et du sacre par le pape, il reposait avant tout sur les victoires et le prestige qu'elles lui conféraient. Il était condamné à renouveler ce prodige, à toujours vaincre et, pour cela, à toujours se battre. La guerre l'avait porté au pouvoir, la victoire seule pouvait l'y maintenir. Son caractère ? Son génie bien sûr, cet extraordinaire concentré de facultés et de puissance qui ne pouvait qu'obscurcir, dans son esprit, la notion de limite, et dont les travers s'accusèrent non seulement avec les succès, mais avec le déclin, tant en quantité qu'en qualité, des moyens à sa disposition : l'Espagne retenait les meilleures troupes ; la guerre perpétuelle creusait les rangs que comblaient de nouvelles recrues sans expérience, formées à la hâte ; elle fauchait les généraux les plus capables et le pays renâclait, alors même que la tâche à accomplir ne cessait d'augmenter.

Jusqu'à Tilsit (1807), dit de Gaulle, « [Napoléon] se garde de poursuivre une tâche qui excède ses moyens. En 1805, 1806, 1807, sa politique, si ambitieuse et exigeante qu'elle soit, reste empreinte d'une modération relative[71] ». Ce n'est pas tant l'objectif qui est « modéré » que l'outil – la Grande Armée – exceptionnel. L'échec intervient lorsque toute proportion se trouve rompue entre le but et le moyen[72]. En définitive, l'épopée napoléonienne n'est pas seulement le produit du génie de Napoléon ; elle est le fruit de la rencontre entre un chef et une armée d'exception, celle des années 1796-1807, que plusieurs campagnes avaient éprouvée et endurcie lorsqu'il la prit en main. Tant qu'il put se reposer sur elle, sa domination fut éclatante. Mais 35 000 hommes au moins furent tués dans les campagnes de 1805 à 1807, et 150 000 autres blessés. Lorsqu'en 1809 il repartit en guerre contre l'Autriche, ce n'était déjà plus tout à fait la Grande Armée de 1805. L'internationalisation du recrutement, très marquée en 1812 et 1813, devait encore affaiblir la cohésion de l'ensemble. Si, en 1814, Napoléon parut retrouver ses jambes de vingt ans, c'est qu'il se trouvait réduit à une armée de la taille de celles qu'il avait commandées au début de sa carrière, à Rivoli et à Marengo ; c'est aussi qu'encadrant les « Marie-Louise », dont certains ne savaient pas se servir d'un fusil, il pouvait compter sur « une poignée de vétérans, débris d'Espagne et Vieille Garde[73] » :

Sa chute fut gigantesque, en proportion de sa gloire, conclut de Gaulle. En présence d'une aussi prodigieuse carrière, le jugement demeure partagé entre le blâme et l'admiration. Napoléon a laissé la France écrasée, envahie, vidée de sang et de courage, plus petite qu'il ne l'avait prise, condamnée à de mauvaises frontières [...], exposée à la méfiance de l'Europe [...] ; mais, faut-il compter pour rien l'incroyable prestige dont il entoura nos armes, la conscience donnée, une fois pour toutes, à la nation de ses incroyables aptitudes guerrières, le renom de puissance qu'en recueillit la patrie et dont l'écho se répercute encore ? Nul n'a plus profondément agité les passions humaines, provoqué des haines plus ardentes, soulevé de plus furieuses malédictions ; quel nom, cependant, traîne après lui plus de dévouements et d'enthousiasmes, au point qu'on ne le prononce pas sans remuer dans les âmes comme une sourde ardeur ? Napoléon a épuisé la bonne volonté des Français, fait abus de leurs sacrifices, couvert l'Europe de tombes, de cendres et de larmes ; pourtant, ceux-là mêmes qu'il fit tant souffrir, les soldats, lui furent les plus fidèles, et de nos jours encore, malgré le temps écoulé, les sentiments différents, les deuils nouveaux, des foules, venues de tous les points du monde, rendent hommage à son souvenir et s'abandonnent, près de son tombeau, au frisson de la grandeur. Tragique revanche de la mesure, juste courroux de la raison ; mais prestige surhumain du génie et merveilleuse vertu des armes[74] !

Trente ans après la parution de *La France et son armée*, de Gaulle n'avait pas changé d'opinion sur Napoléon : la grandeur ne se marchande pas, même si celle-ci fut exempte de cette vertu cardinale qu'est le sens de la mesure. Il n'aimait pas, pour cette raison, qu'on le comparât à l'Empereur. Il s'exclama un jour – c'était au temps du RPF, où les communistes l'accusaient de préparer un coup d'Etat : « Non, je ne suis pas Bonaparte ! Non, je ne suis pas Boulanger ! Je suis le général de Gaulle[75] ! »

★

C'est l'un des traits caractéristiques de la politique napoléonienne : la guerre y fixe la limite – ou l'absence de limite –

des objectifs politiques, et non l'inverse. L'éloignement que de Gaulle éprouvait vis-à-vis de Napoléon, et sur lequel on va revenir, s'explique en partie pour cette raison. Le Général, tout en cultivant une image héroïque de la guerre, ne l'a jamais envisagée comme indépendante des objectifs supérieurs qui l'ont provoquée ou s'émancipant de toute tutelle politique. C'est pourquoi la « guerre démocratique », pour reprendre la formule de Bainville, lui faisait horreur, parce que, mobilisant les masses, elle tend à s'abstraire de tout enjeu rationnel pour se nourrir de sa propre violence et des passions extrêmes qu'elle déchaîne. *Vers l'armée de métier* est éloquent à cet égard. Le projet de professionnalisation d'une partie de l'armée, au moins justifié par les compétences désormais requises en raison du progrès technique, l'est plus encore, selon de Gaulle, par l'inéluctable retour – du moins voulait-il le croire – vers la subordination très clausewitzienne de la guerre à la raison politique. La Première Guerre mondiale l'avait convaincu, par sa violence et l'ampleur des pertes, qu'un cycle avait pris fin dans l'histoire militaire : celui des armées de conscrits et de l'infanterie « reine des batailles » que les conflits de la Révolution et de l'Empire avaient inauguré. Jamais plus on ne serait capable de renouveler l'effort de 1914. La France n'avait-elle pas perdu le quart des jeunes hommes de dix-huit à vingt-sept ans ? C'en était donc fini de « l'affreuse et barbare théorie des masses populaires instruites, armées, mobilisées, pour s'entretuer, se ruiner et se haïr[76] ». Le souvenir du grand massacre aidant, le monde allait revenir à des conflits limités soumis à un règlement diplomatique. L'avenir ? Des guerres moins longues, moins meurtrières aussi, mettant aux prises des « spécialistes » :

> De bonnes raisons portent à penser qu'une guerre livrée demain n'aurait, pour commencer, qu'un rapport lointain avec le choc hâtif des masses mobilisées, écrivait-il. [...] L'ère des grandes conquêtes est close. [...] On voit combien l'armée de métier, prête à marcher sur l'heure n'importe où, capable, grâce aux moteurs, de se porter à pied d'œuvre en quelques heures, apte à tirer du matériel tous les effets de surprise et de rupture qu'il est susceptible de fournir, faite en un mot, de

> toutes pièces, *pour obtenir le résultat local le plus complet et le plus rapide*, répond aux conditions politiques nouvelles. Il existe une connexion terrible entre les propriétés de vitesse, de puissance, de concentration, que l'outillage moderne confère à une élite militaire exercée, et la tendance des Etats à limiter l'objet des litiges pour s'en saisir aux moindres frais et au plus tôt[77].

Cette prédiction, on le sait, fut cruellement démentie par des événements dont la guerre civile espagnole donna l'avant-goût dès 1936, moins de deux ans après la publication du livre. Non seulement la mécanisation de la guerre en accrut la capacité de destruction, mais l'idéologie contribua à radicaliser la montée aux extrêmes supposée décliner après le paroxysme de 14-18. Mais peu importe. Ce texte témoigne d'une appréhension des rapports entre guerre et politique qui fait de De Gaulle l'anti-Napoléon.

★

A l'Elysée, il n'était pas rare qu'à l'issue d'un déjeuner ou d'un dîner le Général montrât à ses invités le Salon d'argent où Napoléon abdiqua après Waterloo[78]. Edgar Faure, à qui de Gaulle faisait ce jour-là les honneurs de la visite, prit sur un guéridon le fac-similé de l'acte d'abdication et commença de lire : « Français, en commençant la guerre pour soutenir l'indépendance nationale… » Il s'interrompit après ces premiers mots. Pierre-Louis Blanc raconte : « Se tournant vers de Gaulle, [il] ajouta : "Napoléon a cherché à obtenir l'indépendance nationale par la guerre ; vous, mon général, vous avez poursuivi ce même objectif, mais dans la paix." C'était dit sans aucune trace de flagornerie, avec le zézaiement que l'on sait et l'aisance dans les propos dont bien peu de gens faisaient montre lorsqu'ils se trouvaient face à de Gaulle. Celui-ci, amusé, regarda son invité et lui répondit par ces simples mots : "Vous savez, cher président, c'est une question de moyens[79]." »

C'était, bien sûr, une question de moyens. On l'a dit, la France de 1940 ou de 1958 – ces restes d'un grand peuple, disait Bernanos[80] – n'était plus la France de 1800, mais de

Gaulle aurait-il disposé des mêmes moyens qu'il est peu probable qu'il les eût employés de la même façon que l'Empereur. Quand on suggère que tous deux se sont efforcés de restaurer l'Europe française que Richelieu, Mazarin et Louis XIV avaient réussi à imposer aux puissances et que les successeurs du Grand Roi avaient bradée, c'est à la fois vrai et faux. Vrai pour de Gaulle, car après avoir ramené la France vaincue dans le camp des vainqueurs, il s'était appliqué à lui rendre son rang international en lui assignant un rôle moteur dans une construction européenne qui, loin de noyer la puissance française dans une communauté supranationale, devait au contraire attester de sa mission particulière sur le continent[81].

> Pour moi j'ai, de tous temps [...] ressenti ce qu'ont en commun les nations qui peuplent [l'Europe]. Toutes étant de même race blanche, de même origine chrétienne, de même manière de vivre, liées entre elles depuis toujours par d'innombrables relations de pensée, d'art, de science, de politique, de commerce, il est conforme à leur nature qu'elles en viennent à former un tout, ayant au milieu du monde son caractère et son organisation. C'est en vertu de cette destination de l'Europe qu'y régnèrent les empereurs romains, que Charlemagne, Charles Quint, Napoléon tentèrent de la rassembler, qu'Hitler prétendit lui imposer son écrasante domination. Comment, pourtant, ne pas observer qu'aucun de ces fédérateurs n'obtint des pays soumis qu'ils renoncent à être eux-mêmes ? Au contraire, l'arbitraire centralisation provoqua toujours, par choc en retour, la virulence des nationalités. Je crois donc qu'à présent, non plus qu'à d'autres époques, l'union de l'Europe ne saurait être la fusion des peuples, mais qu'elle peut et doit résulter de leur systématique rapprochement. [...] Ma politique vise donc à l'institution du concert des Etats européens [...]. Rien n'empêche de penser, qu'à partir de là, et surtout s'ils sont un jour l'objet d'une même menace, l'évolution puisse aboutir à leur confédération[82].

Texte admirable de lucidité, d'intelligence et de vérité dont les successeurs du Général, à commencer par Pompidou faisant entrer l'Angleterre – « notre plus grand ennemi héréditaire[83] », disait de Gaulle, plus que l'Allemagne – dans le Marché commun (1972), n'ont certes pas fait leur bréviaire.

De Gaulle renouait ainsi des fils qui, dans l'histoire de France, remontaient aux ministres-cardinaux – Richelieu, Mazarin, Fleury – et, au-delà même, à Sully. Il héritait du projet qui, bien avant lui, avait été celui de l'abbé de Saint-Pierre et, plus généralement, celui de la monarchie française : garantir l'équilibre et la paix en Europe non par un fédéralisme qui priverait l'entité ainsi créée de toute réelle capacité de vouloir, et de vouloir fortement, mais par la réunion, autour de la France, de toutes les puissances moyennes soucieuses de se prémunir contre les entreprises des aspirants à la monarchie universelle[84]. Ce projet, Maurras l'avait éloquemment décrit dès avant la guerre de 1914, dans *Kiel et Tanger*. Il y expliquait que la France, même si elle n'était plus celle du Grand Siècle, n'était pas condamnée à disparaître et à connaître le sort de la Grèce face à Rome. Au contraire, la montée des empires lui offrait l'occasion de jouer un rôle décisif en devenant le protecteur des nations indépendantes[85]. Maurras réhabilitait la politique préconisée par Vergennes disant à Louis XVI : « Groupant autour de vous les Etats secondaires [que la France] protège, leur intérêt lui garantira leur alliance, et elle sera à la tête d'une coalition défensive assez forte pour faire reculer tous les ambitieux[86]. » Dans ce plaidoyer pour le rétablissement, en quelque sorte, de l'Europe des traités de Westphalie, le Général trouva bel et bien la matière de la politique européenne qui fut la sienne : constituer une « Europe des Etats » qui se fortifierait de la menace que les deux Grands faisaient peser sur la sécurité internationale. Une telle filiation ne suffit pas à faire de De Gaulle un maurrassien à part entière ; elle atteste que, dans le domaine des relations internationales, il était, lui si « bainvillien », fermement ancré dans le camp des réalistes[87].

★

Le cas de Napoléon est plus complexe. A Sainte-Hélène, il évoquera longuement le grand projet qui aurait été le sien : la fondation d'Etats-Unis d'Europe qui auraient fédéré des Etats recomposés d'après le principe des nationalités. Avant d'établir le grand système fédératif auquel il pensait, il était donc nécessaire de procéder à « l'agglomération, la concentration des mêmes peuples géographiques qu'ont dissous, morcelés les révolutions et la politique[88] ». Plus tard, le futur Napoléon III présenta cette déclaration fameuse, mais tardive, comme l'une des plus fécondes des « idées napoléoniennes[89] ». Il est bien vrai que le siècle inauguré par son oncle fut celui de l'essor des « nationalités ». Ainsi Napoléon passa-t-il pour prophète. Mais ce n'est qu'en 1815, au couchant des Cent-Jours, que ce « pacte fédératif » entra dans son répertoire : « Nous avions alors pour but d'organiser un *grand système fédératif européen*, que nous avions adopté comme conforme à l'esprit du siècle, et favorable aux progrès de la civilisation[90] », déclare-t-il dans le préambule de l'Acte additionnel aux Constitutions de l'Empire du 22 avril 1815. Il avait à ce moment de bonnes raisons d'en appeler aux peuples européens et à l'idée d'une fédération suggérant union volontaire et réciprocité de droits et d'obligations. La France, une nouvelle fois, se voyait assiégée, le revenant de l'île d'Elbe menacé par la coalition la plus formidable qu'il eût jamais affrontée. Il voyait dans ce manifeste une chance, même minime, d'affaiblir la solidité de la coalition, d'introduire un ferment de division entre les opinions publiques et les souverains qui, même s'il avait peu de chance de produire des effets, n'était pas à négliger. Il poursuivait le même objectif, quoique dans des conditions fort différentes, lorsqu'à Sainte-Hélène il se fit le héraut incompris d'une Europe des nationalités. A ce moment, les aspirations nationales commençaient à sérieusement troubler le Vieux Continent ramené par le congrès de Vienne aux idées d'équilibre d'avant la Révolution française. En appuyant ce mouvement et en revendiquant sa paternité, alors même que celui-ci s'était développé, en Espagne, en Allemagne, au Tyrol ou en Hongrie, en réaction contre l'occupation française, il se donnait la satisfaction d'une ultime vengeance contre les rois qui l'avaient vaincu en même temps qu'il accaparait en quelque sorte la postérité : l'Europe du futur, dont il pressentait qu'elle serait celle des nations, loin d'être née de son échec, apparaîtrait comme la suite de ses desseins prophétiques.

En réalité, si l'on excepte l'Italie où Napoléon peut en effet être considéré comme le père de l'unité, nulle part sa politique n'avait tendu à « l'agglomération des peuples ». Au contraire, il les avait morcelés, non dans le but exclusif d'y tailler des fiefs pour ses parents et ses obligés, mais pour les annuler politiquement. On l'accuse par exemple d'avoir renforcé la Prusse au moment de la réorganisation de l'Allemagne en 1801-1803. Ce n'est pas tout à fait exact. Non seulement il n'arrondit le territoire prussien que pour mieux priver Berlin de ses possessions rhénanes et, ainsi, éloigner la Prusse de la France, mais aussi afin d'amoindrir l'influence autrichienne en Allemagne, tandis qu'il interposait entre Vienne et Berlin et Berlin et Paris une série d'Etats inféodés à la France – Saxe, Bade, Wurtemberg, Bavière et plus tard, après la défaite prussienne de 1806, royaume de Westphalie. Sa politique visait à la domination d'une France forte sur une Europe faible. Il est possible de dire qu'à ce moment, la conduite tenue en Allemagne, en Italie ou en Suisse (l'Acte de médiation de 1802) était conforme à la tradition diplomatique française qui visait à grouper autour de la France les puissances moyennes afin de mettre l'Europe continentale en situation de résister aux deux Etats qui la menaçaient : d'un côté l'Angleterre, de l'autre la Russie dont Napoléon était convaincu qu'après le médiocre règne de Paul Ier elle renouerait avec ses tentations expansionnistes dirigées d'un côté vers l'Europe orientale, de l'autre vers le Caucase et les terres ottomanes. La France suivait en somme son ancienne politique, qui visait à briser toute tentative d'encerclement.

L'établissement d'un tel système d'alliances reposait sur un point de départ dont le Premier consul s'était expliqué dès 1800[91]. Le grand écueil lui semblait être le peu de foi que les puissances avaient dans la solidité des traités. A cela, deux raisons principales, dont la plus ancienne remontait au milieu du siècle précédent, lorsque Frédéric II, déchirant les accords signés par la Prusse, s'était jeté sur la Silésie autrichienne (1740), inaugurant une politique de brigandages dont la guerre de Sept Ans (1756-1763) et les partages de la Pologne (1772, 1793 et 1795) allaient devenir les détestables symboles. C'est alors qu'était morte l'Europe des traités de

Westphalie. A cette première cause s'était ajoutée la Révolution française qui avait provoqué une véritable fracture en Europe « entre de vieilles monarchies et une république toute nouvelle » que tout opposait : principes de légitimité, institutions, origines sociales du personnel dirigeant, si bien que les usages gouvernant les relations internationales en avaient été bouleversés. Le dialogue entre diplomates était devenu impossible. Cette situation avait frappé Bonaparte à l'époque où, en Italie, il avait été amené à négocier avec les émissaires du pape, ceux du grand-duc de Toscane, du roi de Piémont ou de l'empereur d'Autriche. Les émissaires ne se parlaient plus parce qu'ils ne se comprenaient plus. L'urgence était donc de retrouver un langage commun. Pour cela, une autre politique s'imposait, tant à l'intérieur qu'à l'extérieur. Il s'en ouvrit un peu plus tard encore auprès du ministre anglais Charles Fox, lorsque celui-ci, profitant de l'éphémère paix d'Amiens, lui rendit visite à Paris[92]. La France, lui expliqua-t-il en substance, devait faire un pas en direction de la vieille Europe en devenant un peu moins « révolutionnaire » et la vieille Europe faire un pas en direction de la France en devenant un peu plus « libérale » : « Pour espérer plus de solidité et de bonne foi dans les traités de paix, il faut ou que la forme des gouvernements qui nous environnent se rapproche de la nôtre, ou que nos institutions politiques soient un peu plus en harmonie avec les leurs[93]. » La formation d'une aristocratie méritocratique avec la création de la Légion d'honneur, le retour aux formes monarchiques par la proclamation de l'Empire et le rétablissement du catholicisme par le concordat allaient dans ce sens. Ainsi pourrait-on retrouver avec les chancelleries le langage commun sans lequel aucune paix durable n'est envisageable. En homme du siècle des Lumières, Bonaparte pensait que le droit, en particulier le droit civil, serait l'instrument de ce rapprochement. Il croyait à cette idée que les lois ne sont pas seulement l'expression de relations sociales existantes, mais qu'elles permettent de faire évoluer les mœurs d'un peuple. Aussi l'Italie, conquise en 1796 et revenue à la France en 1800, était-elle devenue une sorte de laboratoire où l'occupant s'appliqua à forger une identité italienne nouvelle qui reçût l'empreinte des idées révolutionnaires. Pourquoi ce qui réussissait dans la péninsule ne marcherait-il pas à l'échelle de l'Europe ? C'est ainsi qu'insensiblement, enhardi par les succès remportés sans discontinuer dans tous les domaines, le Premier consul s'engagea dans une voie hégémonique qui n'entretenait plus aucune relation avec la diplomatie traditionnelle de la France. Il confia en 1803 à Miot de Melito, un proche de son frère Joseph, donc un an avant l'instauration de l'Empire, que son intention était d'étendre le droit français à tout le continent – « jusqu'aux colonnes d'Hercule[94] », précisait-il. Cette ambition qui visait désormais à convertir l'Europe à la Révolution, plutôt que de modérer la Révolution pour la rapprocher de l'Europe, ne pouvait s'accomplir qu'à travers une cascade de conquêtes qui verrait les lois françaises se répandre sur le continent à la suite de ses armées. Dès lors, il n'était plus vraiment question d'un quelconque « pacte fédératif », mais de la formation d'une Europe « placée sous la direction d'une grande France », voire « transformée elle-même en une très grande France[95] ». Le nouveau César envisageait plutôt la première solution – résurrection de l'Empire carolingien – que la seconde s'inspirant davantage de la figure de la monarchie universelle. Il ne le cacha pas à Miot : les Etats européens seraient placés sous l'autorité « d'un seul chef », d'un empereur « qui aurait pour officiers des rois, qui distribuerait des royaumes à ses lieutenants, qui ferait l'un roi d'Italie, l'autre de Bavière, celui-ci landamann [le premier magistrat de la Confédération helvétique] de Suisse, celui-là stathouder de Hollande, tous ayant des charges dans la maison impériale avec les titres de grand échanson, grand panetier, grand écuyer, grand veneur… ». De 1805 à 1807, jusqu'au traité de Tilsit qui consacra l'hégémonie française sur l'Europe, c'est bien dans cette direction qu'il s'orienta, créant de l'Italie à la Hollande des royaumes frères comme la Révolution avait créé des républiques sœurs. Les premiers ne connurent pas un sort différent de celui des secondes. Tout comme celles-ci n'avaient jamais été réellement indépendantes, les Etats fédérés autour de l'Empire français étaient moins des alliés que des vassaux enrôlés de gré ou de force dans la politique du Blocus continental décrétée à Berlin en novembre 1806 pour venir à bout de l'Angleterre. Mais l'importance des sacrifices exigés des Etats sujets condamnait le Grand Empire. Ses membres n'avaient de cesse de contourner les règles qui leur étaient imposées et les ruinaient. Aussi le « nouvel empire d'Occident » – Napoléon emploie l'expression en 1806[96] – était appelé à se transformer peu à peu en une « *très* grande France » qui finirait par l'absorber tout entier : la France obèse aux cent trente départements de 1810, étendue jusqu'en Hollande, en Allemagne et à Rome, préfigure ce destin. Ses frontières auraient encore reculé si l'Empire avait duré. Cette France sans cesse élargie était le produit des circonstances et non le résultat d'un plan. C'est parce que le pape renâclait que Rome fut réunie ; c'est parce que Louis Bonaparte refusait de sacrifier les intérêts de la Hollande à ceux de son frère que son royaume fut transformé en départements, et peut-être l'Espagne de Joseph aurait-elle finalement subi le même sort, en tout cas ses régions septentrionales. Le nouvel Empire carolingien était condamné à se transformer en une non moins impossible monarchie universelle. Edgar Quinet n'avait pas tout à fait tort lorsqu'il accusait Napoléon d'avoir été, à son insu, « l'exécuteur testamentaire des plans chimériques de Dante[97] ».

On fustigerait à tort la « folie » de l'Empereur. Bien sûr, le champ du possible augmentait dans son esprit avec les succès, et là comme ailleurs 1805 marqua un tournant ; mais les exigences de la guerre avec l'Angleterre jouaient un rôle également important dans cette dérive vers une domination toujours plus étroite du continent. Faute d'une marine de guerre à la hauteur de ses ambitions, Napoléon était, comme il le dit à son frère Louis, condamné à « conquérir la mer par la puissance de la terre », ou, selon la formule de Bainville, à « répondre à la clôture de la mer par celle de la terre[98] ». Le Blocus continental était moins l'instrument d'une politique européenne qu'une mesure de guerre. Le plus volontaire de nos personnages historiques ne fut pas toujours le plus libre de ses initiatives. Il y a de la fatalité dans son histoire. Comme il l'avouera plus tard à Las Cases : « La vérité, c'est que je n'ai jamais été maître de mes mouvements ; je n'ai jamais été tout à fait moi. J'ai eu des plans : mais je n'ai jamais eu la liberté d'en exécuter aucun… J'ai toujours été gouverné par les circonstances. [...] Je n'étais pas le maître de mes actes, parce que je n'avais pas la folie de vouloir tordre les événements à mon système : au contraire, je pliais mon système aux événements[99]. » Au fond, Napoléon était trop faible – faute de marine – pour pouvoir réussir là où Richelieu et Mazarin avaient réussi : établir un nouvel équilibre européen. La splendeur de la Grande Armée était un leurre : Napoléon perdit définitivement la partie à Trafalgar, quelques semaines avant de remporter, à Austerlitz, sa plus éclatante victoire. La fin, inéluctable, n'était plus ensuite qu'une question de temps. Il suffit d'un échec, en Russie, pour que la « monarchie universelle » s'écroulât comme un château de cartes.

Là encore, toute comparaison avec de Gaulle serait sans objet. Napoléon ne devint pas l'héritier de Mazarin ou de Vergennes. Le général de Gaulle, en revanche, fut l'ultime représentant de cette tradition diplomatique – dont la politique de la « chaise vide » en 1965[100] et la sortie de l'OTAN en 1966 demeureront les symboles.

⋆

Napoléon ne manquait pas seulement de sens de la mesure, mais, dira de Gaulle, il n'avait pas « la vocation de la France » : « Il aimait l'armée française parce qu'à l'époque et sous son commandement, elle était la meilleure. Mais je crois qu'il a conçu son destin, même à Sainte-Hélène, comme celui d'un individu extraordinaire. Pourtant, c'est peu de chose, un individu, en face d'un peuple[101]. »

Mais, justement, le moment où Bonaparte avait surgi – la dissolution générale à laquelle l'époque du Directoire avait abouti – était l'un de ceux où un individu peut s'emparer d'un peuple. La maladie de langueur – passagère – dont souffrait la France assura son succès. Taine l'avait compris[102]. Le terrain était favorable. La pensée de Bonaparte était dans les esprits avant même qu'il n'eût pris le pouvoir. Mme de Staël, évoquant le 18 Brumaire (9 novembre 1799) où, justement, venant de Suisse elle arrivait à Paris, le note : « C'était la première fois, depuis la Révolution, qu'on entendait un nom propre dans toutes les bouches. Jusqu'alors on disait : L'Assemblée constituante a fait telle chose, le peuple, la Convention ; maintenant, on ne parlait plus que de cet homme qui devait se mettre à la place de tous, et rendre l'espèce humaine anonyme, en accaparant la célébrité pour lui seul, et en empêchant tout être existant de pouvoir jamais en acquérir[103]. »

Il avait d'autant mieux réussi qu'il était le plus « désaffilié » des hommes : né en Corse d'une famille qui se voyait avant tout comme italienne, ne parlant pas un mot de français lorsqu'à l'âge de neuf ans il était arrivé sur le continent pour y faire ses études, ne comprenant plus sa langue maternelle lorsqu'à dix-sept ans il avait retrouvé son île – sans pour autant être devenu parfaitement francophone –, portant avec fierté l'uniforme d'aspirant officier du roi mais ne rêvant que d'occire des Français et de libérer sa patrie du joug de la France, méprisant son père qui s'était rallié aux « envahisseurs » et rêvant de succéder à Paoli, ayant du reste longtemps douté – à tort – de l'identité de son père biologique, il était, à l'image parfois des bâtards, libre de tout attachement, convaincu d'être son propre fils comme il dira plus tard quand on lui inventait des arbres généalogiques plus ou moins fantaisistes, qu'il était le fruit de ses victoires et d'elles seules, enfin jeté sur le continent malgré lui, y trouvant un théâtre à la mesure de son génie sans pour autant contracter le moindre attachement pour les Français et les passions qui les agitaient, considérant à tout jamais l'Italie comme la patrie selon son cœur, la préférant à la France et préférant l'Egypte à tout, car là-bas, confiera-t-il à Mme de Rémusat, sur cette « terre de poésie », « parti sur un éléphant, le turban sur la tête et dans la main un nouvel Alcoran », il se serait trouvé « débarrassé du frein d'une civilisation gênante[104] ». Il le disait parfois : il avait manqué son destin à Saint-Jean-d'Acre, forcé par son échec à ne désormais concevoir son existence que dans « la taupinière Europe ». Il ne faut pas se laisser abuser par le « Je désire que mes cendres reposent sur les bords de la Seine, au milieu de ce peuple français que j'ai tant aimé » du testament.

En réalité, il était partout lui-même parce qu'il n'était de nulle part, « hors ligne » et « hors cadre », d'aucun lieu ni d'aucun siècle, disait Taine[105]. La rencontre entre Napoléon et la France fut fortuite. Il avait longtemps rêvé son destin contre elle, ou ailleurs. C'est à cette disposition singulière qu'il faut rapporter l'indulgence et la modération dont il fit preuve une fois au pouvoir, la faculté d'oublier un passé qui n'était pas le sien et ne le concernait nullement, le pouvoir de faire venir à lui républicains *et* royalistes et, du même coup, de jeter un pont entre les deux France et leurs deux histoires que la Révolution avait séparées, le pouvoir de fermer pour un moment la fracture française. A de Gaulle échut un pouvoir identique. En eux, deux France disjointes cohabitent : la France de la république et celle de la monarchie, la bleue et la blanche. C'est en cela qu'ils sont comparables, par le pouvoir qui leur fut également donné de « transcender les querelles françaises, [d']être à la fois de droite et de gauche, [d']unir la France d'avant à celle d'après 1789[106] ». Napoléon y possédait de meilleures dispositions que de Gaulle. Chez celui-ci, il y fallut plus de volonté et d'efforts car s'il est un homme dont on peut dire qu'il est de *quelque part*, c'est bien le Général. En somme, si Napoléon fut le moins français des Français, de Gaulle fut au contraire le plus français des Français. C'est bien simple, on peut imaginer Napoléon partout, en Italie comme en France, en Egypte et même en Amérique si, en 1815, il avait écouté son frère Joseph et trouvé refuge au sein du Nouveau Monde. De Gaulle, lui, ne se prête pas aux déplacements. Il ne s'acclimate pas hors des frontières de l'Hexagone. La France coule dans ses veines. Pas un globule de son sang qui ne témoigne de ses origines. C'est ce Charles « de France », incarnation de traditions, d'une culture, d'une langue, d'une histoire, en un mot d'une civilisation, que l'on voit vivre dans les pages des souvenirs de son fils Philippe.

On a beaucoup critiqué ce *De Gaulle, mon père*, accusant le fils d'avoir « droitisé » (Jean Lacouture), « pétainisé » (Pierre Nora) le père et, dans tous les cas, cherché à l'enfermer dans une construction mythique qui allait bien au-delà, parfois, du mythe construit par le Général lui-même (Eric Roussel)[107]. C'est injuste. Il est vrai que le fils veille sur la statue paternelle et rejette tous les soupçons comme tous les reproches. Toujours, selon lui, le Général a agi au mieux de ce qu'il pouvait faire compte tenu des circonstances, et au plus près des intérêts de la nation. Il n'y a ni défauts dans la cuirasse, ni sentiments bas, ni défaillances. Comment imaginer que de Gaulle ait pu, dans un moment d'adversité, songer au suicide ? Comment même supposer qu'il n'ait pas été tout à fait étranger à l'assassinat de Darlan fin 1942, aux complots d'Alger en 1958 ou qu'il n'ait pas fait son possible pour empêcher les épouvantables massacres perpétrés par le FLN vainqueur après la signature des accords d'Evian en 1962 ? Mais ce livre ne manque pourtant ni de mérite ni d'intérêt. C'est l'hommage d'un fils à un père dont il ne fut certainement pas facile d'être le fils ; c'est, surtout, un portrait qui, en effet, bouscule bien des idées reçues. Il montre combien la personnalité du Général était indépendante de son action. Je trouve étrange la critique de Jean Lacouture lorsqu'il écrit : « Du personnage que l'on croyait tricolore, toute trace de rouge est ici effacée. » Et alors ? Fallait-il que de Gaulle eût été républicain pour qu'il rétablît par deux fois la république ? Napoléon, qui, de la création du système préfectoral au Code civil, grava les principes de la Révolution dans le marbre des institutions et des lois, devait-il être révolutionnaire pour y réussir ? Il ne l'était pas. Il haïssait à peu près tout ce que représentait la Révolution, de l'égalité à la liberté, en passant par la souveraineté populaire. S'il avait dû suivre la pente de ses inclinations, il eût fini dans le camp des royalistes et des émigrés. Il avait la nostalgie d'un monde, celui de l'Ancien Régime, qu'il n'avait pas connu. Il en admirait le faste, le luxe, la distinction, les manières, la politesse, les privilèges consentis à la naissance... Si ses sentiments le conduisaient du côté de la vieille France, la raison politique le retenait du côté de la France nouvelle qui l'avait hissé sur le pavois. Le calcul était vite fait : le parti du roi n'avait pas grand-chose à lui offrir, comparé à celui de 1792 ; ici le rôle de fourrier du trône, là une couronne. Pas de comparaison possible. Jamais il n'hésita, prêtant la main à la destruction du monde qu'il affectionnait et dont il se plaisait à se dire issu. Le protecteur des acquéreurs de biens nationaux confisqués aux prêtres et aux nobles était fier de la noblesse de sa famille. « Nous autres nobles... », disait-il à ses interlocuteurs, comme s'il ignorait que cette noblesse était récente – elle remontait au début des années 1770 – et qu'elle était pour le moins douteuse, fondée sur des certificats que son père était allé se faire fabriquer en Italie. Singulière vanité du grand homme, qui croyait ainsi se grandir quand ses victoires suffisaient à le mettre hors de pair. C'était un ridicule de parvenu, assez touchant du reste, aussi touchant que le « Si notre père nous voyait… » glissé à son frère Joseph lors de la cérémonie du couronnement à Notre-Dame, en 1804.

★

Trois mots résument de Gaulle : noble, catholique, soldat. On ne saurait imaginer meilleur résumé de l'histoire française.

De ses origines nobles qui faisaient de lui, le chef d'une république, un « aristo », il parlait rarement, du moins en public. Il avait été successivement chef de la France libre et président de la République, jamais le représentant d'une classe sociale. Mais il était fier de ces ancêtres qui, depuis le XIIIe siècle au moins, avaient servi le roi, les uns sur les champs de bataille, les autres dans les tribunaux ou les bureaux de l'administration. Un de Gaulle avait combattu à Azincourt, un autre siégé au Conseil du roi. La noblesse d'épée, reposant sur le sang versé, donnait la main à la noblesse de robe, vouée au service de l'Etat. Le dévouement à la *« res publica »* était une vieille histoire dans la famille. Cette longue lignée d'ancêtres – très petite noblesse, rarement argentée – approfondissait la relation intime que le Général entretenait avec l'histoire de France[108]. Dans la vie des grands hommes, rien ne semble fortuit ; la prédestination domine. Napoléon ne porte-t-il pas un prénom qui n'appartient qu'à lui ? Il faut en convenir : quand on s'appelle de Gaulle, souvent orthographié de Gaule avant la Révolution française, il doit être difficile de ne pas se sentir investi d'une responsabilité particulière. Mais tout, même les choix en apparence les moins prémédités ou calculés, semble délivrer un message. Prenez la Boisserie, acquise en 1934 pour permettre à la petite Anne de jouer dehors à l'abri des regards et sans déranger les voisins ; mais, des fenêtres de son bureau, le Général pouvait contempler un paysage qui semble avoir été créé pour lui. Ces « longues pentes descendant vers la vallée de l'Aube » et « les hauteurs opposées », ces forêts sombres et austères qui moutonnent vers « les fonds sauvages », sont comme saturées d'histoire[109] : « Dans cette région à la rencontre de la Champagne, de la Lorraine et de la Bourgogne, le ciel ruisselle de gloires et de deuils, la terre regorge de sang et de cadavres. Voici le tracé de la grande voie romaine qui allait de Langres à Strasbourg. Voici les champs Catalauniques. Voici les terrains de la bataille de l'Empereur. Voici la route des invasions, découvrant les œuvres vives de la Patrie, ouverte depuis qu'ont été défrichées les immenses marches boisées de la Gaule[110]. » Dans les forêts des Dhuits, de Clairvaux, du Heu, de Blinfeix et de La Chapelle qu'il aime arpenter, seul, goûtant le silence et cette « solitude mérovingienne[111] », c'est encore la « forêt gauloise », la France éternelle qu'il aime, fille de sa géographie[112].

De ses origines familiales aux paysages qu'il affectionne, tout lui parle de la France et de son histoire millénaire. Il en va de même de la religion. Certains l'ont dit sans convictions religieuses – « foi d'apparence[113] », dit-on –, d'autres, chrétien par tradition et par éducation mais sans être le moins du monde tourmenté des mystères de la foi. Il eût été étonnant qu'étant né dans une famille dévote et ayant fait toutes ses études chez les bons pères il n'en eût gardé aucune empreinte. Dans sa famille, croire était aussi naturel que respirer. Sauf impossibilité, jamais il ne manqua l'office, jamais il n'oublia de se confesser, et sur le chapitre des rites on ne peut dire qu'il accueillait avec joie les innovations, qu'il s'agît de la messe en français ou des entorses au droit canon dans le déroulement de l'office. Les « prêtres progressistes » n'étaient pas trop de son goût ; ceux-ci le lui rendaient bien : ses relations avec l'Eglise de France furent souvent empreintes de froideur, parfois tendues.

La naissance d'Anne, en 1928, conforta la foi qui était la sienne : « Elle est une grâce de Dieu dans ma vie, aurait-il confié à l'aumônier de son régiment, en 1940. [...] Elle me garde dans la sécurité de l'obéissance à la souveraine volonté de Dieu[114]. » La religion était à ses yeux une affaire privée, comme les joies et les peines, le deuil ou les manifestations de tendresse. Cela ne regardait personne (sauf ses proches, avec lesquels il en parlait volontiers[115]). De Gaulle serait malheureux aujourd'hui où chacun pleure, crie sa joie, hurle, rit aux éclats, s'exhibe et se déboutonne en foule. Ainsi, sa foi profonde qui se manifestait, par exemple, à l'abri des regards et des photographes lorsqu'il s'efforçait d'obtenir d'Anne, « sa force et sa joie », disait-il, qu'elle joigne ses petites mains à défaut de pouvoir dire une prière, ne s'exprime que rarement au détour d'une lettre ou par quelques mots jetés dans la conversation[116]. Dans les années 1920, il s'était rapproché des tenants d'un catholicisme social qui faisait partie de la tradition familiale. On a beaucoup parlé de ses liens avec le « Sillon » de Marc Sangnier, mais il avait également fréquenté le mouvement « populariste » dont le projet, écrit Philippe Portier, était de « refaire la République sur des bases chrétiennes[117] ». Proche de Francisque Gay et de Georges Bidault, plus tard de Maurice Schumann, il avait beaucoup en commun avec les chefs de file du futur MRP (fondé en 1944). Même défiance à l'égard du libéralisme économique et du socialisme, même quête d'une troisième voie qui concilierait liberté d'entreprendre et justice sociale. A cette époque, le MRP était considéré comme le « parti de la fidélité », moins, du reste, en raison des convictions sociales de ses membres que de l'engagement de bon nombre d'entre eux, à commencer par Schumann et Bidault, dans la Résistance. La création du RPF en 1947 mit fin à l'idylle. De Gaulle ne pardonna pas au MRP ses compromissions avec le régime[118], de son côté celui-ci rejeta le « néo-boulangisme » du gaullisme de combat et, aussi bien, les thèses constitutionnelles du Général ou ses positions sur l'Europe jugées trop frileuses. En définitive, ce que de Gaulle avait de chrétien – et il l'était, profondément et sincèrement – ne pouvait en aucun cas l'emporter sur l'attachement à la patrie. Catholicisme et patriotisme ne faisaient qu'un à ses yeux, mais eût-il été forcé de choisir, le choix était vite fait : « Moi aussi, comme vous je n'adore que Dieu, écrira-t-il un jour à Maurice Clavel. Mais moi aussi, comme vous, j'aime surtout la France[119]. »

André Malraux avoua avoir toujours eu du mal à « saisir » la foi du Général : « L'Eglise fait partie de sa vie, mais il dit au pape : Et maintenant, Saint-Père, si nous parlions de la France ? Il a fort peu cité Dieu, et pas dans son testament. Jamais le Christ. » A cela, une raison, pudeur et orgueil mêlés : « Je connais son silence sur quelques sujets capitaux, silence né d'une invulnérable pudeur et de beaucoup d'orgueil, si l'on peut appeler orgueil le sentiment : cela ne concerne que moi. » Autre raison, la profondeur de sa foi, qui le dissuade d'en faire état : « Sa foi n'est pas une question, c'est une donnée, comme la France. » Mais, confirme Malraux, il parle plus volontiers de la France que de Dieu[120]. Dieu est son affaire, la France celle de tous. Son salut lui est personnel, celui de la patrie est inscrit dans l'engagement qu'il a pris en 1940 devant le peuple français.

Si la religion a occupé, d'une certaine façon, une place centrale dans sa vie publique, c'est qu'il était convaincu que la France et le christianisme étaient indissociables : n'est-ce pas l'Eglise qui, au moins autant que les Capétiens, l'avait faite ? Place centrale aussi parce qu'il s'efforça jusqu'au référendum perdu de 1969 de faire prévaloir ses idées quant aux moyens propres à fonder un nouvel organicisme social – l'association capital-travail plus tard rebaptisée « participation » – à égale distance du collectivisme socialiste et de l'anomie libérale. Mais, de la même façon que Richelieu, Mazarin, Louis XIV ou Napoléon n'avaient jamais subordonné les intérêts de l'Etat à ceux de la religion, n'hésitant pas, si nécessaire, à faire alliance avec le diable – le sultan ottoman ou la Suède protestante – afin de mieux défendre les intérêts vitaux du royaume et accroître sa puissance, jamais la religion ne dicta au Général ses choix politiques : la France d'abord, la France seule, mais toute la France, dans l'unité profonde de son histoire[121]. Il avait la religion de la France, une, éternelle, que la foi patriotique avait sauvée aux heures sombres. A cette foi, la France avait dû de survivre aux invasions, aux guerres civiles et aux folies d'un XVIIIe siècle qu'il n'aimait guère et d'une Révolution française dont il exécrait les crimes : sa France était celle de Turenne et de Carnot, mariant défense du sol sacré de la patrie, grandeur de l'Etat et protection spéciale de Dieu pour la « fille aînée de l'Eglise ». Il y avait, chez lui, du Joseph de Maistre pour ce qui concerne l'élection divine de la France, du Louis XIV – celui des *Mémoires* – pour sa religion de l'Etat et du Barrès – celui de *La Colline inspirée* et des *Déracinés* – pour sa foi dans la continuité et l'indivisibilité de l'histoire nationale.

On ne refera pas ici le portrait de cet homme qui ignorait le débraillé de la tenue ou des sentiments, qui détestait autant s'exhiber – on sait quelle épreuve fut pour lui, et pour Yvonne, la séance de photos que leur infligea Churchill en 1941[122] – que dévoiler ses sentiments, qui n'aimait ni l'ostentation ni le luxe, qui respectait l'argent mais ne le glorifiait pas, qui avait le sens de l'économie, du travail bien fait et de l'épargne, courtois en toutes circonstances, surtout avec les humbles ou les subalternes, d'une honnêteté scrupuleuse, qui, enfin, ne s'écartait jamais du respect des convenances, s'efforçant en tout, propos, tenue, pensée, action, d'être, comme il disait, « de bon aloi ». Ne répugnait-il pas un peu de devoir résider à l'Elysée, ce « palais de la main gauche » qui avait abrité les amours de la Pompadour, de Pauline Bonaparte et de Mme Steinheil[123] ? Au reste, on n'entraperçoit l'intérieur de Gaulle que par ouï-dire. A-t-on jamais entendu un enregistrement de la voix de sa femme ? Et ses amis, les connaît-on, lui en connaît-on ? Il éprouva certainement de l'amitié, de l'affection doublée de respect et même d'admiration pour Leclerc ou Thierry d'Argenlieu, mais furent-ils « amis » ? Dans les lettres qu'il adressait au second, retourné à la vie monastique après la guerre, il l'appelait « mon cher ami », formule employée pour bien d'autres correspondants qui n'étaient pas à proprement parler des intimes. On sent un attachement particulier, mais la retenue l'emporte. De Gaulle avait la pudeur des sentiments, et, si amitié il y avait réellement, elle ne s'épanchait jamais[124]. Malraux remarque justement que s'il est possible d'approcher humainement d'un personnage « par les pantoufles », personne, excepté son épouse, n'a jamais vu celles du Général[125]. La frontière était étanche entre le personnage public et l'homme privé. Il laisse voir sa personne, pas son *moi*[126]. Aujourd'hui, pareil homme serait un phénomène. De son temps, cet isolement volontaire n'était déjà plus si commun. Il était l'héritier de cette bourgeoisie d'avant 1914 dont

Jacques Bainville disait qu'elle était plus qu'une classe sociale : « Un genre de vie et une manière de penser[127]. » En le regardant vivre dans les pages écrites par son fils Philippe, on mesure tout ce qui le mettait à part et rappelait l'univers en ordre, bien rangé, de ce « monde d'hier » dont Stefan Zweig se souvint avec nostalgie avant de mettre fin à ses jours, ce monde que la Première Guerre mondiale avait brisé avant que la Seconde ne le détruise[128].

★

Le sens de la « mesure », que le Général ne dissociait pas de la vraie « grandeur », tient pour beaucoup à l'enracinement social, historique et religieux du personnage. Je souscris pleinement à ces lignes de Maurice Agulhon sur l'appel du 18 Juin : « Il mêle indissolublement deux actes de foi [...] : l'un, proprement national – la France ne peut pas périr, la *Providence* finit toujours par lui trouver une issue ; l'autre, qui est humaniste et moral – la Liberté aura raison du nazisme. [...] En cela, [par ce double acte de foi], l'Appel est vision d'homme d'Etat et vision d'homme libre[129]. » Au fond, de Gaulle, c'est le mariage entre une idée providentialiste de l'histoire, une conception conservatrice de la société et un attachement de raison aux idées politiques modernes ; un nationaliste dont la fidélité exclusive à la nation est tempérée par des valeurs libérales et chrétiennes, un républicain qui aime la république avec modération et se tient prêt, en cas de nécessité, à opposer la légitimité – et d'abord la sienne, identifiée providentiellement avec la France – à une légalité défaillante. Aucun témoignage plus probant à cet égard que le discours de Bayeux du 16 juin 1946, qui fut souvent interprété comme une attaque en règle contre la démocratie, alors qu'il s'agissait d'un plaidoyer en faveur d'une rénovation constitutionnelle qui mettrait fin aux désordres provoqués dans l'Etat par les institutions faibles du régime parlementaire. On peut, du reste, y lire ces lignes dirigées contre la dictature, faux remède aux crises du corps politique, qui résonnent aussi comme une condamnation des deux Empires et des deux Napoléon :

> Qu'est la dictature, sinon une grande aventure ? Sans doute, ses débuts semblent avantageux. Au milieu de l'enthousiasme des uns et de la résignation des autres, dans la rigueur de l'ordre qu'elle impose, à la faveur d'un décor éclatant et d'une propagande à sens unique, elle prend d'abord un tour de dynamisme qui fait contraste avec l'anarchie qui l'avait précédée. Mais c'est le destin de la dictature d'exagérer ses entreprises. A mesure que se fait jour parmi les citoyens l'impatience des contraintes et la nostalgie de la liberté, il lui faut à tout prix leur offrir en compensation des réussites sans cesse plus étendues. La nation devient une machine à laquelle le maître impose une accélération effrénée. Qu'il s'agisse des desseins intérieurs ou extérieurs, les buts, les risques, les efforts dépassent peu à peu toute mesure. A chaque pas se dressent, au-dehors et au-dedans, des obstacles multipliés. A la fin, le ressort se brise. L'édifice grandiose s'écroule [en 1815, en 1870] dans le malheur et dans le sang. La nation se retrouve rompue, plus bas qu'elle n'était avant que l'aventure commençât[130].

Quel républicain contempteur des deux Napoléon ne pourrait avoir signé ces lignes ? De Gaulle était surtout convaincu que la volonté – et il avait lui aussi une conception héroïque de l'existence, le sentiment de sa supériorité et de son destin – ne peut se soustraire tout à fait à l'empire des circonstances et des traditions ; que, précisément, *tout* n'est pas possible. Il ne croyait, et c'est toute la différence avec Napoléon qui était le contemporain, et le produit, de la Révolution française, ni à l'efficacité illimitée de la volonté (même inspirée par le génie), ni, pour parler comme Bainville, aux « possibilités indéfinies » : il ne croyait pas au mythe révolutionnaire de la table rase et de la page blanche. Dieu, la patrie, la France à laquelle il s'identifiait lui composaient un « surmoi » peu propice aux aventures[131]. C'est précisément ce qui manquait à Napoléon, pour les raisons déjà évoquées : de Gaulle est grand en raison de ce « surmoi », Napoléon l'est en dépit de son absence. Mauriac exagère lorsqu'il oppose un de Gaulle tout de mesure, qui n'a jamais eu d'autre idée « que de faire ce qui dépendait de lui pour que la sublime histoire continue », à un Napoléon confondu avec sa déplorable famille et mû par une « fringale ignoble[132] ». De Gaulle aurait-il pu inspirer le personnage de Rastignac ? La réponse est bien sûr négative, mais Mauriac oublie que Napoléon n'était pas semblable aux Rastignac qui, en effet, lui succédèrent. Le monde des Rastignac est un monde d'où la gloire s'est retirée, c'est le monde d'après l'épopée, le monde dont Chateaubriand, au terme de son histoire de Napoléon, s'excusait de devoir entretenir ses lecteurs :

> Retomber de Bonaparte et de l'Empire à ce qui les a suivis, c'est tomber de la réalité dans le néant, du sommet d'une montagne dans un gouffre. Tout n'est-il pas terminé avec Napoléon ? [...] Quel personnage peut intéresser en dehors de lui ? De qui et de quoi peut-il être question, après un pareil homme ? [...] Comment nommer Louis XVIII en place de l'empereur ? Je rougis en pensant qu'il me faut nasillonner à cette heure d'une foule d'infimes créatures dont je fais partie, êtres douteux et nocturnes que nous fûmes d'une scène dont le large soleil avait disparu[133].

Au registre des comparaisons, celle de De Gaulle avec Napoléon l'emporte. Il faut reconnaître qu'elle est tentante. Ils ont notamment en partage d'avoir gouverné deux fois, un grand Consulat réformateur (1799-1804 et 1958-1962), la solitude du pouvoir et la poétique de l'exil où ils sublimeront la chute par l'écriture et permettront ainsi au mythe de triompher de la légende noire. Le parallèle avec Jeanne d'Arc est plus rare, quoiqu'il ne soit pas sans pertinence. Un politologue australien, John Kane, a suggéré un autre rapprochement : avec Abraham Lincoln. Si les deux hommes sont en effet dissemblables en beaucoup de choses, de l'origine sociale aux convictions religieuses et de la formation au rôle politique – Lincoln est né dans une famille de modestes paysans, de Gaulle dans une famille bourgeoise, Lincoln est devenu un avocat prospère et un politicien habile –, si, intellectuellement, il est difficile de placer Lincoln à la même hauteur que de Gaulle, tous deux ont cru à leur prédestination et se sont considérés comme l'instrument du destin ; tous deux ont été entraînés au-delà du point qu'initialement ils ne songeaient pas à dépasser, puisque Lincoln, s'opposant à toute extension du régime de l'esclavage, ne refusait pas que les Etats esclavagistes conservassent leurs esclaves, en vertu même des lois existantes, et c'est tardivement qu'il en vint à l'idée de l'abolition complète, tandis que de Gaulle ne se rallia que progressivement à l'idée de la restauration du régime républicain, l'un et l'autre aboutissant à ce résultat par les nécessités de la guerre : guerre contre la sécession sudiste dans un cas, guerre contre Vichy dans l'autre. Tous deux, après avoir été les protagonistes d'une guerre civile, rétablirent l'unité de leur patrie, et Lincoln se fût efforcé, s'il avait vécu, de refermer les blessures de la guerre de Sécession par une politique magnanime envers les vaincus, tandis que de Gaulle, passé le premier moment de la vengeance, s'efforça lui aussi de refermer, par un judicieux mélange d'oubli et de condamnations à des peines d'indignité, les plaies de l'Occupation[134]. Enfin, ces deux immenses orateurs, bien que de styles très différents, mirent leur point d'honneur – et c'est là leur commune grandeur – à ne jamais séparer leur cause de celle qu'ils avaient embrassée : la préservation de la Constitution américaine, à la fois dans la lettre et dans l'esprit, pour l'un, l'honneur de la France pour l'autre[135].

★

Les deux histoires de l'Empereur et du Général se rejoignent à un moment et un seul de leurs carrières respectives : le 18 Brumaire et le 13 Mai, et les quelques années qui suivirent. Du Consulat provisoire à la période pendant laquelle de Gaulle fut le dernier chef du gouvernement de la IVe République, et des premières années du Consulat – jusqu'à la reprise de la guerre avec l'Angleterre au printemps 1803 – aux premières années de la Ve République, les deux séquences suivent un cours semblable conjuguant refonte des institutions et de l'Etat, réforme monétaire, reprise économique et pacification. Puisque je viens de citer Mauriac, restons en sa compagnie. S'il mettait de Gaulle plus haut que Napoléon, au moins du point de vue de la morale, il plaçait sur le même plan le Consulat, « ce moment radieux de notre histoire », et la Ve République : « Par un enchaînement incroyable de circonstances, la revoilà, cette république consulaire pour la première fois depuis Bonaparte, elle substitue à la femme sans tête [la formule est de Maurras] qui a présidé à tant de massacres, à tant de hontes et de désastres, une république à tête d'homme, et qui a un cerveau et un cœur[136]. »

On ne reviendra pas ici sur la manière dont Bonaparte fit main basse sur un pouvoir en déshérence en novembre 1799 ni sur le retour au pouvoir du général de Gaulle. Je les ai déjà évoqués au premier chapitre[137].

Le soir du 19 brumaire, au deuxième jour du coup d'Etat, après que les opposants eurent été dispersés par les grenadiers de Murat, les députés encore présents à Saint-Cloud – peu nombreux, ils délibéraient sous la « protection » de l'armée – adoptèrent une loi, datée du 19 brumaire an VIII (10 novembre 1799) qui allait faire office de charte provisoire pour le nouveau régime. Formellement, rien ou presque ne changeait : l'autorité confiée depuis 1795 par la Constitution de l'an III à cinq directeurs se voyait déposée entre les mains de trois consuls, et les pouvoirs des deux conseils législatifs des Cinq-Cents et des Anciens – équivalents de la Chambre des députés et du Sénat – étaient délégués à deux « commissions législatives » de vingt-cinq membres chacune, choisis parmi les députés en fonction. Les chambres n'étaient pas dissoutes, elles étaient ajournées à cinq mois. Bien entendu, ce n'étaient là que précautions de langage pour faire croire à une transition légale entre le régime du Directoire et le Consulat qui allait sortir du coup d'Etat. Sur les seize articles de cette loi, deux seulement étaient véritablement importants : le troisième qui accordait aux trois consuls – à cette date Bonaparte, Sieyès et Roger Ducos – « la plénitude du pouvoir directorial » et les chargeait « spécialement d'organiser l'ordre dans toutes les parties de l'administration, de rétablir la tranquillité intérieure et de procurer une paix honorable et solide » ; et le treizième, qui, après que les deux commissions législatives eurent été chargées de « préparer les changements à apporter aux dispositions organiques de la Constitution », autorisait l'exécutif à « leur présenter ses vues à cet égard ». En clair, les consuls obtenaient d'un côté les pleins pouvoirs, de l'autre le droit de s'immiscer et, en réalité, de procéder à la « révision » de la Constitution[138].

Le 29 mai 1958, le général de Gaulle s'était assuré auprès du président Coty des conditions de son retour au pouvoir avant d'accepter de se plier à la procédure de l'investiture parlementaire. On se doute qu'il ne lui était pas facile d'accepter de devenir le président du Conseil d'une République dont il n'avait cessé de dénoncer, depuis douze ans, les institutions, et, de surcroît, de l'être par un parlement livré aux partis politiques honnis. Ayant obtenu l'assurance d'avoir la majorité – imagine-t-on de Gaulle recalé ? –, il s'était présenté le 1er juin devant l'Assemblée et, après avoir prononcé le discours le plus bref jamais entendu lors d'une séance d'investiture – moins de huit minutes –, il quitta l'hémicycle sans attendre le résultat du vote ni écouter les discours d'une poignée d'opposants – Duclos, Mendès et Mitterrand – condamnés à s'exprimer devant le banc vide du gouvernement. Scène assurément humiliante, comme le fut celle du lendemain, lorsque de Gaulle, cette fois plus disert – « afin d'entourer de bonne grâce les derniers instants de la dernière Assemblée du régime[139] » –, monta une nouvelle fois à la tribune pour réclamer les pleins pouvoirs et la mise en congé des assemblées pour six mois, et faire voter la loi qui réglait la procédure de la révision annoncée. Le projet de Constitution, qui serait pour finir soumis à l'acceptation du peuple, devait être préparé par le gouvernement, dûment mandaté, après avoir reçu l'avis d'un comité consultatif dont les deux tiers au moins des membres seraient choisis par les chambres parmi les parlementaires[140]. La même loi du 3 juin énonçait plusieurs principes auxquels le pouvoir constituant ne pourrait déroger : le suffrage universel ; la séparation des pouvoirs ; la responsabilité du gouvernement devant le Parlement ; l'indépendance du pouvoir judiciaire ; le respect des libertés énoncées par le préambule de la Constitution de 1946 et la Déclaration des droits de l'homme de 1789, plus une disposition sur l'organisation des relations entre la République et les peuples qui lui sont « associés ». Ces limitations à la liberté du constituant rappellent celles qui avaient été pareillement imposées aux consuls par la loi du 19 brumaire : celle-ci stipulait que « les changements [apportés à la Constitution] ne peuvent avoir pour but que de consolider, garantir et consacrer inviolablement la souveraineté du peuple français, la République une et indivisible, le système représentatif, la division des pouvoirs, la liberté, l'égalité, la sûreté et la propriété ».

On ne peut dire qu'il existait une tradition dans ce domaine. En 1791, la première Constitution française avait résulté de la mise en forme – et de la révision, déjà – des différentes lois organisant les pouvoirs et leurs rapports que l'Assemblée constituante, issue des états généraux de 1789, avait votées depuis deux ans. C'est la même procédure qui fut reprise après 1870 et aboutit aux lois de 1875 fondatrices de la IIIe République dont la « Constitution » ne fut, pas plus que celle de 1791, présentée à l'acceptation du peuple[141]. La Convention nationale, dont le nom avait été emprunté à l'assemblée de Philadelphie qui, en 1787, rédigea la Constitution américaine, avait au contraire été spécialement mandatée pour réformer les institutions de 1791 devenues caduques après la chute du roi. La Convention rédigea deux textes, en 1793 et 1795, qui furent tous deux soumis à référendum populaire, et c'est cette procédure qui inspira l'adoption des Constitutions de 1848 et de 1946.

La Constitution de 1958 se rattache à un tout autre modèle, celui des constitutions « autoritaires » élaborées sans le concours du Parlement ou après que celui-ci eut délivré un blanc-seing à l'exécutif pour opérer les changements jugés nécessaires. On ne peut, toutefois, rapprocher tout à fait l'élaboration du texte de 1958 de celle du texte de 1799. En 1958, le comité qui, sous la direction de Michel Debré, prépara la nouvelle Constitution prit son rôle au sérieux et, de fait, le temps a prouvé que le travail avait été bien fait. On ne saurait en dire autant de la Constitution brumairienne dont la raison d'être était moins de bâtir un édifice solide que de trancher la question de savoir qui, de Bonaparte ou de Sieyès – ce dernier représentant les intérêts des républicains conservateurs qui avaient appuyé le coup d'Etat –, occuperait le premier rang. L'issue du combat ne faisait guère de doute, mais Sieyès pensa pouvoir enchaîner Bonaparte par un projet constitutionnel de son cru, qui, tout en cédant la première place au général, lui consentait surtout des pouvoirs honorifiques. Il y eut des disputes, des menaces. Bonaparte déclara qu'il ne deviendrait pas « un cochon à l'engrais » et, au début du mois de décembre, il prit les choses en main. Il réunit une assemblée informelle à son domicile, opposa au texte proposé par Sieyès un autre qu'il avait fait préparer par Daunou et, s'instituant arbitre et grand électeur, il dirigea la rédaction de la Constitution, y mettant tout ce qui augmentait son pouvoir, en ôtant tout ce qui pouvait l'assujettir à un quelconque contrôle. Puis il se fit nommer Premier consul et, comme la comédie avait assez duré, il décida que la Constitution entrerait en vigueur sans attendre le résultat du plébiscite ! A aucun moment les dispositions de la loi du 19 brumaire n'avaient été respectées. Quand on demandait aux gens en quoi la nouvelle Constitution différait de la précédente, la réponse était toujours la même : « Il y a Bonaparte[142] ! » Le reste était accessoire, et provisoire.

En 1958, la procédure fut respectée de bout en bout, même si les choses furent rondement menées : l'avant-projet fut soumis à un Conseil des ministres d'Etat présidé par de Gaulle dès le 14 juillet, puis présenté au Comité consultatif (26 parlementaires et 13 personnalités extérieures) qui rendit son avis à la mi-août. Le texte, dont le gouvernement supprima la plupart des amendements introduits par le Comité consultatif, fut envoyé pour avis au Conseil d'Etat avant de venir finalement devant le Conseil des ministres qui, l'ayant approuvé le 4 septembre, décida que le référendum se tiendrait le 29. Moins de trois mois avaient suffi[143].

Si l'on s'en tient aux aspects formels de la procédure, c'est bien à l'épisode de 1799 que s'apparente la procédure constitutionnelle de 1958, beaucoup plus qu'à celles qui présidèrent aux changements introduits en 1802 (Consulat à vie), 1804 (Empire héréditaire) et 1815 (une sorte d'ébauche d'Empire « libéral » où Napoléon de retour de l'île d'Elbe partageait le pouvoir avec la représentation nationale), ou à celle qui fut utilisée au moment de l'adoption de la Constitution du 14 janvier 1852 qui mit fin à l'existence de la IIe République et préluda au rétablissement de l'Empire[144].

Parenté ou non avec les événements de 1799, le résultat ne fut pas si différent : les parlementaires tenus à l'écart de la création des nouvelles institutions, des assemblées durablement affaiblies, politiquement et constitutionnellement, le gouvernement investi du pouvoir de concevoir et de conduire la politique intérieure et internationale. François Mitterrand ne s'y était pas trompé, disant à son ami Roland Dumas après le vote des pleins pouvoirs : « On va en prendre pour dix ans. Il va falloir s'occuper. On lira de la belle poésie, on écoutera de la belle musique. En un mot, on va vivre[145] ! »

★

Les sept mois qui suivirent l'investiture du général de Gaulle furent décisifs. Nominalement président du Conseil et non chef de l'Etat, il imposa sa conception du pouvoir exécutif et sa manière de gouverner :

> Dans la sphère de l'Exécutif, c'est donc le Président qui doit être le premier à la fois en titre et en réalité ; il est celui qui règne et qui gouverne, celui qui connaît et celui qui décide. C'est une véritable *restauration* du statut du Président tel que celui-ci avait été conçu autour des années 1860-1870 [...] comme substitut du monarque royal et comme arbitre national [...]. Alors que dans la tradition républicaine, la seule manière de doter l'Exécutif d'un pouvoir fort était d'accepter de le remettre en jeu en permanence devant l'Assemblée, [...] avec de Gaulle, c'est le contraire. Un pouvoir devient déterminant et structurant dans la mesure où il se trouve libre et indépendant vis-à-vis des assemblées. Ainsi, avec de Gaulle, la notion de « pouvoir » se détache de plus en plus du sens original attaché au mot « exécutif » ; elle n'est plus synonyme de servitude et elle s'émancipe du rôle subalterne dans lequel on enfermait le pouvoir gouvernemental (avoir à surveiller et à assurer l'exécution des lois). Elle est à nouveau habitée par une pensée substantielle et positive : le pouvoir exécutif n'existe pas comme une concession ou comme une extension de la souveraineté du Parlement ; il existe en tant que tel et selon son propre régime de nécessité[146].

C'était, par rapport aux institutions de la IVe République, un mouvement copernicien comparable à celui que l'avènement du Consulat avait fait subir aux institutions du Directoire, et du même ordre. Jusqu'en 1799, les décisions étaient prises à tous les échelons à l'issue d'une délibération collective imposée par le principe de la souveraineté populaire et dont on espérait un résultat plus juste, plus éclairé et reposant sur un consensus plus large que si l'arrêt était tombé d'en haut sans concertation. L'exécution apparaissait comme une question secondaire que l'on abandonnait à des magistrats étroitement surveillés et responsables devant la représentation nationale, laquelle occupait le premier rang dans les institutions parce qu'elle était censée émaner directement du peuple. L'arrivée de Bonaparte au pouvoir avait bouleversé ce système. Loin de séparer législation et exécution, la nouvelle Constitution les réunit dans les mêmes mains, celles du gouvernement et de son chef. Non seulement l'exécutif se voyait autorisé à intervenir dans la formation des lois, mais il en possédait même l'initiative, puisqu'on considérait désormais qu'étant chargé de les appliquer, nul ne pouvait mieux connaître que lui les intérêts et les besoins du pays. De Gaulle fera subir la même révolution au régime parlementaire en 1958.

J'ai étudié ailleurs les méthodes de gouvernement du Premier consul : sa prodigieuse capacité de travail et son étonnante faculté de concentration, sa mémoire exceptionnelle, l'égale attention accordée aux grandes comme aux petites choses, le contrôle de l'exécution des décisions prises et la vérification de la comptabilité – de préférence la nuit, pendant les heures d'insomnie –, l'application à s'instruire et à s'informer afin de bien maîtriser les dossiers, la préférence accordée aux spécialistes des questions concernées et la difficulté à se faire aux nouvelles têtes, les petites manies de cet homme d'habitudes qui aimait retrouver les dossiers toujours à la même place, la prédilection pour le Conseil d'Etat qui fut son vrai parlement, peut-être parce qu'il en avait choisi les membres et qu'il savait y trouver des techniciens du droit plutôt que des orateurs et des hommes de parti, les ministres ravalés pour la plupart au rang de commis, la stricte séparation entre délibération – encore qu'il ne s'agît pas d'une vraie délibération, mais plutôt de séances d'information – et la décision qui n'appartenait qu'à lui. Du reste, les ministres n'étaient jamais informés séance tenante des décisions prises, mais toujours plus tard, par l'intermédiaire du secrétaire d'Etat Maret[147]. On pourrait décrire à peu près dans les mêmes termes la manière dont de Gaulle gouvernait. Il y a, dans les souvenirs de Pierre-Louis Blanc, des pages que l'on dirait avoir été écrites à propos de Napoléon : sur le soin que mettait le Général à s'informer et le monopole qu'il exerçait ensuite sur la décision, sur la maîtrise du travail gouvernemental, sur son impressionnante faculté de concentration, sur l'aptitude qui était la sienne à toujours extraire l'essentiel d'un dossier ou d'une discussion :

> La supériorité de son esprit, écrit Blanc, lui permettait d'exercer sur les membres du gouvernement un ascendant intellectuel qui n'a jamais fléchi. [...] Il les dominait jusqu'à la fascination. Tout simplement parce qu'il leur était supérieur, par sa compréhension des problèmes, aussi techniques fussent-ils, par sa capacité de diriger des discussions et par sa puissance de synthèse. [...] Il dominait la question, savait ce qu'il voulait, s'y engageait résolument. De l'analyse à la synthèse, la démarche de son esprit procédait sans à-coups. [...] En peu de phrases, il ramenait les questions à l'essentiel, [...] puis il tranchait[148].

A cela il faudrait ajouter l'art de juger les hommes et de choisir ses collaborateurs : le ministre des Finances Gaudin, Berthier, Decrès, Chaptal, Cretet, Cambacérès, Mollien, Clarke et Portalis dans un cas ; Pompidou, Michel Debré, Couve de Murville, Giscard d'Estaing, Malraux, Peyrefitte, Edgar Faure, Louis Joxe dans l'autre. Existait-il, dans les deux cas, une concentration de talents aussi exceptionnelle qu'inexplicable ? On ne voit pas quelle en serait la raison. L'explication tient plutôt à l'existence d'un chef dont l'autorité et le charisme attiraient les talents et dont le jugement savait les discerner. C'était l'une de ces périodes où se répand l'idée qu'enfin, après des années de paralysie et d'impuissance, le moment est venu d'engager des réformes avec de bonnes chances d'aboutir grâce à l'existence d'un gouvernement « capable, ô merveille ! de concevoir, de prévoir et d'agir[149] ». Ainsi, Gaudin, le ministre des Finances de Napoléon, dira dans ses Mémoires qu'après avoir plusieurs fois refusé sous le Directoire, trop instable et peu digne de confiance, d'exercer cette responsabilité, il avait senti qu'avec l'avènement de Bonaparte une ère de stabilité politique s'ouvrait qui permettrait de prendre enfin les mesures que les turbulences passées avaient conduit à toujours différer[150]. Tant Napoléon que de Gaulle surent non seulement s'entourer des meilleurs, mais ils surent tirer d'eux le meilleur en leur laissant une large liberté d'action tout en les tenant en lisière. Portés par la conviction de servir la patrie et par l'admiration qu'ils portaient à leur chef, ils se transcendaient. Après la disparition du Général, Michel Debré, qui avait joué un rôle considérable au moment de la naissance de la Ve République, redevint sous Pompidou un homme politique assez ordinaire. De Gaulle l'avait pour ainsi dire élevé au-dessus de lui-même.

Jamais on ne vit tant de réformes menées à bien en si peu de temps. Le Consulat est entré en fonctions le 11 novembre 1799 : l'administration fiscale est créée le 24 novembre, la Caisse d'amortissement le 27, la Banque de France le 13 février 1800, le système préfectoral le 17, la préfecture de police de Paris le 8 mars, les maires d'arrondissement le 9, la nouvelle organisation judiciaire le 18... Il est vrai que le contexte était favorable : le 18 Brumaire avait laissé les différents partis si désorientés que, l'eussent-ils voulu, ils n'auraient pu s'opposer efficacement à la politique gouvernementale, tandis que la mise au pas des assemblées – s'ajoutant à leur marginalisation constitutionnelle – levait l'un des principaux obstacles à la célérité des réformes. Dans ses *Mémoires*, Gaudin feint de s'étonner de la facilité avec laquelle une réforme aussi fondamentale et complexe que celle de l'administration des impôts put être réalisée en quelques semaines seulement :

> Les opérations [...] furent singulièrement facilitées par l'existence de deux commissions législatives qui remplacèrent temporairement, et jusqu'à la promulgation de la nouvelle Constitution, les deux conseils que la journée du 18 brumaire avait détruits.

> Je concertais, avec une section de chacune de ces commissions, les dispositions qui exigeaient une autorisation légale. La loi était de suite rédigée, et du jour au lendemain elle était rendue. Les instructions nécessaires pour son exécution étaient préparées dans l'intervalle ; de sorte qu'elles arrivaient, en même temps que la loi même, dans les départements. Cette espèce de *dictature en finances* prévint alors de grands malheurs. [...] Ainsi, d'un côté une partie des dispositions *extraordinaires* que réclamait la situation périlleuse du Trésor public, et de l'autre *les bases fondamentales du système des finances*, furent décrétées en vingt jours[151].

Cinq mois après l'accession au pouvoir de Bonaparte, les contours de la France consulaire commençaient à se dessiner. C'est le laps de temps qu'il fallut à de Gaulle, dernier président du Conseil de la IVe République, pour jeter les bases de la France de la Ve. De juin à décembre 1958, lui aussi délivré de l'opposition et du contrôle des assemblées, muni des pleins pouvoirs, il recourut aux ordonnances : 335 en deux cent quatre-vingt-dix jours[152] ! Elles touchaient à toutes les questions, grandes et petites, de la réforme du système judiciaire et de celle de la recherche médicale au prix des films de court-métrage et au raccordement obligatoire des immeubles au réseau des égouts. Comme sous le Consulat où les réformes virent aboutir des projets élaborés sous le Directoire, parfois même plus tôt – ce sera le cas du Code civil –, il s'agissait souvent en 1958 de réformes conçues bien avant le retour du Général. Tout le mérite des deux régimes est là : avoir eu l'autorité et la légitimité nécessaires pour réaliser ce que leurs prédécesseurs pouvaient bien avoir conçu, mais qu'ils étaient trop faibles pour faire aboutir. Robert Debré dira, parlant de la réforme de la médecine hospitalière : « En 1958, les projets de réforme étaient prêts ; ils avaient été acceptés par les ministres concernés et ils devaient être soumis au vote du Parlement. Or nous savions qu'ils n'avaient aucune chance d'être adoptés ; ils heurtaient trop les traditions et, insensible aux clivages politiques, le lobby des médecins conservateurs faisait barrage[153]. » L'arrivée de De Gaulle à Matignon et la procédure des ordonnances bouleversèrent la donne. Le Général n'exagère pas lorsqu'il écrit dans ses Mémoires :

> Mon retour donne l'impression que l'ordre normal est rétabli. Du coup, se dissipent les nuages de tempête qui couvraient l'horizon national. Puisque, à la barre du navire de l'Etat, il y a maintenant le capitaine, chacun sent que les durs problèmes, toujours posés, jamais résolus, auxquels est confrontée la nation, pourront être à la fin tranchés. Même, le caractère quelque peu mythique dont on décore mon personnage contribue à répandre l'idée que des obstacles, pour tous autres infranchissables, vont s'aplanir devant moi[154].

Du gaullisme, René Rémond a montré qu'il était à la fois, mais avec des caractères propres, un nationalisme et un bonapartisme. Un nationalisme – mais étranger au « nationalisme intégral » de l'Action française – qui « ne répudie aucun chapitre de l'histoire française », « accepte en bloc tout le passé de la France, en recueille l'héritage sans en faire l'inventaire préalable » ; « nationalisme de rassemblement », disait encore l'historien[155], qui devait autant à Michelet qu'à Barrès et dont un autre spécialiste du gaullisme, Jean Charlot, estimait qu'il avait « purifié » les idées nationalistes[156]. Bonapartiste, le gaullisme le fut moins par doctrine – l'existence d'une doctrine bonapartiste est en grande partie un mythe – qu'en raison de son histoire. Leur parenté transparaît dans certaines aspirations : celle, par exemple, au dépassement du clivage gauche-droite qui structure la vie politique française depuis 1789, dans l'hostilité envers les « partis » ou les « factions » et le choix d'un exécutif fort, dans ce que René Rémond appelle leur « réformisme autoritaire », dans l'idée que la légitimité procède plus d'un lien direct entre le chef et son peuple que d'un quelconque dispositif juridique, celui-ci ne faisant que confirmer celui-là, dans le recours au plébiscite comme moyen de retremper l'autorité du chef. Il existe d'autres convergences encore :

> Passion de la grandeur nationale tenue pour un absolu, attachement à l'unité nationale, garanties l'une et l'autre par l'autorité

d'un Etat fort, souveraineté du peuple s'exerçant par des formes de démocratie directe, seules ou en partage avec l'intervention d'assemblées procédant aussi du suffrage universel : ces éléments résument l'essence de la philosophie politique du gaullisme [...]. Ils se trouvaient déjà tous assemblés dans le bonapartisme[157].

Tout comme le gaullisme a « purifié » le nationalisme des années 1900, il a « révolutionné » le bonapartisme en l'arrachant à ses liens tardifs avec la droite (après 1850) pour lui rendre en quelque sorte la fraîcheur de ses origines : la volonté de n'être que national, comme disait Bonaparte devant le Conseil d'Etat en 1800, « ni bonnet rouge, ni talon rouge ».

⋆

La comparaison finit là, si l'on compare, non plus 1800 et 1958, mais 1804 et 1965.

Dès 1800-1801, en tout cas après Marengo, Bonaparte a en vue le rétablissement de la monarchie à son profit. Le Consulat à vie ne sera qu'une étape et, sur ce point, personne ne se faisait d'illusions en 1802. On savait que ce palier ne serait pas le dernier dans une ascension qui ne finirait qu'au moment où il aurait placé la couronne sur sa tête. Pour nuancer ce qui précède et ne pas tomber dans le travers du procès instruit contre l'ambition effrénée de Napoléon, il faut rappeler que les Constitutions de 1799 et 1802 se résumaient à un bricolage qui ne pouvait s'inscrire dans la durée. Sieyès avait obtenu en 1799 que l'on supprimât les élections, tout en conservant le principe du suffrage universel ! Il avait multiplié les assemblées en leur ôtant à peu près toute influence réelle sur la formation des lois. Quant à l'exécutif, chacun savait que Bonaparte ne s'accommoderait pas longtemps de ses deux collègues – Cambacérès et Lebrun – qu'on n'avait mis là que pour préserver la fiction d'un exécutif collégial chère aux républicains. On pensait ainsi écarter le soupçon d'un retour sournois à la royauté incarnée dans ce Premier consul investi de pouvoirs considérables, nommé pour dix ans et indéfiniment rééligible. Le passage du Consulat décennal au Consulat à vie en 1802 devait apparaître comme une transition vers l'hérédité. Du reste, n'avait-on pas accordé au Premier consul le droit de désigner son successeur ? C'était déjà un roi, sans le titre, auquel on consentait de surcroît cette prérogative royale par excellence qu'est le droit de grâce. La Révolution l'avait supprimé, le sénatus-consulte de 1802 le rétablit.

Cependant, ce n'est pas le rétablissement de la monarchie, d'abord sous la forme du Consulat viager, ensuite sous celle d'un Empire héréditaire, qui marque une césure dans l'histoire napoléonienne. Le retour à la monarchie n'est pas une contre-révolution. Bonaparte couronne les principes de la Révolution. Il régnera au nom du peuple souverain et garantira les biens nationaux. Il réussit le mariage de la société moderne et de la royauté dont la majorité des constituants, Mirabeau et La Fayette en tête, avaient rêvé. C'est hors des frontières que son histoire prend un nouveau cours, non pas en 1812 comme le supposait de Gaulle, ni même en 1808, comme il le suggérait aussi, mais dès 1805. Ce tournant fait débat. Or, un épisode en apparence marginal l'illustre : non pas un événement massif comme la guerre d'Espagne, mais l'annexion de la république de Gênes. J'ai évoqué plus haut cette rupture. Tout comme la Révolution française avait, selon le mot de Michelet, « franchi son rivage » en déclarant la guerre à l'Autriche en 1792[158], l'histoire de Napoléon « franchit son rivage » en Italie dès 1805[159].

⋆

1805 d'un côté ; 1965 de l'autre : la première échéance présidentielle de la Ve République où ce qui devait être un nouveau plébiscite, dans la pure tradition gaullienne, finit par un ballottage de Gaulle-Mitterrand et une victoire finale du premier par 54,5 % des suffrages exprimés : dans le contexte de l'époque, c'était loin d'être un triomphe. De Gaulle avait pourtant cru à ce scénario, le seul qu'il eût envisagé. L'élection étant prévue le 5 décembre, il ne s'était déclaré qu'un mois plus tôt, laissant courir les rumeurs sur un retrait et une candidature Pompidou. C'est à peine s'il avait fait campagne, montrant par là qu'il ne concevait pas l'idée de se prêter à une compétition. Le sens de son allocution, le 4 novembre, était clair : « Que l'adhésion franche et massive des citoyens m'engage à rester en fonctions, l'avenir de la République nouvelle sera décidément assuré[160]. » C'était bien un plébiscite qu'il envisageait. Pas question de se prêter à « la politique des boules puantes », de quitter « les hauteurs » et de descendre dans « la boue » pour affronter « l'arsouille » (Mitterrand) ou, comme il le dira quelques jours plus tard, d'aller à la télévision dire « Je m'appelle Charles de Gaulle » ou « parler aux Français en pyjama[161] ». Le résultat du premier tour – 43,7 % des suffrages contre 32,3 % à son principal concurrent – ravirait aujourd'hui n'importe quel candidat : pour de Gaulle, ce fut une humiliation qui le laissa terriblement abattu[162]. Il lui fallut, entre les deux tours, descendre dans l'arène à son corps défendant. Il le fit dans la forme la plus digne pour lui, en acceptant d'être interviewé à la télévision par Michel Droit, puis en « sollicitant » les suffrages des Français, ce qui, assurément, le faisait déchoir à ses propres yeux. Deux jours avant le second tour, il se fit violence :

> Me voici, tel que je suis. Je ne dis pas que je sois parfait et que je n'aie pas mon âge. Je ne prétends nullement tout savoir, ni tout pouvoir. Je sais, mieux que qui que ce soit, qu'il faudra que j'aie des successeurs et que la nation les choisisse pour qu'ils suivent la même ligne. Mais, avec le peuple français, il m'a été donné, par l'Histoire, de réussir certaines entreprises. Avec le peuple français, je suis actuellement à l'œuvre pour nous assurer le progrès, l'indépendance et la paix […]. Françaises, Français ! Voilà pourquoi je suis prêt à assumer de nouveau la charge la plus élevée, c'est-à-dire le plus grand devoir[163].

« L'élection », comme il l'appelait en y mettant des guillemets[164], lui laissa un goût amer. « Ainsi, l'homme du 18 Juin descend de son piédestal, écrit Arnaud Teyssier […]. Mis en ballottage comme un vulgaire politicien, de Gaulle a dû lutter pour sa réélection. Il en restera atteint, partagé plus que jamais entre une volonté inébranlable et des moments de lassitude et de découragement. […] Certes, le père fondateur est descendu parmi les hommes. Mais en s'exposant aux feux directs du jeu politique, en obtenant la réinvestiture du suffrage universel [...], n'a-t-il pas démontré la viabilité du régime qu'il a installé ? Certes, de Gaulle se trouve quelque peu banalisé, mais le régime est entré avec lui dans les mœurs[165] » : la fin du gaullisme – comme principe d'incarnation de la nation dans un homme – a fondé la Ve République comme régime politique.

A l'inverse, le régime napoléonien – celui de l'oncle, pas celui du neveu qui, sur la fin, suivait une route analogue à celle de la Ve République – ne s'est jamais institutionnalisé, et ne le pouvait pas : Napoléon Bonaparte ne pouvait tenir dans aucun carcan constitutionnel. Il excédait, par sa personnalité, par son génie, et devait à tout jamais excéder les limites dont on pouvait tenter d'entourer son pouvoir. Le régime qu'il avait fondé ne pouvait lui survivre. En 1812, au moment où, à Paris, on le crut mort en Russie, personne ne se souvint qu'il avait un héritier, le roi de Rome, lequel, selon la Constitution, devait lui succéder ; en 1815, au moment d'abdiquer pour la seconde fois, Napoléon lui-même commença par oublier de mentionner sur l'acte les droits de son fils, et il fallut que l'un de ses frères le lui rappelât. Quelques mois plus tôt, revenant de l'île d'Elbe, il avait seulement feint de vouloir devenir monarque constitutionnel. Ce déclassement n'était conforme ni à son caractère ni à son histoire. Une contrainte du même ordre pesa sur de Gaulle en 1965, mais lui accepta de descendre – ou plutôt s'y résigna – « du plan de la mystique à celui de la politique ».

La gauche s'en félicita, et aussi, probablement, une bonne partie de la droite à qui le général de Gaulle commençait à peser. Peu après le scrutin, Roger-Gérard Schwartzenberg publia une étude sur l'élection de 1965, pour expliquer combien elle avait, l'air de rien, changé l'esprit des institutions. Il y voyait justement, pour celles-ci, la chance de survivre à leur fondateur : « Le chef de l'Etat a dû se comporter en candidat, observait-il. Ses adversaires ont dû se conduire en hommes d'Etat. Le pouvoir du premier a été désacralisé [...]. L'image institutionnelle des seconds a gagné en intensité [...]. Les candidats d'opposition se sont élevés au-dessus des forces politiques qui les soutenaient. Ils ont été leurs leaders, plutôt que leurs mandataires. D'autre part, en sens inverse, le chef de l'Etat a dû se réinsérer dans un univers partisan, faire référence à une équipe et à une majorité. Au second tour, son investiture n'a pas été individuelle. Les deux évolutions se rejoignent : un terme a été mis aux excès de la partisation comme à ceux de la personnalisation. Un équilibre harmonieux s'ébauche, caractérisé par l'état de partisation et de personnalisation "relatives"[166]. » Un demi-siècle plus tard, la prédiction, après avoir été dans un premier temps vérifiée par les événements, semble fausse. La Ve République a mal supporté l'épreuve de trois cohabitations (1986-1988, 1993-1995, 1997-2002). De Gaulle ne se voyait pas appeler Mitterrand à Matignon, et certainement il se fût démis s'il avait perdu les législatives de 1967. Ses successeurs, François Mitterrand et Jacques Chirac, ont respecté la lettre plutôt que l'esprit des institutions. Le quinquennat, destiné à éviter les cohabitations, avec, pour résultat, de priver en grande partie le président de l'arme de la dissolution[167], a porté un nouveau coup au régime, avant que la généralisation, en 2016, du système des primaires ne lui donne le coup de grâce : la « partisation » – pardon pour le jargon – revient en force puisque, choisis par leurs partisans, les candidats redeviennent les « mandataires » de partis de moins en moins représentatifs de l'opinion publique. Cette fois, c'en est bien fini des institutions d'une République qui se survivra sans doute à elle-même par le nom et l'apparence, mais sans le contenu.

L'héritage du gaullisme ne réside pas seulement dans les institutions : le Général a rendu aux Français l'estime d'eux-mêmes, il a permis d'en finir, certes non sans tragédie, avec le colonialisme, il a réussi à faire entendre la voix de la France dans un monde dominé par les deux Grands en la dotant des moyens militaires d'une existence indépendante, il lui a donné – mais c'est de moins en moins vrai – son indépendance énergétique, a protégé ses agriculteurs, encouragé son industrie et mis à la construction européenne des limites qu'il croyait infranchissables. Le monde a bien changé depuis. La France, qui, portée par la croissance des Trente Glorieuses, tenait plutôt bien le rang qu'il avait réussi à lui rendre, s'est trouvée mal armée lorsque le temps des difficultés est venu, à partir de 1973. On ne peut nier que le discours gaulliste de la grandeur n'a pas préparé les Français à relever les défis de la transformation économique, de l'ouverture du monde, du passage d'un système bipolaire rassurant à un « système » multipolaire anarchique. La rhétorique de la grandeur leur a un peu trop inculqué « l'art de se surestimer[168] ». Le gaullisme a conforté, aussi, le penchant très français pour l'économie administrée (le Plan et ses énarques) et la religion de l'Etat protecteur. Il a contribué même, par son éclat, à l'aggravation de la crise politique dans laquelle nous vivons depuis une trentaine d'années. Les institutions fondées par de Gaulle, pour de Gaulle, n'y sont pas pour rien. Si elles accordent de larges pouvoirs au président, elles exigent en retour beaucoup d'efforts et d'abnégation. Ses successeurs ont plus ou moins bien endossé un costume beaucoup trop grand pour eux : bien avec Pompidou, plutôt bien avec Giscard et Mitterrand, de pis en pis avec ceux qui les ont suivis. De ce point de vue, la Ve République rappelle la monarchie selon Louis XIV, que les malheureux successeurs du Roi-Soleil n'ont jamais réussi à incarner. Tout comme les « parlements » d'Ancien Régime que Louis XIV avait domptés étaient revenus en force, plus frondeurs que jamais, sous Louis XV et sous Louis XVI, les partis que de Gaulle avait brisés ont pris leur revanche depuis la fin des années 1980, jusqu'à miner les institutions en les détournant à leur profit.

Assurément, l'héritage ne durera pas aussi longtemps que celui de Napoléon. Lui n'avait pas laissé d'institutions politiques. La quête du régime politique adéquat, interrompue par l'intermède impérial, avait repris dès 1814. Mais il avait donné à la France un Code civil qui refaçonna la société pour plus d'un siècle, et une constitution administrative dont Tocqueville disait qu'elle expliquait pourquoi la France, travaillée par une instabilité politique quasi permanente, avait pu, grâce à ses préfets et ses fonctionnaires, traverser sans trop de dommages tant de révolutions et de crises : « Depuis 89 la constitution administrative est toujours restée debout au milieu des ruines des constitutions politiques[169]. » Elle produit son œuvre, ajoutait-il, indépendamment des circonstances et même de la valeur de ceux qui en assurent le fonctionnement. Décentralisation et régionalisation ont remis en cause cette « masse de granit » établie par Bonaparte, et le Code civil ne pouvait survivre aux mutations de la société et des mentalités.

Mais l'héritage n'est pas seulement matériel et, dans le domaine de l'immatériel, Napoléon sera toujours vainqueur. Sur ce plan – et c'est la raison pour laquelle il ne cesse et ne cessera de fasciner – il a laissé dans le monde moins une œuvre qu'une idée : la foi dans l'énergie créatrice, l'idée que, pour reprendre une formule de Tocqueville, « dans ses vastes limites l'homme est libre[170] ». Sa postérité a bien sûr été politique : sans même parler de Napoléon III, comment imaginer Bolívar, Garibaldi ou Bismarck sans Napoléon ? Il a donné le tempo du siècle. Il l'a disposé aux grandes entreprises. « On ne peut nier de quel coup de marteau la destinée de Napoléon avait fêlé les crânes de son temps, dira un Zola chagrin. [...] Toutes les ambitions s'enflaient, les entreprises tournaient au gigantesque, on ne rêvait que de royauté universelle[171]. » Sa postérité n'a pas été moins littéraire et artistique que politique. Et pour cause : si vouloir *faire* comme Napoléon ne peut être que l'idée d'un fou, s'efforcer d'*être* comme Napoléon est, au fond, le point de départ de toute création[172]. Balzac, « notre Napoléon littéraire » (Paul Bourget), ne s'était-il pas donné pour but d'« achever par la plume ce que [l'Empereur avait] commencé par l'épée » ? Ne disait-il pas aussi de sa volonté qu'elle passait « pour sœur de celle de Napoléon[173] » ? De Beethoven à Berlioz et de Stendhal à Victor Hugo, on ne compte plus les artistes qui ont, comme le compositeur de la symphonie « Héroïque », senti au fond d'eux-mêmes « se projeter la lumière de son génie[174] » et entrepris, comme lui, de réinventer le monde.

⋆

Depuis le *Testament politique* de Richelieu, les *Mémoires* de Louis XIV et les *Rêveries* du maréchal de Saxe, le mariage de la politique, de la guerre et de la littérature a en France une longue histoire. Hommes d'Etat et maîtres de guerre écrivent. Beaucoup ont laissé un nom dans l'histoire littéraire, surtout au XIXe siècle, mais encore au XXe. A Guizot et Thiers succédèrent alors Lyautey, Jaurès et Clemenceau. On n'en dressera pas la liste, elle serait trop longue. Elle n'est d'ailleurs pas close, même si l'exercice n'est plus ce qu'il était. Nos écrivains politiques et militaires se préoccupaient avant tout de laisser dans l'Histoire une trace plus durable que celle dont ils avaient marqué des circonstances qui, fatalement, s'effaceraient un jour des mémoires. Ils s'efforçaient par l'écriture de conjurer l'oubli et même de peser sur l'avenir. L'ambition est aujourd'hui bien différente. Louis XIV, Napoléon et de Gaulle ayant pour ainsi dire imposé le modèle de l'homme d'Etat-écrivain, ce sont maintenant les aspirants au rôle d'homme d'Etat qui se croient obligés de publier un livre non pour laisser à la postérité le souvenir de leur histoire, mais plus modestement pour entrer dans la carrière en creusant leur sillon dans les médias. Il serait si simple de ne pas écrire, ou surtout de ne pas faire écrire. Les Français n'en tiendraient pas rigueur aux candidats dont on voit, à l'approche des élections, les œuvres éphémères aux devantures des librairies. Après tout, ce n'est pas en raison de leur improbable talent d'auteur qu'ils seront élus. Leurs prédécesseurs sont devenus écrivains par surcroît : l'œuvre a couronné leur gloire, elle ne l'a pas créée.

Napoléon et Charles de Gaulle sont tous deux entrés au panthéon littéraire de la Bibliothèque de la Pléiade, mais pas aux mêmes conditions[175]. Le Général s'y trouve en nom propre, l'Empereur sous la signature de l'auteur du *Mémorial de Sainte-Hélène.*

La même année – 1823 – où parut le livre de Las Cases furent mis en vente les *Mémoires de Napoléon*[176]. Cet ouvrage est si peu connu qu'on le confond souvent avec le *Mémorial.* L'ensemble des six volumes regroupe les dictées dont le proscrit avait relu et corrigé de sa main le manuscrit. L'Empereur songeait depuis longtemps à écrire, ou plutôt dicter, ses Mémoires. Il y avait fait allusion au moment des adieux de Fontainebleau : « Si j'ai consenti à me survivre, avait-il déclaré aux soldats de la Garde, c'est pour servir encore à votre gloire. Je veux écrire les grandes choses que nous avons faites ensemble. » Arrivé à l'île d'Elbe, il demanda que l'on réunît « tous ses bulletins de ses campagnes d'Italie pour faire l'histoire de sa vie militaire[177] ». Mais il oublia bientôt ce projet. Sa carrière politique n'était pas terminée. Ce triste chapitre de sa vie aurait une suite, il en était alors certain. L'idée revint après Waterloo. Il ignorait encore où il se rendrait, mais il savait que, cette fois, il n'y aurait plus de retour. Le temps de l'action révolu, le moment était venu de raconter son histoire. Il demanda et obtint de la Chambre des représentants d'emporter dans son exil – il n'était pas encore prisonnier des Anglais – les deux mille volumes de la bibliothèque de Trianon qui l'aideraient dans son travail de rédaction[178]. Il ne recevra ces caisses de livres que l'année suivante, mais dès l'embarquement sur le *Northumberland* il commença à ressasser son passé auprès de ses compagnons d'infortune. Que Las Cases lui eût suggéré de commencer sans plus tarder à dicter ses Mémoires ou qu'il en eût lui-même pris l'initiative, peu importe, le navire était encore loin de Sainte-Hélène que Napoléon commençait à dicter ses Mémoires. C'était aussi le moyen de remplir les mornes journées de traversée et, ensuite, les longs mois de captivité sur ce caillou battu par les vents et la pluie. « Le travail est la faux du temps[179] », déclarait-il.

S'il préférait la dictée, c'est que sa pensée, disait-il, courait plus vite que sa plume. Il écrivait si mal que lui-même n'arrivait pas toujours à se relire. Il faisait des fautes d'orthographe et il lui arrivait d'employer un mot pour un autre. Ses détracteurs se sont fait un devoir de rappeler qu'il disait « îles Philippiques pour Philippines ; section pour session ; point fulminant pour point culminant, rentes voyagères pour rentes viagères ; armistice pour amnistie, etc. », ou qu'il lui était arrivé d'écrire « Océan pour Ossian et *Ducecling* pour Thucydide[180] ». Maîtrisait-il si mal le langage ? L'énigme ne sera jamais éclaircie. Le dramaturge Arnault, qui fut de ses familiers, assure qu'il lisait fort mal[181], mais tous ne sont pas du même avis :

> Quand il parlait lui-même [à ses soldats], et cela arrivait fréquemment, il portait alors à son comble l'enthousiasme des troupes. Il leur apparaissait comme un héros de l'Antiquité, comme un personnage presque surnaturel, grand de cent coudées, malgré sa petite taille. Il semblait à mes deux grands-pères, quand l'Empereur prenait la parole au milieu des compagnies, voir la tête de Napoléon nimbée d'une coloration pareille aux auréoles[182].

Mais était-ce là l'effet de son verbe, ou de ses exploits ? On sait quelle épreuve c'était que d'écrire sous la dictée de Napoléon :

> Sa première dictée était l'expression de ses souvenirs sans réflexion, sans classement ; et il fallait bien se garder de lui en faire remarquer le désordre ou l'incohérence, car cela produisait sur l'élan de sa pensée l'effet instantané du temps d'arrêt d'une montre dont on brise le grand ressort. Il fallait à tout prix écrire aussi vite qu'il parlait, et ne jamais lui faire répéter même la dernière parole prononcée. Souvent, plusieurs heures de suite s'écoulaient sans qu'il cessât de dicter ainsi les souvenirs de ses guerres ou des événements dominants de son règne. La mise au net de sa première dictée lui servait de note pour la deuxième dictée, et cette deuxième dictée, recopiée, devenait la minute de son travail personnel[183].

Trois, quatre fois, parfois plus, il remettait l'ouvrage sur le métier[184]. Il ajoutait quelquefois la lecture à la dictée, Montholon couchant sur le papier les commentaires de Napoléon sur les documents lus par Gourgaud. Il y avait les dictées du jour et celles de la nuit. Lorsqu'il s'éveillait, plusieurs fois par nuit, il faisait appeler Las Cases ou Gourgaud[185]. C'est ainsi qu'en sus de ses Mémoires, il dicta à son valet de chambre un *Précis des guerres de César* ou qu'il annota les *Mémoires* de Fleury de Chaboulon sur les Cent-Jours. On a parfois douté de l'authenticité de ces textes en faisant observer que le copiste avait nécessairement influencé le résultat final. Dans l'impossibilité où ce dernier se trouvait de noter exactement les propos de l'Empereur, chacun se faisait un système pour attraper au vol des bouts de phrases, des mots, des abréviations qui lui permettaient ensuite de retrouver sinon toujours la lettre, du moins l'esprit de l'envolée impériale. La qualité de la reconstitution devait beaucoup au talent du scribe. Mais Napoléon retravaillait ensuite le manuscrit, il raturait, complétait, annotait. Le plus étonnant, qui épaissit le mystère, c'est que ses interventions ne concernaient pas seulement le contenu, mais la forme de la transcription. Il veillait à trouver le mot juste, se montrait attentif aux tournures défectueuses, comme il l'avait toujours été, reprenant ses ministres sur l'emploi d'une expression ou sur le ton d'une lettre[186]. Sa prose était truffée de fautes d'orthographe, mais la syntaxe et le style en étaient parfaits. « Et l'on a dit que je ne savais pas écrire ! » s'exclamera-t-il.

★

Napoléon n'acheva pas ses *Mémoires*. Dès 1816 les dictées s'espacèrent, puis cessèrent tout à fait. Les progrès du mal dont il souffrait le détournaient du travail. Il laissa entre le début du Consulat et le séjour à l'île d'Elbe, entre 1800 et 1814, un trou béant. Pas un mot sur les années de gloire. Le caractère inachevé de l'ouvrage n'est pas la seule explication. Ces *Mémoires* se voulaient d'Etat. Ils devaient relater les hauts faits du général et de l'empereur, analyser les circonstances dans lesquelles il s'était trouvé aux diverses époques de sa vie ; l'histoire de sa famille et de sa jeunesse, qu'il aimait tant évoquer, n'y avait pas sa place. On comprend pourquoi les *Mémoires* ne purent jamais rivaliser avec le *Mémorial*. Ils finirent même par tomber dans un oubli si complet qu'on ne les a réédités que récemment[187]. Ils ont eu, pourtant, de fervents admirateurs. Sainte-Beuve ne les tenait-il pas pour « l'un des monuments du génie français » ? Certaines pages sont certainement dignes de Tacite (que Napoléon appréciait si peu qu'en 1806 il publia dans le *Journal des débats* une longue réfutation de ses qualités d'historien[188]) : je pense à l'ouverture – citée plus haut[189] – du chapitre sur Brumaire, ou à l'admirable récit de la campagne d'Egypte.

La postérité n'a pas ratifié le jugement de Sainte-Beuve. On a dit le texte trop guindé, trop travaillé, trop inspiré par la volonté d'imiter les auteurs classiques, bref, privé des « éclats » et du « style fulgurant » des lettres et des proclamations[190]. Le monument est grandiose, mais froid. Il ne rend pas justice à l'âme passionnée de Napoléon. Si on ne connaissait ce dernier qu'à travers ces textes, on conclurait facilement avec Mme de Staël que son âme était comme un grand désert glacé qu'aucune émotion n'avait jamais traversé. Rien n'y témoigne du « plus puissant souffle de vie qui jamais anima l'argile humaine[191] » ou de cet état d'« illumination perpétuelle[192] » dont Goethe fut si frappé lorsqu'il le rencontra. Napoléon lui-même le sentait. Il rejetait la faute sur ses copistes, demandait qu'on envoie le manuscrit au poète Arnault qui le réviserait[193]. Bref, s'il renonça, c'est aussi que, cette fois, il n'avait pas su trouver le ton juste.

Le chef-d'œuvre de la captivité, ce ne sont donc pas les *Mémoires*, mais le *Mémorial de Sainte-Hélène* où Las Cases a recueilli les propos à bâtons rompus de Napoléon, relaté les menues péripéties de cette existence recluse et le combat de chaque instant contre Hudson Lowe. Gourgaud, Montholon, Bertrand, Marchand, les médecins Antommarchi et O'Meara ont eux aussi écrit des souvenirs ou tenu un journal[194]. Aucun ne souffre la comparaison avec le *Mémorial*. Il y a dans ce livre le mouvement de la vie. Jean-Paul Kauffmann ne s'y est pas trompé : la qualité du texte tient pour beaucoup à son caractère décousu, à ses sauts sans transition dans l'espace et dans le temps, à la labyrinthique exploration d'une vie si riche, si foisonnante, si incroyable qu'on ne peut la faire rentrer dans le carcan de la chronologie. C'est « une chasse au trésor », « un rébus que le vaincu essaie de résoudre par le jeu de la mémoire[195] ». Las Cases a laissé le désordre des souvenirs prendre possession de son œuvre[196]. Stendhal dira que le grand mérite de l'ancien chambellan de l'Empereur fut de ne point « mêler du Las Cases au Napoléon[197] ». Lorsque le livre parut en 1823, c'était la première fois qu'on recevait des nouvelles pour ainsi dire directes du prisonnier, si l'on excepte l'apocryphe *Manuscrit venu de Sainte-Hélène d'une manière inconnue* publié en 1817[198]. C'était une voix d'outre-tombe. Surtout, Las Cases a peint le Napoléon que l'époque était prête à accueillir : le général issu de la Révolution qui, après avoir conquis et perdu l'Europe, finissait sa carrière en champion des idées libérales[199]. C'est sous la plume de cet aristocrate rallié à l'Empereur sans avoir abdiqué son royalisme que naît le « Napoléon du peuple » cher à Balzac et que le public prend connaissance des souffrances de l'exil : le mythe est né du « petit caporal » devenu Prométhée enchaîné. Ni Gourgaud ni Bertrand, témoins peut-être plus *vrais*, mais autrement plus plats, ne pouvaient rivaliser. L'œuvre fut pour beaucoup l'Evangile du siècle. On songe à Julien Sorel « [regardant] tristement le ruisseau où était tombé son livre ; c'était celui de tous qu'il affectionnait le plus, le *Mémorial de Sainte-Hélène*[200] ». La créature a dévoré son créateur. Las Cases est devenu le nom d'un livre dont l'auteur est… Napoléon.

★

Jeune homme, Bonaparte avait été de la race des « noircisseurs de papier[201] », toujours écrivant, prenant des notes, esquissant nouvelles, contes et petits essais, projetant une *Histoire de la Corse* qu'il commença et n'acheva pas, participant aux concours académiques alors en vogue. Ces « fatras juvéniles[202] » remplissent deux forts volumes. On n'y trouve rien qu'on ne trouverait chez mille autres jeunes gens rêvant de devenir les Voltaire, les Rousseau ou les Bernardin de Saint-Pierre de demain. La muse de la littérature ne s'était pas penchée sur son berceau. Son style était celui du siècle finissant, mièvre, verbeux, diffus, emphatique, sentimental. C'était une époque où les larmes coulaient en abondance. Napoléon adolescent ne pouvait retenir les siennes lorsqu'il lisait *La Nouvelle Héloïse* ou *Paul et Virginie*. La Révolution le sauva. Il continua d'écrire, mais il avait désormais un but et, bientôt, un destin. S'il persévéra dans son projet d'*Histoire de la Corse*, ce n'était plus d'une manière désintéressée. Devenir l'historiographe de l'île était aussi le moyen, du moins l'espérait-il, de s'attirer les bonnes grâces de Paoli, le « père de la patrie » sans qui rien n'était possible sur place. Mais Napoléon dut bientôt se rendre à l'évidence, il n'y avait rien à faire, Paoli ne pouvait pas supporter ces Buonaparte dont le père l'avait trahi en se ralliant aux Français vingt ans plus tôt. C'est à peine s'il répondait lorsque Napoléon sollicitait ses conseils. La vocation d'écrivain du jeune Bonaparte s'envola donc avec l'espoir de devenir le « fils préféré » de Paoli. Il laissa son manuscrit inachevé et écrivit à Joseph qu'il renonçait à « la petite ambition d'être auteur[203] ».

Cette lettre est du 7 août 1792, trois jours avant la chute du trône. Il tournait le dos à ses ambitions littéraires au moment où la guerre lui ouvrait les bras et, avec elle, la gloire qu'il avait pensé trouver par la plume. Il écrivit encore quelques menus ouvrages : en 1793 une brochure – *Le Souper de Beaucaire* – pour démontrer l'orthodoxie de son jacobinisme ; en 1795 un petit récit – *Clisson et Eugénie* – inspiré par son idylle avec Désirée Clary[204]. Mais, s'il avait fait le deuil de ses ambitions juvéniles, il était loin d'en avoir fini avec la littérature. Celle-ci, on en trouve l'expression dans ces échappées qui, dans sa correspondance ou ses proclamations, illuminent le style devenu le sien à compter de la campagne d'Italie (1796) ; ce style épuré « où domine dans une forme brève la pensée et la volonté (*imperatoria brevitas*) et où l'imagination se fait jour par éclairs[205] ». L'inspiration littéraire est frappante dans ce billet adressé à Joséphine depuis le camp de Boulogne et dont Montherlant aimait le « sceau chateaubrianesque[206] » :

> Le vent ayant beaucoup fraîchi cette nuit, une de nos canonnières qui était en rade a chassé et s'est engagée sur des roches à une lieue de Boulogne ; j'ai cru tout perdu, corps et biens ; mais nous sommes parvenus à tout sauver. Ce spectacle était grand : des coups de canon d'alarme, le rivage couvert de feux, la mer en fureur et mugissante, toute la nuit dans l'anxiété de sauver ou de voir périr ces malheureux. L'âme était entre l'éternité, l'océan et la nuit[207].

La dernière phrase est belle. On y devine le lecteur d'Ossian, ce faux barde écossais du IIIe siècle inventé de toutes pièces par James Macpherson (1736-1796)[208]. Napoléon aimait tant Ossian qu'il n'hésitait pas à qualifier Homère de « radoteur » quand on osait le dire supérieur à son poète préféré, traînant partout avec lui un recueil aux pages fatiguées, couvertes d'annotations, tachées par ses doigts jaunis de priseur de tabac et d'où s'échappait encore, des années plus tard, un parfum de patchouli[209]. Ossian le conduisait par les landes brumeuses de l'Ecosse dans un pays peuplé de héros. C'est ce qu'il aimait tant chez le poète, comme, du reste, chez Corneille. Il retrouvait chez eux les modèles de cette vie héroïque à laquelle il aspirait et des héros dont la seule limite était le destin et son *fatum*. « Il faut que les héros meurent », disait-il volontiers quand on lui parlait de pièces de théâtre qui finissaient bien. Le poème qu'il affectionnait entre tous était *La Bataille de Témora*. En lisant ces chants, pas si médiocres qu'on le dit, on croit entrapercevoir l'âme de Napoléon : les hommes y sont grands, immenses même, dans un monde crépusculaire et sous un ciel vide[210]. Avec la musique à laquelle il était sensible, l'ossianisme témoigne de cette face cachée, si difficile à saisir, de l'astre napoléonien. Au poète il devait probablement « quelques-uns des caractères bien connus de son style : la sublimité et la brusquerie du ton, la grandeur des images, le tour à la fois abstrait et métaphorique. Dans sa conversation même, quand une grande idée s'emparait de son âme, il *ossianisait*[211] ». Sainte-Beuve assurait que c'est lui qui prêtait de son génie à Ossian, plutôt que l'inverse. Mais peu importe. Ossian s'accordait mieux que tout autre à cette poésie oratoire qui fait le fond de la correspondance de l'Empereur.

C'est encore l'orateur que l'on retrouve dans cette lettre d'amour écrite à Joséphine au moment où Bonaparte prenait le commandement de l'armée d'Italie :

> Je n'ai pas passé un jour sans t'écrire ; je n'ai pas passé une nuit sans te serrer entre mes bras ; je n'ai pas pris une tasse de thé sans maudire la gloire et l'ambition qui me tiennent éloigné de l'âme de ma vie. Au milieu des affaires, à la tête des troupes, en parcourant les camps, mon adorable Joséphine est seule dans mon cœur, occupe mon esprit, absorbe ma pensée. Si je m'éloigne de toi avec la vitesse du torrent du Rhône, c'est pour te revoir plus vite. Si, au milieu de la nuit, je me lève pour travailler encore, c'est que cela peut avancer de quelques

jours l'arrivée de ma douce amie. [...] Joséphine ! Joséphine ! Souviens-toi de ce que je t'ai dit quelquefois : la nature m'a fait l'âme forte et décidée ; elle t'a bâtie de dentelle et de gaze[212].

On citerait sans peine des dizaines d'autres lettres où se montrait sinon à nu, du moins à peine voilée, l'âme passionnée du conquérant : lettres adressées aux veuves de ses généraux ; missives touchantes envoyées au vice-roi d'Italie, Eugène de Beauharnais, pour l'instruire dans le métier de la guerre et l'art de gouverner ; lettres cinglantes à l'intention de Bernadotte chaque fois, c'est-à-dire toujours, qu'il avait démérité ; philippiques furibondes expédiées à ses frères pour les rappeler aux devoirs de leur charge ; ordres du jour, proclamations ou bulletins de la Grande Armée...

Bonaparte ne se révèle pas seulement à la littérature, la grande, « lorsqu'il abandonne la plume et se met à dicter[213] » ; il existe, dans son cas, un lien très étroit entre l'aptitude littéraire et l'action militaire ou politique. Puisque j'ai cité une lettre à Joséphine, la correspondance amoureuse en est un bon témoin. Il suffit de comparer les lettres adressées à la future impératrice avec celles que, quelques mois à peine avant de rencontrer Mme de Beauharnais, il écrivait à Désirée Clary. Des unes aux autres, ce n'est certainement ni le même homme ni le même style. On dira qu'il était passionnément épris de celle qui allait devenir sa femme, alors qu'avec Désirée il n'y avait eu qu'un aimable marivaudage mêlé de projets de fortune. En regard, la passion qu'il éprouva pour Joséphine n'était pas sans s'accroître de l'excitation de la guerre et du tourbillon d'activité dans lequel il s'était vu subitement plongé. Parce qu'ils exaltent et portent au dépassement, l'amour et la guerre font souvent bon ménage. Dans son cas, ils se nourrissaient l'un l'autre et contribuaient de concert à la transfiguration d'un style que rien, jusqu'alors, n'avait laissé deviner. C'est la guerre qui, en 1796, fait subitement passer Bonaparte de Rousseau à César. C'est pourquoi les trente mille lettres et plus de sa correspondance, partie intégrante de son art du commandement – concevoir, décider, diriger et surveiller l'exécution – composent son vrai chef-d'œuvre.

Napoléon fut « auteur », ou se voulut tel, avant que l'épopée ne l'emporte sur son aile ; il devint *écrivain* dans et par l'action.

Il faut mettre en parallèle ses lettres « ossianesques » avec celles qu'il adresse à ses généraux sur la conduite des opérations militaires pour mesurer ce qu'il y avait à la fois d'imagination et de raison dans cette tête, d'âme et de pensée disait Thiers[214], l'une le retenant du côté du XVIIIe siècle sentimental, l'autre le haussant, pour ce qui est de la brièveté et la clarté de l'expression, au niveau de César ou de Frédéric II. « Dans le style des grands capitaines, observe le critique littéraire Désiré Nisard, c'est l'action qui s'exprime elle-même par de grands traits, et les négligences mêmes de l'écrivain ajoutent au crédit du narrateur. Je ne sais pas de meilleurs maîtres dans l'art d'écrire que ces hommes qui ont écrit sans art, ou qui, très versés, comme César, dans toutes les adresses du langage, en ont fait consister la perfection à s'en passer. Les dépêches de Bonaparte ne sont pas plus ornées que les *Mémoires* de César ; elles sont plus nues encore[215]. » La phrase brève, dépouillée, nue si l'on veut, celle des proclamations et de bien des lettres, relève plutôt de l'art oratoire que de l'écriture. Son style est bien celui d'un maître de la parole[216].

Poésie oratoire, poésie de l'action. Chez Napoléon, l'écriture – même dictée – est à la fois le moyen et le prolongement de l'action. Elle l'accompagne, elle la magnifie, elle la transfigure. Elle en a aussi bien été transfigurée. L'exercice du commandement et le travail gouvernemental auront fait l'apprentissage littéraire de Napoléon. Son style s'y est épuré, il s'est ramassé, réduit à une algèbre. Rien n'est plus remarquable que les dizaines, les centaines de lettres, d'ordres, de billets qui précèdent le déclenchement de chaque campagne. C'est qu'alors « l'Aigle » est au maximum de ses capacités, l'œil à tout, attentif aussi bien à la conception d'ensemble qu'aux détails de l'exécution. Simon Leys le dit à juste titre « incapable de contemplation[217] ». La rumination n'est pas pour lui. La remémoration désordonnée du *Mémorial*, oui, car se souvenir c'est encore revivre ; mais ressasser son histoire pour en tirer des leçons, en comprendre les ressorts ou lui conférer cohérence et unité, bref, écrire ses Mémoires, est absolument étranger à son tempérament. Il n'est pas fait pour l'autobiographie, car elle oblige au silence et au recueillement. L'action, chez lui, explique tout. Elle fut son moteur, sa vraie passion, dans la conviction que vivre, c'est faire.

★

C'est en étant relégué à Sainte-Hélène que Napoléon avait renoué avec l'ambition littéraire de sa jeunesse ; en revanche, celle-ci n'abandonna jamais Charles de Gaulle. Chez lui aussi la liste est longue des « fatras juvéniles » faits de petites nouvelles patriotiques ou de récits imités de Pierre Loti qui ne dépareraient pas à côté des « œuvrettes » du jeune Bonaparte. Significativement, la guerre de 1914 le détourna de toute velléité dans le genre de la fiction – la dernière tentative connue étant un bref récit, *Le Baptême*, écrit en septembre 1914 –, tout comme la guerre avait définitivement éloigné Napoléon de ses rêves d'auteur. Si de Gaulle s'essaya une fois encore à la fiction, en 1928, c'était pour une pièce de théâtre, *Le Flambeau*, qui célébrant les vertus militaires prolongeait les conférences de 1927 sur le « Caractère » ou le « Prestige » et annonçait *Le Fil de l'épée.* Cette pièce fait en quelque sorte le lien entre les premiers essais littéraires et les œuvres de maturité que sont *Vers l'armée de métier* ou *La France et son armée.*

Que de Gaulle ait, dès cette époque, écrit dans un but pratique – convaincre les responsables politiques et militaires de la nécessité de réviser la doctrine militaire française – n'empêche que l'écriture joua dans sa vie, avant comme après 1940, un rôle central. Tandis que Napoléon devint écrivain sans l'avoir voulu, l'exercice du commandement révélant en lui un génie littéraire que rien n'avait laissé pressentir, de Gaulle trouva longtemps dans l'écriture un dérivatif à un présent qui ne correspondait pas à l'avenir dont il avait rêvé. *Vers l'armée de métier* n'était pas un simple plaidoyer en faveur de l'arme blindée, mais une œuvre littéraire qui, de fait, limita l'écho rencontré par le livre et le fit passer plutôt pour l'expression des songes d'un rêveur que pour l'expertise d'un technicien. Mais sans qu'il le sût alors lui-même, il se préparait, en se colletant avec les mots, au grand rôle qui allait bientôt lui échoir :

> De Gaulle n'aurait pas été de Gaulle sans l'écriture, observe justement Jean-Luc Barré. C'est par les mots qu'il a construit son personnage, élaboré son mythe, campé son rôle et sa place dans l'histoire. Par son génie du verbe, il a souvent triomphé là où l'action ne lui suffisait pas toujours pour s'imposer. Et par la force du langage et l'éclat du style, le professeur de l'Ecole de guerre, l'exilé de Londres, le tribun du Rassemblement du peuple français, le harangueur des foules d'Alger et de Phnom Penh, l'acteur de télévision a trouvé sa meilleure arme face à l'adversité[218].

Les mots n'étaient pas seulement à ses yeux une arme politique ou un refuge contre le malheur. Il les aimait pour eux-mêmes. Ils ne lui venaient pourtant pas facilement : « Je n'ai pas la plume facile », avouait-il. Il n'était pas comme Napoléon qui, parce qu'il dictait, jetait les phrases par brassées. Ses manuscrits en témoignent. Ils ne sont pas plus faciles à déchiffrer que les autographes de l'Empereur. Son premier jet se retrouvait bientôt surchargé de ratures, de corrections et de reprises, si bien qu'il s'appliquait ensuite à remettre au propre, en espaçant les lignes, ce qu'il avait écrit, pour ensuite recommencer. Il se relisait à haute voix pour « avoir la phrase dans l'oreille avant de l'admettre définitivement[219] ». Il regrettait de ne savoir écrire aussi limpidement qu'Anatole France, selon lui le plus achevé des stylistes de la langue française. Il traquait impitoyablement les incises, les parenthèses, les tirets ou, comme disait Taine qui n'aimait guère le classicisme à la française et goûtait au contraire les phrases à tiroirs, il refusait « d'écrire au hasard et selon le caprice de la verve, de jeter ses idées par paquets, de s'interrompre par des parenthèses, d'enfiler l'enfilade interminable des citations et des énumérations[220] ». Il traquait les anecdotes. « Comme il est étrange que l'on doive se battre à ce point, pour arracher de soi ce que l'on veut écrire[221] », confia-t-il à Malraux. C'était un classique, formé à l'école puriste du Grand Siècle. C'est seulement lorsque, sans être encore pleinement satisfait, il jugeait le texte plus présentable qu'il le faisait dactylographier. Ses proches assurent que même à l'Elysée il s'efforçait de dérober chaque jour quelques heures pour les consacrer à l'écriture, tout comme jamais ses fonctions ne l'empêchèrent de lire, lui qui n'était pas loin de penser avec Montesquieu qu'il n'est pas de chagrin dans la vie qu'une heure de lecture ne puisse dissiper : « Tout m'est égal, je suis plongé dans les *Mémoires d'outre-tombe*[222] », disait-il.

On n'imagine pas de Gaulle écrivant ses Mémoires comme Churchill avait composé les siens, six volumes de montage entre des documents, discours, lettres, rapports reproduits intégralement, des souvenirs personnels dictés à ses collaborateurs et des chapitres écrits à sa demande qu'il corrigeait, découpait et organisait avec une paire de ciseaux, un pot de colle et des crayons dont chaque couleur était réservée au travail de l'un de ses « nègres ». Il n'y avait rien de répréhensible : non seulement Churchill se montrait ainsi « fidèle à la tradition victorienne des biographies composées d'un mélange de vie et de correspondance », mais il entendait que ses Mémoires, du reste ornés d'un titre neutre – *The Second World War* –, apportent autant une contribution à la connaissance de l'histoire de cette période que du rôle qu'il y avait joué[223]. Le monument de papier était au moins autant un document historique qu'une autobiographie. L'entreprise de De Gaulle était toute différente, puisqu'il s'agissait moins pour lui de raconter l'histoire que de la transfigurer. Impossible donc de se contenter de faire « un volumineux assemblage de tout ». S'il recourut aux services de documentalistes chargés notamment d'apporter à Colombey les documents et les pièces conservés dans les bureaux de la rue de Solferino, il écrivit et réécrivit de sa main chaque ligne de chaque page des *Mémoires de guerre*, progressant lentement, anxieux comme un débutant lorsqu'il lisait à ses familiers le résultat de son travail et, après la sortie du livre, inquiet des réactions de la critique et de celles du public. Dans les derniers mois de sa vie, une question l'obsédait : aurait-il le temps de terminer ses *Mémoires d'espoir*[224] ?

Il y avait une autre raison au labeur auquel il s'astreignait. L'ambition d'écrire une œuvre qui fît date et lui méritât une place dans l'histoire littéraire française l'habitait toujours : « Un écrivain digne de ce nom peut-il écrire à plusieurs mains[225] ? », demandait-il en citant justement l'exemple de Churchill. Il avait trop de respect pour la littérature pour se prêter à de petites facilités qu'il eût ensuite regrettées.

On sait qu'il lui fut difficile de ne pas gracier les écrivains condamnés à mort à la Libération. Il accorda volontiers sa grâce à Henri Béraud, l'auteur du *Martyre de l'obèse*, qui, après être passé par toutes les couleurs de l'arc-en-ciel politique, avait échoué à Vichy, victime de sa dévorante anglophobie ; mais il ne gracia ni Paul Chack[226] ni Brasillach. Sur ce dernier, il devait écrire dans ses *Mémoires* que « le talent est un titre de responsabilité[227] », pas une excuse. On dit qu'il avait été révolté après avoir entendu parler d'une photo de Brasillach portant l'uniforme allemand, ou encore qu'il refusa sa grâce parce que l'auteur de *Notre avant-guerre* s'était acharné contre Georges Mandel que de Gaulle avait beaucoup admiré[228]. Mais Brasillach, surtout, avait péché contre l'esprit. De Gaulle aurait-il gracié Drieu la Rochelle, si celui-ci n'avait eu la bonne idée de tirer sa révérence avant d'être arrêté ? Il était plus facile au Général d'être clément avec un profiteur du marché noir qu'avec un écrivain perdu. C'est qu'il révérait la littérature comme il révérait la France, et sans doute dans son esprit ne séparait-il pas l'une de l'autre. La « grande » Nation n'était-elle pas – mieux qu'un peuple, mieux qu'une race, disait Bainville[229] – une civilisation où la littérature compte autant que la langue, car elle inscrit sa place dans l'histoire et l'universel ?

Cette dévotion qu'il portait à la littérature, il l'étendait à ses desservants. Ainsi n'oubliait-il jamais de remercier d'un mot de sa main, fût-il de simple courtoisie, les auteurs qui lui avaient fait l'hommage de leur livre. Nombre de ces billets montrent qu'il avait lu l'ouvrage ; ils sont parfois touchants, moins de chef d'Etat à écrivain que d'auteur à confrère. Jean-Marie Le Clézio avait vingt-trois ans lorsqu'il publia *Le Procès-verbal*, son premier roman. L'ayant adressé au Général, celui-ci lui répondit par quelques lignes pleines de délicatesse :

> Votre livre [...] m'a entraîné dans un autre monde, le vrai très probablement, et j'ai pu, avec Adam, le parcourir en zigzag. Comme tout commence pour vous, cette promenade aura des suites. Tant mieux ! Car vous avez bien du talent. A moi, qui suis au terme, vous écrivez que « le pouvoir et la foi sont des humilités ». A vous, qui passez à peine les premiers ormeaux du chemin, je dis que le talent, lui aussi, en est une[230].

Il en savait quelque chose, lui qui avait tant de mal à « se délivrer des manies d'écriture[231] ». Il aspirait réellement à être reconnu par les hommes de lettres comme l'un des leurs, et cela indépendamment de ce qu'il avait accompli. Il était en cela très différent de Napoléon qui avait répondu à la fin de 1797 par un mot flatteur aux membres de l'Institut qui l'avaient élu : « Le suffrage des hommes distingués qui composent l'Institut m'honore. Je sens bien qu'avant d'être leur égal je serai longtemps leur écolier[232]. » Il n'en pensait évidemment pas un mot ; les destinataires de la lettre pas davantage, suffisamment flattés que celui qui se comportait déjà en maître affectât de se dire leur élève. Du reste, l'écolier ne tarda pas à en avoir assez de jouer à l'apprenti. Lorsqu'il eut accédé au pouvoir, il revêtit volontiers le rôle de protecteur des sciences et des arts, mais plus question pour lui d'aller s'asseoir au milieu de ses « confrères » : le temps des mondanités était révolu. Le mot suggérait entre lui et les membres de l'Institut une égalité qui n'était plus de saison.

Les *Mémoires* du Général visaient bien sûr à imposer *sa* version des événements ; ils visaient aussi, comme le *Mémorial*, à fixer l'image que de Gaulle laisserait dans l'histoire ; peut-être même espérait-il que ses *Mémoires* seraient plus tard comme une petite flamme qui, si par malheur la patrie retournait à l'abîme, aiderait une nouvelle fois la France à trouver le salut – mais il attendait surtout qu'ils lui assurent une place dans le panthéon de la littérature. Il lui arrivait d'en plaisanter : « Je dois être dans l'histoire l'écrivain sur lequel on a le plus tiré[233]. » L'hostilité que lui manifestèrent gens de lettres et intellectuels, à quelques exceptions près – Malraux, Mauriac, Bernanos, Claudel ou Romain Gary –, le blessa certainement.

On se souvient de l'odieuse scène donnée par des élèves de l'Ecole normale supérieure qui refusèrent de « serrer la main d'un dictateur[234] ». Il y avait, entre le monde intellectuel et lui, incompatibilité de nature. Depuis Voltaire, les intellectuels français regardent vers l'avenir. Ils sont progressistes, au sens littéral, ils n'aiment pas l'histoire et méprisent volontiers le passé ; or, de Gaulle ne vivait pas seulement dans l'histoire par ce qu'il avait accompli, il était lui-même un concentré d'histoire, de croyances, de traditions qui le rattachaient à cette « forêt gauloise » qu'il aimait tant (comme Mitterrand), un rappel à ce qui enracine plutôt qu'un appel à des lendemains qui chantent. La gauche espère, la droite se souvient. Quelle blessure avait-il reçue pour qu'il note dans son dernier carnet : « D'un écrivain, rien à attendre, sauf le talent[235] » ? Il y avait dans ces mots de l'amertume. Cette disposition généralement hostile des princes de la pensée à son égard conféra sans aucun doute à ses yeux une valeur inestimable à l'admiration et à la fidélité que lui vouait Malraux.

★

Drôle de tandem. Ce n'était pas Alexandre et Aristote, ni même Frédéric et Voltaire, mais en 1950 il n'y avait plus aucun Voltaire. Du reste, il y eut plus de sincérité dans cette « amitié » d'un quart de siècle entre le Général et l'auteur de *La Condition humaine* qu'entre le roi de Prusse et l'auteur de *Candide*.

Malraux était venu sur le tard à de Gaulle, ce militaire entouré d'officiers d'Action française, disait-il, et qu'il avait refusé de rejoindre à Londres[236]. Avait-il volé au secours de la victoire en 1944, lui qui, trois mois avant le débarquement, jugeait encore prématurée la décision d'entrer en résistance ? Le fit-il par anticommunisme ? Parce que de Gaulle avait jeté l'interdit sur les partis, mais accueilli toutes les opinions ? Par attirance rétrospective pour l'épopée si littéraire de la France libre où un officier inconnu, seul et dépourvu de moyens, avait par la seule force du verbe, par la seule magie des mots, mis la France dans le camp des vainqueurs et imposé sa présence à la table des Grands ? Parce qu'il voyait en de Gaulle une incarnation de sa propre conception héroïque de l'existence, ou un héros de l'Histoire parent du héros littéraire, comme celui-ci portant en lui « des rêves qu'il incarne et qui lui préexistent[237] » ? Parce qu'il était attiré par la force ? Ne jouera-t-il pas une comédie peu honorable pour le seul plaisir de s'entretenir avec Mao, trouvant même – en pleine Révolution culturelle ! – que le tyran chinois n'en faisait pas assez pour neutraliser « la couche révisionniste[238] » ? Peu importe au fond que les raisons de son choix eussent été plutôt esthétiques que politiques, ou l'inverse ; une fois qu'il eut pris sa décision, ce fut à la vie à la mort, et même la visite de De Gaulle au général Franco – dont l'homme du 18 Juin n'avait pas oublié quel service l'Espagnol avait rendu à la France en refusant aux Allemands le droit de traverser son pays[239] – ne détourna pas du Général l'ancien camarade de combat des républicains espagnols. Malraux s'était donné à de Gaulle comme un preux chevalier à son roi, même s'il dira avoir plutôt vu en lui une sorte de saint Bernard de Clairvaux[240] : c'était encore d'ordre qu'il s'agissait. Il serait désormais l'apôtre privilégié, fidèle parmi les fidèles, ajoutant à la mystique du gaullisme, « chauffant » dans son style incantatoire les foules du RPF avant l'entrée en scène du Général :

> On nous a parlé souvent de quelque chose qui s'appelait la chevalerie, dit-il à Marseille ; ce ne sont pas des cuirasses ; c'est l'ensemble des hommes qui savent ce qu'ils veulent et qui sacrifient toute leur vie à leur volonté. O visages français qui m'entourez et sur lesquels je revois ces visages gothiques à côté de moi en captivité, sur lesquels je revois les simples visages des chasseurs de Verdun, ces visages qui sont ceux de la France, je vous appelle la chevalerie[241] !

Fut-il le fou du Général ? Malraux ne pouvait qu'amuser de Gaulle. Jean Cau, qui avait beaucoup pratiqué l'énergumène, en a laissé un portrait à mourir de rire : toujours en représentation, un manteau artistement jeté sur les épaules, la mèche barrant le front, le regard noir, inspiré, l'air d'arriver « éternellement de Chine, d'Espagne, de quelque maquis ou de quelque révolution dont il s'est enfui par une surprenante porte dérobée donnant sur un musée ». Alors il parle « d'une voix basse et douce qui parfois s'empâte et s'empêtre dans le râtelier mal arrimé » ; il noue et tord ses mains puis les déroule, « et le voilà parti dans une cavalcade insensée » à travers l'espace et le temps. Tout y passe, les chats et l'Egypte, Michel-Ange et César, le Pérou et de Gaulle, l'Inde, le chat (encore) de Manet et la Chine des Ming, des fusées qui partent sans interruption sans que l'on puisse dire « quelle nuit elles éclairent, et pourquoi[242] ».

Il y avait à la fois du génie et du charlatan chez lui. Peut-être était-il avant tout un fumiste génial, cabotin, drogué jusqu'aux yeux, grand voyageur de l'absurde, faisant profession de théories aussi grandioses qu'incompréhensibles. Dans *Les chênes qu'on abat*, il ne peut s'empêcher de faire du Malraux. On imagine la tête d'Yvonne qui ne l'appréciait guère, lui trouvant l'air louche d'un excité[243], et l'œil malicieux du Général.

Il y avait en effet du fou du roi dans cet homme-là ; mais Malraux est aussi, et surtout, un grand écrivain dont la renommée a souffert de sa loyauté jamais démentie à de Gaulle. Ce dernier n'eût pas confié les affaires culturelles à un simple amuseur, et certainement ne l'eût pas fait asseoir à sa droite à la table du Conseil des ministres. Il admirait le romancier, et même l'auteur du *Miroir des limbes* et de la *Psychologie de l'art*, en même temps qu'il lui était reconnaissant de sa fidélité. Malraux ne demandait rien ; de plus, il était incapable de nuire. Jean Cau, après s'être moqué de lui, le reconnaît : « Cet homme est très bon, très doux, très naïvement pur. De cela je m'apercevrai et qu'il ne recèle, ce qui est d'une infinie rareté, aucune méchanceté et aucune violence. Il est tout sonore de pureté et de naïveté[244]. » L'apôtre, de surcroît, était fiable. De Gaulle savait pouvoir compter sur lui, même dans les revers et après les échecs. Ni la fin de l'aventure du RPF ni le référendum perdu de 1969 ne le conduisirent à prendre ses distances. Et pourtant, il y eût eu intérêt. N'était-il pas devenu la cible des communistes et de l'intelligentsia de gauche, lui qu'on avait vu avant guerre au congrès des écrivains antifascistes ? En rejoignant le Connétable, il avait endossé le costume peu enviable du renégat avant de devenir, en Mai 68, l'incarnation même du ringard et, pour tout dire, du vieux con. De Gaulle voyait les choses différemment. Il savait Malraux toujours de gauche, ce que, du reste, le ministre des Affaires culturelles devait démontrer par la politique qu'il mena sous la Ve République et qu'on réévalue enfin[245]. Il figurait à lui tout seul l'aile gauche du gaullisme, la preuve que le régime n'était ni de gauche ni de droite mais qu'il transcendait les divisions françaises.

De Gaulle appréciait en Malraux le compagnon et l'homme probe, en dépit de ses accommodements avec la vérité, de sa mythomanie et de ses affabulations romanesques ; et, plus important que tout, il admirait l'écrivain. Comme on lui demandait un jour ce qu'il pensait de l'œuvre de celui-ci, il répondit tout à trac : « Brumeux, avec quelques éclaircies[246]. » On ne saurait être plus véridique ; mais, dans les *Mémoires d'espoir*, il ne marchande pas ses éloges. Evoquant le Conseil des ministres, il écrit : « En face de moi est Michel Debré. A ma droite, j'ai et j'aurai toujours André Malraux. La présence à mes côtés de cet ami génial, fervent des hautes destinées, me donne l'impression que, par là, je suis couvert du terre-à-terre. L'idée que se fait de moi cet incomparable témoin contribue à m'affermir. Je sais que, dans le débat, quand le sujet est grave, son fulgurant jugement m'aidera à dissiper les ombres[247]. » Malraux fut à ses côtés l'écrivain-confident en qui, de surcroît, il trouvait le reflet de sa propre conception héroïque, littéraire et poétique de l'action politique. On ne fait pas assez attention au fait qu'à la plus inspirée des harangues prononcées par de Gaulle – « Paris ! Paris outragé ! Paris brisé ! Paris martyrisé ! mais Paris libéré ! » – fait écho le discours le plus inspiré de Malraux – « Entre ici, Jean Moulin, avec ton terrible cortège ». L'inspiration est la même, qui tutoie les cimes et se plaît dans le tragique.

★

Malraux fut bel et bien, en définitive, l'Aristote de cet Alexandre. Si de Gaulle était au fond peu entouré – on ajoutera Mauriac, bien sûr –, il le fut davantage que Napoléon. On relève bien dans le sillage de l'Empereur quelques noms aujourd'hui oubliés, ceux du dramaturge Arnault ou de Fontanes, ce poète voltairien que la Révolution avait ramené, comme tant d'autres, à la religion et qu'il fit grand maître de l'Université ; mais Malraux est un des plus grands écrivains du XXe siècle, Fontanes un auteur de second rang légitimement oublié. Or, Napoléon aurait pu ajouter à sa couronne les Malraux de son temps. On songe, bien sûr, à Mme de Staël et Chateaubriand, qui, avant de devenir d'implacables opposants, n'épargnèrent pas leurs efforts pour faire la conquête du maître. La première voulut longtemps croire, malgré les rebuffades, que « Bonaparte aime les Lumières » et qu'aimant les Lumières, il ne pouvait que l'aimer elle[248]. Elle s'en voulait de sa maladresse : « Que voulez-vous, confiait-elle à son frère Lucien, je deviens bête devant votre frère à force d'avoir envie de lui plaire[249]. » Même *De la littérature*, dont Bonaparte fut très mécontent, n'était pas une charge contre lui. Elle y célébrait les mérites d'Ossian pour lui faire plaisir et si elle y avait inclus un long développement contre le despotisme militaire, c'est aussi parce que le Premier consul insistait volontiers sur le caractère civil de son pouvoir[250]. Quant à Chateaubriand, il avait dédié la seconde édition du *Génie du christianisme* (1803) au nouveau maître dans des termes d'une rare courtisanerie :

> Citoyen Premier consul, vous avez bien voulu prendre sous votre protection cette édition du *Génie du christianisme* ; c'est un nouveau témoignage de la faveur que vous accordez à l'illustre cause qui triomphe à l'abri de votre puissance. On ne peut s'empêcher de reconnaître dans vos destinées la main de cette Providence qui vous avait marqué de loin, pour l'accomplissement de ses desseins prodigieux. Les peuples vous regardent ; la France, agrandie par vos victoires, a placé en vous son espérance, depuis que vous appuyez sur la Religion les bases de l'Etat et de vos prospérités. Continuez à tendre une main secourable à trente millions de chrétiens qui prient pour vous au pied des autels que vous leur avez rendus[251].

C'est « beau » comme les flagorneries de Mauriac dans son *De Gaulle*. Chateaubriand fut récompensé, si l'on peut dire, par un strapontin à la légation de Rome, où il lui fallut se livrer à de menues besognes sous les ordres de l'oncle de

Bonaparte, l'évêque Fesch. Il en fut mortifié. L'exécution du duc d'Enghien tomba à point nommé. Désigné entre-temps à un poste dans le Valais, il ne le rejoignit pas et claqua la porte avec fracas. Mme de Staël mit plus de temps à se convertir à l'opposition, ne désespérant toujours pas, malgré les menaces et les tracasseries de la police, de convaincre celui qui, entre-temps, s'était couronné empereur de devenir ce monarque constitutionnel dont elle eût été l'inspiratrice. Heine exagère un peu lorsqu'il écrit : « Quand la belle dame s'aperçut qu'avec ses importunités elle en était pour ses frais, elle fit ce que font les femmes en pareil cas : elle se jeta corps et âme dans l'opposition, déclama contre l'Empereur, contre sa domination brutale et peu galante, et pérora tant et si haut que la police finit par lui envoyer ses passeports[252]. » Napoléon était au moins autant responsable qu'elle et se montre peu charitable à son endroit dans le *Mémorial.* Ce n'est pas qu'il n'avait pas pu, ou su, faire la conquête des deux plus grands esprits de son temps ; il ne l'avait pas voulu.

Il ne croyait pas avoir besoin de poètes pour chanter son épopée. Il s'en chargeait lui-même, et plutôt bien. Aux écrivains indociles il préférait les compositeurs et les architectes qui lui écrivaient des opéras et érigeaient des monuments à sa gloire. Du reste, il se méfiait des littérateurs, personnages volontiers ingrats et séditieux. N'était-il pas acquis que les Lumières avaient préparé la Révolution et la chute du trône ? Les philosophes ne s'étaient-ils pas érigés en une puissance rivale de celle du roi ? Autoproclamés les représentants de « l'opinion publique » ? Le siècle écoulé n'avait-il pas vu « le sacre de l'écrivain » et l'émergence d'un pouvoir spirituel qui, à l'image du pape de l'an mille, prétendait juger les souverains eux-mêmes ? Plus prosaïquement, Napoléon connaissait le rôle joué par les gens de lettres – écrivains de second rang et journalistes – dans la Révolution et, s'agissant plus particulièrement de Mme de Staël, il n'ignorait rien des intrigues par lesquelles elle s'était efforcée en 1792 de pousser son amant du moment, Narbonne, au pouvoir, ni de celles par lesquelles elle avait favorisé Talleyrand sous le Directoire avant de jeter dans l'arène, au moment du Consulat, sa dernière marionnette en date, Benjamin Constant[253]. Elle lui faisait penser aux frondeuses du XVIIe siècle, prêtes à mettre le royaume à feu et à sang pourvu que leurs champions s'y couvrent de gloire. Tout comme il se refusait à rouvrir la tribune parlementaire qui s'était si bien prêtée aux surenchères pendant la décennie révolutionnaire, il refusait de rendre aux écrivains le rôle politique qu'ils avaient joué depuis un demi-siècle. Son point de vue n'était pas si éloigné de l'analyse que Tocqueville fera des raisons qui dressèrent la littérature contre la politique à la fin de l'Ancien Régime :

> Les écrivains ne fournirent pas seulement leurs idées au peuple qui fit [la révolution] ; ils lui donnèrent leur tempérament et leur humeur. [...] Toute la nation, en les lisant, finit par contracter les instincts, le tour d'esprit, les goûts et jusqu'aux travers naturels à ceux qui écrivent ; de telle sorte que, quand elle eut enfin à agir, elle transporta dans la politique toutes les habitudes de la littérature. Quand on étudie l'histoire de notre révolution, on voit qu'elle a été menée précisément dans le même esprit qui a fait écrire tant de livres abstraits sur le gouvernement. Même attrait pour les théories générales, les systèmes complets de législation et l'exacte symétrie dans les lois ; même mépris des faits existants ; même confiance dans la théorie ; même goût de l'original, de l'ingénieux et du nouveau dans les institutions. [...] Effrayant spectacle ! car ce qui est qualité dans l'écrivain est parfois vice dans l'homme d'Etat, et les mêmes choses qui souvent ont fait faire de beaux livres peuvent mener à de grandes révolutions[254].

La proscription de Mme de Staël, dont on se scandalise si souvent, n'eut pas d'autre motif. Mais Napoléon paya cher sa mise à l'index. Elle inspira à l'auteur de *Corinne* le terrible réquisitoire posthume de *Dix années d'exil.* Chateaubriand rompit avec éclat dès juillet 1807 dans le *Mercure de France.* La charge prit la forme d'un simple paragraphe dans un long compte rendu d'un livre d'Alexandre de Laborde sur l'Espagne : « Lorsque, dans le silence de l'abjection, l'on n'entend plus retentir que la chaîne de l'esclave et la voix du délateur ; lorsque tout tremble devant le tyran, et qu'il est aussi dangereux d'encourir sa faveur que de mériter sa disgrâce, l'historien paraît, chargé de la vengeance des peuples. C'est en vain que Néron prospère, Tacite est déjà né dans l'Empire[255]. » Dans le même numéro était publié le bulletin annonçant la victoire de Friedland. Napoléon était au zénith de sa puissance ; il eût pu facilement ignorer ces lignes, voire en admirer le style. Il fit menacer Chateaubriand et supprima le *Mercure*.

Jamais il ne put ôter le masque d'ennemi des lettres et d'« idéophobe » dont les écrivains l'avaient affublé. Il pouvait appeler à la rescousse les Monge, Laplace, Fontaine, Gros, Ingres, David, Gérard, Paisiello, Lesueur ou Méhul, ces célébrités des sciences, de la musique, de la peinture ou de l'architecture ne pouvaient rivaliser avec les auteurs qu'il avait délibérément tenus à l'écart puis ostracisés. Chateaubriand le répéta dans les *Mémoires d'outre-tombe*, la pensée avait été l'ennemie de Napoléon, parce qu'il s'était montré l'ennemi de l'intelligence :

> La littérature qui exprime l'ère nouvelle [...] n'était employée que par l'opposition. C'est Mme de Staël, c'est Benjamin Constant, c'est Lemercier, c'est Bonald, c'est moi enfin. Le changement de littérature dont le XIXe siècle se vante, lui est arrivé de l'émigration et de l'exil. [...] Une partie de l'esprit humain, celle qui traite de matières transcendantes, s'avança seule d'un pas égal vers la civilisation ; malheureusement la gloire du savoir ne fut pas sans tache : les Laplace, les Lagrange, les Monge, les Chaptal, les Berthollet, tous ces prodiges, jadis fiers démocrates, devinrent les plus obséquieux serviteurs de Napoléon. Il faut le dire à l'honneur des lettres : la littérature nouvelle fut libre, la science servile[256].

Si « l'Ogre » empêcha les écrivains d'exercer sur le moment l'influence politique à laquelle ils aspiraient, il ne put les empêcher de conquérir eux aussi un empire – et plus durable que le sien. L'existence de Mme de Staël ne fut-elle pas « comme un grand empire qu'elle [fut] sans cesse occupée, non moins que cet autre conquérant, son contemporain et son oppresseur, à compléter et à augmenter[257] », empire de l'esprit qui n'eut d'équivalent que les *Mémoires d'outre-tombe*, ce « Napoléon et moi » où les deux vies de l'auteur et du héros se répondent en s'opposant ?

Le procès intenté par Mme de Staël et Chateaubriand a accrédité l'idée qu'au fond il y avait dans Napoléon quelque chose qui n'était pas tout à fait français puisque sous son règne les belles lettres avaient été persécutées. De ce réquisitoire contre la situation faite à la littérature à la charge au vitriol de *De Buonaparte et des Bourbons* contre « le fatal étranger », il existe un lien logique.

★

Napoléon ? Un authentique écrivain qui n'aimait pas les écrivains, sauf les prosateurs embrigadés. De Gaulle ? Un écrivain sinon médiocre, du moins laborieux, qui n'aimait peut-être tant les écrivains que parce qu'il savait qu'il n'en serait jamais vraiment un. Adrien Le Bihan y insiste : ni Mauriac ni Malraux n'ont clairement dit ce qu'ils pensaient de l'œuvre du Général. Malraux s'arrangea pour n'avoir jamais à répondre à ses sollicitations ; Mauriac ajouta à un éloge amphigourique une discrète restriction. S'il n'hésitait pas à comparer le style du Général à celui de Bossuet et de Chateaubriand, s'il trouvait à certaines de ses pages « l'accent de Pascal », c'était pour aussitôt écrire : « Quel accent de France de Gaulle n'aura-t-il pas fait sien ? Tous lui appartiennent, quoiqu'il ne les maîtrise pas tous également[258]. » Peut-être partageaient-ils l'un et l'autre l'opinion de Marcel Arland à qui de Gaulle n'en voulut pas de la franchise avec laquelle il avait retoqué les *Mémoires de guerre* : « Excès du scrupule logicien… monotonie de l'articulation… touchante persistance, chez un grand chef d'Etat, d'un poète de garnison… [Mais] même quand nous y percevons l'effort ou le souvenir des disciplines scolaires, les *Mémoires de guerre* ne nous frappent pas moins par le naturel que par la hauteur de l'accent… On dirait que chez de Gaulle la grandeur est une nature[259]. »

L'œuvre de De Gaulle n'est pas exempte de scories. Adrien Le Bihan en a dressé l'inventaire, et si l'on veut une moisson plus abondante, il suffit de lire *Le Style du Général* de Jean-François Revel ou le truculent *Mauriac sous de Gaulle* de Jacques Laurent. Mais on y trouve aussi de la grandeur, et pas seulement de cette hauteur un peu pompeuse, guindée, boursouflée qu'on lui reproche souvent, mais une vraie grandeur qu'on rencontre en particulier dans les portraits qu'il consacre à Churchill, à Roosevelt, à Pétain – « La vieillesse est un naufrage » –, celui, aussi laconique que complet, du président Lebrun – « Au fond, comme chef de l'Etat, deux choses lui avaient manqué : qu'il fût un chef ; qu'il y eût un Etat » –, sans oublier, bien sûr, celui de Staline :

> Staline était possédé de la volonté de puissance. Rompu par une vie de complots à masquer ses traits et son âme, à se passer d'illusions, de pitié, de sincérité, à voir en chaque homme un obstacle ou un danger, tout chez lui était manœuvre, méfiance et obstination. [...] Communiste habillé en maréchal, dictateur tapi dans sa ruse, conquérant à l'air bonhomme, il s'appliquait à donner le change. Mais, si âpre était sa passion qu'elle transparaissait souvent, non sans une sorte de charme ténébreux[260].

Avec l'œil exercé de l'homme de pouvoir, de Gaulle avait mieux jugé le tsar rouge que le malheureux Romain Rolland, dupé en 1935 par le rusé Géorgien qui l'avait d'emblée mis dans sa poche en saluant en lui « le plus grand écrivain mondial[261] ». On ne trouve chez Napoléon rien de comparable aux portraits peints par de Gaulle, pas même celui de Kléber, « le Nestor de l'armée », dont Sainte-Beuve jugeait pourtant qu'il était un modèle du genre[262]. Mais, chez de Gaulle, jamais on ne trouvera l'équivalent du 30e bulletin de la Grande Armée dicté par Napoléon au lendemain d'Austerlitz :

> Le soir [du 4 décembre 1805], [Napoléon] voulut visiter à pied et incognito tous les bivouacs ; mais à peine eut-il fait quelques pas qu'il fut reconnu. Il serait impossible de peindre l'enthousiasme des soldats en le voyant. Des fanaux de paille furent mis en un instant au haut de milliers de perches, et 80 000 hommes se présentèrent au-devant de l'Empereur en le saluant par des acclamations ; les uns pour fêter l'anniversaire de son couronnement, les autres disant que l'armée donnerait le lendemain son bouquet à l'Empereur. [...] L'Empereur dit, en entrant dans son bivouac, qui consistait en une mauvaise cabane de paille sans toit que lui avaient faite les grenadiers :

« Voilà la plus belle soirée de ma vie, mais je regrette de penser que je perdrai bon nombre de ces braves gens. Je sens, au mal que cela me fait, qu'ils sont véritablement mes enfants ; et, en vérité, je me reproche quelquefois ce sentiment, car je crains qu'il ne finisse par me rendre inhabile à faire la guerre[263]. »

Il y a là toute la différence de la grandeur classique de la prose de Charles de Gaulle au sublime napoléonien qui enflamme l'imaginaire. Mais, quels que fussent les défauts et les qualités de chacun, jamais ce qu'ils ont écrit ne fera oublier ce qu'ils ont fait, ni ce qu'ils ont été.

5

Le cimetière des héros

Tout commença par un vœu. En 1744, au beau milieu de la guerre de Succession d'Autriche, Louis XV tomba gravement malade. Il se trouvait alors à Metz. Son état empira, au point que l'on craignit pour sa vie. Ses sujets priaient pour lui et les dévots de son entourage faisaient son siège pour qu'il consentît enfin à confesser ses péchés et répudier la favorite. Lui préféra adresser une prière à sainte Geneviève : s'il se tirait de ce mauvais pas, il dédierait à la sainte patronne de Paris une nouvelle église pour remplacer la vieille abbatiale qui menaçait de crouler. Une fois rétabli, le roi retomba bientôt dans les écarts dont il lui arrivait de souffrir sans qu'il s'en repentît vraiment, mais il n'oublia pas sa promesse. Jacques-Germain Soufflot, un protégé de Mme de Pompadour, fut chargé de tracer les plans de la nouvelle église que le roi voulait monumentale. Les travaux étaient loin d'être terminés quand le Bien-Aimé – devenu entre-temps le Mal-Aimé – mourut en 1774 et les ouvriers s'activaient encore sur le chantier lorsque la Révolution française éclata[1].

A peine l'église avait-elle été consacrée que l'Assemblée constituante en changea la destination. Les députés étaient alors sous le coup de la disparition de Mirabeau. Voulant rendre hommage à leur collègue et refusant d'écouter les rumeurs de corruption et même de trahison qui couraient sur son compte, ils décidèrent que sa dépouille serait inhumée dans la crypte de l'église Sainte-Geneviève transformée par la même occasion en nécropole dédiée aux grands hommes. L'Assemblée s'était prudemment réservé le droit de choisir les héros auxquels la patrie rendrait hommage. Elle en fit, du reste, un usage parcimonieux. Il faut dire que l'histoire du Panthéon commença de façon calamiteuse : les cendres de Voltaire étaient venues tenir compagnie à celles de Mirabeau, mais quelques mois suffirent pour que ce locataire devienne encombrant. Le trône ayant été renversé en 1792, les preuves des liens du tribun avec la Cour furent étalées au grand jour. On créa une commission pour instruire le procès posthume du ci-devant grand homme qui, toutefois, resta au Panthéon jusqu'aux conclusions de l'enquête[2]. C'était bien embarrassant. Les temps étaient troublés, les réputations éphémères. Après ce début raté, les successeurs des constituants de 1789 ne se pressèrent pas pour donner un compagnon d'éternité à Voltaire. Plus de deux années s'écoulèrent avant que Le Peletier de Saint-Fargeau, un député de la Convention poignardé par un royaliste le jour même de l'exécution de Louis XVI, entrât au Panthéon. La chute de Robespierre, en juillet 1794, lui fut fatale. Comme l'Incorruptible et ses partisans avaient fait de Le Peletier un héros, son tombeau fut ôté de la crypte et remplacé par ceux de Jean-Jacques Rousseau et de Marat. Si ce dernier, assassiné en 1793, faisait une entrée aussi tardive, il le devait au fait que Robespierre l'avait toujours détesté. Le moment était cependant mal choisi. Quelques mois à peine après le 9 Thermidor, l'heure était à la dénonciation des crimes commis pendant la Terreur. Les diatribes de l'Ami du peuple contre les traîtres et les tièdes n'étaient plus de saison. A peine était-il entré au Panthéon qu'il en fut lui aussi chassé[3]. Ceux qui l'en arrachèrent ne se souvenaient sans doute pas qu'il avait par avance refusé « l'honneur » de côtoyer pour l'éternité les faux grands hommes et les ennemis du peuple dont – il en était certain – on ne tarderait pas à peupler la crypte de l'ancienne église Sainte-Geneviève, déclarant même qu'il préférerait « ne jamais mourir que d'avoir à redouter un aussi cruel outrage[4] ». Les députés, ajoutait-il, ne s'étaient-ils pas constitués « arbitres de la renommée et distributeurs de brevets d'immortalité », usurpant ainsi un pouvoir qui ne pouvait appartenir qu'aux citoyens ? Et ce pouvoir, ne l'exerceraient-ils pas forcément selon leurs intérêts du moment et au bénéfice de leurs amis et de leurs clients[5] ? La suite avait prouvé qu'il disait vrai, et comme le déclara un conventionnel au moment où l'on décidait d'expulser l'Ami du peuple, ne fallait-il pas, réflexion faite, « laisser l'opinion publique juger les hommes que, dans un moment d'enthousiasme, on a crus grands[6] » ? Le débat ne faisait que commencer.

Le public s'amusait du chassé-croisé de ces héros d'un jour qui entraient et sortaient du Panthéon sans avoir le temps, si l'on peut dire, de reprendre leur souffle. A la fin de la décennie révolutionnaire, seuls Voltaire et Rousseau habitaient ce temple dont on ne savait trop que faire. On les imagine se regardant en chiens de faïence et ruminant leurs vieux griefs.

Le régime napoléonien commença par rendre à Sainte-Geneviève sa destination religieuse originelle – non sans y entreprendre de considérables travaux pour consolider le dôme qui menaçait de crouler[7] –, mais en février 1806 des instructions signées par l'Empereur ordonnèrent de « consacrer cette église à la sépulture des sénateurs, des grands officiers de la Légion d'honneur et des généraux et autres fonctionnaires publics ayant bien servi l'Etat[8] ». A la fois église, nécropole et annexe du musée des Monuments français – on devait y conserver les monuments funéraires provenant d'églises détruites ou fermées –, le Panthéon accueillit entre 1806 et 1815 pas moins de quarante nouveaux pensionnaires – plus de la moitié du total des élus à ce jour –, Français et étrangers, civils et militaires, la plupart peu connus et, le plus souvent, inhumés sans solennité particulière[9].

On se doute que la Restauration, succédant à l'Empire, n'avait guère envie de perpétuer un rituel d'origine aussi révolutionnaire : le Panthéon fut donc rendu au culte. Aux fidèles qui s'offusquaient de la présence de Voltaire sous leurs pieds, Louis XVIII répondit : « Laissez-le donc, il est bien assez puni d'avoir à entendre la messe tous les jours[10]. » Les portes du monument se refermèrent ensuite pendant près de soixante ans. Il gisait là, échoué au milieu de Paris comme un vaisseau de pierre que personne ne visitait plus. Cela n'a guère changé. Rares sont les visiteurs qui s'aventurent dans ce lieu glacial, et glaçant. Le Panthéon, « lieu vivant de la mémoire nationale ? », s'interroge Mona Ozouf. Non, un « lieu mort de l'imaginaire national », un « temple du vide[11] ». *Aux grands hommes la patrie reconnaissante*, lit-on au fronton du monument. Drôle de reconnaissance ! On y sent le froid de la mort. L'éternité a ici un parfum de châtiment. Les lieux n'y sont pas pour rien : « Un morceau d'une Rome bâtarde, à la fois antique et jésuite, échoué à l'écart sur la colline, d'où la vie a coulé de toutes parts vers les pentes basses[12] », disait Julien Gracq. Et un autre écrivain, dans un style un peu moins orné :

> Des réserves de cauchemar pour une vie, le cœur de Gambetta… quelques osselets républicains et laïques… un débris d'Empire… les fresques de Puvis [de Chavannes] […] ! Vu de dehors, c'est encore plus horrible et la nuit plus horrible encore je crois bien, avec cette impression de vide minéral que distillent certaines places désertes de Berlin-Est, une angoisse énorme, monumentale, comme si la ceinture de façades qui l'enserre conspirait à retenir les morts en cette nécropole plantée sur ce plateau croûteux[13].

Comment ne pas éprouver un sentiment de compassion pour ceux qui y reposent ? On se souvient du triste épisode que constitua, en 2002, la « panthéonisation » d'Alexandre Dumas, parce qu'un président de la République avait décrété qu'il était temps enfin que la nation fît « toute sa place à l'un de ses enfants les plus turbulents et les plus talentueux[14] ». Le père des *Trois Mousquetaires* eût assurément bien ri de cet ubuesque décret – au demeurant odieux puisqu'il renvoyait Dumas à une « négritude » qui ne l'avait guère tourmenté de son vivant –, si cette décision n'avait eu pour conséquence de l'arracher à sa sépulture de Villers-Cotterêts où il reposait, selon sa volonté, aux côtés de ses parents[15]. La République ne montra pas, en cette occasion, la délicatesse qui avait conduit la IIIe, en 1907, à ne pas séparer le chimiste Marcellin Berthelot de son épouse Sophie dont la disparition l'avait tant éprouvé qu'il en était mort de chagrin[16], et plus tard la IVe, en 1949, à respecter les dernières volontés de Victor Schœlcher qui souhaitait être inhumé auprès de son père. Le corps de Dumas se trouve aujourd'hui entre ceux d'Hugo et de Zola. Il y a, c'est vrai, pire compagnie. En définitive, l'histoire de ce « morne tombeau » est brève[17]. Elle tient presque dans une date unique qui en résume les grands moments – rares –, celle de l'inhumation de Victor Hugo le 1er juin 1885.

> Deux ans plus tôt, écrit Maurice Agulhon, Gambetta mort avait déjà imposé à Paris un convoi funèbre officiel, immense et laïque. Victor Hugo allait en redoubler le triomphe. Puis, au-delà du cortège, il y aurait la tombe. Un beau monument, comme cent autres, au Père-Lachaise ? Cette relative banalité n'était pas à la hauteur d'une aussi extraordinaire mémoire. C'est alors que le parti républicain s'avisa de proposer le Panthéon[18].

Banal, le Père-Lachaise ? Tout au long du XIXe siècle, le cimetière du XXe arrondissement avait été le théâtre des manifestations dont les obsèques des grands leaders libéraux ou républicains étaient l'occasion. Plus d'une fois les funérailles avaient dégénéré en émeute. Non, ce n'était pas un lieu banal. Pas plus à cette époque qu'aujourd'hui. On se perd dans le labyrinthe du Père-Lachaise, mais les morts n'y disparaissent pas. « J'ai suivi lentement les allées, écrivait Zola après une visite au tombeau d'Alfred de Musset. Quel silence frissonnant, quelles senteurs pénétrantes, quel air frais traversé par des souffles plus tièdes, qui viennent on ne sait d'où [...]. On sent que tout un peuple dort dans cette terre vivante et douloureuse sous le pied du promeneur. Il s'échappe de chaque plante des massifs, de chaque fente des dalles, une respiration vague qui se traîne au ras du sol avec des murmures confus. Les morts étaient joyeux à cette heure, ils avaient chaud, ils remerciaient le printemps[19]. » Il n'y a pas si longtemps, les tombes de Musset et de Benjamin Constant étaient encore ornées de fleurs toujours fraîches. Victor Hugo, lui, dort au milieu d'un désert de pierre que ne traverse aucune « respiration vague », mais où, « cérémoniel et cérémonieux » par tempérament, il savait depuis longtemps non seulement qu'on l'y mettrait, mais qu'il y serait chez lui[20]. Son inhumation fut l'occasion, c'est vrai, d'une cérémonie grandiose. Deux millions de personnes, dit-on, accompagnèrent sa dépouille depuis l'Arc de triomphe, où le cercueil avait été exposé au sommet d'un immense catafalque, jusqu'au Panthéon où on le descendit dans la crypte. Jamais ou presque on n'avait assisté à pareil spectacle[21]. Huit heures furent nécessaires au cortège pour atteindre sa destination et pas moins de dix-neuf discours furent prononcés. La République alors triomphante fêtait son propre avènement à travers les funérailles de celui qui n'avait pas seulement fini par en incarner les valeurs, mais dont l'histoire résumait tout un siècle[22]. Il y eut également foule pour l'entrée de Zola en 1908 et pour celle de Jaurès en 1924, mais dans les deux cas, le charme était déjà rompu. Maurice Barrès prononça contre la « panthéonisation » de Zola un discours qui ne l'honore pas – « Vous avez mis Zola au Panthéon, vous déshonorez le Panthéon[23] ! » – et l'Action française comme le parti communiste manifestèrent contre celle de Jaurès. Les autres « heureux » élus firent ensuite une entrée plus discrète. L'histoire du Panthéon déjà touchait à sa fin. De quelles entrées se souvient-on, en dehors de celle de Jean Moulin, qu'accompagna jusqu'à sa dernière demeure un Malraux inspiré[24] ? Des pensionnaires dont on a oublié le nom ou dont la qualité de « grands hommes » ne saute pas aux yeux, un « musée IIIe République » un peu terne, « une docte réunion de prix d'excellence[25] », une « Ecole normale des morts[26] ». Il y a quelques vrais grands hommes parmi eux, le maréchal Lannes, Jean Moulin, Pierre Brossolette aujourd'hui, mais comment ce qu'ils ont eu d'exceptionnel ne s'attiédirait-il pas dans ce kolkhoze où vrais et faux héros, fonctionnaires et professeurs, savants et écrivains sont condamnés à cohabiter pour l'éternité ?

Jamais le culte des grands hommes imaginé par la Révolution n'a conquis les cœurs et les esprits, et ce ne sont pas les froides cérémonies organisées en 2015 pour les quatre derniers entrants qui lui insuffleront enfin un souffle de vie[27]. Qu'on ne compte pas non plus, pour réinventer ce « tas laïque », comme le qualifie méchamment Léon Daudet[28], sur le rapport rédigé il y a quelques années à la demande du président de la République par Philippe Bélaval. Entre autres propositions insignifiantes ou saugrenues, ce dernier proposait de privilégier des « femmes du XXe siècle qui se sont illustrées par leur courage et la ténacité de leur engagement républicain au service de la transformation de la société ». Comme le fit observer Isabelle Marchandier dans *Valeurs actuelles* du 30 janvier 2014, à ce compte ce n'est pas demain que Mme de Staël, qui répond pourtant à tous les critères, le talent en trop, y entrera. On songe, à ce propos, à ce qu'écrivait Joseph de Maistre de l'échec des cérémonies civiques de la Révolution française :

> Chaque année, au nom de *Saint* Jean, de *Saint* Martin, de *Saint* Benoît, etc., le peuple se rassemble autour d'un temple rustique : il arrive, animé d'une allégresse bruyante et cependant innocente. La religion sanctifie la joie, et la joie embellit la religion : il oublie ses peines ; il pense, en se retirant, au plaisir qu'il aura l'année suivante au même jour, et ce jour est pour lui une date. A côté de ce tableau, placez celui des maîtres de la France, qu'une révolution inouïe a revêtus de tous les pouvoirs, et qui ne peuvent organiser une simple fête. Ils prodiguent l'or, ils appellent tous les arts à leur secours, et le citoyen reste chez lui, ou ne se rend à l'appel que pour rire des ordonnateurs[29].

C'est là le résumé de l'histoire du Panthéon : terne et froide comme la grandeur lorsqu'elle n'est pas incarnée. Cependant, le destin du temple de la montagne Sainte-Geneviève n'en reste pas moins singulier, si l'on songe au succès d'autres grands symboles de l'époque révolutionnaire, à commencer par le drapeau tricolore et *La Marseillaise.* Mais l'un et l'autre, précisément, évoquent une histoire moins étroite, moins sélective, moins sectaire que celle dont le Panthéon se veut la mémoire. Les morts illustres qui reposent là incarnent une histoire de la France qui ne remonte pas en deçà de 1789. Si l'Assemblée constituante s'était réservé le droit, en 1791, d'y admettre « quelques grands hommes morts avant la Révolution », elle n'en avait usé qu'en faveur de Voltaire et de Rousseau, et seulement parce qu'ils symbolisaient le pedigree philosophique dont ils se réclamaient et non une *histoire* qu'ils avaient congédiée : la Révolution ne prétendait-elle pas inventer un monde entièrement nouveau ? Le drapeau tricolore devint sans aucun doute le symbole de la France nouvelle combattant la France ancienne groupée autour du drapeau blanc de la royauté, mais à partir d'un mariage de couleurs qui avait, au départ, tenté d'unir la France d'hier et celle de demain, les couleurs de la liberté – le bleu et le rouge de la ville de Paris – et le blanc de la monarchie[30]. Quant à *La Mar-*

seillaise, ce chant de guerre pour les soldats de l'armée du Rhin, elle devint bientôt un hymne patriotique que pouvaient s'approprier aussi bien ceux qui n'éprouvaient guère de sympathie pour 1789 et ses suites. Le « sang impur » avait d'abord été celui des aristocrates et des partisans de l'Ancien Régime, mais dès l'époque des premiers combats en terre étrangère, il était devenu plus généralement celui des ennemis de la nation, de la patrie, de la France[31]. Dans les trois couleurs comme dans l'hymne national résonnent les échos d'une histoire plus longue que celle de la Révolution, les éléments d'une réconciliation sous le signe du patriotisme. Rien de tel au Panthéon, dont la mémoire « n'est pas la mémoire nationale, mais une des mémoires politiques offertes aux Français[32] », l'histoire de France réduite à celle de 1792 et de ses suites.

L'ambition révolutionnaire de recommencer la France en effaçant son passé millénaire avait fait long feu. Dès la période thermidorienne, vers 1796 et 1797, on avait commencé de recoudre la tunique déchirée de l'histoire française, ne fût-ce que pour donner à la Révolution des origines plus anciennes et moins fragiles que la philosophie des Lumières.

★

Les grands hommes ne cohabitent pas volontiers. Toute idée d'une mesure commune, même avec ceux de leur espèce, leur répugne instinctivement. Le grand homme – ou le héros – n'est-il pas celui qui, par son courage, son audace, son inflexible volonté, se dresse, souvent seul, contre les fatalités apparentes et les idées reçues, pour enfin repousser des limites, celles du possible ou de la connaissance, que l'on croyait infranchissables ? L'héroïsme n'est pas seulement transgressif, il est profondément individuel, unique, non reproductible, incomparable. Comme les saints de l'histoire religieuse qui, remarquait Louis Dumont, contribuaient en renonçant au monde à l'invention de l'individu dans un univers qui ne savait pas ce qu'était un individu libre de toute attache et maître de son destin[33], les héros renvoient eux aussi à l'idée de l'individu souverain, même lorsque, pour finir, ils succombent à la force des choses. Leur existence proteste contre la fatalité. Ils sont seuls de leur espèce. Quel que soit le domaine dans lequel ils ont excellé, politique, guerre, littérature ou sciences, ils y gardent une place marquée et qui n'appartient qu'à eux.

Du Grand Condé – comparé à Alexandre le Grand après la victoire qu'il remporta à Rocroi en 1643[34] – au Roi-Soleil qui s'arrogea le monopole de la gloire pour mieux imposer l'autorité de l'Etat[35] et aux tragédies de Corneille, le Grand Siècle, religieux et militaire, avait célébré le culte de héros qui, au siècle des Lumières, laïc et civil, auraient subitement perdu de leur éclat, dit-on, remplacés dans le cœur des peuples par le bon samaritain utile à ses semblables. Voltaire avait, le premier, sonné la charge, et l'on cite souvent ces lignes écrites en 1735 : « Vous savez que chez moi les grands hommes sont les premiers et les héros les derniers. » Et d'ajouter : « J'appelle grands hommes tous ceux qui ont excellé dans l'utile et dans l'agréable. Les saccageurs de provinces ne sont que héros[36]. » On se tromperait en tirant des conclusions trop définitives de cette distinction entre le héros, « homme de l'instant salvateur », et le grand homme, produit du « temps cumulatif », le premier défini par son action, le second par son œuvre[37]. Il est vrai que certains textes de Voltaire – songeons à *Candide* – portent une condamnation définitive contre l'héroïsme guerrier et ses prétendues vertus, mais ce serait oublier que leur auteur vécut, au moins par la plume, dans l'intimité des figures de proue dont il écrivit l'histoire – du roi de Suède Charles XII à Pierre le Grand et au Roi-Soleil – et qu'il devint le familier de l'un des héros les plus fameux du XVIIIe siècle : Frédéric II. L'auteur de *Candide* aimait, plus qu'on ne le dit, « héros et actions fortes[38] ». Du reste, c'est parce que la vie du roi de Suède Charles XII (1682-1718), incroyablement romanesque, avait tout pour séduire « l'imagination poétique » de Voltaire que celui-ci en écrivit l'histoire[39]. De l'invasion de la Russie à la chute, puis de l'exil en terre ottomane à la reconquête du trône suédois et à la dernière guerre contre l'empire des tsars, c'était une succession sans exemple de succès et de revers qui, certainement, place Charles plutôt dans le camp des héros et des « ravageurs » que dans celui des grands hommes, mais, comme le dit toujours Voltaire, le roi de Suède avait été « excessivement grand, malheureux et fou[40] ». Raison suffisante pour qu'il intéressât autant l'historien qu'un personnage à l'œuvre moins éphémère et plus utile, mais plus terne. Charles XII ? Un héros, même s'il était aux yeux de Voltaire inférieur à l'autre « héros du Nord », son contemporain et adversaire Pierre le Grand :

> Le Nord fut troublé, dès l'an 1700, par les deux hommes les plus singuliers qui fussent sur la terre, dira-t-il encore dans *Le Siècle de Louis XIV*. L'un était le czar Pierre Alexiovitz, empereur de Russie ; et l'autre le jeune Charles XII, roi de Suède. Le czar Pierre, supérieur à son siècle et à sa nation, a été, par son génie et par ses travaux, le réformateur ou plutôt le fondateur de son empire. Charles XII, plus courageux, mais moins utile à ses sujets, fait pour commander à des soldats et non à des peuples, a été le premier héros de son temps : mais il est mort avec la réputation d'un roi imprudent[41].

Le modernisateur de la Russie joignait aux vertus du grand homme le courage, l'audace et le volontarisme propres au héros. Les premières lignes des *Anecdotes sur le czar Pierre le Grand* (1748) sont éloquentes :

> Pierre Ier a été surnommé le Grand parce qu'il a entrepris et fait de très grandes choses, dont nulle ne s'était présentée à l'esprit de ses prédécesseurs. Son peuple, avant lui, se bornait à ces premiers arts enseignés par la nécessité. L'habitude a tant de pouvoir sur les hommes, ils désirent si peu ce qu'ils ne connaissent pas, le génie se développe si difficilement et s'étouffe si aisément sous les obstacles, qu'il y a grande apparence que toutes les nations sont demeurées grossières pendant des milliers de siècles, jusqu'à ce qu'il soit venu des hommes tels que le czar Pierre, précisément dans le temps qu'il fallait qu'ils vinssent[42].

Ni Hegel ni, plus tard, Thomas Carlyle n'eussent désavoué cette définition du grand homme ou du héros comme simultanément instrument et accoucheur de l'histoire[43].

C'est après Voltaire que tout changea.

Montesquieu déjà appartenait davantage à son siècle que l'auteur du *Siècle de Louis XIV*. Ne dira-t-il pas de Charles XII qu'en dépit des prodiges accomplis ce « n'était pas grand-chose[44] » ? L'heure était désormais à l'éloge des vertus privées et des bienfaits publics comme signes d'une grandeur authentique. On avait quitté le temps des « aristocraties guerrières » dont l'absolutisme royal avait fini par avoir raison[45]. Fini le temps des entreprises aventureuses et plus ou moins gratuites dont Voltaire disait, à propos de la Fronde :

> Les Français [...] se précipitaient dans les séditions par caprice et en riant : les femmes étaient à la tête des factions ; l'amour faisait et rompait les cabales. [...] On sait ces vers du duc de La Rochefoucauld, pour la duchesse de Longueville, lorsqu'il reçut, au combat de Saint-Antoine, un coup de mousquet qui lui fit perdre quelque temps la vue :
> *Pour mériter son cœur, pour plaire à ses beaux yeux,*
> *J'ai fait la guerre aux rois ; je l'aurais faite aux dieux*[46].

Les monarques « éclairés » rêvaient désormais de bien administrer leurs Etats et les nobles s'étaient mués en courtisans. Comme devait le dire Chateaubriand, on était passé de l'âge de l'honneur à celui des privilèges, en attendant celui des vanités. La génération de philosophes qui succéda à celle de Voltaire était à l'unisson de ces changements. Même si le culte des héros à la mode de l'Antiquité ou du Grand Siècle n'avait pas entièrement disparu[47], les critiques se faisaient de plus en plus vives. Une société qui ne connaîtrait plus de distinctions de rang pourrait-elle continuer à célébrer de prétendus grands hommes sans créer de funestes distinctions entre les citoyens ? Ne devrait-elle pas plutôt décerner ses hommages à des formes plus authentiques de grandeur ? La geste du citoyen vertueux, celle du bon père de famille ne dépassent-elles pas l'épopée d'Alexandre[48] ?

C'est, en 1784, ce « citoyen juste », héros modeste, anonyme, obscur même, que Bernardin de Saint-Pierre plaça au centre de son « Elysée », projet d'un panthéon verdoyant et parsemé de statues où le grand homme ordinaire, si l'on ose dire, serait entouré de mères de famille non moins anonymes et plus loin, beaucoup plus loin, par le cercle des défenseurs illustres de la patrie, des hommes de lettres et des inventeurs[49]. Bernardin de Saint-Pierre récusait l'inégalité et la séparation que la postérité introduit parmi les hommes. La véritable grandeur, disait-il, ne sépare pas les hommes, elle les rassemble et les rend même plus égaux, puisqu'elle gît en chacun d'eux. Haro donc sur l'homme providentiel de l'âge classique, qui révélait des dons exceptionnels à la faveur de circonstances extraordinaires et se trouvait séparé de ses semblables par une distance incommensurable. A cette grandeur qui singularise les individus, l'auteur de *Paul et Virginie* en opposait une autre qui les rassemble, remplaçant ainsi l'héroïsme fondé sur des qualités exceptionnelles par « un héroïsme sans qualités, sans attributs [et] parfaitement quelconque[50] ».

On l'a vu, la Révolution française fut d'abord du côté de Bernardin de Saint-Pierre. Ne rêvait-elle pas d'instaurer une société de citoyens égaux et qui, sans être parfaitement vertueux, le seraient assez du moins pour imposer silence à leurs intérêts particuliers ? Et ne plaçait-elle pas au centre de son Elysée le peuple lui-même, en corps, collectif, anonyme ? Or, la Révolution n'avait pas cessé de voir surgir des héros qui, en dépit du caractère éphémère de leur « règne », ne semblaient pas moins contredire la manière dont elle imaginait sa propre histoire. Le phénomène était déconcertant. Que penser de ces individus qui, de Marat à Robespierre, se voyaient fugitivement investis du pouvoir d'incarner le peuple souverain ? N'était-ce pas la preuve que les vieux réflexes avaient encore de beaux restes ? Le Panthéon avait paru un moindre mal : si le besoin d'admirer était si impérieux qu'on ne pût se passer de héros, alors, le moyen d'obvier aux dangers de l'admiration, lourde d'usurpation, était de réserver les hommages de la nation à ses héros morts et de les offrir à l'admiration en groupe, en cohorte, voire en foule, afin de ne plus donner prise au danger de voir le peuple s'attacher au souvenir d'une « personnalité élue, unique et solitaire[51] ». C'est sans doute la raison pour laquelle les vrais grands hommes de l'histoire de France, depuis deux siècles, n'y sont pas. Ni Napoléon, ni Clemenceau, ni de Gaulle n'ont été inhumés dans le temple de la montagne Sainte-Geneviève. Le deuxième a trouvé chez lui, près de Mouchamps en Vendée, la sépulture champêtre dont Jaurès craignait qu'on ne le privât un jour pour le mettre – un malheur n'est jamais exclu – au Panthéon[52], tandis que les deux autres ont préféré, l'un aux Invalides, l'autre à Colombey-les-Deux-Eglises, une dernière demeure qui reflétât mieux leur singularité et perpétuât leur légende.

Il y a une autre explication : si le Panthéon se veut le conservatoire de la mémoire nationale, il fut conçu au départ comme une nécropole rivale de celle de Saint-Denis, appelée à supplanter celle-ci et à matérialiser ainsi le recommencement de l'histoire de France en 1789. La comparaison avec l'abbaye de Westminster est éloquente : ici, dans un « labyrinthe de tombeaux », comme disait Chateaubriand qui s'y fit enfermer une nuit pour la passer au milieu de « ces illustres effigies[53] », c'est toute l'histoire de l'Angleterre qui se trouve rassemblée dans un même endroit, rois et reines jusqu'à Charles II, amiraux et aristocrates, écrivains et compositeurs, martyrs, prélats et prieurs, historiens et poètes, ministres et soldats, et si les inhumations s'y sont raréfiées avec le temps, c'est tout simplement que la place est venue à manquer. Comparé à la rigueur toute classique du Panthéon français – sa « physionomie romaine[54] », dit un visiteur –, Westminster a le charme d'un jardin à l'anglaise. On s'y perdrait presque. Beaucoup n'y sont pas dont une plaque commémorative, une statue ou une chapelle rappelle le souvenir. Il y a tous les styles, du sublime et du moins heureux, des choix hasardeux – Robert Burns mais pas Byron, Sheridan mais pas Shelley –, mais le fait est là, Westminster, c'est un peu Saint-Denis et le Panthéon unis dans une même église, un témoignage d'une histoire marquée elle aussi par des ruptures – les deux révolutions anglaises du XVIIe siècle, pour ne pas remonter plus haut –, mais qui viennent se confondre dans ce vaisseau de pierre dédié à l'Angleterre et à son ex-empire[55]. La preuve ? Oliver Cromwell et quelques autres protagonistes de la première révolution anglaise, celle de 1642, qui avaient été inhumés à Westminster, en furent retirés après la restauration de 1660, Charles II répugnant à laisser là ceux qui avaient décapité son prédécesseur. Mais ils y sont revenus, en catimini certes, une plaque rappelant leur souvenir et témoignant de leur appartenance à l'histoire commune. Adolphe Blanqui, le frère du révolutionnaire, qui visita Londres en 1823, exagère à peine lorsqu'il écrit de l'abbaye où les Anglais enterrent leurs rois après les y avoir couronnés[56] :

> Vingt révolutions se sont succédé sous ses murs ; mais jamais le héros de la veille n'a été exhumé par celui du lendemain. Chaque parti a reconnu le génie, lorsqu'il s'est rencontré dans le parti contraire. Les républicains y reposent à côté des royalistes, les catholiques à côté des protestants[57].

Le Panthéon, au contraire, est le reflet des déchirures françaises : il était donc logique que ceux dont le principal titre à la postérité était d'avoir tenté de surmonter ces divisions aient préféré reposer dans un lieu qui illustrât mieux leur exceptionnalité : l'un des monuments les plus exemplaires du Grand Siècle pour l'un, le dépouillement de la terre de France pour l'autre.

⋆

S'il est impossible d'affirmer que Napoléon désigna explicitement les Invalides pour sa dernière demeure, il se préoccupa beaucoup de ce monument dont Montesquieu disait qu'il était « le lieu le plus respectable de la terre » et qui illustrait, autant que Versailles peut-être, le règne de Louis XIV. A peine aux commandes, il tenta, sans y parvenir, d'éloigner les soldats mutilés qu'on y hébergeait. Il avait ses raisons pour envoyer à Versailles ceux qu'il appelait « les plus chers enfants de la patrie[58] », il voulait transformer les Invalides en un temple à la gloire des armées françaises et, bien entendu, de lui-même qui en était désormais la vivante incarnation[59]. Moins d'un an après le 18 Brumaire, il y fit transférer la dépouille de Turenne. C'était à la fois une réparation pour les outrages subis par le cadavre du maréchal pendant la Révolution – son corps, retiré de Saint-Denis, avait été envoyé au Jardin des Plantes où des petits malins lui avaient arraché les dents pour les vendre –, un hommage au chef de guerre que le futur empereur admirait le plus[60], le moyen, enfin, de manifester qu'avec son accession au pouvoir la France renouait avec son passé glorieux. La cérémonie fut imposante et la gloire de Turenne l'occasion d'exalter celle du Premier consul[61]. Les architectes préférés de Bonaparte, Percier et Fontaine, se mirent ensuite à l'ouvrage. Il y avait à faire. Les Invalides devaient être remis en état et d'importants travaux entrepris pour répondre aux intentions du général. Turenne jouait un peu le rôle, mais dans un tout autre esprit, qui avait été dévolu à Voltaire au Panthéon. Le soin avec lequel le Premier consul étudiait les plans qu'on lui soumettait et suivait l'avancement des travaux est facile à comprendre. Bonaparte ne pouvait qu'être attiré par les Invalides. Quel autre lieu que celui-ci, avec la rigueur toute classique de son architecture, aurait pu illustrer plus exactement l'association entre grandeur militaire et sagesse administrative – Marengo et le Code civil – qui caractérisait le Consulat[62] ?

Lorsque Napoléon fut proclamé empereur, le Conseil d'Etat fut appelé à débattre de l'organisation du couronnement. L'Empereur participa à certaines de ces discussions où l'on évoqua la possibilité d'une cérémonie hors de Paris, peut-être à Lyon qui se montrait plus fidèle que la capitale où le général Moreau, jugé comme complice de Cadoudal, n'avait pas manqué de soutiens ; on pensa aussi à Aix-la-Chapelle où reposait Charlemagne dont Napoléon était présenté depuis des mois comme le successeur[63]. Si Paris devait l'emporter, ce dont, au fond, personne ne doutait, les conseillers d'Etat avaient une préférence pour le Champ-de-Mars où le couronnement du nouvel empereur en présence du peuple renouvellerait le pacte éphémère conclu entre le roi et les Français au moment de la fête de la Fédération du 14 juillet 1790. C'était, à leurs yeux, le moyen de consolider les liens entre Napoléon et la Révolution et de dissiper les inquiétudes de ceux qui soupçonnaient le nouvel empereur de vouloir tourner le dos à 1789 et s'imposer comme le successeur des Bourbons. Napoléon objecta qu'au moment où la cérémonie aurait lieu – on avait choisi la date du 9 novembre 1804, cinquième anniversaire du 18 Brumaire –, il n'était pas impossible que le temps fût trop mauvais pour qu'elle pût se dérouler en plein air. C'est alors que l'hypothèse des Invalides parut s'imposer. Quelques semaines plus tard, le 15 juillet, la première grande représentation de l'Empire, la distribution des croix de la Légion d'honneur, fut organisée sous le dôme. Un décret avait été préparé : le couronnement aurait lieu aux Invalides. Mais il fallut se rendre à l'évidence : l'église Saint-Louis des Invalides ne pouvait accueillir plus de deux mille spectateurs, quand on en prévoyait dix mille pour le couronnement. Napoléon renonça et proposa Notre-Dame[64]. Avait-il feint de préférer les Invalides parce qu'il savait que c'était impossible et dans le seul but d'imposer la cathédrale, renforçant ainsi d'avance la dimension religieuse de la cérémonie qui, au couronnement, ajouterait le sacre du nouvel empereur par le pape[65] ?

La décision d'être inhumé le moment venu à Saint-Denis, dans l'église abbatiale où se trouvaient, avant 1793, les tombes des rois de France, participait du même esprit de réconciliation des mémoires[66]. Napoléon n'était-il pas le fondateur d'une IVe dynastie appelée à succéder à celle des Capétiens ? Tout comme, en se faisant sacrer par le pape, il avait privé les Bourbons de la légitimité religieuse dont ils se prévalaient, pourquoi ne pas les supplanter jusque dans la mort ?

> De ma race
> Ce grand tombeau sera le port ;
> Je veux, aux rois que je remplace,
> Succéder jusque dans la mort,

écrira Victor Hugo[67]. Lorsque le petit Napoléon-Charles, le fils aîné de Louis Bonaparte et d'Hortense de Beauharnais, mourut à La Haye le 5 juillet 1807, Napoléon donna des ordres pour qu'on l'enterrât dans la basilique de Saint-Denis[68]. On pouvait y voir la suite logique du sacre, un pas supplémentaire accompli vers la dépossession des Bourbons, une captation d'héritage, mais, en définitive, une erreur. C'était, en effet, comme emménager dans une maison qui n'était pas la sienne et si fortement associée au souvenir de ses anciens propriétaires qu'elle ne pourrait jamais le devenir. Du reste, il le sentit, puisque ayant envisagé un moment de rapatrier dans l'église les tombes royales qui en avaient été expulsées en 1793, il finit par y renoncer. Que serait-il, lui, le fondateur d'une dynastie toute neuve, auprès de ce cortège de rois à l'histoire millénaire ? On songe à ce que Thiers dit du rétablissement, en 1804, de la monarchie héréditaire au profit de Napoléon. Celui-ci, affirme l'historien de l'Empire, commit alors une faute lourde de conséquences. Il se compromit vis-à-vis des Français en jetant le doute sur la sincérité de sa fidélité à la Révolution, sans y gagner le moindre supplément de considération du côté des puissances étrangères :

> Ce soldat, dans sa position naturelle et simple de premier magistrat de la République française, n'avait point d'égal sur la terre, même sur les trônes les plus élevés. En devenant monarque héréditaire, il allait être mis en comparaison avec les rois, petits ou grands, et constitué leur inférieur en un point, celui du sang. [...] Accueilli dans leur compagnie, et flatté, car il était craint, il serait en secret dédaigné par les plus chétifs[69].

En définitive, sa chute et le retour des Bourbons le sauvèrent en lui fermant le chemin de Saint-Denis. La basilique ayant retrouvé ses tombes royales, Napoléon mort eût passé pour un intrus, un parvenu indésirable, et assurément sa légende, magnifiée d'abord par la captivité sur une île perdue au milieu de l'Atlantique, ensuite par le splendide isolement du tombeau des Invalides, eût souffert de ce voisinage intempestif.

Tout en rêvant de supplanter les Bourbons jusque dans la mort, Napoléon n'avait pas oublié les Invalides. Les voûtes de cet « Elysée des braves[70] » se chargeaient des drapeaux pris à l'ennemi et ses murs de plaques à la mémoire des soldats tués au combat. Napoléon ? « Le tapissier des Invalides[71] », disait-on. En 1808, le cœur de Vauban y fut solennellement placé sous un buste, face au tombeau de Turenne. Deux ans plus tard, quelques jours avant le premier anniversaire de la victoire de Wagram, le 6 juillet, on y exposa le corps du maréchal Lannes, mortellement blessé l'année précédente à Essling[72]. Napoléon avait ordonné des funérailles grandioses pour celui qu'il nommait « le plus brave de tous les hommes », son « compagnon d'armes depuis seize ans », son « tendre ami » même[73]. Mais, le moment des obsèques venu, il n'y assista pas. Pour que son absence ne passât pas pour de l'indifférence, il s'arrangea pour se trouver à Rambouillet le jour de la cérémonie[74]. Il avait ses raisons. Les circonstances n'étaient plus les mêmes. L'Autriche, alors ennemie, était devenue une alliée depuis qu'il avait épousé l'une des filles de l'empereur François Ier. Difficile de paraître en compagnie de Marie-Louise à des obsèques célébrant, à travers le maréchal, une victoire remportée sur sa belle-famille[75]. Lannes était le premier maréchal d'Empire à mourir au combat. C'est aussi pourquoi Napoléon avait voulu qu'on lui rendît un hommage particulier. Mais, pour autant, il n'était pas question que ce dernier fût inhumé auprès de Turenne. Après avoir été exposée quatre jours aux Invalides, sa dépouille fut conduite au Panthéon, tandis que le cœur du défunt restait aux Invalides[76]. D'autres militaires, c'est vrai, avaient précédé Lannes au Panthéon, « le lieu de sépulture des hommes illustres[77] », dira un journal de l'époque, mais aucun n'avait sa notoriété[78]. Napoléon songeait-il en fait déjà aux Invalides pour lieu éventuel de son dernier repos, et répugnait-il à y entrer pour ainsi dire en second, de surcroît à la suite d'un de ses lieutenants[79] ? Ce n'est pas impossible, d'autant que l'idée de créer aux Invalides une nouvelle nécropole royale n'était pas nouvelle. Louis XIV l'avait eue déjà. Le grand roi avait commencé par ordonner d'importants travaux à Saint-Denis, afin que les rois de la race des Bourbons pussent disposer d'une chapelle digne de ce nom, alors que depuis la mort d'Henri IV les morts de la famille étaient privés d'un monument funéraire, le dernier ayant été érigé pour Henri II en 1559. Depuis cette date, « l'ancien caveau dit des cérémonies, dans lequel le corps de chaque roi était jadis déposé provisoirement le jour des funérailles, et la partie centrale de la crypte, dont les arcs latéraux furent murés, [étaient devenus] un vaste caveau dans lequel les Bourbons de la branche aînée reposaient tous, rangés les uns à côté des autres. Il n'y avait plus ni marbres, ni statues, ni tombeaux, mais seulement deux lignes de cercueils de plomb posés sur des tréteaux de fer[80] ». Louis XIV chargea François Mansart d'ajouter une chapelle à la basilique. Si le projet n'avait pas encore été abandonné en 1676, le roi avait déjà fait appel à Jules Hardouin-Mansart pour la construction du dôme des Invalides. Alain Erlande-Brandenburg a montré que le plan retenu par le roi se rattachait à une très ancienne tradition liant église, rotonde et mausolée, à la lumière de laquelle le dôme, sans cela dépourvu d'usage évident, trouvait sa fonction : celle de nécropole – royale bien sûr – dont le Roi-Soleil eût été le premier occupant si, dans les dernières années du siècle, il n'y avait renoncé[81]. Napoléon mettait ainsi ses pas dans ceux du grand roi.

Lannes eût été de trop. Le seul dont il semble avoir réellement désiré qu'il reposât à ses côtés est Duroc. Trois ans le séparaient du futur duc de Frioul : Duroc était né en 1772. Depuis le siège de Toulon en 1793, il n'avait jamais quitté Bonaparte ; il avait été de toutes les campagnes et de toutes les batailles, joignant à son immense bravoure des talents de diplomate qui l'avaient conduit jusqu'en Russie. C'est lui qui, en 1808, reçut l'abdication du roi d'Espagne. Depuis le sacre, il dirigeait la Maison de l'empereur. Napoléon avait une confiance totale en lui, il estimait le serviteur et il aimait l'homme. Probablement Duroc fut-il le seul ami de toute sa vie. Il fut fauché par un boulet à Bautzen, le 22 mai 1813. Napoléon se rendit à son chevet, où le mourant, affreusement mutilé, eut la force de le prier de partir. L'Empereur lui tenait la main. En sortant, assure Caulaincourt, Napoléon pleurait, ce qui ne s'était jamais vu. Trois mois plus tard, il revint à l'endroit où était tombé Duroc. Le terrain appartenait à un fermier. Napoléon fit venir celui-ci et lui acheta sa ferme sur-le-champ, l'autorisant à y demeurer à condition qu'il fît ériger un monument portant cette inscription : « Ici le général Duroc, duc de Frioul, grand maréchal du palais de l'empereur Napoléon, frappé d'un boulet, a expiré dans les bras de son empereur et de son ami. » Les événements en décidèrent autrement. Les Russes, qui occupèrent bientôt cette région, interdirent la construction du monument. Quant à la dépouille de Duroc, elle avait été transportée à Mayence en attendant le moment d'être transférée aux Invalides où Napoléon avait décidé d'organiser en l'honneur du défunt une imposante cérémonie que la fin de l'Empire, en 1814, empêcha. Ce n'est que longtemps après, en 1847, que les cendres de Duroc rejoignirent celles de son maître[82].

L'Empereur, sentant sa fin approcher, confia ses dernières volontés à ses proches. Il demanda à ce que son corps fût rapatrié en France et qu'on enterrât ses restes à Paris, de préférence au Père-Lachaise, « entre Masséna et Lefebvre[83] ». Il revenait à l'idée de Saint-Denis. Après tout, il avait lui aussi régné sur la France. Les Bourbons s'honoreraient en lui faisant une place. Mais il n'y croyait pas, sachant la peur qu'il leur inspirait. Si on lui refusait Paris et le Père-Lachaise, alors pourquoi pas un lieu symbolique, « le confluent du Rhône et de la Saône », autrement dit Lyon où il avait été acclamé encore en 1815[84] ? Il finissait par la Corse, du bout des lèvres, disant que si on se décidait à le traiter en paria, alors on pouvait toujours l'inhumer dans la cathédrale d'Ajaccio où il avait été baptisé[85]. Pas une seule fois il n'avait évoqué le Panthéon. Et puis, dans son testament daté du 15 avril 1821, il dicta la célèbre phrase : « Je désire que mes cendres reposent au bord de la Seine, au milieu de ce peuple français que j'ai tant aimé. » Cette fois, aucun doute n'était plus permis, ce seraient les Invalides, car sur les bords de la Seine il n'existait aucun autre lieu susceptible d'accueillir sa dépouille. Peut-être avait-il toujours caressé cette idée, car après tout il n'était pas dupe ; sa gloire, partant son pouvoir, avait d'abord tenu aux armes, avant toute autre forme de légitimité[86] : « Mon pouvoir tient à ma gloire et ma gloire aux victoires que j'ai remportées[87] », disait-il avec cette lucidité sur lui-même qui l'avait (presque) toujours caractérisé. Il ne pouvait trouver sépulture plus indiquée que l'édifice dédié à la grandeur militaire, la seule apte alors à pouvoir réconcilier les Français.

⋆

Charles de Gaulle, lui, ne choisit pas le lieu où il reposerait après sa mort : le cimetière de Colombey-les-Deux-Eglises s'imposa à lui. C'est en 1934 qu'il avait acquis en viager la propriété de la Boisserie dans ce village de Champagne. Le Général et sa femme – on l'a dit – étaient à la recherche d'une maison où Anne, leur fille trisomique, pourrait vivre à l'abri des regards et au grand air. Ils y avaient séjourné avant la guerre. Les Allemands avaient ensuite pillé et incendié la maison. Elle était en si mauvais état que le Général, lorsqu'il renonça au pouvoir en janvier 1946, s'installa à Marly le temps que les travaux de réfection soient achevés. Lorsque, quelques mois plus tard, la Boisserie redevint habitable, il s'y installa. Colombey devint alors son île d'Elbe. Anne y rendit son dernier soupir le 6 février 1948. Elle n'avait pas vingt ans. Le Général resta inconsolable de la disparition de cette enfant qui, confiera-t-il, était enfin devenue dans la mort « comme les autres[88] ».

C'est d'abord à sa fille qu'il pensait lorsqu'en 1952 il rédigea son testament. Comment imaginer reposer ailleurs qu'à ses côtés, dans le petit cimetière qui jouxtait presque la Boisserie, cette maison qui, ne lui étant rien – aucun de ses aïeux ni de ceux d'Yvonne n'était originaire de cette région –, était devenue son vrai domicile, et dans ce village inconnu qui, grâce à lui, s'était transformé en un lieu chargé d'Histoire ? Il avait soixante-deux ans. Le temps, qui avait couru si vite depuis 1940, semblait s'être arrêté. Sa vue baissait. Lui, dont la constitution devait rester si forte jusqu'au bout ou presque, commençait à songer à sa fin. Les circonstances n'étaient pas étrangères à ses pensées. Il se trouvait alors au mitan d'un « exil intérieur » dont il pouvait craindre, à ce moment, qu'il ne devînt définitif. Son ressentiment contre ceux qui lui avaient tourné le dos s'ajoutait à sa douleur de père pour lui faire souhaiter des obsèques et une sépulture dont nul ne pourrait tirer parti. Il ne *leur* donnerait pas la satisfaction de lui rendre hommage après l'avoir trahi et de s'en prévaloir pour revendiquer son héritage.

Deux précédents, du reste, le firent sortir de ses gonds et précipitèrent la rédaction de son testament. Il y eut, d'abord, les obsèques du général Leclerc[89]. De Gaulle, qui se voyait alors – à la fin de 1947 – sur le point de revenir au pouvoir sans coup férir grâce à un RPF en plein élan, avait confié à ses proches combien il répugnait à ces funérailles nationales souvent empreintes d'insincérité et d'hypocrisie. C'était pour lui un supplice que la perspective d'assister aux cérémonies, d'abord à Notre-Dame, ensuite place de l'Etoile, enfin aux Invalides, confondu au milieu de cette classe politique qu'il exécrait et qui allait profiter de l'occasion pour se donner en spectacle et, à grand renfort de discours et de larmes de crocodile, dire quel exemple était pour la France le vainqueur de Koufra et le commandant de la 2e DB[90]. Il refusa l'invitation qui lui était adressée et c'est avant tout le monde, le 6 décembre, qu'il se rendit aux Invalides pour s'incliner sur le cercueil de son vieux compagnon d'armes, un des seuls militaires qu'il aimait et admirait à la fois[91]. Quatre ans plus tard, c'est à Jean de Lattre de Tassigny que la nation fit, le 15 janvier 1952, des obsèques nationales. Il y eut, en présence d'Eisenhower et de Montgomery, une imposante cérémonie, d'abord à Notre-Dame, ensuite aux Invalides, avant que la dépouille mortelle du maréchal – élevé à cette dignité à l'occasion de ses obsèques – ne parte pour la Vendée où elle serait inhumée dans le caveau familial. Charles de Gaulle assista à cet hommage où il ne vit rien d'autre qu'une odieuse tentative de récupération par ceux qui, à ce moment, traitaient si mal l'armée française en Indochine. Les relations entre de Gaulle et « le roi Jean » n'avaient pas toujours été sereines[92], mais enfin, c'était une insulte à la mémoire de l'officier disparu que de confier son éloge funèbre à Edouard Herriot. Ce vestige de la IIIe République, interné à Metz parce qu'il avait plaidé la « phobie de l'emprisonnement » pour éviter de subir le sort de Georges Mandel ou de Léon Blum, n'avait-il pas accepté en août 1944, quelques jours avant l'entrée du général de Gaulle dans Paris, d'être remis en liberté par Laval avec l'accord des Allemands ? A ce moment, « Bougnaparte », aux abois, songeait au rétablissement du régime parlementaire. Si l'Assemblée nationale de l'avant-guerre se trouvait rassemblée au moment de l'entrée des Alliés dans Paris, ne serait-ce pas la fin des ambitions du Général et, pour Laval, peut-être l'occasion sinon d'un nouveau départ, du moins d'une sortie honorable ? De son côté, Herriot se voyait déjà en restaurateur de la IIIe République. Les Allemands n'étaient pas contre, les Américains étaient pour puisque de Gaulle serait la victime d'une telle opération. L'ancien chef du Cartel des gauches attendait le moment d'emménager dans les appartements du président de l'Assemblée nationale ; avec Laval il débattait âprement de la distribution des portefeuilles et, joignant l'agréable à l'utile, faisait venir son tailleur pour renouveler sa garde-robe, alors que les Alliés approchaient de Paris et que, dans la capitale, on préparait le soulèvement. S'il renonça finalement, c'est parce que les autres caciques de la défunte IIIe République – à commencer par le président du Sénat, Jules Jeanneney – ne suivirent pas. Il se détourna donc de Laval, sans pour autant rejoindre la Résistance, comme on le lui proposait. Les Allemands lui ayant dit qu'il pourrait retourner à Metz, dans son confortable refuge, c'était désormais son vœu le plus cher, et sans la duplicité de ses interlocuteurs, qui, au lieu de le renvoyer à l'asile, le firent arrêter et conduire en Allemagne, où l'Armée rouge le « libéra » en 1945, il se fût peut-être moins bien tiré de ce mauvais pas : désormais, lui aussi pouvait se prétendre victime[93]. Et c'est cet homme-là, sans honneur, lâche et traître à la fois, que l'on avait chargé de prononcer l'éloge du soldat qui avait, au nom de la France, recueilli la capitulation du IIIe Reich ? Il y avait là de quoi vomir. De Gaulle se vit à la place de De Lattre. Il pouvait presque entendre les discours et les éloges qui ressembleraient à ceux qu'il venait d'entendre. Il avait encore un autre motif pour prendre ses précautions. Il voyait dans les obsèques, même d'un homme public, une « affaire privée » et une « affaire chrétienne[94] ». Elles relevaient de l'intime, du cercle familial, sans que l'Etat eût à s'en mêler ou à en dicter les modalités. Le lendemain même des funérailles de De Lattre, il rédigeait son testament. Non, il ne leur donnerait pas l'occasion de se montrer à ses obsèques et d'y parader à ses dépens. Refusant leurs hommages hypocrites, il serait inhumé à Colombey à l'issue d'une cérémonie « extrêmement simple » réglée par sa famille et son cabinet, cérémonie à laquelle pourraient être associés des représentants des trois armes, mais sans musique, sonneries ou délégation des autorités de l'Etat – « Ni président, ni ministres, ni bureaux d'assemblées, ni corps constitués » ; aucun emplacement ne serait réservé dans l'église de Colombey, aucun discours ne serait prononcé et il n'y aurait aucune remise de décoration à titre posthume ; en revanche, précisait le Général, « les hommes et femmes de France et d'autres pays pourront, s'ils le désirent, faire à ma mémoire l'honneur d'accompagner mon corps [en silence] jusque sa dernière demeure[95] ».

Décision irrévocable sur laquelle jamais il ne revint, même après son retour aux affaires en 1958, *a fortiori* après son départ définitif en 1969. Sa femme a dit combien les événements l'avaient affecté pendant les deux dernières années de sa vie. Il se sentait incompris – pis encore, trahi. Il n'oubliait rien, « les faiblesses des uns, l'attitude ambiguë de beaucoup, la trahison de certains[96] ». Il en avait fini avec la politique. Il pensait être sorti de l'histoire le jour où le « non » l'avait emporté au référendum – il disait même être mort ce jour-là[97] ; le moment était en fait venu, pour lui, d'entrer à tout jamais dans la postérité.

★

L'Empereur ne fut évidemment pour rien dans l'organisation de ses propres obsèques, près de vingt ans après sa mort[98], mais le cérémonial se révéla finalement à la mesure du personnage. On y trouve en effet ce mélange d'incomparable grandeur et de kitsch qui a donné son style à son époque et dont le tableau d'Ingres représentant Napoléon revêtu du costume qu'il portait le jour de son couronnement donne une idée assez exacte. Tout ce bric-à-brac égyptien, romain ou carolingien composait un style « Empire » qui n'a pas survécu à son inspirateur et n'a pas toujours bien vieilli. Napoléon le croyait cependant nécessaire pour donner un peu de patine à sa royauté toute neuve. Sans doute ses victoires faisaient-elles davantage pour sa renommée que les décors pompeux dont il habillait son pouvoir, mais ce mauvais goût qui sentait son parvenu avait quelque chose de touchant. Il « humanisait » Napoléon, dont Nietzsche disait très justement qu'il était une synthèse du surhumain et de l'inhumain[99] ; il ramenait un peu, un petit peu, ce personnage gigantesque, hors norme, qu'on ne peut comparer à personne, au niveau du commun des mortels.

C'est en 1827 que Victor Hugo – revenu du légitimisme de sa jeunesse – composa le vers fameux : « Oh, va ! Nous te ferons de belles funérailles[100] ! » A vrai dire, les fidèles de l'Empereur n'avaient pas attendu la conversion d'Hugo pour réclamer le retour de la dépouille de leur héros. Dès le 14 juillet 1821, le général Gourgaud, l'un de ses compagnons d'exil, présentait à la Chambre une pétition allant dans ce sens, mais on se doute que Louis XVIII puis Charles X n'étaient guère désireux de voir l'encombrant cadavre revenir au milieu des Français.

Les pétitions se succédaient donc en vain lorsque éclata la révolution de 1830[101]. Louis-Philippe, qui devait son trône aux journées de Juillet, ne portait pas plus l'Empereur dans son cœur que les Bourbons de la branche aînée auxquels il succédait. Il avait toujours eu le sentiment que Napoléon lui avait volé son destin en 1799, au moment où l'écroulement du Directoire et une nouvelle invasion ouvraient la voie à une restauration monarchique dont il aurait pu devenir le bénéficiaire si, comme on pouvait alors le supposer, la France ne voulait pas du frère cadet de Louis XVI. Le duc d'Orléans n'appartenait-il pas à la famille royale tout en ayant prouvé, avant 1793, son attachement aux idées libérales de la Révolution ? N'avait-il pas combattu, en 1792, à Valmy et à Jemmapes ? S'il était du sang des Bourbons, disait méchamment Mme de Rémusat à son sujet, il en était également couvert[102]. Qui, mieux que lui, était capable d'incarner cette alliance de la monarchie et de la liberté, sous l'égide de la Constitution à laquelle les hommes de 1789 avaient en vain aspiré ? Mais voilà, le Corse l'avait pris de vitesse, le privant de son rôle et le condamnant peut-être à un exil sans fin. Il allait attendre trente années pendant lesquelles allaient se succéder Napoléon, Louis XVIII et Charles X. Interminable attente. Réfugié en Angleterre, puis en Sicile, il ne cessa d'espérer la chute du « très petit grand homme », comme il appelait l'Empereur, et la défaite des armées françaises. Ne qualifiera-t-il pas l'invasion de 1814 de « plus beau phénomène dont l'histoire ait à faire mention[103] » ? Depuis l'époque (février 1800) où il s'était réconcilié avec les Bourbons de la branche aînée, le fils de Philippe Egalité avait en quelque sorte expié son passé révolutionnaire par une haine jamais démentie contre « l'usurpateur » et, par extension, contre la France napoléonienne, celle, comme il disait, des « va-nu-pieds[104] ». En 1814, au moment de la chute de l'Empire, il espéra follement qu'on ferait appel à lui, mais une fois encore l'Histoire les oublia, lui et, comme il disait, « sa maison ». Après quinze années d'Empire, il lui fallut donc ronger son frein durant les quinze années de Restauration qui suivirent. Il guettait les faux pas, chaque faute le réjouissait, chaque succès le voyait faire grise mine. En 1820, lorsque la naissance du duc de Bordeaux, surnommé « l'enfant du miracle » car né après l'assassinat de son père le duc de Berry, sembla lui fermer la route du trône, il ne put masquer son dépit. Mais, peu à peu, il sut apparaître comme un recours. Il réunissait dans son salon, avec ses partisans, les libéraux et les nostalgiques de l'Empire : « Il n'avance pas, mais je sens qu'il chemine », disait de lui Louis XVIII qui le détestait. Enfin, son tour vint. Quarante ans s'étaient écoulés depuis la réunion des états généraux à Versailles. Et quelles années ! La terre en avait tremblé jusqu'au bout du monde. On comprend que les survivants de ces incroyables événements aient ressenti quelque lassitude. Ils aspiraient à un repos bien mérité. A leurs yeux, cette nouvelle commotion devait être la dernière, l'accomplissement tardif mais définitif de la Révolution qui, avec l'avènement de ce prince libéral, entrait au port. 1830 donnait une conclusion heureuse à 1789 comme, en Angleterre, la Glorieuse Révolution de 1688 avait refermé le cycle ouvert en 1642 par la révolte contre Charles Ier. Ce régime libéral, garant de la paix à l'extérieur et de l'ordre à l'intérieur, se présentait comme un aboutissement, comme un héritier aussi, celui, à la fois, de l'ancienne monarchie et de la Révolution. Il trouvait dans son corbillon à la fois Saint-Denis et le Panthéon, Rocroi et Austerlitz, les rois, la République et l'Empereur. Comme le résuma le ministre de l'Intérieur, Rémusat, lorsqu'il proposa à la Chambre le retour en France du corps de Napoléon, « la monarchie de 1830 est [...] l'unique et légitime héritière de tous les souverains dont la France s'enorgueillit[105] ». Les Bourbons revenus avaient, on s'en doute, boudé la Révolution et l'Empire, n'empêchant d'ailleurs ni le culte de la République de survivre ni la légende napoléonienne de prendre son essor. Depuis la mort de l'Empereur à Sainte-Hélène (1821) et la publication du *Mémorial* de Las Cases en 1823, Napoléon était partout, dans les livres et les chansons, sur les gravures et les assiettes, sous la forme de bustes, de statuettes, de pipes et de tapisseries… Il était déjà loin le temps où la « légende noire » avait tenu le haut du pavé, après la première abdication de 1814 et encore un peu après les Cent-Jours[106]. Prométhée, résume Jean Tulard, avait effacé « l'Ogre »[107]. Oubliés, les gendarmes de Savary, la censure des journaux et la conscription ; oubliés, ces jeunes gens qui partaient à la guerre et qu'on ne revoyait plus ; oubliés ou presque, ceux qui rentraient estropiés. Ce qui était devenu presque insupportable aux Français en 1813 ou 1814 formait maintenant l'inépuisable matière d'une épopée qu'on racontait, comme le grognard du *Médecin de campagne*, le soir au coin du feu : « Voyons, monsieur Goguelat, racontez-nous l'Empereur. » Napoléon, dont la légende s'était fanée après le désastre de la campagne de Russie, reprenait des couleurs. Non plus celles du despote de 1810 ou 1811, au temps du mariage avec une archiduchesse d'Autriche et de la naissance du roi de Rome, mais les couleurs de l'héritier et garant de la Révolution, du « Petit Tondu » proche de ses soldats et du chef attentif à la condition des humbles : le « Napoléon du peuple ». Si le régime de Juillet fut d'emblée présenté comme l'héritier et le garant de 1789, moins l'épopée, il s'en faut de beaucoup qu'il ait conservé plus de quelques semaines le caractère populaire que lui avaient conféré les circonstances révolutionnaires de sa naissance. Dès la fin de 1830, le divorce était consommé et une répression féroce allait bientôt s'abattre sur tous ceux qui voulaient renverser cette nouvelle monarchie qui avait selon eux, républicains ou bonapartistes, trahi les engagements pris pendant les Trois Glorieuses. Pour Louis-Philippe, donner quelques gages à la gauche et mettre ainsi – du moins l'espérait-il – les grands souvenirs de son côté n'était pas de mauvaise politique. La statue de Napoléon retrouva sa place au sommet de la colonne de la place Vendôme et les travaux pour achever l'arc de triomphe de l'Etoile reprirent. Mais de retour de la dépouille de l'Empereur, il n'était point question. Comme sous le règne de Louis XVIII, les pétitions avaient beau se multiplier, le gouvernement faisait la sourde oreille, et peut-être l'Empereur eût reposé longtemps encore à Sainte-Hélène si Adolphe Thiers n'avait été appelé au mois de mars 1840 à former un nouveau gouvernement.

Le « nabot monstrueux », comme Marx le baptisa[108], qui avait, en 1834, réprimé sans états d'âme les soulèvements ouvriers, repartait alors à l'assaut du pouvoir après en avoir été évincé quatre ans plus tôt, égal à lui-même : toujours aussi pressé, énergique, plein de ressources, doué, intelligent et parfaitement dénué de scrupules. On a dit qu'il se fit le promoteur du retour des cendres parce qu'il y voyait une bonne réclame pour l'*Histoire du Consulat et de l'Empire* à laquelle il travaillait et dont le premier volume paraîtra cinq ans plus tard[109]. Ce n'est pas impossible, même si Napoléon n'avait pas besoin de Thiers pour être à la mode et si Thiers n'avait pas besoin de Napoléon pour devenir un auteur en vogue : son *Histoire de la Révolution française* (1823-1827) l'avait imposé comme le chef de file de tous ceux qui travaillaient à la réhabilitation de 1789, et même de 1792. En apôtre du fatalisme historique, il soutenait en effet que dans le courant de ces dix années tumultueuses, tout ou presque avait été nécessaire. En outre, Thiers admirait sincèrement Napoléon. En travaillant à son grand œuvre, il s'était pris d'affection pour son héros, s'efforçant toujours de peser le pour et le contre, de bien marquer les responsabilités qui, montrait-il, n'étaient pas toujours du côté de « l'Ogre ». Rapatrier ses cendres constituait bien sûr un « coup » politique dont il entendait tirer le bénéfice, mais aussi un hommage rendu au héros par la France héritière de la grande épopée révolutionnaire, de surcroît à l'initiative de ce Rastignac marseillais à peu près aussi dépourvu à l'origine qu'avait pu l'être le jeune Bonaparte et qui, comme lui, était parti à la conquête de Paris. Les champs de bataille que l'époque ne lui offrait pas, il les avait trouvés dans les rédactions des journaux, la tribune de la Chambre, les cabinets ministériels et l'écriture de l'histoire de la « Grande Nation ».

L'idée s'imposait à lui avec d'autant plus de force qu'outre ces motifs, il en avait un supplémentaire de faire vibrer la corde patriotique en ramenant Napoléon chez lui, pour lui faire ces « belles funérailles » dont Hugo avait parlé. La politique intérieure du nouveau chef du gouvernement reflétait les convictions de cet homme dont la fidélité aux principes de 1789 n'avait d'égale que la constance de sa haine envers la « populace » et les « partageux ». Toute en faveur des grands intérêts économiques, cette politique ne pouvait entraîner derrière le gouvernement de larges fractions de l'opinion. Or, Thiers avait besoin d'un soutien beaucoup plus important que celui des bourgeois censitaires pour imposer au roi la politique étrangère de casse-cou qu'il voulait engager. Un bras de fer opposait en effet la France et l'Angleterre à propos de l'Egypte. Tandis que la première soutenait la rébellion de Méhémet-Ali, le pacha d'Egypte, qui rêvait d'émanciper le monde arabe de la tutelle ottomane, la seconde défendait les droits du sultan de Constantinople et l'intégrité de l'Empire ottoman. Le ton ne cessait de monter entre les deux pays et, bientôt, la Russie, l'Autriche et la Prusse prendront même fait et cause contre Paris. Les Français isolés croiront alors revivre les heures sombres des grandes coalitions de 1813 et de 1815[110].

La tâche était d'autant plus difficile pour Thiers que Louis-Philippe avait fait de la paix et de l'Entente cordiale avec Londres les principes intangibles de sa politique étrangère[111]. La lutte était rude entre les deux partis dont l'un, disait Tocqueville, « rêve de conquêtes et aime la guerre soit pour elle-même, soit pour les révolutions qu'elle peut faire naître », tandis que l'autre, celui du roi, disait-il encore, « a pour la paix un amour que je ne craindrais pas d'appeler déshonnête, car il a pour unique principe, non l'intérêt public mais le goût du bien-être matériel et la mollesse du cœur[112] ». L'invocation des cendres de Napoléon n'était pas de trop pour entraîner le monarque dans une escalade qui se limitait pour le moment à des échanges de notes acerbes et à des discours véhéments, mais qui pouvait fort bien déboucher sur une confrontation.

Le roi ne fit pas trop de résistance. Thiers l'avait prévenu : des patriotes irlandais s'apprêtaient à exiger du gouvernement britannique la restitution à la France du corps de Napoléon, mieux valait qu'il prît les devants. Le 1er mai, Louis-Philippe fit savoir à son ministre qu'une fois obtenu le consentement de Londres, l'un de ses fils, le prince de Joinville, appareillerait pour Sainte-Hélène. Après tout, ce serait l'occasion de renouer le dialogue avec le gouvernement anglais, et le roi ne pensait plus que le spectre de Napoléon pût représenter un danger politique. Il avait eu raison des comploteurs de tout poil, légitimistes ou républicains, qui avaient tenté de le renverser, comme des insurrections ouvrières qui avaient marqué les débuts de son règne. La légende napoléonienne était plus que jamais vivante, mais ce n'était qu'une légende, en aucun cas une force politique, l'étendard d'un parti. « Tôt ou tard, confia le roi à ses proches, cela [le retour des cendres] aurait été arraché par les pétitions. J'ai mieux aimé octroyer. Il n'y a pas de danger. La famille [Bonaparte] est sans importance[113]. » La preuve en fut administrée quelques semaines plus tard lorsque, le 6 août, le prince Louis-Napoléon – le futur Napoléon III – débarqua à Boulogne-sur-Mer pour ce qui devait être le point de départ d'une sorte de répétition du retour de l'île d'Elbe. Ce pronunciamiento échoua aussi lamentablement que celui déjà tenté par le neveu de l'Empereur à Strasbourg en 1836[114]. Au fond, l'idée que l'on pouvait se réclamer de la légitimité de Napoléon, même si l'on était de son sang, ne venait à personne. L'empereur des Français brillait au firmament de l'histoire de France d'un éclat unique : pas plus qu'il n'y avait eu de Napoléon II, il n'y aurait de Napoléon III. Le retour des cendres ne présentait dès lors que des avantages.

A Londres, l'ambassadeur de France, qui n'était autre que Guizot, obtint facilement le consentement amusé du cabinet britannique. « Qu'importent à l'Angleterre de vieux ossements », d'autant moins qu'en Orient la crise était proche de son terme et tournait à son entière satisfaction[115]. Thiers se frottait les mains. Le seul à faire grise mine était le prince de Joinville, qui voyait sa mission comme une corvée et répugnait à faire « le croque-mort » pour complaire à ce petit bonhomme de Thiers[116].

Lorsque le ministre de l'Intérieur, Rémusat, se présenta devant les parlementaires pour obtenir les crédits nécessaires à l'opération, la stupeur laissa bientôt place à l'enthousiasme[117]. Le rapporteur de la commission chargée de rédiger le projet de loi, le maréchal Clauzel[118], saisit l'occasion pour solliciter de la Chambre un crédit de deux millions au lieu du million demandé par le ministère et surtout que les Invalides, retenus par le gouvernement, n'accueilleraient plus aucun autre défunt après Napoléon, afin que ce monument lui fût à tout jamais consacré. Si les députés approuvèrent massivement le projet gouvernemental (par 280 voix contre 65), ils ne suivirent la commission ni sur le doublement des crédits ni sur sa proposition de réserver à tout jamais les Invalides à la dépouille de l'Empereur. Lamartine, qui ne cachait pas sa « haine intellectuelle contre [le] héros du siècle[119] » auquel il reprochait, comme il le dira à la tribune de la Chambre, de n'avoir été ni « un grand homme complet » ni « le Washington de l'Europe », avait un peu tempéré l'ardeur des parlementaires :

> Je ne me prosterne pas devant cette mémoire, avait-il notamment dit ; je ne suis pas de cette religion napoléonienne, de ce culte de la force que l'on veut [...] substituer dans l'esprit de la Nation à la religion sérieuse de la liberté. Je ne crois pas qu'il soit bon de déifier ainsi sans cesse la guerre, [...] comme si la paix, qui est le bonheur et la gloire du monde, pouvait être la honte des nations[120].

Lorsque, sept mois plus tard[121], *La Belle Poule* revint en France avec le cercueil de l'Empereur à son bord, Thiers avait été remercié et remplacé par Guizot (28 octobre)[122]. Entre la guerre avec l'Europe et la paix, Louis-Philippe avait choisi. La cérémonie perdait du même coup de son intérêt politique, d'autant que le nouveau chef du gouvernement n'était pas aussi confiant que le roi et voyait beaucoup d'inconvénients à ces funérailles qui, ravivant de glorieux souvenirs, seraient bien peu flatteuses pour la monarchie de Juillet ; le peuple, loin de savoir gré au roi d'avoir rapatrié la dépouille du héros, n'en jugerait que plus sévèrement le caractère étroitement bourgeois et prosaïque du régime. Guizot fit tout ce qui était en son pouvoir pour diminuer l'éclat de la cérémonie. Ainsi obtint-il que le gouvernement et les grands corps de l'Etat ne se mêleraient pas au défilé, lequel serait purement militaire. L'Empereur ? Un soldat qui revenait au milieu des siens, accueilli par les vétérans de l'armée et enseveli dans la nécropole dédiée aux gloires militaires de la France[123].

Les préparatifs avaient pris beaucoup de retard. On s'activa pendant que la dépouille de Napoléon remontait la Seine. Lorsque le navire qui transportait le cercueil accosta à Courbevoie, le 14 décembre 1840, on finissait à peine de monter le décor. C'est pourtant une foule immense qui, par un froid glacial et sous des flocons de neige, se pressa le lendemain sur le trajet emprunté par le convoi, du pont de Neuilly à l'Arc de triomphe, puis des Champs-Elysées jusqu'à la cour des Invalides. Victor Hugo, qui fut le reporter – critique – de cette journée, dit joliment que c'était comme si la population de Paris avait versé d'un seul côté de la ville, « comme un liquide dans un vase qui penche[124] ». Les rues étaient désertes à l'est, Hugo entendait ses pas sur le pavé glacé, quelques passants le dépassaient en courant, tous vers l'ouest, et puis il perçut une vague rumeur qui enfla lorsqu'il franchit la Seine et, suivant la rive gauche, s'approcha de l'esplanade des Invalides. La foule était là, énorme. Dans la cour, où se trouvaient les spectateurs munis d'invitations, on avait élevé de chaque côté des gradins. Le bruit y était plus fort. C'était celui de gens frappant les marches de bois de leurs pieds pour se réchauffer en attendant l'arrivée du cortège.

Celui-ci avançait lentement au milieu de la foule et entre deux haies formées de 80 000 soldats et gardes nationaux rangés depuis l'Arc de triomphe jusqu'aux Invalides. Dans le cortège, les vétérans : « Ils sont là tous, les grenadiers coiffés d'oursons roussis, les marins aux brandebourgs usés, les voltigeurs, les mamelucks, les hussards, les lanciers, les dragons aux habits déteints, appuyés sur des cannes[125]. » On entendait des vivats, des chants à la gloire du Petit Tondu, quelques *Marseillaise* aussi. Victor Hugo affirme pourtant que la déception le disputa à l'émotion. Il faut admettre que le décor n'était pas à la hauteur de l'événement. Les figures héroïques disposées le long du trajet étaient en plâtre, les toiles peintes ressemblaient à « des nippes et des haillons ». Les grands hommes peints à la hâte sur les grandes toiles installées sur l'esplanade des Invalides[126], et qui devaient faire cortège au héros lorsqu'il entrerait dans le lieu de son dernier repos, faisaient triste figure. Par endroits, la peinture trop fraîche avait coulé. Sous le faux marbre on voyait le plâtre, sous la pierre le carton-pâte. « Le mesquin habillait le grandiose[127] », jugera Hugo. Le catafalque, tiré par seize chevaux caparaçonnés d'or, avait pourtant de l'allure, mais un gros défaut : le cercueil de l'Empereur était invisible. Ecoutons encore l'auteur de *Choses vues* :

> L'ensemble a de la grandeur. C'est une énorme masse, dorée entièrement, dont les étages vont pyramidant au-dessus des quatre grosses roues dorées qui la portent. Sous le crêpe violet semé d'abeilles, qui le recouvre de haut en bas, on distingue d'assez beaux détails : les aigles effarés du soubassement, les quatorze Victoires du couronnement portant sur une table d'or un simulacre de cercueil. Le vrai cercueil est invisible. On l'a déposé dans la cave du soubassement, ce qui diminue l'émotion. C'est là le grave défaut de ce char. Il cache ce qu'on voudrait voir, ce que la France a réclamé, ce que le peuple attend, ce que tous les yeux cherchent, le cercueil de Napoléon[128].

Hugo exagère sans doute un peu la déception du public, mais il est vrai que si la ferveur l'emporta aux Champs-Elysées, il en alla différemment aux Invalides. Pour la majorité des spectateurs présents au terme du parcours, et qui faisaient partie des sphères officielles, Napoléon appartenait au passé. On entendit même des plaisanteries[129]. Un autre témoin, la duchesse de Dino, assure qu'en général l'attitude du public ne fut « ni religieuse, ni recueillie, ni touchante[130] ». Il y eut tout de même un moment d'intense émotion lorsque, le cortège entrant sur l'esplanade des Invalides, le soleil pour un instant perça les nuages. Comme on était en décembre, on crut y voir une allusion au soleil d'Austerlitz : « Une grande pensée traverse cette foule[131] », note Hugo.

Le Moniteur inventa le lendemain les fortes paroles échangées entre le prince de Joinville qui remettait le corps de l'Empereur et son père qui le recevait : « Sire, je vous présente le corps de l'empereur Napoléon », dit Joinville. « Je le reçois au nom de la France », répondit Louis-Philippe, qui, à l'instar des membres du gouvernement, s'était abstenu de suivre le cortège funèbre. Il faut dire que la veille, Guizot avait été accueilli par des huées et des cris hostiles lorsqu'il était allé à Courbevoie s'incliner sur le cercueil tout juste débarqué du bateau qui avait remonté la Seine depuis Le Havre[132]. En fait, un discours avait bien été préparé, mais Joinville, qui commençait à en avoir assez de toute cette pantalonnade, ne l'avait pas appris[133]. En réalité, le père et le fils bredouillèrent quelques mots et, après une messe dans l'église Saint-Louis des Invalides, on tira le rideau, bien soulagés. Hugo dira avec justesse de la cérémonie qu'elle avait eu « un singulier caractère d'escamotage » :

> Le gouvernement semblait avoir peur du fantôme qu'il évoquait. On avait l'air tout à la fois de montrer et de cacher Napoléon. On a laissé dans l'ombre tout ce qui eût été trop grand ou trop touchant. On a dérobé le réel et le grandiose sous des enveloppes plus ou moins splendides, on a escamoté le cortège impérial dans le cortège militaire, on a escamoté l'armée dans la garde nationale, on a escamoté les chambres dans les Invalides, on a escamoté le cercueil dans le cénotaphe[134].

Pompe bâclée, ratée en partie n'eût été la présence, même invisible, d'un immense souvenir, si grand que les efforts déployés pour l'annexer, l'apprivoiser ou le neutraliser semblaient encore plus petits et mesquins qu'ils n'étaient en réalité. Le régime de Juillet, le trône de ce roi que l'on peignait en forme de poire avaient plus à perdre qu'à gagner au retour des cendres, comme Lamartine l'avait éloquemment prophétisé lors du débat du mois de mai :

> Nous qui prenons la liberté au sérieux, mettons de la mesure dans nos démonstrations. Ne séduisons pas tant l'opinion d'un peuple qui comprend bien mieux ce qui l'éblouit que ce qui le sert. N'effaçons pas tout, n'amoindrissons pas tant notre monarchie de raison, notre monarchie nouvelle, représentative, pacifique. Elle finirait par disparaître aux yeux du peuple[135].

William Thackeray, l'auteur de *La Foire aux vanités*, vivait à Paris à ce moment. Il trouva la cérémonie imposante non à cause de son caractère grandiose – lui aussi se moque du décor raté et de la mauvaise volonté évidente du gouvernement –, mais de la ferveur populaire : tandis que le bateau portant le cercueil remontait la Seine, les bords du fleuve « se couvraient de vieux soldats et de gens de la campagne accourus de plusieurs lieues à la ronde pour contempler le cercueil de Napoléon, s'agenouiller sur la rive et prier pour lui[136] ». Même ferveur à Paris, même si le froid vif dispersa la foule sitôt le défilé terminé. Les rues se vidèrent comme elles s'étaient remplies et rien ne resta de ce jour, sinon les statues de plâtre, les oriflammes et les gradins de la cour des Invalides que des ouvriers s'empressèrent de démonter. A Courbevoie, le navire qui avait amené Napoléon demeura plusieurs jours à quai. Les passants le regardaient à peine. Quelques semaines plus tard, le cercueil fut placé dans l'une des six chapelles de l'église, celle dédiée à saint Jérôme, où il resta… jusqu'en 1861. Un autre Napoléon, troisième du nom, avait entre-temps rétabli le trône impérial et c'est lui qui, le 2 avril, présida à l'installation du cercueil dans le sarcophage de porphyre rouge, au centre de la crypte ouverte aménagée sous le dôme à l'issue d'immenses travaux par Louis-Tullius Visconti[137]. Quarante années après sa mort, Napoléon rentrait pour de bon chez lui.

★

Après s'être démis du pouvoir en 1969, au lendemain de la victoire du « non », le général de Gaulle prit congé des Français à sa manière. Peu après son départ de l'Elysée, il se rendit en Irlande sur les traces d'ancêtres maternels[138]. Personne n'a oublié les photographies du Général arpentant les dunes de Derrynane. Il regagna ensuite le petit hôtel où il avait élu domicile avec Yvonne pour se plonger dans la lecture des deux grands chefs-d'œuvre de l'exil, les *Mémoires d'outre-tombe* et le *Mémorial de Sainte-Hélène*[139]. « La légende gaullienne, couronnée comme il se devait par l'ingratitude et par l'échec, s'exhaussait jusqu'au mythe[140] », écrit l'historien de ce périple. Il faisait ses adieux à la France en lui léguant une dernière image : celle d'un vieil homme vêtu de noir marchant en s'aidant d'une canne dans la lande déserte. Ne restait qu'à aller mourir auprès des siens. Paul Morand, dont on sait combien il haïssait de Gaulle, salua sa mort, un an plus tard, d'un sardonique : « De Gaulle est mort, faisant des réussites. Quel ambitieux[141] ! » Le Général, c'est vrai, s'en alla « sans musique ni fanfare[142] », si l'on excepte le « Oh ! j'ai mal dans le dos ! » entendu par sa femme au moment où il s'effondra, terrassé par une rupture d'anévrisme.

Son ultime voyage ne fut pas dépourvu de grandeur. Bien sûr, ses dernières volontés, consignées dans le testament de 1952, ne furent pas entièrement respectées, pas plus que ne l'avaient été celles de Clemenceau. Ce dernier avait, comme le Général après lui, refusé qu'on lui fît des funérailles nationales. Il voulait être enterré auprès de son père, en Vendée, sans discours ni prières[143]. Le gouvernement n'organisa pas moins, le 1er décembre 1929, une cérémonie officielle à laquelle n'assistèrent ni les parents ni les proches du Tigre. Le lendemain, au Colombier, près de Mouchamps, il fut inhumé comme il avait voulu l'être. Il y eut bien quelques fleurs jetées sur le cercueil, des femmes à genoux priant auprès de la fosse, mais elles étaient de son pays, de cette terre où il avait voulu reposer[144].

Pierre-Louis Blanc, qui fut l'un des derniers fidèles à travailler auprès du général de Gaulle – il avait auparavant dirigé le service de presse de l'Elysée –, et Jean Mauriac, qui approcha lui aussi le Général un quart de siècle durant, ont relaté les scènes qui suivirent la mort de celui que sa garde rapprochée appelait « Pépère[145] ». D'autres témoins ont, depuis, ajouté leur version au dossier. Les faits sont embrouillés, la chronologie parfois incertaine. On devine des silences qui en disent long, des réticences, de vieux ressentiments qui continuent de couver. Une chose est sûre, Yvonne ne voulait pas qu'on fît des funérailles nationales à son mari. Elle avait exigé que l'on n'informât de sa mort que la famille, et encore, à mots couverts, de peur que le téléphone de la Boisserie ne fût placé sur écoute. Quand elle disait de Charles qu'il avait beaucoup souffert depuis Mai 68[146], c'était à Georges Pompidou qu'elle pensait. Entre le Général et son ancien plus proche collaborateur, les ponts étaient rompus : de Gaulle ne pardonnait pas à Pompidou d'avoir pris les choses en main à un moment où lui-même semblait dépassé par les événements ; quant à Pompidou, il s'était senti manipulé lorsque le Général avait secrètement quitté l'Elysée pour aller rencontrer Massu à Baden-Baden, humilié par la manière dont il avait été ensuite « congédié » de Matignon, trahi par les sous-entendus, les sourires de l'entourage du Général et le silence de ce dernier au moment de l'affaire Marković. Il avait pris sa revanche quelques semaines plus tard, à Rome, et récidivé lors d'un déplacement à Genève, déclarant qu'il était prêt, « le moment venu », à poser sa candidature à la présidence de la République[147]. Coup de poignard dans le dos selon de Gaulle, convaincu que Pompidou n'avait pas moins contribué à sa chute en avril 1969 que l'appel de Giscard à voter « non ». De Gaulle n'avait pas « raté » son ancien Premier ministre, lui consacrant un portrait assassin dans le chapitre des *Mémoires d'espoir* qu'il eut tout juste le temps de terminer avant ce fatal 9 novembre. Evoquant la reconduction de Pompidou dans ses fonctions après le référendum de 1962, il écrivait :

> Bien que son intelligence et sa culture le mettent à la hauteur de toutes les idées, il est porté, par nature, à considérer surtout le côté pratique des choses. Tout en révérant l'éclat dans l'action, le risque dans l'entreprise, l'audace dans l'autorité, il incline vers les attitudes prudentes et les démarches réservées [...]. Voilà donc que ce néophyte du forum, inconnu de l'opinion jusque dans la cinquantaine, se voit soudain, de mon fait et sans l'avoir cherché, investi d'une charge illimitée, jeté au centre de la vie publique, criblé par les projecteurs concentrés de l'information. Mais, pour sa chance, il trouve au sommet de l'Etat un appui cordial et vigoureux [...], dans le pays une grande masse de gens décidés à approuver de Gaulle[148].

Ainsi Pompidou, né de la volonté du chef, voyait-il ses moyens mesurés « couverts par le haut et étayés par le bas ». C'était mordant, cruel, injuste. Les proches auxquels le Général avait lu ces pages jubilaient. Entre partisans de l'homme du 18 Juin et intimes du nouveau président, le torchon brûlait. On a du mal aujourd'hui à mesurer les haines que 68 avait fait lever entre les gaullistes « historiques » et la génération nouvelle. Couve de Murville, Malraux, Guichard, sans parler de la famille de Gaulle, regardaient Pompidou comme un « traître », un « usurpateur », un « parvenu » et n'avaient pas de mots assez durs pour l'entourage du nouveau président, de Pierre Juillet à Marie-France Garaud et Jacques Chirac. Ces derniers n'étaient pas en reste : Pierre Juillet ne disait-il pas à qui voulait l'entendre combien de Gaulle était, au fond, « machiavélique, retors, mesquin, petit » ? Le conseiller de Georges Pompidou, aux premières loges en Mai 68, avait compris que la page du gaullisme était tournée, que le Général n'était pas mort politiquement en avril 1969, mais l'année d'avant. Quant aux vieux gaullistes, leurs propos féroces étaient la rançon de leur amertume. L'Histoire, avec une majuscule, les avait quittés sans qu'ils s'en fussent aperçus.

La veuve du Général ne pardonnait pas davantage. Sa crainte était que Pompidou, à qui de Gaulle avait confié en 1952 le premier exemplaire de son testament – deux autres copies étant remises à ses enfants, Philippe et Elisabeth –, ne prétextât la disparition de ce document pour organiser à sa guise les funérailles. Il fallait donc tenir la nouvelle secrète, le temps au moins de s'assurer que le testament ne pourrait être contesté. Philippe, qui se trouvait à la base navale de Brest, reçut l'ordre de rentrer au plus vite. Comme son père l'eût fait à sa place, il ne voulut profiter en rien des largesses de l'Etat et, de Brest, il rejoignit Paris par un train de nuit. Lorsqu'il arriva à son appartement parisien, son beau-frère, Alain de Boissieu, avait déjà tenté, mais en vain, de joindre le président de la République. Philippe de Gaulle ne fut pas plus heureux. On voulut même lui passer Denis Baudouin, qui, cinq ans plus tôt, avait dirigé la campagne présidentielle de Jean Lecanuet ! Pas question, naturellement, de se rendre à l'invitation de ce traître et de lui serrer la main[149]. Le fils du Général demanda alors à l'un des fidèles de son père, Pierre Lefranc, d'aller à l'Elysée à sa place. Georges Pompidou était invisible. On confronta les exemplaires du testament, en effet identiques. Désormais, l'Elysée ne pouvait déroger aux dernières volontés du défunt, en supposant que l'idée ait été même seulement effleurée. Lefranc vit Michel Jobert, qui tenta de le convaincre de ne rien faire avant que le président de la République n'eût donné lecture du testament devant le Conseil des ministres. Lefranc ne céda pas, répétant qu'il revenait à la famille, à elle seule, de diffuser la nouvelle et de rendre public son contenu. Mais à 9 h 42, l'AFP apprenait par un communiqué de l'Elysée la mort du Général. La famille avait été prise de vitesse. La publication du testament suivit bientôt. Cette fois, la présidence et la famille avaient, chacune de son côté, et au même moment, pris l'initiative de faire connaître les dernières volontés du défunt. Il y eut ensuite Conseil des ministres extraordinaire, et Georges Pompidou apparut sur les écrans de télévision : « Françaises, Français, le général de Gaulle est mort. La France est veuve. » Après avoir hésité à faire le déplacement, il s'était rendu aux arguments de son entourage et s'apprêtait à faire le voyage de Colombey lorsqu'il apprit qu'Yvonne de Gaulle refusait, prétextant l'absence de son fils, pas encore arrivé à la Boisserie. En réalité, elle ne voulait pas que l'on vît le corps de son mari avant la mise en bière. Surtout Pompidou ! C'est seulement le lendemain 11 novembre que « Brutus », accompagné de Jacques Chaban-Delmas, put venir présenter ses condoléances, sincèrement blessé de n'avoir pu voir une dernière fois le Général[150]. Le menuisier avait cloué le cercueil la veille au soir, après avoir ôté l'alliance du doigt du défunt. Le président et son Premier ministre s'attardèrent un moment devant le cercueil fermé. Il n'y eut d'effusions et de chaleur ni d'un côté ni de l'autre. Si les de Gaulle croyaient l'avoir emporté en obligeant le gouvernement à publier le testament par lequel le Général avait refusé tout hommage officiel, ils se trompaient. Celui-ci annonça pour finir qu'un hommage national serait organisé le 12 novembre à Notre-Dame. On n'avait donc pas renoncé, même si, par force, la messe serait dite en l'absence du mort. Lorsque Philippe de Gaulle rejoignit la Boisserie, l'après-midi du 10 novembre, il fut mis devant le fait accompli. Décision fut immédiatement prise de ne pas participer à cette cérémonie qui contrevenait aux dernières volontés du Général, et même de fixer l'heure des obsèques à Colombey de manière à empêcher ceux qui auraient assisté à la messe de Notre-Dame de s'y rendre pour prendre part aux vraies funérailles[151]. Le renégat n'aurait pas le dernier mot. Pierre-Louis Blanc se montre peut-être trop sévère lorsqu'il écrit que « l'opération destinée à faire apparaître, aux yeux de l'opinion, Georges Pompidou comme l'héritier du général de Gaulle avait réussi[152] ». Mais l'auteur de ces lignes avait épousé les passions de son héros et, comme de Gaulle, il ne voyait plus en Pompidou qu'un traître soucieux de s'approprier la mémoire du grand homme après avoir préempté son héritage. Entre la famille et l'Elysée le dialogue avait été de sourds, et le comportement de l'entourage de Pompidou assez peu digne. Mais celui de l'entourage du Général avait-il été plus honorable à l'époque de l'affaire Marković ? L'épisode, si insignifiant soit-il, illustre en tout cas la décomposition déjà en cours de la famille gaulliste, dont Jean Mauriac devait être le chroniqueur aussi talentueux que désabusé[153].

Le 12 novembre, le président de la République, les corps constitués, le ban et l'arrière-ban de la politique française se retrouvèrent à Notre-Dame, côtoyant plusieurs dizaines de souverains et de chefs d'Etat ou de gouvernement, de Richard Nixon à Nikolaï Podgornyï, du shah d'Iran à l'empereur d'Ethiopie Hailé Sélassié et de Ben Gourion à la reine Juliana des Pays-Bas, et si Mao n'était pas présent, il avait tenu à faire déposer une énorme gerbe à Colombey. Cette messe sans cercueil et sans homélie fut imposante. Trois mille personnes se pressaient à l'intérieur de la cathédrale, tandis que des dizaines de milliers d'autres s'étaient massées sur le parvis et dans les rues alentour. La presse était telle qu'on voit, sur les images, les policiers arc-boutés contre les barrières, près de la cathédrale, pour empêcher qu'elles ne soient renversées. La foule avait encore grossi le soir, lorsque des centaines de milliers de personnes remontèrent, sous une pluie battante, ces Champs-Elysées que le Général avait triomphalement descendus en août 1944. Encore une fois, « c'était la mer », immense cortège impressionnant de silence, fleuve humain qui se répandait pour finir sur la place de l'Etoile, faisant cercle autour de la tombe du Soldat inconnu croulant sous les gerbes et les bouquets.

La messe de Notre-Dame, avec son parterre de dirigeants venus des quatre coins de la planète, ne témoignait pas seulement de l'aura du Général, mais de celle de la France. Aucune autre disparition n'aurait pu, toutes affaires cessantes, conduire à l'autre bout du monde tant d'importants, et cela dans aucune autre nation. Au fond, peu importe la puissance réelle de la France. Son influence tient davantage à son histoire et à l'universalité de sa culture qu'à la vitalité de son économie ou à l'ampleur de ses moyens militaires ; elle tient plus à ce qu'elle représente qu'à ce qu'elle est.

Le relief de l'hommage à Notre-Dame tient également à ce que la mort du général de Gaulle marquait un tournant. Tous ceux qui étaient là le sentaient. Après Roosevelt en 1945, Staline en 1953 et Churchill en 1965, il était le dernier des quatre grands à disparaître. Une page se tournait dans l'histoire du monde. Ici, en France, dans son « cher et vieux pays », c'était un juge incommode qui s'en allait, et l'intransigeance de Pierre-Louis Blanc n'obscurcit pas son jugement lorsqu'il écrit ces lignes si justes à propos du président de la République et de ses ministres qui assistaient, au premier rang, à la messe célébrée par Mgr Marty et qu'il trouva à la fois « tristes et soulagés » :

> Tristes, car les uns et les autres [...] avaient été formés par ce maître à agir et à penser qu'était de Gaulle. Bien qu'ils ne voulussent pas toujours le reconnaître, ils savaient ce qu'ils lui devaient. [...] Tous comprenaient que le patrimoine national se trouvait amoindri, que le poids de la France dans le monde n'était plus le même, que l'Histoire venait de prendre un nouveau cours. Sur le fleuve encore incertain de notre avenir, une puissante digue avait craqué. Soulagés aussi : [...] dissipée, la gêne qu'ils éprouvaient, lorsqu'ils gouvernaient, parlaient ou administraient, à se sentir jugés par l'un des plus lucides cerveaux politiques de notre histoire, dont ils savaient d'expérience qu'il sondait les reins et les cœurs. On en avait terminé avec une grandeur et un style qui, quoi qu'ils fissent, les ramenaient à leur taille véritable. Désormais, chacun pourrait vivre à sa mesure[154].

On peut revoir sur le site de l'INA les images tournées le même jour par la télévision à Colombey-les-Deux-Eglises. Elles sont en couleur. Il y a des trouées de ciel bleu dans les nuages. Les arbres finissent de perdre leurs feuilles. Reflets d'un monde d'hier, d'un siècle enfui. Les gens ont des visages d'autrefois. On voit passer des prêtres en soutane, des religieuses, des uniformes, des képis, les femmes portent un foulard noué sous le menton ou un bonnet, les hommes cravate et chapeau. Ceux que l'on a interviewés dans les trains spéciaux qui les conduisaient à Colombey expriment leur émotion, leur tristesse, leur fierté aussi, avec des mots simples et dans un français qu'avec le recul on trouve extraordinaire. C'est une grande migration : plusieurs dizaines de milliers de personnes sont accourues de partout. Elles se massent dans les rues étroites du village ; elles remplissent la place minuscule au pied du clocher. Des saint-cyriens sont rangés de chaque côté de la porte de l'église où quatre cents personnes ont pris place. Des soldats représentent les trois armes, des fusiliers marins de Lorient, des aviateurs venus de la base de Reims, des soldats du 501e régiment de chars de Rambouillet. Des personnages alors connus, aujourd'hui oubliés, se hâtent. On voit passer Massu, Messmer, Christian Pineau, Jean Mauriac, Rol-Tanguy, Alain Savary, Claude Bourdet, d'autres encore, Romain Gary, sanglé dans son uniforme d'aviateur devenu un peu étroit. Il a l'air pressé. Malraux arrive juste avant le début de la cérémonie, l'œil sombre, le visage agité de tics. D'autres ne sont pas là, ceux que l'on a vus à Notre-Dame le matin et qui n'avaient pas l'intention de venir, ceux qui – à l'instar de Valéry Giscard d'Estaing – en avaient exprimé le désir mais auxquels les fidèles ont fait comprendre qu'ils ne seraient pas les bienvenus[155]. C'est une réunion de la grande famille française, les félons n'y ont pas leur place. On a installé des haut-parleurs à l'extérieur de l'église. La foule attend. Quelques drapeaux claquent au vent. Le silence est impressionnant.

La caméra a longuement filmé, à l'entrée de la Boisserie, le véhicule blindé sur lequel est placé le cercueil recouvert d'un drapeau tricolore. Suivi par le cortège des voitures où la famille a pris place, l'engin avance lentement au milieu de la foule. Certains se signent au passage du cercueil, d'autres font le salut militaire, d'autres encore le « V » de la victoire. L'évêque de Langres attend devant l'église avec le curé de Colombey et un neveu du Général, le RP François de Gaulle. Douze jeunes gens du village portent le cercueil à l'intérieur où la famille, les compagnons de la Libération et les habitants du village ont pris place. Lorsque le cercueil entra dans l'église, l'assistance était si figée, dit-on, que personne n'osa tourner la tête pour le regarder[156]. Vers quatre heures, c'est fini. Le vent s'est levé. Il fait plus frais. Le convoi se dirige maintenant vers le petit cimetière attenant à l'église. En présence de la famille, il est mis en terre. Le mur qui sépare le cimetière de la rue est si bas que les caméras enregistrent la scène, la descente au tombeau et le *Notre Père* récité par la famille. Le Général repose désormais aux côtés de sa fille sous la pierre tombale de marbre blanc surmontée d'une croix, où l'on peut lire, en lettres d'or de taille et de forme identiques : « Anne de Gaulle 1928-1948 » et « Charles de Gaulle 1890-1970 ». Après le départ du premier cercle, c'est une immense procession qui commence et se prolongera bien après la tombée de la nuit, malgré les appels à la dispersion. La France défile devant la tombe. Les uns ne font que passer, les autres s'attardent, se signent ou joignent les mains. Au même moment, scènes identiques à Paris, autour de la tombe du Soldat inconnu, où retentit une vibrante *Marseillaise.* Simplicité, austérité même, grandeur et ferveur auront fait cortège au dernier voyage du Général. Sa veuve, elle, a quitté le cimetière depuis longtemps. Elle est rentrée à la Boisserie où, le lendemain, elle fera brûler les vêtements et même le lit de son mari, s'opposant à ce qu'on pût exposer aucune « relique ». N'avait-elle pas refusé déjà, alors que le menuisier s'apprêtait à fermer le cercueil, que l'on coupât une mèche de cheveux ou que l'on prît un moulage du masque mortuaire ? C'est seulement au dernier moment qu'elle avait demandé à garder l'alliance de Charles[157].

★

Cent dix ans plus tôt, en 1861, Napoléon avait rejoint sa dernière demeure, le sarcophage de la crypte des Invalides. Quatre décennies s'étaient écoulées depuis la mort de l'Empereur dont l'histoire était si remplie de prodiges qu'il fut parfois difficile de croire qu'il reposait désormais, comme il l'avait souhaité, « sur les bords de la Seine ». De son vivant, on l'avait régulièrement dit échappé de Sainte-Hélène et s'apprêtant quelque part à agiter de nouveau le monde ; mort, la rumeur courut que son cercueil était vide ou que le corps qui s'y trouvait n'était pas le sien[158].

Il est peu probable que ces rumeurs aient le moindre fondement, mais leur faire crédit ne changerait rien : Napoléon présent ou absent du cercueil, c'est à lui que les visiteurs des Invalides rendent visite. Les députés avaient décidé en 1840, on l'a vu, que Napoléon n'en serait pas le dernier hôte. D'autres ont depuis rejoint le dôme, des frères de l'Empereur – Jérôme et Joseph – à son fils – dont le corps fut restitué à la France par Hitler en 1940 – et à d'illustres soldats – Marceau, Lyautey, Leclerc, Juin, Giraud notamment ; mais, même entouré de ce cortège hétéroclite, c'est comme s'il y reposait seul. Leur présence rehausse certainement son incomparable grandeur, elle lui fait écrin, elle ne la lui dispute pas. Napoléon est seul aux Invalides comme Charles de Gaulle est seul dans le petit cimetière où il repose auprès des siens et des morts de son village, sous une pierre tombale dont le dépouillement témoigne mieux que tout discours de la solitude hautaine qui fut son lot pendant l'essentiel de sa vie, depuis les commencements de la France libre jusqu'aux mois difficiles qui suivirent son départ de l'Elysée en 1969. En dépit de son caractère monumental, le tombeau de Napoléon ne manque pas de simplicité, lui non plus. Le sarcophage repose à la verticale du dôme, au fond de la crypte dont le pourtour est orné de dix bas-reliefs de marbre blanc célébrant les grandes réalisations du Consulat et de l'Empire et de douze Victoires dont le regard est dirigé vers le cercueil. « Le sol de la crypte », lui, « est entièrement recouvert de marbre de couleur. Une immense étoile d'un jaune d'or, à travers les rayons de laquelle court une couronne de chêne en mosaïque, y a été incrustée[159]. » Dans les intervalles, le nom des grandes victoires remportées par les armées napoléoniennes ; dans cet écrin de marbre, le sarcophage : le « monolithe », écrit son architecte, Visconti, est d'une couleur unie inhabituelle pour un monument funéraire : rouge foncé[160] ; il « se dresse au centre et sur une double base dans sa majestueuse et imposante simplicité ». Steven Englund l'a justement comparé à l'énigmatique monolithe noir de *2001 : l'odyssée de l'espace*, comme celui-ci « immobile et puissant », paraissant même « conscient et vivant », dominant « le décor majestueux qui l'entoure[161] ». Rien de plus simple et de plus étrange en même temps que ce tombeau. Il surprend par sa teinte et par sa forme : c'est « une masse énorme, écrit Visconti, que ne chargent point d'inutiles sculptures, qui n'a pour ornements que des arêtes arrondies [et] des enroulements d'une sévère régularité[162] » qui évoquent le mouvement de la vie – d'une vie incomparable – et non l'immobilité de la mort[163].

Le temps a démenti les sombres prédictions de Chateaubriand qui voyait dans le retour des cendres « une faute contre la renommée » et ne voyait rien de grand dans le fait d'arracher l'Empereur au splendide isolement de Sainte-Hélène, rocher battu par les flots, pour le transporter au milieu des « immondices de Paris » : « Au lieu de vaisseaux qui saluaient le nouvel Hercule, [...] les blanchisseuses de Vaugirard rôderont à l'entour avec des invalides inconnus à la grande armée[164]. » Hegel avait écrit, après avoir vu, confondu dans la foule, l'Empereur passer devant lui à Iéna : « Cela fait une singulière impression de voir un pareil homme qui là, sur un point donné, à cheval, plane sur le monde et le domine[165]. » On pourrait dire à l'unisson que cela fait une singulière impression de visiter un lieu qui condense aussi fortement plus qu'une histoire, celle, extraordinaire, d'un homme, mais un siècle, un monde ou, comme disait Joseph de Maistre, une *époque*. Ce n'est pas une tombe que l'on visite à Colombey ou aux Invalides ; c'est autre chose, une âme, que viennent chercher sous le dôme les héros des *Déracinés* :

> Les cinq jeunes gens, à travers les longues cours, se dirigent vers la chapelle majestueuse qui possède le cadavre du héros. A l'ordinaire, le visiteur, soudain prenant conscience de son anonymat, s'intimide de l'écho que son pas sur ces dalles sonores éveille dans les vastes espaces du dôme funéraire. Mais ces jeunes pèlerins-ci ne s'imaginent pas troubler le repos de celui dont ils viennent solliciter la leçon exaltante [...]. Le tombeau de l'Empereur, pour des Français de vingt ans, ce n'est point le lieu de la paix, le philosophique fossé où un pauvre corps qui s'est tant agité se défait ; c'est le carrefour de toutes les énergies qu'on nomme audace, volonté, appétit. Depuis cent ans, l'imagination partout dispersée se concentre sur ce point. Comblez par la pensée cette crypte où du sublime est déposé ;

nivelez l'histoire, supprimez Napoléon : vous anéantissez l'imagination condensée du siècle. On n'entend pas ici le silence des morts, mais une rumeur héroïque ; ce puits sous le dôme, c'est le clairon épique où tournoie le souffle dont toute la jeunesse a le poil hérissé[166].

Les visiteurs d'aujourd'hui ne sont assurément plus habités au même degré par ce « souffle ». Jusqu'à Barrès on n'imagine pas la réponse de Zazie à son oncle Gabriel qui lui propose d'aller voir « le tombeau véritable du vrai Napoléon » : « Napoléon mon cul. Il m'intéresse pas du tout, cet enflé, avec son chapeau à la con[167]. » Ou la une de *Hara Kiri* au lendemain des obsèques de Charles de Gaulle : « Bal tragique à Colombey, un mort[168] ! » C'est que les passions que Napoléon et de Gaulle ont l'un et l'autre incarnées étaient encore bien vivantes : la gloire, l'héroïsme, le patriotisme, le culte de la volonté politique et de l'Etat, les vertus militaires, la guerre même et l'esprit de sacrifice. Ce n'est plus le cas. Si le général de Gaulle échappe au naufrage, il ne le doit qu'au procès en canonisation qui a gommé ce que le personnage avait de rugueux et d'intransigeant. Il a, près d'un demi-siècle après sa mort, endossé le costume du Charlemagne des vieux manuels scolaires, celui de « l'empereur à la barbe fleurie ». Mais Napoléon et de Gaulle sont des personnages si romanesques et si intimement liés à l'histoire nationale que l'air résonne encore un peu de l'écho de ce qu'ils ont incarné : ce que Bainville appelait la croyance aux « possibilités indéfinies[169] », paraphrasant une maxime célèbre de Tocqueville selon qui « dans ses vastes limites, l'homme est libre[170] » et maître, en définitive, de son destin. Tandis que partout triomphent « les sociétés infimes et nivelées[171] », c'est cette petite musique qui va s'effaçant que l'on croit encore entendre autour de ces deux tombes.

Notes

Introduction

1. Girardet, *Mythes et mythologies politiques*, p. 63-95.

2. *Le Prince*, chapitre VII.

3. Carlyle, *Les Héros*, p. 23. On lit, dans le *De Gaulle* de Mauriac : « C'est un lieu commun de réunions publiques, un cliché à l'usage des journalistes que de dénoncer le culte de la personnalité. Il en va de la personnalité comme de la nation : deux idoles contre lesquelles on met en garde les consciences de la gauche [...]. Le culte de la personnalité ? Si j'avais à faire tenir l'Histoire de France en dix mots, je dirais : "Il y a toujours eu quelqu'un à un moment donné..." Ou bien : "A ce moment-là, il n'y avait personne." [...] Eh oui ! tout a toujours tenu à une personne : ceux qui avaient armé Ravaillac le savaient ; et Charlotte Corday l'a cru. Si Mirabeau n'était pas mort en [1791], la monarchie eût peut-être été sauvée » (p. 69-70).

4. *Télérama*, 15 février 2012.

5. Carlyle, *Les Héros*, p. 260.

6. Voir en particulier Jean Garrigues, *Les Hommes providentiels, histoire d'une fascination française* (2012).

7. Voir, entre autres, le récent essai d'Eric Brunet, *L'Obsession gaulliste* (2016).

8. Bainville, *Histoire de France*, p. 21.

9. Furet, *Fascisme et communisme : correspondance avec Ernst Nolte (1996-1997)*, *in* F. Furet, *Penser le XXe siècle*, p. 1130.

10. Maistre, *Œuvres complètes*, t. XII, p. 468.

11. Voir, pour chaque portrait, l'introduction des éditeurs des *Vies parallèles* de Plutarque dans la collection « Quarto » (2001).

12. Jean-Claude Passeron, cité par François Hartog dans son introduction aux *Vies parallèles*, *ibid.*, p. 13.

13. La citation est de Marc Ferro, dans sa préface à l'édition française de Bullock, *Hitler et Staline*, t. I, p. XI.

14. De Gaulle, *Le Fil de l'épée*, p. 103.

15. Il incarne une mystique royale du pouvoir qui nous est devenue étrangère car elle repose sur l'hérédité, la foi et la tradition, trois piliers abattus entre 1789 et 1793.

1
Retours croisés

1. Marx, *Le 18 Brumaire de Louis Bonaparte*, p. 7. Marc Caussidière (1808-1861) était l'un des chefs de file du mouvement républicain sous la monarchie de Juillet. Au début de la IIe République, il occupa les fonctions de préfet de police mais dut s'enfuir après l'échec de l'insurrection de juin 1848. Il s'exila aux Etats-Unis où il exerça la profession de courtier en assurances.

2. Ayache, *Le Retour du général de Gaulle*, p. 429.

3. André Tardieu, *La Révolution à refaire*.

4. Lacouture, *Pierre Mendès France*, et Roussel, *Pierre Mendès France*.

5. *Pierre Mendès France ou le Métier de Cassandre*, titre d'un ouvrage de Claude Nicolet publié chez Julliard en 1959.

6. Roussel, *Pierre Mendès France*, p. 480-495. On ne réentendra pas sans intérêt les explications embarrassées et tortueuses par lesquelles Mendès France répondit, dans l'émission de Bernard Pivot, « Apostrophes », du 23 janvier 1976, à Pierre Viansson-Ponté qui l'interrogeait encore sur cet épisode : archives de l'INA, https://www.youtube.com/watch?v=dfrBaNtbDTE

7. Voir Valance, *VGE, une vie*.

8. Buchanan, *The Greatest Comeback*, et Coppolani, *Richard Nixon*.

9. Ortoli, *Indira Gandhi ou la Démocratie dynastique*.

10. C'est la thèse développée par Christian Delporte, qui, à travers de nombreux exemples de retours réussis, et plus souvent ratés, les ramène, sans nier l'importance des circonstances ni le rôle arbitral de l'opinion (ou du suffrage universel), à un « art » : « Le retour en politique, écrit-il, est d'abord une affaire de circonstances, d'un faisceau de circonstances. De sa capacité à les analyser et à s'y adapter dépendent la réussite ou l'échec de l'homme politique. Les vainqueurs sont ceux qui, par leur habileté et leur audace, savent saisir les opportunités et forcer le destin. Mais combien d'occasions ratées, combien d'erreurs de timing, combien de bévues tactiques qui, soudain, transforment le rêve de reconquête imminente en funeste cauchemar ! » (*Come back !*, p. 13). « De Napoléon à Sarkozy », prévient l'éditeur. Mais, de l'un à l'autre, on a changé de monde, toute comparaison étant dès lors hors sujet.

11. Musso, *Berlusconi*, et Lazar, *L'Italie à la dérive.*
12. Amouroux, *La Grande Histoire des Français sous l'Occupation*, t. IV, p. 974-975.
13. Lacouture, *De Gaulle*, t. I, p. 815.
14. De Gaulle, *Mémoires de guerre*, p. 569.
15. *Ibid.*, p. 577.
16. Delage, Peschanski et Rousso, *Les Voyages du Maréchal.* On trouve la plupart des documents réunis dans ce film sur le site de l'INA ou sur YouTube. Voir également Nicolas Mariot, « Foules en liesse et *maréchalisme* des populations », (article en ligne : http://www.cairn.info/zen.php?ID_ARTICLE=SR_012_0143). Sur la journée du 25 avril 1944, voir Amouroux, *La Grande Histoire des Français sous l'Occupation*, t. IV, p. 331-337.
17. Rémond, *Le XXe siècle*, p. 281.
18. De Gaulle, *Mémoires de guerre*, p. 583.
19. Lacouture, *De Gaulle*, t. I, p. 837.
20. De Gaulle, *Mémoires de guerre*, p. 593.
21. Titre de l'éditorial publié par François Mauriac dans *Le Figaro* du 25 août 1944 et reproduit dans Mauriac, *Journal, Mémoires politiques*, p. 780-783.
22. Guy, *En écoutant de Gaulle*, p. 462.
23. Pompidou, *Pour rétablir une vérité*, p. 127-128. Voir aussi (propos plus tardifs, tenus en 1959) Belin, *Lorsqu'une République chasse l'autre*, p. 199-200.
24. De Gaulle, *Mémoires de guerre*, p. 585.
25. *Correspondance de Napoléon Ier*, t. XXX, p. 303.
26. Bourrienne, *Mémoires*, t. III, p. 19.
27. Bainville, *Le Dix-Huit Brumaire*, p. 18.
28. Bourrienne, *Mémoires*, t. III, p. 19.
29. *Réimpression de l'ancien* Moniteur, t. XXIX, p. 853.
30. Voir le témoignage du futur général Boulart, *Mémoires*, p. 67-68.
31. Marbot, *Mémoires*, t. I, p. 67-72.
32. Voir, désormais, sur l'épisode des Cent-Jours, Lentz, *Les Cent-Jours, 1815*, et Branda, *La Guerre secrète de Napoléon.*
33. Chateaubriand, *Mémoires d'outre-tombe*, t. I, p. 1411.
34. Madelin, *Histoire du Consulat et de l'Empire*, t. XV, p. 301.
35. Houssaye, *1815*, t. I, p. 147-149, et Branda, *La Guerre secrète de Napoléon*, p. 134-147.
36. Houssaye, *1815*, t. I, p. 174.
37. Plutarque, *Vies parallèles*, « Pompée », LXXIX, p. 1218.
38. Chateaubriand, *Mémoires d'outre-tombe*, t. I, p. 1372-1373.
39. Madelin, *Histoire du Consulat et de l'Empire*, t. XIV, p. 360.
40. Villepin, *Les Cent-Jours ou l'Esprit de sacrifice.*
41. Chateaubriand, *Mémoires d'outre-tombe*, t. I, p. 1411.
42. L'expression est de Ferrero, *Pouvoir*, p. 45.
43. Madelin, *Histoire du Consulat et de l'Empire*, t. XV, p. 316.

44. Houssaye, *1815*, t. I, p. 255.
45. Chateaubriand, *Mémoires d'outre-tombe*, t. I, p. 1414.
46. *Ibid.*, t. I, p. 301-310.
47. *Ibid.*, t. I, p. 1465.
48. Constant, *Mémoires sur les Cent-Jours*, p. 232-236.
49. Staël, *Considérations sur la Révolution française*, p. 498-499.
50. Ayache, *Le Retour du général de Gaulle*, p. 189.
51. Scott, *Mauriac et de Gaulle*, p. 101-143.
52. Mauriac, *De Gaulle*, p. 52. Jacques Laurent, moins amène, dira, lui, que de Gaulle avait besoin de « catastrophes », car c'est seulement dans le malheur des Français qu'il trouvait la justification de son destin (*Mauriac sous de Gaulle*, p. 53-67).
53. Lacouture, *De Gaulle*, t. II, p. 402. « On ne vient pas ici pour rigoler », disait-il (Guy, *En écoutant de Gaulle*, p. 207).
54. Andrieu, Braud et Piketty, *Dictionnaire de Gaulle*, p. 663.
55. De Gaulle, *Mémoires de guerre*, p. 885.
56. Guy, *En écoutant de Gaulle*, p. 156.
57. Ayache, *Le Retour du général de Gaulle*, p. 144.
58. Guy, *En écoutant de Gaulle*, p. 446.
59. *Ibid.*, p. 321.
60. De Gaulle, *Lettres, notes et carnets*, t. II, p. 1243 (lettre du 11 mars 1957).
61. Guy, *En écoutant de Gaulle*, p. 43.
62. Roussel, *De Gaulle*, p. 565-567.
63. Il le dira encore à Jacques Reboul à la fin de 1957 (*Lettres, notes et carnets*, t. II, p. 328).
64. Ayache, *Le Retour du général de Gaulle*, p. 177.
65. Le mot est de Bernanos (Le Bihan, *Le Général et son double*, p. 206).
66. « Elbe devient Sainte-Hélène », écrit Gaston Bonheur à propos de ces années 1946-1958 (*De Gaulle*, in *De Gaulle, portraits*, p. 148).
67. De Gaulle, *Mémoires d'espoir*, p. 572-573 (conférence de presse du 12 novembre 1953).
68. Lentz, « L'ultime retour », p. 64.
69. Cité par Georges Pompidou dans une lettre du 16 mai 1946 (*Lettres, notes et portraits*, p. 219).
70. Ayache, *Le Retour du général de Gaulle*, p. 73.
71. Le 5 mai 1946, par 10 584 359 non contre 9 454 034 oui (Godechot, *Les Constitutions de la France depuis 1789*, p. 357-369).
72. Le 16 juin et le 29 septembre 1946.
73. 9 millions de oui, 8 millions de non, mais 6 millions d'abstentions.
74. Winock, *L'Agonie de la IVe République*, p. 155.
75. Elle regroupait la SFIO, l'UDSR, le parti radical et le MRP.
76. Cette loi permettait aux listes présentées par les différents partis de passer des accords entre elles. Si l'addition des voix qu'elles avaient

obtenues dépassait 50 % des suffrages exprimés, elles remportaient la totalité des sièges à pourvoir dans la circonscription. Si le total n'atteignait pas 50 %, alors les sièges étaient répartis entre les différentes listes qui avaient passé ces accords selon la règle de la plus forte moyenne : le PCF et les gaullistes, qui n'avaient pas d'alliés, y perdaient forcément.

77. Avec 121 élus, le RPF détenait le plus grand nombre de sièges ; mais en voix, il n'avait obtenu que 22,3 % des suffrages, loin derrière son score des municipales de 1947 (38,7 %), et il était devancé par le PCF (26,4 %).

78. Crémieux-Brilhac, *L'Etrange Victoire*, p. 196.

79. Malraux, *Les chênes qu'on abat*, p. 165.

80. Aux municipales d'avril et mai 1953, le RPF perdit la plupart des grandes villes conquises en 1947.

81. Guy, *En écoutant de Gaulle*, p. 294 et 442.

82. Ayache, *Le Retour du général de Gaulle*, p. 128.

83. Lacouture, *De Gaulle*, t. II, p. 423.

84. Voir Rémond, *Le XXe siècle*, p. 349-359.

85. On consultera la très détaillée et passionnante chronologie commentée publiée par Anne Simonin et Hélène Clastres, *Les Idées en France, 1945-1988*, qui aide à prendre la mesure de l'ampleur du changement.

86. Manent, *Situation de la France*, p. 8-12.

87. *Le Figaro* du 18 mai 1946 (Mauriac, *Journal, Mémoires politiques*, p. 836-837). Mauriac fait allusion au discours radiodiffusé du 31 décembre 1944, dans lequel de Gaulle avait dit : « Il n'est que trop facile à chacun de découvrir les erreurs et les fautes des autres. Car qui donc en fut exempt ? Sauf un nombre infime de malheureux qui ont consciemment préféré le triomphe de l'ennemi à la victoire de la France et qu'il appartient à la justice de l'Etat de châtier équitablement, la masse immense des Français n'a jamais voulu autre chose que le bien de la patrie, lors même que beaucoup furent parfois égarés sur le chemin » (De Gaulle, *Discours d'Etat*, p. 26).

88. Thiers en fait la remarque lorsqu'il raconte comment, au lendemain de la proclamation de l'Empire, Napoléon prit soin de ménager Cambacérès, son ancien collègue consul, dont il n'ignorait pas qu'il n'avait pas été favorable à la transformation de la république consulaire en empire héréditaire et dont il craignait qu'un titre d'archichancelier ne suffît pas à le consoler. Napoléon et Joséphine venaient de recevoir une députation du Sénat conduite par celui-ci : « Tandis que les sénateurs se retiraient, Napoléon retint [ce dernier], et voulut qu'il demeurât pour dîner avec la famille impériale. L'Empereur et l'Impératrice le comblèrent de caresses, et tâchèrent de lui faire oublier la distance qui le séparait désormais de son ancien collègue. Au reste, l'archichancelier pouvait se consoler ; en réalité il n'était pas

descendu : son maître seul était monté, et avait fait monter tout le monde avec lui » (*Histoire du Consulat et de l'Empire*, t. V, p. 130).

89. Après 1969, ceux que l'on pourrait appeler les gaullistes romantiques, pour qui le Général était moins le père d'un régime ou le maître d'œuvre d'une politique qu'un mythe qui ennoblissait la France, la France éternelle, virent dans la victoire du non au référendum la revanche d'une France moderne, fille du désastre de 1940, qui, au fond, ne méritait pas de Gaulle et ne s'était ralliée à lui que de façon intermittente, et le temps qu'il la sauve de l'abîme. Ainsi Romain Gary, dans *A mon Général, adieu, avec amour et colère* (mai 1969), qui retrouvait pour exprimer sa peine et décrire cette France ingrate des accents qui rappellent le Rebatet des *Décombres* : « Peuplé de figures de légende, rois et héros, attaché par-dessus tout à poursuivre un idéal de grandeur, le pays de De Gaulle était plus que millénaire. En revanche, le pays nouveau, la France, n'était pas plus ancien que les premiers réfrigérateurs, les systèmes de crédit, le fait d'avoir une voiture par famille, la sécurité sociale, les augmentations de salaires. La France était composée de cinquante millions de mini-Français, eux-mêmes assez faibles et ayant tous marre de l'Histoire, des mots comme *grandeur, destin, devoir*. Surtout, ils en avaient assez de rivaliser avec le pays de De Gaulle et d'essayer de paraître plus grands qu'ils n'étaient. [...] [Avec le référendum] prit fin une très longue période où l'on n'avait pas cessé de faire semblant. Le pays de De Gaulle fut mis en miettes, le nouveau pays lui ravit la place et annonça que, désormais, il répondrait à l'appellation inédite de Mini-France. »

90. En 1945, le revenu national français était tombé à la moitié de celui de 1938.

91. Hélie de Saint Marc, *Mémoires*, p. 207.

92. *Ibid.*, p. 169. On pourrait également citer certaines pages des souvenirs du colonel Argoud (*La Décadence, l'imposture, la tragédie*, p. 164-165).

93. Thiers, *Discours parlementaires*, t. III, p. 545 (discours du 10 juin 1836).

94. En ce qui concerne l'Amérique du Nord, voir Richter, *Before the Revolution : America's Ancient Pasts*, p. 369-414.

95. Envoyé en Algérie en 1836, le général Bugeaud (1784-1849) en devint le gouverneur général en 1840. Connu pour avoir ordonné des razzias à grande échelle et l'enfumage des rebelles dans les grottes où ils trouvaient refuge, il fut aussi le premier à engager, dès 1837, les premiers pourparlers avec Abd el-Kader. C'est le général Lamoricière (1805-1865) qui recevra en 1847 la reddition du chef arabe. Souvent en conflit avec Bugeaud, il avait fréquenté les milieux saint-simoniens et dès 1832 il avait pris la direction du premier « bureau arabe » chargé d'organiser les relations avec les populations conquises. Cette dichotomie demeura constitutive de la politique française en Algérie.

96. Napoléon III se rendit à deux reprises en Algérie, en 1860 et 1865. L'Algérie constituait un élément important dans sa politique visant à transformer la Méditerranée en « lac français ». Mais il déplorait la manière dont s'était effectuée la conquête d'un pays dont il disait qu'il était un « royaume arabe » dont la vocation était d'intégrer l'Empire, mais qu'on ne pouvait le traiter comme une colonie. Il prit des mesures pour stopper les confiscations de terres et limiter le nombre des colons ; il restreignit la juridiction de l'administration civile qui leur était trop favorable, il accorda aux autochtones des droits civils et politiques (droit de vote et éligibilité aux fonctions locales) et plaça l'Algérie sous le gouvernement de « la loi musulmane », n'accordant cependant la pleine citoyenneté française qu'aux Algériens qui choisissaient de vivre sous l'empire des lois françaises.

97. Saint Marc, *Mémoires*, p. 169.

98. Winock, *L'Agonie de la IVe République*, p. 52-81.

99. La formule fut employée par Mendès France dans son discours du 12 novembre 1954, au lendemain des attentats de la Toussaint (voir les termes exacts *in* Roussel, *Pierre Mendès France*, p. 351-352) ; elle fut reprise presque aussitôt par François Mitterrand : « L'Algérie, c'est la France [...] ; des Flandres au Congo, il y a la loi, une seule nation, un seul Parlement » (Winock, *L'Agonie de la IVe République*, p. 50).

100. La population européenne, qui représentait 14 % de la population totale de l'Algérie en 1926, était tombée à 10 % en 1958, soit 1 million d'Européens sur 10 millions d'habitants.

101. Baverez, *Raymond Aron*, p. 347.

102. Cependant, rappelle Arnaud Teyssier, « il n'est question en aucun cas d'abandonner l'Algérie, mais seulement de parvenir à une solution de compromis acceptable par les Français, les musulmans et l'opinion internationale » (*Histoire politique de la Ve République*, p. 31).

103. Sur la campagne contre la « torture » orchestrée par l'intelligentsia de gauche avec le concours de l'Eglise et de nombreux catholiques, voir les commentaires très sévères d'André Rossfelder, qui remarque qu'elle servit à légitimer le FLN dans la guerre qui n'opposait pas seulement celui-ci à la France, mais aux Algériens (*Le Onzième Commandement*, p. 428-435).

104. Sur les événements de mai 1958, j'ai utilisé en priorité les ouvrages de Jean Ferniot, *De Gaulle et le 13 Mai*, Jean-Raymond Tournoux, *La Tragédie du Général*, Michel Winock, *L'Agonie de la IVe République*, Georgette Elgey, *Histoire de la IVe République : La fin* et *De Gaulle à Matignon*, Ayache, *Le Retour du général de Gaulle*, les biographies du général de Gaulle de Jean Lacouture et Eric Roussel déjà citées et Christophe Nick, *Résurrection*.

105. De Gaulle, *Mémoires d'espoir*, p. 22-23.

106. Peyrefitte, *C'était de Gaulle*, p. 198.

107. *Ibid.*

108. Merry et Serge Bromberger, *Les 13 Complots du 13 mai*.

109. Blanc, *De Gaulle au soir de sa vie*, p. 161.
110. De Gaulle, *Le Fil de l'épée*, p. 102.
111. Roussel, *De Gaulle*, p. 574.
112. Guy Mollet ayant été renversé le 21 mai 1957, Bourgès-Maunoury lui avait succédé pour être à son tour renversé au profit de Félix Gaillard (5 novembre), qui venait lui-même de tomber et attendait que Pierre Pflimlin soit investi par l'Assemblée pour quitter son poste.
113. Schneider, *De Gaulle/Mitterrand*, p. 104.
114. Ayache, *Le Retour du général de Gaulle*, p. 268-269. Voir, par exemple, son article « SOS de Gaulle ! » du 8 mai 1958 (Debatty, *Le 13 Mai et la presse*, Paris, p. 42-43).
115. Schneider, *De Gaulle/Mitterrand*, p. 107 ; Scott, *Mauriac et de Gaulle*, p. 172-174.
116. « Beaucoup pensent, écrivait Maurice Duverger, que la question n'est pas de savoir si de Gaulle reviendra ou non au pouvoir : car cette question est probablement réglée. La vraie question est de savoir *quand* commencera le deuxième gouvernement de Gaulle » (Winock, *L'Agonie de la IVᵉ République*, p. 134). François Mitterrand lui emboîta le pas quelques jours plus tard dans le même quotidien (Schneider, *De Gaulle/Mitterrand*, p. 107).
117. Léon Delbecque (1919-1991), ancien résistant, avait été l'un des cadres du RPF. Chef de cabinet de Jacques Chaban-Delmas lorsque celui-ci prit le portefeuille de la Défense nationale de la fin 1957 au 14 mai 1958, il joua dans l'ombre un rôle décisif dans les événements qui conduisirent au retour aux affaires du général de Gaulle. Proche de Jacques Soustelle et partisan de l'Algérie française, il prit ensuite ses distances avec le Général.
118. Entretien reproduit dans Winock, *L'Agonie de la IVᵉ République*, p. 159-160. Même attitude lors d'un entretien avec Raymond Triboulet, le chef de file des Républicains sociaux (ce qui subsiste de l'ancien RPF) le 20 mars (*ibid.*, p. 160).
119. Rudelle, *Mai 58, de Gaulle et la République*, p. 118.
120. De Gaulle, *Lettres, notes et carnets*, t. II, p. 1266.
121. Ayache, *Le Retour du général de Gaulle*, p. 307.
122. Gaston Bonheur, dans Rioux, *De Gaulle, portraits*, p. 154.
123. Agulhon, *La République, 1880 à nos jours*, p. 410.
124. Lacouture, *De Gaulle*, t. II, p. 447.
125. Roussel, *De Gaulle*, p. 580.
126. Le général Ely, chef d'état-major des armées, démissionna de son poste le 16 et, deux jours plus tard, le général de Beaufort confirma que les régiments de métropole refuseraient de marcher contre leurs camarades d'Algérie. Le 13 mars, les policiers avaient défilé en civil devant le Palais-Bourbon pour protester contre la passivité du gouvernement face aux attaques du FLN en métropole. On avait entendu les cris de « Les députés à la Seine ! ».

127. Winock, *L'Agonie de la IVe République*, p. 276.

128. Ce qui ne manque pas de sel quand on sait que certains partisans du Général, Michel Debré en tête, avaient peut-être trempé dans l'attentat au bazooka qui, le 16 janvier 1957, faillit coûter la vie à Salan, comme le remarque son dernier biographe, Pierre Pellissier.

129. Andrieu, Braud et Piketty, *Dictionnaire de Gaulle*, p. 253.

130. Le mot est de Raymond Tournoux, *Secrets d'Etat*, p. 273.

131. Winock, *L'Agonie de la IVe République*, p. 259-260. La veille, le général Nicot, un aviateur, avait eu sur le même sujet une longue conférence avec les chefs gaullistes rue de Solferino (Jouhaud, *Serons-nous enfin compris ?*, p. 61). On est loin de la simple opération d'intoxication dont parlera Pierre Guillain de Bénouville, interrogé par Jean Lacouture (*De Gaulle*, t. II, p. 488).

132. Texte du message du président Coty dans Winock, *L'Agonie de la IVe République*, p. 268-269.

133. De Gaulle, *Mémoires d'espoir*, p. 29.

134. Dès l'été 1957, il s'était prononcé en faveur d'une révision constitutionnelle, ne cachant pas en privé le nom de celui auquel il pensait pour la mener à bien.

135. Ayache, *Le Retour du général de Gaulle*, p. 313-317. Le 5 mai 1958, Coty avait déjà dépêché un émissaire auprès du général (Roussel, *De Gaulle*, p. 584-585).

136. Cité dans mon *Bonaparte*, p. 492. Le palais du Luxembourg était alors le siège du gouvernement.

137. Ayache, *Le Retour du général de Gaulle*, p. 435.

138. Roederer, *Œuvres*, t. III, p. 295.

139. Barras avait été l'un des premiers à distinguer Bonaparte au siège de Toulon, à la fin de 1793. Plus tard, lors de l'insurrection royaliste du 13 Vendémiaire (5 octobre 1795), il l'avait chargé de diriger la répression et l'avait ensuite récompensé de son précieux concours en le faisant nommer au commandement de la division militaire de Paris, avant de lui faire donner le commandement en chef de l'armée d'Italie.

140. Fierro, Palluel-Guillard et Tulard, *Histoire et dictionnaire du Consulat et de l'Empire*, p. 8.

141. Lacouture, *De Gaulle*, t. II, p. 510-512.

142. Peyrefitte, *C'était de Gaulle*, p. 65-66 (5 mars 1959).

143. La tirade laissa en effet Peyrefitte médusé, mais pas du tout dans le sens qu'on imagine aujourd'hui : c'était, dira-t-il, du grand de Gaulle, « liberté de propos », « formules jaillissantes » et « pronostics d'extra-lucide lisant dans la boule de cristal ».

144. Jean Daniel, *De Gaulle et l'Algérie : la tragédie, le héros et le témoin*, dans Rioux, *De Gaulle, portraits*, p. 260.

145. *Ibid.*

146. Voir ce qu'il dit à Alain Peyrefitte sur la différence entre la colonisation britannique, qui laissait subsister « les différences de races

et de culture », et la colonisation française, qui niait les différences et rêvait d'une « république de cent millions de Français pareils et interchangeables » (*C'était de Gaulle*, p. 68-69).

147. Voir Ozouf, *Jules Ferry*, p. 71-86.

148. Les physiocrates du siècle des Lumières avaient développé une théorie économique faisant procéder la richesse d'un pays du travail de la terre. Plutôt hostiles aux investissements mobiliers et au commerce, ils pensaient qu'il était plus important d'améliorer le rendement des terres du royaume que de les laisser en friche pour investir dans l'acquisition d'un empire colonial dont les bénéfices contribueraient à l'enrichissement des colons plutôt qu'à l'accroissement de la richesse nationale.

149. Voir la célèbre passe d'armes qui opposa en 1885 Clemenceau à Jules Ferry (Winock, *Clemenceau*, p. 128-139, et Gaillard, *Jules Ferry*, p. 539-548 et 589-598).

150. Lettre au lieutenant-colonel Emile Mayer, 30 juin 1930 (*Lettres, notes et carnets*, t. I, p. 728).

151. Discours du 15 mai 1947 (De Gaulle, *Mémoires d'espoir*, annexes, p. 354).

152. Voir Soustelle, *Vingt-huit ans de gaullisme*, p. 432-441.

153. De Gaulle, *Mémoires d'espoir*, p. 19.

154. Voir par exemple ce qu'il dit à Louis Terrenoire, le 10 septembre 1957, sur ce que pourrait tenter un gouvernement solide pour empêcher une indépendance qui, en l'état, lui paraissait inéluctable (Roussel, *De Gaulle*, p. 576-577). Dès 1955, il avait confié à Geoffroy de Courcel que la seule option praticable était d'accompagner un mouvement vers l'indépendance que rien n'arrêterait, mais que l'on pouvait peut-être utiliser et détourner au profit d'une formule d'association qui garantirait la pérennité de la présence française en Algérie (Lacouture, *De Gaulle*, t. II, p. 511-512). Voir également le recueil de ses propos dans Ferniot, *De Gaulle et le 13 Mai*, p. 131-134, Winock, *L'Agonie de la IVe République*, et Ayache, *Le Retour du général de Gaulle*, p. 239-240. Le 30 mai 1958 encore, devant Guy Mollet, puis Vincent Auriol, il évoquait tantôt une fédération dans laquelle aucune communauté, même majoritaire, n'aurait les moyens d'opprimer les autres – sur le modèle fédéral américain –, tantôt une « confédération de peuples associés » (Winock, *L'Agonie de la IVe République*, p. 277, 281). Bien plus tard, dans l'un de ses derniers entretiens, il assura à François Goguel que sa politique algérienne avait suivi un plan préconçu (Mauriac, *Mort du général de Gaulle*, p. 118).

155. De Gaulle, *Mémoires d'espoir*, p. 43-44.

156. *Ibid.*, p. 43. Voir l'étude de Guy Pervillé, qui penche, peut-être de manière trop définitive, en faveur de l'existence d'un plan mûrement réfléchi et arrêté dans l'esprit du Général avant même son retour aux affaires (*Pour une histoire de la guerre d'Algérie*).

157. Voir Soustelle, *La page n'est pas encore tournée*, p. 123.

158. Raymond Aron dira qu'il tenait de source sûre que de Gaulle s'était dit d'accord avec son analyse du problème algérien (*Mémoires*, t. I, p. 523).

159. Lacouture, *De Gaulle*, t. II, p. 515.

160. Ayache, *Le Retour du général de Gaulle*, p. 441. Il dit la même chose à Pierre Lefranc, venu quelques jours plus tard le chercher à l'aéroport de Villacoublay, à son retour d'Algérie : « Ils rêvent. Ils oublient qu'il y a neuf millions de musulmans pour un million d'Européens. L'intégration, c'est quatre-vingts députés musulmans à l'Assemblée. Ce sont eux qui feraient la loi. [...] La fraternisation, c'est une illusion. Si l'on disait aux Français d'Algérie : la fraternisation, c'est l'égalité entre vous et les musulmans, ils en feraient une tête ! Ils renverraient vite les Arabes dans leur gourbi ! » (Christine Clerc, *De Gaulle-Malraux*, p. 206).

161. Laurent, *Mauriac sous de Gaulle*, p. 95-96.

162. Roussel, *De Gaulle*, p. 603-604, et les commentaires de Jean Daniel à qui Jean Amrouche disait, au lendemain du 4 juin 1958, que l'annonce du collège unique, depuis toujours refusé par les Français d'Algérie, revenait à ne plus donner la parole qu'aux musulmans, majoritaires dans une proportion de 9 à 1 (*De Gaulle et l'Algérie*, dans Rioux, *De Gaulle, portraits*, p. 258-259).

163. De Gaulle, *Mémoires d'espoir*, p. 37.

164. J. Daniel, *De Gaulle et l'Algérie*, dans Rioux, *De Gaulle, portraits*, p. 257.

165. Soustelle, *La page n'est pas encore tournée*, p. 111.

166. Peyrefitte, *C'était de Gaulle*, p. 196.

167. Le 22 mai 1958, alors même que la crise n'était pas terminée, il avait vertement rétorqué à André Philip – ce dernier l'avait rejoint à Londres en 1942 et avait siégé au Comité français de libération nationale – qui lui reprochait de mêler le nom de l'homme du 18 Juin à une entreprise factieuse : « Ma déclaration n'a répondu aux *appels* de personne, pas même aux vôtres. Il y a des factions en métropole et en Algérie. Vous-même êtes d'une de ces factions. Je n'en appelle pas aux factions, je ne réponds pas à leurs appels, j'en appelle à l'unité du peuple français » (*Lettres, notes et carnets*, t. II, p. 1278).

168. Vaïsse, *La Grandeur*, p. 58.

169. Peyrefitte, *C'était de Gaulle*, p. 268. Voir *ibid.*, p. 263-268.

170. *Ibid.*, p. 268.

171. Ce ressentiment semble peu contestable, même si Jean Lacouture l'a nié (*De Gaulle*, t. II, p. 510-511).

172. Dans un article paru dans le *Times* du 13 novembre 1970 (Perrier, *De Gaulle vu par les écrivains*, p. 104).

173. L'attentat du Petit-Clamart (22 août 1962) constitue un cas différent. Si le Général refusa sa grâce à son principal instigateur, Jean-Marie Bastien-Thiry, qui fut fusillé le 11 mars 1963, il l'avait accordée aux deux tireurs. A ceux qui déploraient son manque de

magnanimité, le Général rappela que Bastien-Thiry savait que Mme de Gaulle serait dans la voiture criblée de balles, que l'arrivée en sens inverse d'un autre véhicule à bord duquel se trouvaient des enfants ne dissuada pas les tireurs d'ouvrir le feu, enfin que Bastien-Thiry ne s'était pas personnellement exposé, ce que de Gaulle interprétait comme de la lâcheté. Voir le livre récemment consacré à cette affaire par Jean-Noël Jeanneney, *Un attentat. Petit-Clamart, 22 août 1962.*

174. Ce n'est qu'à partir de 1968 qu'ils se déroulèrent sur l'atoll de Mururoa.

175. Hegel, *La Raison dans l'histoire*, p. 129.

2
Place des grands hommes

1. Voir le chapitre suivant.
2. Lamartine, *Le Civilisateur*, 3e année, p. 131-132.
3. Renan, *Qu'est-ce qu'une nation ?*, p. 26.
4. *Ibid.*
5. Centlivres, Fabre et Zonabend, *La Fabrique des héros*, p. 1.
6. *Ibid.*
7. Voir Jeanneney et Joutard, *Du bon usage des grands hommes en Europe*, p. 45, 181, 189, 191.
8. En 1944 (Valéry, *Cahiers*, t. II, p. 1541).
9. Michelet, *Histoire de France*, t. V, p. 135-136.
10. Michelet, « Le tyran », *Histoire de la Révolution*, t. II, p. 1019. Taine, dans le célèbre portrait de Robespierre en modèle du « cuistre » qu'il consacre à l'Incorruptible dans ses *Origines de la France contemporaine*, a complètement manqué ce point (t. II, p. 112-130).
11. Voir Jean-Clément Martin, *Robespierre, la fabrication d'un monstre.*
12. Debray, *Madame H*, p. 107.
13. Taine, *Origines de la France contemporaine*, t. II, p. 372.
14. Jean Guitton, cité dans Perrier, *De Gaulle vu par les écrivains*, p. 127.
15. Whately, *Peut-on prouver l'existence de Napoléon ?*, p. 43-44.
16. Je paraphrase Nietzsche, dans un fragment de l'automne 1887 (*Œuvres philosophiques complètes*, t. XIII, p. 123).
17. Je paraphrase ici Guizot, dont la phrase exacte est : « La France [issue] de la Révolution n'est point assise ni constituée » (*Des moyens de gouvernement et d'opposition*, p. 3).
18. Amalvi, *Les Héros des Français.*
19. Nora, « Lavisse, instituteur national : le *Petit Lavisse*, évangile de la République », *Les Lieux de mémoire*, t. I, p. 239-275.

20. Nora, « *L'Histoire de France* de Lavisse : *Pietas erga patriam* », *ibid.*, t. I, p. 891.

21. Nora, « Lavisse, instituteur national », *ibid.*, t. I, p. 272.

22. Job et Georges Montorgueil, *Louis XI*. On peut consulter cet album à cette adresse : http://gallica.bnf.fr/ark:/12148/bpt6k6566485d.r=job%20et%20montorgueil%20louis%20xi. Voir en particulier Louis XI rendant visite au cardinal La Balue enfermé dans une cage, p. 35.

23. Centlivres, Fabre et Zonabend, *La Fabrique des héros*, p. 283-284.

24. *Ibid.*, p. 276.

25. Ces cartes ont récemment fait l'objet d'un album édité par Jacques Scheibling et Caroline Leclerc, *Les Cartes de notre enfance : Atlas mural Vidal-Lablache.*

26. Mauriac, *De Gaulle*, p. 271.

27. Maurice Lévy (1914-1980) avait été arrêté et déporté à Auschwitz en février 1944 (http://www.afmd-allier.com/PBCPPlayer.asp?ID=1009587).

28. Publié par les éditions Delagrave encore en 1946.

29. Montmorillon, Rossignol, 1954.

30. Diplomate et historien, Léon Noël (1888-1987) sera le premier président du Conseil constitutionnel (*Comprendre de Gaulle*, p. 16-17). Jean-Louis Crémieux-Brilhac rapporte une anecdote semblable dans ses souvenirs : en octobre 1941, à Londres, son voisin voyant apparaître le général de Gaulle lors d'une prise d'armes se pencha vers lui et lui souffla : « C'est Charles XI » (*L'Etrange Victoire*, p. 196).

31. Mauriac, *De Gaulle*, p. 15. Voir également la notice que Rémy Rieffel consacre à Mauriac dans le *Dictionnaire de Gaulle*, p. 738-740.

32. Laurent, *Mauriac sous de Gaulle*, p. 2.

33. Daniel Pennac, dans *Comme un roman* (1992), se souvient lui aussi d'avoir découvert *Guerre et paix*, vers le même âge, dans cette collection où, bien sûr, le roman de Tolstoï n'est plus réédité. N'a-t-on pas entrepris de réécrire les merveilleux romans d'Enid Blyton (le Club des Cinq) et de Georges Chaulet (Fantômette) pour en simplifier la syntaxe et en ôter tout ce qui est aujourd'hui jugé « politiquement incorrect » ? Voir par exemple : http://celeblog.over-blog.com/article-le-club-des-5-et-la-baisse-du-niveau-85677083.html

34. Esme, *De Gaulle*, p. 236.

35. Conseil supérieur des programmes, *Projet de programme pour le cycle 3*, 9-15 avril 2015, p. 9.

36. Voir Borne, *Quelle histoire pour la France ?*, p. 32-37.

37. Dans le numéro du 20 octobre 1979.

38. Amalvi, *Les Héros des Français*, p. 284.

39. En même temps, il se plaignait à la fin de 1969 de la dégradation de l'enseignement de l'histoire auprès de son ministre de l'Education, Olivier Guichard : « Il n'y a qu'une chose qui compte : les programmes ! les programmes ! Nos élèves n'apprennent plus rien » (Jean Mauriac,

L'Après de Gaulle, p. 38). Mais en 1973 il laissa Joseph Fontanet porter les premiers coups à l'enseignement de l'histoire.

40. Borne, *Quelle histoire pour la France ?*, p. 43.

41. Le mot « discipline » paraissant encore trop fort, elle fut rebaptisée « activité d'éveil » en 1978. Voir François-Xavier Bellamy, « Vie et mort du roman national », et plus généralement le numéro du *Figaro Histoire* où cet article a été publié (« La vérité sur l'histoire à l'école », *Le Figaro Histoire*, n° 4, octobre-novembre 2012).

42. Sur les années 1970 et 1980, voir aussi Bédarida, Bercé, Aymard et Sirinelli, *L'Histoire et le métier d'historien, 1945-1995*, p. 49-51, et Chambarlhac, « Les prémisses d'une restauration ? L'histoire enseignée saisie par le politique », p. 187-202.

43. Maistre, *Œuvres complètes*, t. I, p. 187.

44. Julliard, *L'école est finie*, p. 91.

45. Voir en particulier les travaux de Suzanne Citron qui instruit inlassablement, depuis trente ans, le procès de l'histoire de France, et notamment *Le Mythe national, l'histoire de France revisitée* (1987).

46. « Que voulez-vous, l'histoire de France est tragique », disait de Gaulle (Peyrefitte, *C'était de Gaulle*, p. 86).

47. *Le Chagrin et la Pitié*, de Marcel Ophüls, sortit en salle en 1971. Robert Paxton, *La France de Vichy, 1940-1944* (1973), Zeev Sternhell, *La Droite révolutionnaire (1885-1914), les origines françaises du fascisme* (1978), et Bernard-Henri Lévy, *L'Idéologie française* (1981). Dans un genre moins relevé, on pourra lire Jean-Claude Milner, *Les Penchants criminels de l'Europe démocratique.*

48. Je fais allusion bien sûr à Pascal Bruckner, *Le Sanglot de l'homme blanc. Tiers-Monde, culpabilité, haine de soi*, que le lecteur pourra compléter par cet autre ouvrage du même auteur, *La Tyrannie de la pénitence, essai sur le masochisme occidental.*

49. Quand on parlait au général de Gaulle des méfaits du colonialisme, il répondait en prenant l'exemple des Gaulois : « Seuls les peuples imbéciles ne reconnaissent pas la colonisation, même si elle n'a pas toujours été tendre à cause de leur propre barbarie. Ils oublient qu'ils ont été colonisés parce qu'eux-mêmes en étaient incapables. » Et de s'écrier : « Vive les Romains ! » (Ph. de Gaulle, *De Gaulle, mon père*, t. I, p. 578).

50. On trouve assez facilement sur Internet les cinq rapports remis au Premier ministre le 12 décembre 2013, mais ils ont été supprimés du site de Matignon : http://www.gouvernement.fr/gouvernement/refondation-de-la-politique-d-integration. Le rapport peut être téléchargé ici, pour les amateurs : http://droit-finances.commentcamarche.net/download/telecharger-12-rapport-sur-l-integration-fichier-en-ligne

51. Borne, *Quelle histoire pour la France ?*, p. 170-178.

52. Dumézil, *Des Gaulois aux Carolingiens*, p. 17-20.

53. Michelet, *Histoire de France*, t. I, p. 44.

54. Chateaubriand, *Mémoires d'outre-tombe*, t. II, p. 2567-2568.

55. Le débat remontait notamment à Boulainvilliers, auteur en 1727 d'une *Histoire de l'ancien gouvernement de la France*, et à l'abbé Dubos, qui avait répliqué en 1734 à la thèse germaniste de Boulainvilliers par une *Histoire critique de l'établissement de la monarchie française dans les Gaules*. Claude Nicolet résume ainsi les deux thèses en présence : « Pour les uns (les germanistes), il y eut une vraie conquête militaire sur les armées et les populations romaines, et telles sont l'origine et la légitimité de la royauté franque, et celles de la prédominance des vainqueurs sur les vaincus, qui se traduit essentiellement par les privilèges de la noblesse. Pour les autres (les romanistes) au contraire, les guerriers francs, leurs rois et leurs généraux n'étaient intervenus en Gaule, avant même le règne de Clovis, qu'avec l'accord et à la demande du pouvoir romain ; d'où deux conséquences : d'abord, la légitimité de la monarchie remonte, en dernière analyse, à celle de l'Empire romain. Ensuite, s'il n'y a pas eu de conquête, il n'y a pas eu appropriation des terres par les Francs ni réduction en servitude des Gallo-Romains » (*La Fabrique d'une nation*, p. 58).

56. Voir Fustel de Coulanges, « L'invasion germanique au Ve siècle, son caractère et ses effets », et son *Histoire des institutions politiques de l'ancienne France*, 2 : *L'invasion germanique et la fin de l'Empire*. Sur cet historien injustement oublié, voir Hartog, *Le XIXe siècle et l'histoire. Le cas Fustel de Coulanges*, et notamment, sur la question des origines du système féodal selon Fustel, p. 78-95.

57. Voir surtout les ouvrages de Peter Brown, *The World of Late Antiquity* et *Through the Eye of a Needle : Wealth, the Fall of Rome, and the Making of Christianity in the West*. Voir aussi Dumézil, *Des Gaulois aux Carolingiens* et, du même auteur, *Servir l'Etat barbare dans la Gaule franque*.

58. Avezou, *Raconter la France*, p. 25.

59. Ward-Perkins, *The Fall of Rome and the End of Civilization*. Il existe une traduction française de cet ouvrage, malheureusement si fautive et lacunaire qu'elle en est illisible (*La Chute de Rome*, Paris, Alma, 2014). On lit déjà dans Lavisse : « On a soutenu quelquefois que l'arrivée de ces nouveaux occupants n'avait pas été violente, que les pillages et les excès n'avaient été que des faits isolés. C'est écarter les témoignages des contemporains qui nous dépeignent le temps où ils vivent comme une époque de terribles épreuves et de ruines » (Lavisse, *Histoire de France*, t. III, p. 77).

60. Toutes ces citations sont extraites de Pierre Chaunu, *Eglise, culture et société*, p. 55-71. Sur toutes ces questions, voir désormais Michel de Jaeghere, *Les Derniers Jours. La fin de l'Empire romain d'Occident*, p. 28-42.

61. Sur le destin des grands hommes dans l'enseignement de l'histoire, voir, dans le numéro du *Figaro Histoire* déjà cité, Marie-Amélie Brocard, « Les déclassés de l'histoire de France », p. 58-69.

62. Elle regroupe les vingt-quatre volumes publiés par Georges Bordonove entre 1980 et 2002 aux éditions Pygmalion.

63. Mézeray, *Histoire de France*, t. I, 194. Pharamond aurait, selon la légende, régné vers 420. Godefroid Kurth, sans réfuter absolument son existence, se refusait à voir en lui l'ancêtre des Mérovingiens : *Histoire poétique des Mérovingiens*, Bruxelles, Société belge de librairie, 1893, p. 135-136.

64. Mézeray, *Histoire de France*, t. I, p. 188.

65. *Ibid.*, t. I, préface, non paginé.

66. Solnon, *Louis XIV, Vérités et légendes*, p. 15.

67. Sainte-Beuve, *Causeries du lundi*, t. VIII, p. 232.

68. En fait, ce n'est pas avant le règne de Philippe Auguste (1179-1223) que *Rex franciae* commença de supplanter la vieille formule franque.

69. Bainville, *Histoire de France*, p. 51.

70. *Ibid.*, p. 61.

71. Theis, « La mort très obscure d'un roi de peu, Hugues Capet, 996 ».

72. Mézeray, *Histoire de France*, t. III, p. 826.

73. Sur cette génération d'historiens, voir Walch, *Les Maîtres de l'Histoire*, et Gauchet, *Philosophie des sciences historiques. Le moment romantique*.

74. Thierry, préface à *Dix ans d'études historiques*, p. 13. Paul-François Velly (1709-1759), dont l'*Histoire de France depuis l'établissement de la monarchie jusqu'à Louis XIV* parut longtemps après sa mort, en 1770.

75. Tocqueville, « De quelques tendances particulières aux historiens dans les siècles démocratiques », *De la démocratie en Amérique*, II (1re partie, chap. 20), p. 485-488. Il revient sur cette question dans ses *Souvenirs*, opposant cette fois non plus les époques mais les hommes, « gens de lettres qui ont écrit l'histoire sans se mêler aux affaires » et « hommes politiques qui ne se sont jamais occupés qu'à produire les événements sans songer à les décrire » : tandis que « les premiers voyaient partout des causes générales », au point de supprimer « pour ainsi dire les hommes de l'histoire du genre humain », les seconds, « vivant au milieu du décousu des faits journaliers, se figuraient volontiers que tout devait être attribué à des incidents particuliers et que les petits ressorts qu'ils faisaient sans cesse jouer dans leurs mains étaient les mêmes que ceux qui font remuer le monde ». Points de vue également faux sur l'histoire, ajoute Tocqueville, puisque l'un en occulte l'imprévisibilité à court terme, et l'autre ce qu'à long ou moyen terme elle a de (relativement) prévisible (*Lettres choisies. Souvenirs (1814-1859)*, p. 797-798). Par exemple, si l'accession au pouvoir des nazis en Allemagne relève de la première dimension, car personne n'aurait pu sérieusement parier sur Hitler quelques années avant les élections de 1933, la catastrophe, dont on ignorait quelle forme elle prendrait, était inscrite dans les clauses du traité de Versailles de 1919.

76. Augustin Thierry ouvrit le bal avec ses *Lettres sur l'histoire de France* (1820) ; suivirent l'*Histoire des Français* de Jean Sismonde de Sismondi (1821-1844), l'*Histoire des ducs de Bourgogne de la maison*

de Valois de Prosper de Barante (1824-1826), l'*Histoire des Gaulois* d'Amédée Thierry (1828), l'*Histoire générale de la civilisation en Europe* (1828) et l'*Histoire de la civilisation en France* (1830) de Guizot.

77. Thierry, *Dix ans d'études historiques*, p. 7.

78. Sieyès, *Qu'est-ce que le tiers état ?*, p. 32.

79. Guizot, *Du gouvernement de la France depuis la Restauration*, p. 1. Le duc de Berry, fils aîné de l'héritier du trône, le comte d'Artois (futur Charles X), avait été assassiné à Paris le 14 février 1820 par Louvel, un ouvrier bonapartiste.

80. Royer-Collard, cité dans Remacle, *Relations secrètes des agents de Louis XVIII à Paris*, p. 38.

81. Barry, *Discours sur les dangers de l'idolâtrie dans une république.*

82. Voir Michelet, « Le Tyran », *Histoire de la Révolution française*, t. II, p. 1004-1022. La phrase de Cloots, modifiée par Michelet, est extraite de l'*Appel au genre humain* écrit par celui-ci en prison, peu avant son exécution. Le baron prussien Jean-Baptiste Cloots (1755-1794), dit Anacharsis et surnommé « l'Orateur du genre humain », avait été l'un des plus fervents partisans de l'exportation des idées révolutionnaires en Europe et au-delà. Naturalisé français en 1792, élu à la Convention nationale, son engagement dans le mouvement déchristianisateur en 1793 lui coûta la vie lorsque Robespierre se retourna contre « l'athéisme ».

83. Jules Michelet, préface à son *Histoire du XIXe siècle* (1872), *in* Michelet, *La Cité des morts et des vivants*, p. 447-448. Michelet reprend à son compte l'observation faite par Mme de Staël dans ses *Considérations sur les principaux événements de la Révolution française* (1817). Evoquant le 18 Brumaire, elle écrit : « C'était la première fois, depuis la Révolution, qu'on entendait un nom propre dans toutes les bouches. Jusqu'alors on disait : L'Assemblée constituante a fait telle chose, le peuple, la Convention ; maintenant, on ne parlait plus que de cet homme qui devait se mettre à la place de tous, et rendre l'espèce humaine anonyme, en accaparant la célébrité pour lui seul, et en empêchant tout être existant de pouvoir jamais en acquérir » (p. 357).

84. Michelet, *Histoire de la Révolution française*, préface de 1868, t. II, p. 999.

85. Barthes, *Michelet*, p. 57-58.

86. Michelet, *Histoire de la Révolution française*, t. II, p. 1022.

87. Furet, « Michelet », *in* Furet et Ozouf, *Dictionnaire critique de la Révolution française*, p. 1034.

88. Nora, *Recherches de la France*, p. 71-72.

89. Michelet, *Histoire de France*, préface de 1869, t. I, p. 13.

90. Ce fragment fut publié en 1888 dans la *Revue bleue* ; il est reproduit à la fin de l'édition de la Pléiade (*Histoire de la Révolution française*, t. II, p. 992-996).

91. *Ibid.*, t. II, p. 995.

92. Cette citation et celles qui précèdent sont extraites de la préface de 1869 à l'*Histoire de France*, t. I, p. 35-36.

93. *Ibid.*, t. I, p. 34-36. Il avait commencé la rédaction de son *Histoire de France* en 1830, dans « l'éclair de Juillet », publiant le premier volume en 1833. En 1844, ayant publié les six volumes du *Moyen Age*, il passa directement à l'histoire de la Révolution (1847-1853, 7 volumes), avant de revenir ensuite à l'histoire des *Temps modernes*, de la Renaissance à la Révolution (1857-1867, 7 volumes), pour terminer par une *Histoire du XIXe siècle* en 3 volumes (1872-1875).

94. *Ibid.*, t. I, p. 7.

95. Febvre, *Michelet créateur de l'histoire de France*, p. 44-45. « Si MM. Guizot, de Sismondi et de Barante trouvaient des lecteurs enthousiastes, Velly et Anquetil avaient sur eux l'avantage d'une clientèle bien plus nombreuse », se souviendra Augustin Thierry (*Dix ans d'études historiques*, p. 25). Sur Velly, voir ci-dessus, note 74 ; Louis-Pierre Anquetil (1723-1808), auteur d'une *Histoire de France* publiée en 1805 et qui fit l'objet de nombreuses rééditions jusqu'au milieu du siècle.

96. Michelet, *Histoire de France*, t. I, p. 10-11, 21.

97. *Ibid.*, t. I, p. 161.

98. Lavisse, *Histoire de France*, t. III, p. 305-309.

99. Michelet, *Histoire de France*, t. I, p. 434.

100. Voir *ibid.*, t. I, p. 246-247.

101. *Ibid.*, t. I, p. 252.

102. Voir Morrissey, *L'Empereur à la barbe fleurie*, p. 349-381.

103. Viallaneix, *La Voie royale*, p. 227. Sur Giambattista Vico (1668-1744) dont l'œuvre, et notamment *La Science nouvelle* (1725), est considérée comme précurseur des philosophies modernes de l'histoire, voir les études récentes d'Olivier Remaud, *Les Archives de l'humanité. Essai sur la philosophie de Vico*, et Alain Pons, *Vie et mort des nations. Lecture de la* Science nouvelle *de Giambattista Vico.*

104. Michelet, *Histoire romaine*, t. I, p. VI-VII.

105. Michelet, *Discours sur l'histoire universelle*, p. 135.

106. Chateaubriand, *Mémoires d'outre-tombe*, t. II, p. 2882.

107. Paul Viallaneix, cité par Paule Petitier dans sa présentation du t. V de l'*Histoire de France*, p. VII.

108. *Introduction à l'histoire universelle*, p. 127-128.

109. *Ibid.*, p. 133.

110. 30 mars 1842, cité *in* Viallaneix, *La Voie royale*, p. 331.

111. Michelet ne cessera de tenter de concilier les deux principes du peuple acteur de sa propre histoire et de l'histoire assumée et accomplie par l'intervention du « héros », écrivant encore dans son *Histoire de la Révolution* : « La France a droit [...] de juger en dernier ressort ses hommes et ses événements. Pourquoi ? C'est qu'elle n'est pas pour eux un contemplateur fortuit, un témoin qui voit du dehors ; elle fut en eux, les anima, les pénétra de son esprit. Ils furent en grande partie son œuvre ; *elle les sait, parce qu'elle les fit.* Sans nier l'influence puissante du génie individuel, nul doute que dans l'action

de ces hommes, la part principale ne revienne cependant à l'action générale du peuple, du temps, du pays. La France les sait dans cette action qui fut d'elle, comme leur créateur les sait. Ils tinrent d'elle ce qu'ils furent » (t. I, p. 287).

112. Voir Gerd Krumeich, *Jeanne d'Arc à travers l'histoire*, et Paul Viallaneix, « La *Jeanne d'Arc* de Michelet, une légende romantique ». Voir aussi Contamine, « Jeanne d'Arc dans la mémoire des droites », *in* Sirinelli, *Histoire des droites en France*, t. II, p. 399-436.

113. Michelet, *Histoire de France*, t. V, p. 135.

114. *Ibid.*, t. V, p. 135-136.

115. Thomas de Quincey, *Joan of Arc*, p. 215.

116. Viallaneix, *La Voie royale*, p. 334.

117. Michelet, *Histoire de France*, t. V, p. 67.

118. *Ibid.*, t. I, p. 139.

119. Le « Tableau de la France » se trouve dans le t. II de l'*Histoire de France*, p. 7-90.

120. Paule Petitier, introduction au t. V, p. IX.

121. Chaunu, *Eglise, culture et société*, p. 36.

122. Michelet, *Histoire de France*, t. V, p. 7-19, et les observations de P. Petitier, p. X.

123. Michelet, *Les Vivants et les morts*, p. 413.

124. Michelet, *Histoire de France*, t. V, p. 69-70.

125. *Ibid.*, t. I, p. 76.

126. *Ibid.*, t. V, p. 41.

127. *Ibid.*, t. V, p. 42.

128. *Quentin Durward* (1823) et *Notre-Dame de Paris* (1831).

129. Michelet, *Histoire de France*, t. VI, p. 50.

130. « Dans le grand drame de la libération et du relèvement de la France au XVe siècle, écrit Charles Petit-Dutaillis, le peuple joue longtemps le rôle principal. La personne du roi, pendant les premiers actes, s'est montrée à peine, jouet inerte du destin, ombre misérable ; dans les derniers, elle est demeurée terne, effacée. Depuis le traité d'Arras et le recouvrement de Paris [1435-1436], Charles VII, il est vrai, a repris quelque confiance. Il règle l'emploi de son temps et travaille ponctuellement avec ses conseillers ; il se décide à paraître, dans quelques expéditions, à la tête de son armée. Mais il passe encore de longs mois de nonchalance dans ses châteaux de la Loire, où il reste caché, inaccessible, au milieu de ses favoris et bientôt de ses favorites » (Lavisse, *Histoire de France*, t. VIII, p. 228).

131. Lettre du 29 avril 1864 à Ernest Havet (*Hippolyte Taine, sa vie et sa correspondance*, t. II, p. 301).

132. Boutmy, *Taine, Schérer, Laboulaye*, p. 23.

133. Sainte-Beuve, *Nouveaux lundis*, t. VIII, p. 69. Voir aussi les *Causeries du lundi*, t. XIII, p. 249-284.

134. Wyzewa, *Nos maîtres, études et portraits littéraires*, p. 195-196.

135. Sur Taine, voir notamment Evans, *Taine, essai de biographie intérieure*, et Cointet, *Hippolyte Taine, un regard sur la France*.

136. Voir Gauchet, « Changement de paradigme en sciences sociales ? », p. 472-480. Sur l'école des Annales, voir Burguière, *L'Ecole des Annales. Une histoire intellectuelle*.

137. Furet, *Le Passé d'une illusion*, p. 199-201.

138. Stéphane, *Portrait de l'aventurier*, p. 40-41.

139. Duby, *L'Histoire continue*, p. 10. Ces principes avaient été énoncés par Fernand Braudel en 1958 dans « Histoire et sciences sociales : la longue durée ».

140. Braudel, *L'Identité de la France*, t. III, p. 486-487.

141. Hérodote, *L'Enquête*, livre VII, p. 45-46.

142. Braudel, « Personal Testimony », p. 453-454.

143. Himmelfarb, *On Looking Into the Abyss*, p. 46-47.

144. Je renvoie le lecteur aux ouvrages de D. Madelénat, *La Biographie*, F. Dosse, *Le Pari biographique*, et S. Loriga, *Le Petit X*.

145. Gauchet, « Changement de paradigme en sciences sociales ? », p. 474.

146. Arnaud, « Le retour de la biographie : d'un tabou à l'autre », p. 42.

147. Guenée, *Entre l'Eglise et l'Etat*.

148. Le Goff, *Saint Louis*, p. 13-27.

149. Duby, *L'Histoire continue*, p. 123.

150. *Ibid.*, p. 152-153, 192.

151. Febvre, *Michelet créateur de l'histoire de France*.

152. *Ibid.*, p. 34-35.

153. *Ibid.*, 4e leçon, p. 81-99.

154. Testament publié à la suite de *L'Etrange Défaite*, p. 209-212.

155. Febvre, *Michelet créateur de l'histoire de France*, p. 46-47.

156. « L'histoire de notre pays n'est qu'une suite de prodiges qui s'enchaînent : prodige de Jeanne d'Arc, prodige des soldats de l'an II, prodige des héros de la Marne et de Verdun, voilà le passé de la France. Ma mission est ce soir de rendre hommage à ceux par le prodige desquels la France conserva un présent et un avenir, les morts de la France combattante. De tous les morts dont la chaîne innombrable constitue notre trésor de gloire, ceux-là plus qu'aucuns autres incarneront, dans sa pure gratuité, l'esprit de sacrifice. Car ils ne sont point morts en service commandé ; un chiffon de papier, signé, par dérision, dans la clairière de Rethondes, les avait déliés du devoir de servir. Ils ne sont pas morts, volontaires pour une mission qu'on leur offrait ; un pouvoir usurpé ne demandait des volontaires que pour l'abdication. Ce sont des hommes à qui la mort avait été interdite sous peine capitale, et qui ont dû d'abord la braver pour pouvoir la briguer. L'histoire dira un jour ce que chacun d'eux a dû d'abord accomplir pour retrouver dans la France combattante son droit à la mort et à la gloire. Elle dira quelles Odyssées il leur aura fallu

passer pour s'immortaliser dans leurs Iliades. Passagers clandestins des derniers bateaux qui se sont éloignés de la France terrassée, humbles pêcheurs franchissant sur des barques les tempêtes de la Manche, marins et coloniaux ralliant des convois ravagés par la torpille, risque-tout affrontant les Pyrénées, prisonniers évadés des camps de l'ennemi, détenus évadés des bagnes de la trahison, il a suffi qu'en ces jours de juin dont nous fêtons l'anniversaire un homme leur ait crié : "je vous convie à vous unir avec moi dans l'action, dans le sacrifice et dans l'espérance", pour qu'ils se lèvent tous, pour que ceux qui n'appelaient plus la mort que comme une délivrance accourent y chercher un accomplissement, et pour que d'un seul geste sortant du banal ils entrent dans le sublime » (« Hommage aux morts de la France combattante », 18 juin 1943 : http://www.pierrebrossolette.com/textes-de-pierre-brossolette/hommage-aux-morts-de-la-france-combattante-18-juin-1943/).

157. Maurois, *Histoire d'Angleterre*, p. 116.

158. Voir surtout la remarquable étude de Jacques Krynen, *L'Empire du roi* (1993).

159. Voir Myriam Yardeni, *La Conscience nationale en France pendant les guerres de Religion, 1559-1598.*

160. Voir Colette Beaune, *Naissance de la nation France.* Voir également Emmanuel Le Roy Ladurie, *L'Etat royal, 1460-1610*, notamment le chapitre 14, « Le sens national », p. 341-347, et Robert Descimon et Alain Guéry, « Fondations : l'Etat monarchique et la construction de la nation française », *in* Burguière et Revel, *Histoire de la France*, IV. *La longue durée de l'Etat*, p. 361-394.

161. La dernière tentative fut sans doute celle de Louis Chevalier dans son *Histoire anachronique des Français* (1974).

162. Jullian, « L'ancienneté de l'idée de nation », p. 102-103.

163. « Ce pays essentiellement hétérogène (et indiscipliné) a pour besoin essentiel l'unité », notait Paul Valéry dans ses *Cahiers* : « L'unification même excessive est donc le travail qui se fait toujours – et dans les crises c'est la solution qui reconstitue et assure le plus facilement *l'unité* qui l'emporte. Telle est la loi. Donc accroissement du pouvoir central » (t. II, p. 1477).

164. A Sainte-Hélène, Napoléon en faisait la remarque au docteur O'Meara : « En France, avec quatre fois autant de territoire [que l'Angleterre], et quatre fois autant de population, jamais je n'aurais pu lever la moitié de vos impôts. Je ne saurais concevoir comment le *popolazzo* anglais le supporte. Les Français n'en auraient pas souffert le quart » (*Napoléon dans l'exil*, t. I, p. 180).

165. Maistre, « Mémoire à consulter sur l'état présent de l'Europe » (*Œuvres complètes*, t. IX, p. 125).

166. Voir Stephanie Barczewski, *Heroic Failure and the British.*

167. Centlivres, Fabre et Zonabend, *La Fabrique des héros*, p. 271-272.

3
Les meilleurs d'entre nous ?

1. Amalvi, *Les Héros des Français.*

2. Les résultats de ces enquêtes réalisées entre 1949 et 1999 sont cités dans *ibid.*, p. 410-415.

3. Dans le dernier palmarès consulté, publié le 3 juin 2015 sur le site *Figaro-Vox*, Napoléon précédait Charles de Gaulle. Mais c'était juste avant le bicentenaire de Waterloo, qui faisait l'objet d'une très importante couverture médiatique. Suivaient Jeanne d'Arc… Coluche et Louis XIV. En 2012, *L'Internaute*, site dédié à l'histoire, avait organisé son propre concours. On n'y trouve pas Coluche mais, dans l'ordre : Napoléon, de Gaulle, Louis XIV, Henri IV, Pasteur, Hugo, François Ier, Saint Louis, Jaurès et Mitterrand. Signalons une exception au « règne » du tandem Napoléon-de Gaulle : en novembre 2009, la revue *Historia*, dressant la liste des « 100 personnages qui ont fait la France », ne citait ni Napoléon ni le général de Gaulle !

4. Voir Philippe Joutard, « Une mémoire nationale plus fragile ? », *in* Bédarida, *L'Histoire et le métier d'historien en France*, p. 51-55.

5. *Ibid.*, p. 53. Plus on descend les degrés de l'échelle des âges, plus le phénomène est sensible, comme le montre l'enquête réalisée par Anne Muxel auprès de lycéens. En dehors de Louis XIV, Napoléon, de Gaulle et Jean Moulin, les noms cités appartiennent tous, sur près de 700, à l'époque contemporaine. Le palmarès reflète, de l'aveu même de l'auteur, « l'idéologie humanitaire actuelle ». Aucun fauteur de guerre, aucun personnage suspect de discriminations sociales ou raciales. La lutte contre les discriminations (Mandela, Martin Luther King, Malcolm X) vient en première ligne, suivie par la lutte contre la pauvreté (mère Teresa, l'abbé Pierre) et… la cause palestinienne (Arafat). Pour 17 % des sondés, le vrai héros est anonyme, leur père ou leur mère. Ils ne sont que 3 et 5 % à associer le mot aux idées de nation ou de patrie. Seule consolation à ces affligeants résultats, l'idée la moins associée à celle d'héroïsme est celle de « révolution » (Centlivres, Fabre et Zonabend, *La Fabrique des héros*, p. 80-100).

6. Zola, *L'Assommoir*, in *Les Rougon-Macquart*, t. II, p. 445.

7. Hegel, *La Raison dans l'histoire*, p. 126-127.

8. Voir Julliard, *Que sont les grands hommes devenus ?*, p. 30-36.

9. Le mot est de Chateaubriand : « Après avoir subi le despotisme de sa personne, il nous faut subir le despotisme de sa mémoire » (*Mémoires d'outre-tombe*, t. I, p. 1552).

10. *Ibid.*, t. I, p. 1543-1544.

11. Voir la lettre de Chateaubriand à Jean-Jacques Ampère, du 18 juillet 1831, citée *ibid.*, t. I, p. 1544, n. 8, et un article qu'il publia dans *Le Conservateur* en août 1819, dont Jean-Paul Clément donne de longs extraits dans son recueil, *Chateaubriand politique*, p. 382-388.

12. Chateaubriand, *De Buonaparte et des Bourbons*, p. 72-73.

13. Cité dans Sorel, *Nouveaux essais d'histoire et de critique*, p. 138.

14. Goncourt, *Journal*, t. III, p. 15 (16 février 1887). C'est dans la *Revue des Deux Mondes* que, le 15 février 1887, Taine avait publié une première version de son étude sur Bonaparte. On pouvait y lire ces lignes : « Sa mère, Lætitia Ramolino, de laquelle, par le caractère et la volonté, il tient bien plus que de son père, est une âme primitive que la civilisation n'a point entamée, simple et tout d'une pièce, impropre aux souplesses, aux agréments, aux élégances de la vie mondaine, sans souci du bien-être, *ni même de la propreté*, sans culture littéraire, parcimonieuse comme une paysanne, mais énergique comme un chef de parti » (*Revue des Deux Mondes*, 15 février 1887, p. 735). La princesse Mathilde l'ayant accusé d'avoir, en fait, cherché à atteindre le fils en salissant (dans tous les sens du terme) la mémoire de la mère, il lui écrivit, le 19 février, une longue lettre dans laquelle il s'excusait moins qu'il ne se justifiait en exhibant tout un arsenal de citations et de références (Taine, *Correspondance*, t. IV, p. 227-230). On ne se refait pas. La princesse lui signifia son congé. De son côté, il refusa ensuite de supprimer de son « Portrait de Bonaparte » les allusions à la « parcimonie » de Madame Mère, en effet suffisamment démontrée par les sources, mais il supprima le membre de phrase cité ci-dessus en italiques (*Origines de la France contemporaine*, t. II, p. 373-374).

15. Cointet, *Taine*, p. 135-137.

16. Arthur-Lévy, *Napoléon intime*, p. XI-XII.

17. Cette « Etude », parue d'abord dans *Le Journal* du 9 mars 1893, a été publiée en 1902 en tête de l'édition Nelson du livre d'Arthur-Lévy.

18. Lemaître, *Les Contemporains*, 4e série, p. 186.

19. Nietzsche, *Contribution à la généalogie de la morale*, p. 160.

20. *Cinna*, acte V, scène 3.

21. Le général Pierre-Augustin Hulin avait présidé le tribunal militaire chargé de juger le duc d'Enghien.

22. Mme de Rémusat, *Mémoires*, t. I, p. 320-323.

23. Stendhal, *Vie de Napoléon*, p. 27-29.

24. Geyl, *Napoleon, For and Against*.

25. Sur les métamorphoses du personnage, sur ses légendes successives et contradictoires, voir surtout Hazareesingh, *La Légende de Napoléon*.

26. Chateaubriand, *Mémoires d'outre-tombe*, t. I, p. 1552-1553.

27. Jospin, *Le Mal napoléonien*, auquel on ajoutera le *Napoléon Bonaparte, le noir génie*, de Gérard Grunberg.

28. Sur l'histoire de cette comparaison, voir l'excellente mise au point de Thierry Lentz, « Napoléon et Hitler », dans son ouvrage *Napoléon et la France*, p. 196-208.

29. Churchill avait acheté de très nombreux ouvrages sur Napoléon depuis 1909, et en 1934 il écrivait : « Il me faut vraiment essayer

d'écrire sur Napoléon avant ma mort. Mais le travail s'entasse devant moi et je me demande si j'en aurai le temps et la force. » Les événements ne lui laissèrent pas le loisir de consacrer un livre à celui qu'il qualifia un jour de « plus grand homme d'action né en Europe depuis Jules César » (Allen Packwood, « Churchill et Napoléon Ier », in *Churchill/de Gaulle*, p. 48-49).

30. Geyl, *Napoleon, For and Against*, p. 8-11. Sebastian Haffner récuse lui aussi, dans ses *Considérations sur Hitler*, p. 22-23, 38-39, la possibilité d'une comparaison entre les deux hommes.

31. Dominique de Villepin, *Les Cent-Jours ou l'Esprit de sacrifice*.

32. C'est à l'occasion de cet anniversaire passé à la trappe de la bien-pensance que Pierre Nora publia dans *Le Monde* du 13 décembre 2005 son « Plaidoyer pour les "indigènes" d'Austerlitz ». Un jour, de Gaulle refusa de garder dans sa bibliothèque un livre sur *Les Grandes Batailles terrestres* dont l'auteur avait écarté Austerlitz (Ph. de Gaulle, *De Gaulle, mon père*, t. I, p. 573-574). Il s'agissait d'un ouvrage collectif dirigé par Cyril Falls et préfacé par le général Jean-Etienne Valluy, publié en 1964 aux éditions du Pont-Royal.

33. Film de Nina Companeez (1995) adapté du roman de Françoise Chandernagor.

34. Voltaire, *Le Siècle de Louis XIV*, p. 510-512.

35. Trois livres ont marqué cette réhabilitation : les biographies du Roi-Soleil par François Bluche et Jean-Christian Petitfils, et *Le Règne de Louis XIV* d'Olivier Chaline.

36. Nora, *Les Lieux de mémoire*, t. II, p. 2489-2490. Les bandes dessinées de Jean-Yves Ferri, *De Gaulle à la plage* et les opus qui suivent, témoignent bien de ce renversement de fortune.

37. *Le Rebelle* (1984), *Le Politique* (1985) et *Le Souverain* (1986). La citation est extraite de Lacouture, *De Gaulle*, t. I, p. 6.

38. Debray, *A demain de Gaulle*, p. 764.

39. *Ibid.*, p. 766.

40. *Ibid.*, p. 765.

41. Broche, *Histoire des antigaullismes*, p. 9.

42. Madelin, *Histoire du Consulat et de l'Empire*, t. I, p. 53.

43. Lacouture, *De Gaulle*, t. I, p. 121.

44. En 1934, il écrivait à un ami, après la parution de *Vers l'armée de métier* : « Je vous envoie mon livre. On veut bien lui faire un certain succès qui ne va pas, d'ailleurs, sans résistances, toutes à droite, le croiriez-vous ? ! » (*Lettres, notes et carnets*, t. I, p. 760). L'hétérodoxie politique de De Gaulle, que l'on vit en 1938 au Vél' d'Hiv écouter Malraux dans un meeting de soutien aux républicains espagnols ou adhérer aux « Amis du *Temps présent* », revue chrétienne marquée à gauche, est bien analysée par Léon Noël, *Comprendre de Gaulle*.

45. Crémieux-Brilhac, *La France libre*, t. I, p. 60. Sur le 18 Juin et sa signification, voir l'analyse proposée par Pierre Manent, « De Gaulle as Hero ».

46. De Gaulle, *Mémoires de guerre*, p. 845.
47. *Ibid.*, p. 77.
48. Guichard, *Un chemin tranquille*, p. 53.
49. Ph. de Gaulle, *De Gaulle, mon père*, t. I, p. 199.
50. Crémieux-Brilhac, *La France libre*, t. I, p. 113.
51. Bloch, *L'Etrange Défaite*, p. 157-158.
52. C'est la raison pour laquelle il ne faut pas croire de Gaulle quand il assure avoir été prêt à se mettre à la disposition de plus gradé ou plus haut placé que lui dans la hiérarchie de l'Etat : il en fait la proposition au général Noguès, qui se trouve au Maroc, dès le 19 juin et à Weygand le 20. Il en va de même de l'assurance qu'il donna d'abord à l'ambassade de France, dès son arrivée à Londres le 17, puis à Weygand le 20 juin, après que ce dernier lui eut fait adresser une sommation. A ce moment, l'armistice n'avait pas encore été signé ; une infime chance subsistait donc de voir le gouvernement du Maréchal rentrer dans la guerre, en cas d'échec des discussions, et si cela se produisait, de Gaulle, qui savait ne pas compter que des amis à Bordeaux, préférait se prémunir contre une accusation d'insubordination qui eût permis de le mettre sur la touche, même s'il savait l'hypothèse très improbable.
53. De Gaulle, *Mémoires de guerre*, p. 10.
54. « Je dois dire que ma prime jeunesse imaginait sans horreur et magnifiait à l'avance cette aventure inconnue » (*ibid.*).
55. Alfred Fabre-Luce lui-même, pourtant avare de compliments sur de Gaulle, lui reconnaît ce courage au combat (*Le Plus Illustre des Français*, p. 18).
56. Lui qui s'épanche si peu, il a laissé un récit, sous forme impersonnelle, de son expérience des tranchées dans les pages de *La France et son armée* consacrées à 14-18 (p. 257-280).
57. De Gaulle, *Lettres, notes et carnets*, t. I, p. 337. Le 21 mars précédent, il écrivait à sa mère : « Mon sort ne présente aucun intérêt puisque je ne suis bon à rien » (*ibid.*, p. 327). Autres réflexions amères sur sa captivité le 1er novembre (*ibid.*, p. 427) et le 8 décembre (*ibid.*, p. 437).
58. Lettre du 1er septembre 1918 à sa mère (*ibid.*, t. I, p. 421-422).
59. Lacouture, *De Gaulle*, t. I, p. 128. Voir aussi Pierre Servent, « Philippe Pétain et Charles de Gaulle, un drame shakespearien », *in* Brézet et Buisson, *Les grands duels qui ont fait la France*, p. 293-324.
60. Lacouture, *De Gaulle*, t. I, p. 139.
61. A Marcel Jullian, en 1968 (*ibid.*, t. I, p. 136).
62. Voir également le portrait de Pétain dans *La France et son armée* (1938), qui fait du Maréchal l'incarnation du chef décrit dans *Le Fil de l'épée* (1932) (*La France et son armée*, p. 291).
63. En 1926 (Lottman, *De Gaulle/Pétain*, p. 23).

64. Tournoux, *Pétain et de Gaulle*, p. 100, et Ph. de Gaulle, *De Gaulle, mon père*, t. I, p. 555 (en revanche, contrairement à une légende tenace, il ne fut pas le parrain de l'aîné des enfants du Général).

65. Sur cet épisode, Lottman, *De Gaulle/Pétain*, p. 21-22. Philippe de Gaulle affirme qu'il s'agit d'une fable destinée, comme les autres, à « prouver » l'ingratitude de son père (*De Gaulle, mon père*, t. I, p. 540-545).

66. Tournoux, *Pétain et de Gaulle*, p. 127.

67. Lacouture, *De Gaulle*, t. I, p. 49.

68. Voir de Gaulle, *La Discorde chez l'ennemi*, p. 17, et « Doctrine *a priori* ou doctrine des circonstances », étude publiée dans la *Revue militaire française* en mars 1925, p. 306-328. C'est ce même thème qui ouvrait les conférences de 1927 : « L'action de guerre revêt essentiellement le caractère de la contingence. » Voir également, dans *Le Fil de l'épée* (1932), le chapitre intitulé « De la doctrine » (p. 119-146).

69. Voir de Gaulle, « Rôle historique des places françaises », *Revue militaire française*, n° 54, 1er décembre 1925, *in* de Gaulle, *Le Fil de l'épée et autres écrits*, p. 503-525.

70. Son œuvre se résumait à une histoire de la bataille de Verdun écrite par son aide de camp, le colonel Laure. En 2006, on retrouva un manuscrit de 350 pages entièrement rédigé de la main du Maréchal et qui, consacré à la Première Guerre mondiale, était peut-être destiné à l'histoire du *Soldat à travers les âges*. Pétain l'avait-il écrit, ou recopié ? On ne sait (*La Guerre mondiale, 1914-1918*).

71. Par exemple pour contester l'intérêt des *Observations sur l'armée française de 1792 à 1808* que le Maréchal ou son entourage lui ont conseillé d'utiliser pour la rédaction du chapitre sur « Le soldat de la Révolution et de l'Empire ». De Gaulle, qui ne connaissait pas ce livre qu'il attribue à un ancien officier de la Révolution qui se serait opposé à Napoléon – peut-être Moreau, dit-il –, le réfute point par point, notamment sur une question qui lui tient à cœur et qu'il résume ainsi à la fin de cette longue note : « Ce qu'il faut faire ressortir, pour expliquer les succès inouïs de l'armée impériale, c'est : d'abord le génie propre de Napoléon et l'empire qu'il exerce sur le moral de l'armée. Puis la qualité de cette armée qui lui permet l'audace et une incomparable vitesse. [...] Sortir de là deviendrait arbitraire. Car enfin l'on ne peut prétendre – comme le général Camon – codifier le système de guerre de Napoléon. L'Empereur lui-même a déclaré d'avance que ce serait du temps perdu » (BnF, manuscrits, Nouvelles Acquisitions françaises 28590, *A propos du soldat de la Révolution et du soldat de l'Empire*). Le général Hubert Camon était l'auteur de nombreuses études stratégiques sur les guerres napoléoniennes dont, en effet, il s'efforçait de tirer un « système » qui, appliqué par l'Empereur, expliquerait ses victoires. L'ouvrage critiqué par de Gaulle n'était pas l'œuvre de Moreau mais d'un officier, Theodor von Faber, qui l'avait

publié anonymement en 1808. Il fut réédité en 1901, attribué au général Dragomirov.

72. De Gaulle, *Lettres, notes et carnets*, t. I, p. 702 (16 janvier 1928).

73. *Ibid.*, t. I, p. 704-706 (23 janvier 1928).

74. Lettre à de Gaulle reproduite dans Lacouture, *De Gaulle*, t. I, p. 146.

75. De Gaulle, *Lettres, notes et carnets*, t. I, p. 707 (1er janvier 1929).

76. Lacouture, *De Gaulle*, t. I, p. 136. C'est alors, dira-t-il aussi à un autre interlocuteur, Georges Duhamel, qu'il avait vu chez le Maréchal apparaître « deux phénomènes, également forts et pourtant contradictoires : le désintérêt sénile de tout et l'ambition sénile de tout » (Roussel, *De Gaulle*, p. 45).

77. Cité dans le *Dictionnaire de Gaulle*, p. 901 (lettre du 4 août 1938).

78. De Gaulle, *Lettres, notes et carnets*, t. I, p. 858-859.

79. Broche, *Une histoire des antigaullismes*, p. 39. Les deux hommes se seraient mis d'accord, lors d'un entretien au domicile de Pétain le 28 août 1938, sur le principe d'une dédicace au Maréchal reconnaissant sa contribution à l'ouvrage (sur les trois versions de cette rencontre, les deux premières données par le Général, la troisième par son fils, voir Roussel, *De Gaulle*, p. 73, et, pour la troisième, Ph. de Gaulle, *De Gaulle, mon père*, t. I, p. 552-554). Une semaine après cette entrevue, Pétain adressa au colonel un projet de dédicace où il était écrit : « Au Maréchal Pétain, qui a bien voulu m'aider de ses conseils. » Le Maréchal fut désagréablement surpris lorsque le livre parut, le 27 septembre. Une autre dédicace figurait sur la page de garde, qui ne lui laissait plus que l'initiative du projet, à l'exclusion de toute contribution personnelle : « A Monsieur le Maréchal Pétain, qui voulut que ce livre fût écrit » (Tournoux, *Pétain et de Gaulle*, p. 165-175, et Lacouture, *De Gaulle*, t. I, p. 273-281). Il y eut de nouvelles protestations, des échanges aigres, et finalement de Gaulle promit de rétablir la rédaction du Maréchal dans les éditions suivantes de *La France et son armée*. 1940 régla le problème : toute mention de Pétain disparut ensuite de la page de garde.

80. De Gaulle, *Mémoires de guerre*, p. 61.

81. *Ibid.*, p. 66.

82. Roussel, *De Gaulle*, p. 66-67. Il n'obtiendra cette promotion que l'année suivante.

83. Gracq, *Le Rivage des Syrtes*, p. 34-35.

84. Dans le *Mercure britannique*, n° 30, t. IV, p. 339-406.

85. Cité *in* Leys, *Protée et autres essais*, p. 59.

86. Colin, *L'Education militaire de Napoléon*, p. 321-322.

87. Bainville, *Napoléon*, p. 61. « Vendémiaire et même Montenotte [le 12 avril, au commencement de la campagne d'Italie] ne me portèrent pas encore à me croire un homme supérieur, dira-t-il aussi. Ce n'est qu'après Lodi qu'il me vint dans l'idée que je pourrais bien

devenir, après tout, un acteur décisif sur notre scène politique. Alors naquit la première étincelle de la haute ambition » (cité dans Ludwig, *Napoléon*, p. 62).

88. Ce sont pour mémoire les premières lignes de *La Chartreuse de Parme*.

89. Montholon, *Récits de la captivité*, t. II, p. 126.

90. Marmont, *Mémoires*, t. I, p. 296.

91. Dans *La Malandre* (1967), Henri Troyat fait dire à l'un des héros du roman, Alexandre, à qui son fils vient de dire combien il était difficile d'être « d'une génération d'après-guerre » : « Je te ferai remarquer que, depuis la préhistoire, chaque nouvelle génération est une génération d'après-guerre ! » (p. 84).

92. Amouroux, *La Grande Histoire des Français sous l'Occupation*, t. I, p. 7.

93. De Gaulle, *Mémoires de guerre*, p. 18-19. C'est en 1937, donc après de Gaulle, que le général Guderian publia son livre sur les blindés, poétiquement intitulé *Achtung, Panzers !* Sur les « précurseurs » de De Gaulle, voir Larcan et Messmer, *Les Ecrits militaires de Charles de Gaulle*, p. 313-332.

94. Le général von Thoma, *in* Liddell Hart, *Les généraux allemands parlent*, p. 151. Guderian devait confirmer ces propos : il avait lu le livre de De Gaulle en 1937, de toute façon trop tard pour pouvoir en subir l'influence, puisqu'à cette date, dit-il, « l'organisation des divisions panzers allemandes était déjà fixée » (*ibid.*).

95. Dans l'article portant le même titre qui avait précédé *Vers l'armée de métier*, publié en 1933 dans la *Revue politique et parlementaire*, de Gaulle avertissait d'emblée : « Mon étude passe systématiquement sous silence tout ce qui a rapport à la technique » (Larcan et Messmer, *Les Ecrits militaires de Charles de Gaulle*, p. 314).

96. De Gaulle, *Mémoires de guerre*, p. 18.

97. Frieser, *Le Mythe de la guerre-éclair*, p. 602-603.

98. *Ibid.*, p. 79-104. Au 10 mai 1940, les Français disposaient de 3 254 chars opérationnels, contre 2 439 aux Allemands. Mais, et c'est ce qui fit notamment la différence, ces derniers pouvaient faire décoller 2 589 avions, les Alliés, français, belges et britanniques, seulement 1 453.

99. Liddell Hart, *Stratégie*, p. 386.

100. Bloch, *L'Etrange Défaite*, p. 66-67.

101. De Gaulle, *Vers l'armée de métier*, p. 306-307. Après guerre, une polémique surgit. Prenant dès 1940 conscience de cette lacune (il souligne dans son *Mémorandum* du 26 janvier le rôle prépondérant joué par l'aviation d'assaut allemande lors de l'invasion de la Pologne [p. 803-806]), de Gaulle aurait décidé « d'actualiser » *Vers l'armée de métier*. Ainsi fut publiée en 1944 à Alger, par un « Office français d'édition », une édition dont plusieurs passages avaient été remaniés. De Gaulle était-il responsable de ces changements qui, *ex post facto*,

conféraient un tour prophétique plus prononcé au livre ? On l'ignore. C'est Alfred Fabre-Luce, irréductible détracteur du Général, qui leva le lièvre (*Le Plus Illustre des Français*, p. 47-49). Il s'agit, depuis, d'un thème classique de l'antigaullisme. Mais il existe dans *Vers l'armée de métier* une page sur le rôle futur de l'aviation qui se trouvait bien dans l'édition originale. De Gaulle y évoque le « rôle capital » que jouera l'aviation « dans la guerre de l'avenir », en coordination avec les chars dont elle a impérativement besoin, puisqu'elle sait détruire, mais « ne contraint, ne conquiert, n'occupe pas » (*Vers l'armée de métier*, p. 310-311). On exagère quand on affirme qu'il ignorait tout du rôle à venir de l'aviation. « De Gaulle n'a donc jamais négligé l'armée de l'air avant guerre, concluent Alain Larcan et Pierre Messmer ; ce qu'il n'a pas ou peu traité, c'est l'intervention de l'aviation, par le feu de ses canons ou de ses bombes, dans la bataille terrestre : ni les attaques des bombardiers en piqué, ni les tapis de bombes larguées par les bombardiers lourds ne sont cités » (*Les Ecrits militaires de Charles de Gaulle*, p. 310).

102. Voir la lettre adressée à Paul Reynaud le 17 décembre 1934 (de Gaulle, *Lettres, notes et carnets*, t. I, p. 766). Sur ses entretiens avec Blum, devenu président du Conseil en 1936, voir les *Mémoires de guerre*, p. 26-29.

103. De Gaulle, *Vers l'armée de métier*, p. 325.

104. De Gaulle, *Mémoires de guerre*, p. 21.

105. Voir sa « Note sur l'organisation des chars » (septembre 1939) et une autre, « relative aux modifications à apporter aux règlements concernant l'emploi des chars », du 11 novembre 1939 (*Lettres, notes et carnets*, t. I, p. 893-896, 901-908).

106. *Ibid.*, t. I, p. 911-913.

107. Barré, *Devenir de Gaulle*, p. 38-40.

108. De Gaulle, *Lettres, notes et carnets*, t. I, p. 928.

109. De Gaulle, *Mémoires de guerre*, p. 38.

110. Frieser, *Le Mythe de la guerre-éclair*, p. 453-454.

111. Voir, par exemple, Argoud, *La Décadence, l'imposture et la tragédie*, p. 37, et Dominique Venner, *De Gaulle*, p. 49. C'est le général Perré qui porta le premier l'accusation, après la guerre (ses propos sont rapportés par Benoist-Méchin, *Soixante jours qui ébranlèrent l'Occident*, p. 210). Perré n'est pas un juge très fiable : il avait siégé dans le tribunal qui, après l'armistice, condamna de Gaulle à la peine de mort.

112. Lettre du 15 mai 1940 au commandant Louis Yvon (de Gaulle, *Lettres, notes et carnets*, t. I, p. 929).

113. Sur ces combats, voir de Wailly, *De Gaulle sous le casque*, et Amouroux, *La Grande Histoire des Français sous l'Occupation*, t. I, p. 392-399.

114. Ainsi, faute de liaisons radio, le 28 mai à Abbeville, seulement 19 de ses 57 chars légers participèrent à l'attaque des positions

allemandes. Les autres s'étaient égarés (de Wailly, *De Gaulle sous le casque*, p. 111).

115. Voir surtout la remarquable étude d'Henri de Wailly. Voir également le témoignage du lieutenant Galimand, longuement cité par Benoist-Méchin (*Soixante jours qui ébranlèrent l'Occident*, p. 119-120), les *Mémoires de guerre*, p. 37-47, et Ph. de Gaulle, *De Gaulle, mon père*, t. I, p. 141-142.

116. De Gaulle, *Mémoires de guerre*, p. 39.

117. *Ibid.*, p. 46, et de Wailly, *De Gaulle sous le casque*, p. 308.

118. *Ibid.*, p. 210.

119. Amouroux, *La Grande Histoire des Français sous l'Occupation*, t. I, p. 400.

120. *Ibid.*

121. Le « Mémorandum » est reproduit intégralement dans de Gaulle, *Le Fil de l'épée et autres écrits*, p. 797-810. L'Appel fut bien un aboutissement, comme en témoigne un texte rédigé le 21 mai 1940 à la demande des services de propagande du Grand Quartier général, et dont plusieurs passages seront repris dans le message emblématique du 18 Juin (Peyrefitte, *C'était de Gaulle*, p. 42).

122. « Pour briser la force mécanique, écrivait-il, seule la force mécanique possède une efficacité certaine » (*Mémorandum*, p. 804).

123. *Ibid.*, p. 809.

124. Guichard, *Mon général*, p. 66-67. Sur Weygand, voir le portrait – féroce – que de Gaulle lui consacre dans les *Mémoires de guerre*, p. 47-49.

125. *Mémorandum*, p. 805.

126. Titre du livre de François Kersaudy, *De Gaulle et Churchill, la mésentente cordiale.*

127. Aron, *Mémoires*, t. I, p. 246-248.

128. De Gaulle, *Les Grands Discours de guerre* (18 juin 1941), p. 45-46.

129. Barré, *Devenir de Gaulle*, p. 227-228.

130. Pétain les avait lui-même autorisés à rejoindre l'Afrique du Nord, tout en précisant qu'en ce qui le concernait il ne quitterait pas le territoire national. Darlan avait affrété le paquebot. L'amiral envoya-t-il un contrordre ? Le 24 juin, la situation avait changé, l'armistice avait été signé. A leur arrivée à Casablanca, les trente passagers furent consignés dans un hôtel. Le 31 août, plusieurs d'entre eux, parmi lesquels Mendès France et Jean Zay, furent arrêtés et rapatriés en France pour y être jugés pour « désertion ».

131. Sur Barthélemy, voir Broche, *Une histoire des antigaullismes*, p. 85 ; voir également, du colonel Rémy, « La justice et l'opprobre », paru dans la revue *Carrefour* le 11 avril 1950, et *Dans l'ombre du Maréchal.*

132. Napoléon avait un moment songé à détrôner les Hohenzollern.

133. Sur le redressement prussien, voir Kérautret, *Histoire de la Prusse*, p. 277-318.

134. Pétain était né en 1856, Weygand était, disait-on, le fils illégitime de l'éphémère empereur du Mexique Maximilien de Habsbourg et Gamelin avait vu le jour en 1872, au lendemain de la Commune ! « Tous, à des degrés divers, ils restaient dominés par leurs souvenirs de la veille, observe Marc Bloch. Qui s'en étonnera ? Ces glorieuses expériences, ils ne les avaient pas seulement cent fois ressassées [...]. Elles adhéraient à leur conscience, avec toute la ténacité d'images de jeunesse. Elles avaient l'éclat des choses vues, dont les résonances vibraient au plus profond de la mémoire affective. Tel épisode, où d'autres n'auraient aperçu que le froid exemple d'un cours de stratégie, c'était, pour eux, comme pour nous tous, anciens combattants, les inoubliables évocations du danger personnellement bravé, du camarade tué à côté de soi, de l'enivrement au spectacle de l'ennemi en fuite. [...] Mal préparés par l'enseignement qu'ils avaient reçu ou qu'ils donnaient eux-mêmes, à comprendre, d'instinct, l'irrésistible loi du changement, quelle rare malléabilité d'intelligence ne leur aurait-il pas fallu pour se dépêtrer des liens du déjà vu et du déjà fait ? » (*L'Etrange Défaite*, p. 154-155).

135. De Gaulle, *Les Grands Discours de guerre*, p. 70-71.

136. *Ibid.*, p. 71.

137. *Ibid.*

138. Maistre, *Correspondance diplomatique* (1er-13 février 1811), t. I, p. 2-5.

139. *Correspondance de Napoléon Ier*, t. XXX, p. 303.

140. Barré, *Devenir de Gaulle*, p. 163.

141. Guichard, *Un chemin tranquille*, p. 21-22. Georges Pompidou rejetait lui aussi toute idée de comparaison avec Napoléon. De Gaulle ? Plutôt Jeanne d'Arc : « Dans les deux cas, un être, au départ dépourvu de tout pouvoir, a permis la résurrection de la France en s'appuyant, essentiellement et presque même uniquement, sur les forces morales et la prescience de l'avenir » (*Lettres, notes et portraits*, p. 619).

142. « Il est un ennemi du peuple français et de ses libertés, ajoutait Monnet ; il est un ennemi de la reconstruction européenne dans l'ordre et la paix ; en conséquence il doit être détruit dans l'intérêt des Français, des Alliés et de la paix » (Roussel, *De Gaulle*, t. I, p. 502).

143. Broche, *Une histoire des antigaullismes*, p. 185-186. Sur André Labarthe et Raymond Aron à Londres, voir le portrait assez peu flatteur que brosse Jean-Louis Crémieux-Brilhac dans ses souvenirs, Aron qui dîne dans des restaurants chics ou disserte dans un palace londonien, le Dorchester, où il « trône sur un petit canapé recouvert de soie brochée rose » (*L'Etrange Victoire*, p. 103), et Labarthe « informateur rémunéré des services secrets soviétiques » et conspirateur antigaulliste impénitent (p. 106).

144. Sur l'hypothèse d'un fascisme d'origine française, développée notamment par Zeev Sternhell dans *Ni droite ni gauche* (1986), voir la remarquable analyse de Michel Winock, *Nationalisme, antisémitisme et fascisme en France*, p. 217-330.

145. Aron, « L'ombre des Bonaparte », in *Chroniques de guerre*, p. 775.

146. Aron, *Mémoires*, t. I, p. 246-250.

147. *Ibid.*, t. I, p. 250-254. Sur l'affrontement avec Muselier, voir Crémieux-Brilhac, *La France libre*, t. I, p. 359-378.

148. Broche, *Une histoire des antigaullismes*, p. 188 n. 38.

149. Aron, *Mémoires*, t. I, p. 245.

150. *Ibid.*, t. I, p. 245-257.

151. Crémieux-Brilhac, *La France libre*, t. I, p. 246. Sur Aron et le gaullisme entre 1940 et 1944, voir Bonfreschi, *Raymond Aron e il gollismo*, p. 42-61 et, en particulier, la lettre adressée par Raymond Aron à Roger Caillois le 16 août 1943, qui témoigne de ce que la volonté de De Gaulle d'écarter Giraud de la direction du CFLN renforçait ses craintes (lettre citée p. 60).

152. Aron, « L'ombre des Bonaparte », in *Chroniques de guerre*, p. 776.

153. Aron, *Mémoires*, t. I, p. 254-257.

154. *Ibid.*, t. I, p. 256. Voir Aron, « L'Empire parlementaire ». Les chefs de la résistance intérieure, d'Henri Frenay à Claude Bourdet, partageaient ce point de vue, accusant de Gaulle de n'avoir eu qu'une pensée, se présenter comme « un rédempteur unique » dont dépendraient désormais le sort et l'avenir de la France (Broche, *Une histoire des antigaullismes*, p. 169-170).

155. Aron, « L'Empire parlementaire », in *Un homme du XXe siècle*, p. 719-720.

156. Testu, *Le Bouquin des méchancetés*, p. 423. Et, à Pompidou : « Déjà, à Londres, il n'était pas Français libre, il avait peur que je le mobilise » (Pompidou, *Pour rétablir une vérité*, p. 83).

157. *Le Style du général* de Jean-François Revel est réédité dans le recueil de Jean-Pierre Rioux, *De Gaulle, portraits*.

158. Sur François Furet et le gaullisme, voir l'analyse de Prochasson, *François Furet*, p. 378-387.

159. Furet, *Penser le XXe siècle*, p. 53.

160. Pour Furet, l'histoire du gaullisme à Londres ou Alger, c'était celle « d'un homme seul, enfermé dans une mégalomanie nationaliste aggravée par son exil et les réticences anglo-saxonnes » (12 novembre 1959, *ibid.*, p. 14).

161. 12 novembre 1959, *ibid.*, p. 18.

162. *Ibid.*, p. 15.

163. 11 mai 1961, *ibid.*, p. 33.

164. Nora, « Gaullistes et communistes », *Les Lieux de mémoire*, t. II, p. 2503-2504. Ce texte est repris dans *Recherches de la France*, p. 259-319. Dans « L'historien devant de Gaulle », Pierre Nora écrit

que le rôle historique du Général aura permis, aussi, « l'acculturation en profondeur de la droite à l'idée républicaine », qui aboutit même à « une refondation de la République » (*De Gaulle en son siècle*, t. I, p. 177).

165. Titre du livre publié en 1988 par François Furet, Jacques Julliard et Pierre Rosanvallon.

166. Furet, « La France unie... », *ibid.*, p. 18.

167. *Ibid.*, p. 20.

168. Amouroux, *La Grande Histoire des Français sous l'Occupation*, t. I, p. 626.

4
La plume et l'épée

1. Malraux, *Les chênes qu'on abat*, p. 21.

2. Mauriac, *La Mort du général de Gaulle*, p. 111-112.

3. Malraux, *Les chênes qu'on abat*, p. 102-104.

4. Ph. de Gaulle, *De Gaulle, mon père*, t. I, p. 561-562.

5. Je paraphrase Joseph de Maistre insistant auprès de son fils Rodolphe en faveur de l'étude des poètes français que le jeune homme avait tendance à négliger : « Qu'il se les mette dans la tête, surtout l'inimitable Racine : n'importe qu'il ne le comprenne pas encore. Je ne le comprenais pas lorsque ma mère venait le répéter sur mon lit, et qu'elle m'endormait, avec sa belle voix, au son de cette incomparable *musique.* J'en savais des centaines de vers longtemps avant de savoir lire ; et c'est ainsi que mes oreilles, ayant *bu* de bonne heure cette ambroisie, n'ont jamais pu souffrir la piquette » (*Œuvres complètes*, t. IX, p. 305, lettre non datée adressée en 1804 à sa fille Adèle).

6. Voir, par exemple, les leçons du futur maréchal Foch, alors lieutenant-colonel, *Des principes de la guerre.*

7. De Gaulle, *Lettres, notes et carnets*, t. I, p. 524-542.

8. Mauriac, *La Mort du général de Gaulle*, p. 154.

9. Voir les remarques d'Alain Peyrefitte, *C'était de Gaulle*, p. 1833-1835.

10. De Gaulle, *Le Fil de l'épée*, p. 98.

11. *Ibid.*, p. 102.

12. *Ibid.*, p. 103.

13. Las Cases, *Mémorial de Sainte-Hélène*, éd. Fugier, t. II, p. 869.

14. *Correspondance de Napoléon Ier publiée par ordre de l'empereur Napoléon III*, n° 91, t. I, p. 107.

15. O'Meara, *Napoléon dans l'exil*, t. II, p. 163.

16. Ludwig, *Napoléon*, p. 56.

17. Sur ces états de situation des différents corps de troupe, quotidiennement mis à jour, voir les *Mémoires* du baron Fain, p. 74-91.

18. Chaptal, *Mes souvenirs*, p. 151.

19. Yavetz, *César et son image*, p. 184.

20. Stéphane, *André Malraux*, p. 122.

21. Sainte-Beuve, *Causeries du lundi*, t. XIII, p. 326.

22. Amouroux, *La Grande Histoire des Français sous l'Occupation*, t. I, p. 398. Et pas davantage ceux qui travaillèrent sous ses ordres au sous-secrétariat à la Guerre du 6 au 17 juin, à l'exception de Geoffroy de Courcel (Barré, *Devenir de Gaulle*, p. 69).

23. « Huit mois de belote et six semaines de course à pied », selon la formule consacrée ? Une imputation à la fois injuste et odieuse, note justement Claude Quétel (*L'Impardonnable Défaite*, p. 360).

24. Huard, *Le Colonel de Gaulle et ses blindés*, p. 295-304. Voir les témoignages réunis par Jean Lacouture (*De Gaulle*, t. I, p. 316-318), qui vont tous dans le même sens. Jean-Jacques Becker note que cette insensibilité était déjà un trait de son caractère en 1914 (*Dictionnaire de Gaulle*, p. 1078).

25. Roussel, *De Gaulle*, t. I, p. 82-83. Voir également de Wailly, *De Gaulle sous le casque*, p. 87, 141-142, 225-226, 261-262, 316. Sur Rommel, voir Benoît Lemay, *Erwin Rommel*.

26. Wailly, *De Gaulle sous le casque*, p. 117.

27. Lettre du 2 juin 1940 (*Lettres, notes et carnets*, t. I, p. 935).

28. De Gaulle, *Le Fil de l'épée*, p. 76.

29. Sur les débats à propos du « républicanisme » de De Gaulle pendant la guerre, voir Crémieux-Brilhac, *De Gaulle, la République et la France libre*.

30. Mahoney, *De Gaulle*.

31. *Ibid.*, p. 1-5.

32. Debray, *in* de Gaulle, *Les Grands Discours de guerre*, p. 11.

33. *Ibid.*, p. 35.

34. Régis Debray parlera d'un « référendum délibérément imbécile » qui permit à de Gaulle de se retirer avant le terme de son mandat (*Madame H.*, p. 103).

35. Malraux, *Les chênes qu'on abat*, p. 79. Il dit aussi à Jacques Foccart : « Je suis sur une scène de théâtre, et je fais semblant d'y croire, je fais croire [...] que la France est un grand pays. C'est une illusion perpétuelle » (Vaïsse, *La Grandeur*, p. 682).

36. Malraux, *Les chênes qu'on abat*, p. 39-40.

37. Mauriac, *La Mort du général de Gaulle*, p. 125.

38. De Gaulle, *Mémoires d'espoir*, p. 131-132.

39. Mahoney, *De Gaulle*, p. 5.

40. Malraux, *Les chênes qu'on abat*, p. 102.

41. http://napoleon1er.perso.neuf.fr/Discours-Georges-Pompidou.html et http://www.ina.fr/video/CAF94060529

42. Duhamel et Santamaria, *Les Flingueurs*, p. 84.

43. Malraux, *Les chênes qu'on abat*, p. 104.
44. Bainville, *Napoléon*, p. 608.
45. Larcan, *Inventaire de Gaulle*, p. 421.
46. De Gaulle, *Mémoires de guerre*, p. 9.
47. Braud, « Grandeur et rang », *Dictionnaire de Gaulle*, p. 575-577.
48. De Gaulle, *Mémoires de guerre*, p. 9.
49. De Gaulle, *Mémoires d'espoir*, p. 232.
50. Vaïsse, *La Grandeur*.
51. Peyrefitte, *C'était de Gaulle*, p. 683 (22 mars 1964).
52. Foch, *La Bataille de Laon (mars 1814)*, p. 32-34. Foch devait reprendre cette thèse dans l'éloge qu'il prononça aux Invalides pour le centenaire de la mort de l'Empereur (*Eloge de Napoléon prononcé le 5 mai 1921 devant le tombeau de l'Empereur*).
53. Lefebvre, *La France du Directoire*, p. 349-350.
54. Chateaubriand, *Mémoires d'outre-tombe*, t. I, p. 1534.
55. Delécluze, *Journal*, p. 330.
56. Bainville, *Napoléon*, p. 250.
57. Il avait déjà échoué, devant les remparts de Saint-Jean-d'Acre, en 1798. N'ayant pu prendre la ville, il avait dû lever le siège et rentrer en Egypte.
58. Regenbogen, *Napoléon a dit*, p. 25.
59. *Ibid.*, p. 27.
60. De Gaulle, *Le Fil de l'épée*, p. 43.
61. Lettre du 12 décembre 1804 (*Correspondance générale*, t. IV, p. 968-969, n° 9439).
62. Cité dans Colson, *Napoléon, de la guerre*, p. 53.
63. Voir Jomini, *Précis de l'art de la guerre*, t. II, p. 26-27. Sur la stratégie et la tactique napoléoniennes, on lira désormais Stéphane Béraud, *La Révolution militaire napoléonienne*, et Bruno Colson, *Napoléon, de la guerre*.
64. Regenbogen, *Napoléon a dit*, p. 45.
65. Thiers, *Histoire du Consulat et de l'Empire*, t. V, p. 372.
66. Jomini, *Tableau analytique des principales combinaisons de la guerre*, p. 47.
67. Sur la « marche oblique » des colonnes françaises en direction du Danube, voir Béraud, *La Révolution militaire napoléonienne*, t. I, p. 127-135.
68. Rey, *Alexandre Ier*, p. 333.
69. Hamilton-Williams, *The Fall of Napoleon*, p. 58.
70. Thiers, *Histoire du Consulat et de l'Empire*, t. XVII, p. 23-37. Sur l'acceptation des conditions alliées puis la fin de non-recevoir alliée du 4 décembre, voir également p. 58-62, 108-129.
71. De Gaulle, *La France et son armée*, p. 166-167.
72. *Ibid.*, p. 146. En 1969, il dira à Malraux que le basculement se produisit en 1812, pas avant (*Les chênes qu'on abat*, p. 106).

73. De Gaulle, *La France et son armée*, p. 177. Sur Napoléon et de Gaulle, voir aussi Larcan, « De Gaulle juge de Napoléon ».

74. De Gaulle, *La France et son armée*, p. 181-182.

75. Le Bihan, *Le Général et son double*, p. 207.

76. De Gaulle, *Lettres, notes et carnets*, t. I, p. 861 (lettre du 23 août 1938 au lieutenant-colonel Mayer).

77. De Gaulle, *Vers l'armée de métier*, p. 265-268. Cette prédiction est à rapprocher des mémoires que de Gaulle était chargé de rédiger au secrétariat général de la Défense nationale où il était entré à la fin de 1933. Dans un « Projet de loi relatif à l'organisation de la nation pour le temps de guerre » qui date de cette époque, il écrivait des lignes qui font écho à ce qu'on peut lire dans *Vers l'armée de métier* : « La France a renoncé à recourir à la guerre comme instrument de politique nationale. Mais si quelque conflit lui était imposé elle ne saurait négliger de la [*sic*] mettre à profit pour améliorer sa situation [...]. La France, toutefois, n'aurait pas intérêt à poursuivre un bouleversement complet de l'ordre du monde et, en particulier, une hégémonie qu'elle ne pourrait pas soutenir » (*Lettres, notes et carnets*, t. I, p. 755).

78. Où, également, Félix Faure était mort.

79. Blanc, *De Gaulle au soir de sa vie*, p. 252.

80. Bernanos (Perrier, *De Gaulle vu par les écrivains*, p. 30).

81. Voir Maurice Vaïsse, *La Grandeur*.

82. De Gaulle, *Mémoires d'espoir*, p. 137.

83. Peyrefitte, *C'était de Gaulle*, p. 168.

84. Le *Projet pour rendre la paix perpétuelle en Europe* de l'abbé de Saint-Pierre (1713-1717) a été réédité par Simone Goyard-Fabre dans le « Corpus des œuvres philosophiques de langue française » en 1986. Sur les projets de paix perpétuelle, voir Arcidiacono, *Cinq types de paix*.

85. Maurras, *Kiel et Tanger*, p. 200-211.

86. Cité par Sorel, *L'Europe et la Révolution française*, t. I, p. 314. C'était aussi, peu ou prou, le projet de Talleyrand.

87. On fait souvent remarquer que jamais de Gaulle n'a cité ou fait référence à Bainville (Larcan, *Inventaire de Gaulle*, p. 558). Néanmoins, comme y insiste Olivier Guichard, « tout ce que nous savons de sa réflexion sur la France et l'Europe, sur les perspectives de la paix et de la guerre, me convainc qu'elle était très proche de celle que le merveilleux Jacques Bainville, jusqu'à sa mort en 1936, développait jour après jour dans les colonnes du journal de Maurras. Si être maurrassien, c'est privilégier le préalable politique, le capitaine ou le colonel de Gaulle ne l'était pas ; mais il était à coup sûr bainvillien » (*Mon général*, p. 69-70). De Gaulle, c'était du Bainville, l'Action française en moins (Hoffmann, *De Gaulle artiste de la politique*, p. 13).

88. Las Cases, *Mémorial de Sainte-Hélène*, éd. Fugier, t. IV, p. 545-549.

89. Louis-Napoléon Bonaparte, *Des idées napoléoniennes*, p. 174-186.

90. Godechot, *Les Constitutions de la France depuis 1789*, p. 231.

91. Napoléon, *Vues politiques*, p. 312.
92. *Ibid.*, p. 361.
93. *Ibid.*, p. 312.
94. *Ibid.*, p. 362.
95. Arcidiacono, *Cinq types de paix*, p. 54.
96. Regenbogen, *Napoléon a dit*, p. 134.
97. Quinet, *La Révolution*, p. 726. Dans le *De Monarchia*, écrit entre 1313 et 1318, Dante s'était prononcé en faveur d'une monarchie universelle, selon lui seul système capable de maintenir la paix en proposant de confier au peuple romain, héritier de la Rome antique, le pouvoir de veiller aux affaires temporelles. La trop évidente distinction entre les pouvoirs du pape et ceux de l'autorité civile fit plus tard inscrire ce traité à l'index, d'où il ne sortit qu'en 1881.
98. Bainville, *Napoléon*, p. 305.
99. Las Cases, *Mémorial de Sainte-Hélène*, éd. Fugier, t. IV, p. 545.
100. Pour protester contre une décision prévoyant que la règle majoritaire s'imposerait à partir de 1966 pour les décisions prises par la Communauté économique européenne, de Gaulle décida, en juillet 1965, de ne plus participer aux discussions de la CEE : « Ce que je veux régler est très simple, dit-il à Alain Peyrefitte. A la faveur de la crise agricole, je veux écarter la disposition, qui est dans le traité de Rome (1957), en vertu de laquelle, pas plus tard que le 1er janvier prochain, les décisions sont prises à la majorité. Bien plus ; les propositions de la Commission, si elles ne sont pas repoussées à l'unanimité, s'imposent ! A partir de ce moment-là, on entrerait dans la lune. C'est impossible ! Nous ne pouvons pas admettre ça ! Comment un gouvernement français a-t-il pu l'admettre ? C'est pourquoi nous ne voulons pas que les décisions essentielles qui nous concernent soient prises par les autres, que notre destin soit fixé par des étrangers » (*C'était de Gaulle*, p. 892-893).
101. Malraux, *Les chênes qu'on abat*, p. 112.
102. Taine, *Origines de la France contemporaine*, t. II, p. 372-382.
103. Mme de Staël, *Considérations sur les principaux événements de la Révolution française*, p. 357.
104. Mme de Rémusat, *Mémoires*, t. I, p. 252, 274.
105. Taine, *Origines de la France contemporaine*, t. II, p. 372.
106. Aron, « La Ve République ou l'Empire parlementaire », p. 712.
107. Jean Lacouture, Pierre Nora et Eric Roussel, « Qui était Charles de Gaulle ? », *Le Débat*, n° 134, mars-avril 2005.
108. *Dictionnaire de Gaulle*, p. 68-70, et les biographies de Jean Lacouture et Eric Roussel.
109. De Gaulle, *Mémoires de guerre*, p. 885.
110. Tournoux, *La Tragédie du général*, p. 15.
111. Malraux, *Les chênes qu'on abat*, p. 42.
112. De Gaulle, *Mémoires d'espoir*, p. 13-14.
113. Paupert, *De Gaulle est-il chrétien ?*

114. Larcan, *Inventaire de Gaulle*, p. 752-753. Sur de Gaulle et le catholicisme, voir surtout Charles Bardy, *Charles le Catholique.* Sur son amour pour sa fille infirme, voir la très belle page de Jean-Raymond Tournoux, *Pétain et de Gaulle*, p. 163.

115. Voir le témoignage de Philippe de Gaulle, *De Gaulle, mon père*, t. II, p. 474-475.

116. Larcan, *Inventaire de Gaulle*, p. 753.

117. *Dictionnaire de Gaulle*, p. 173.

118. On connaît ses propos sur le MRP : « J'ai eu l'espoir que ce parti nouveau, constitué d'hommes honnêtes et patriotes, allait purifier la vie politique... Les requins ont mangé les apôtres » (Tournoux, *La Tragédie du général*, p. 31).

119. De Gaulle, *Lettres, notes et carnets*, t. III, p. 781 (lettre du 7 février 1966).

120. Malraux, *Les chênes qu'on abat*, p. 183-184.

121. C'est la raison pour laquelle il s'adressait avec tant de déférence à l'héritier du trône, le comte de Paris. Cela ne veut pas dire qu'il était royaliste – comme l'avaient été ses parents – ou qu'il songeait à rétablir la monarchie ; cela signifie que le comte de Paris représentait à ses yeux une grande histoire, celle de la France royale, qu'il refusait de séparer de l'histoire de la France contemporaine.

122. Voir Barré, *Devenir de Gaulle.*

123. Peyrefitte, *C'était de Gaulle*, p. 85.

124. Voir par exemple la lettre qu'il adresse à Thierry d'Argenlieu le 4 janvier 1962, pour lui présenter ses vœux et lui recommander de veiller à sa santé (*Lettres, notes et carnets*, t. III, p. 441-442). Voir aussi la lettre du 20 juin 1960 (*ibid.*, p. 243).

125. Stéphane, *André Malraux*, p. 124.

126. Le Bihan, *Le Général et son double*, p. 199.

127. Bainville, *Lectures*, p. 257.

128. Zweig, *Le Monde d'hier.*

129. Agulhon, *La République, 1880 à nos jours*, p. 280-281. Voir aussi, du même auteur, *De Gaulle, histoire, symbole, mythe.*

130. Discours publié à la suite des *Mémoires d'espoir*, p. 311-312.

131. C'est pourquoi on ne peut être plus éloigné de la vérité que Stanley et Inge Hoffmann parlant, dans leur *De Gaulle artiste de la politique*, d'un « talent esthétique appliqué à la politique » (p. 7). La formule convient mieux à Napoléon.

132. Mauriac, *Bloc-notes*, t. IV, p. 398.

133. Chateaubriand, *Mémoires d'outre-tombe*, t. I, p. 1593.

134. Anne Simonin, *Le Déshonneur dans la République, une histoire de l'indignité nationale.*

135. Kane, *The Politics of Moral Capital*, p. 46-111. Voir aussi la biographie consacrée à Lincoln par Bernard Vincent.

136. Mauriac, *Bloc-notes*, t. IV, p. 398.

137. Voir le premier chapitre.

138. On peut consulter ici l'affiche originale de la loi du 19 brumaire : http://gallica.bnf.fr/ark:/12148/btv1b6940357s

139. De Gaulle, *Mémoires d'espoir*, p. 32.

140. Procédure dérogatoire à celle prévue par le titre XI de la Constitution du 19 avril 1946, très contraignante.

141. En 1830, ce sont les assemblées ordinaires qui, comme en 1871-1875, rédigèrent la nouvelle charte et la présentèrent à l'acceptation de Louis-Philippe. La charte de 1814, promulguée après l'accession de Louis XVIII au trône, est très différente puisque, loin d'être l'expression de la volonté de la nation soit interprétée par ses représentants, soit manifestée par un référendum, elle fut « octroyée » par le roi, conformément à la tradition absolutiste qui faisait de celui-ci le seul titulaire de la souveraineté.

142. Selon *La Gazette de France*, citée dans Aulard, *Paris sous le Consulat*, t. I, p. 55. Sur l'élaboration de la Constitution de l'an VIII, voir Lentz, *Le Grand Consulat*, et Gueniffey, *Bonaparte*, p. 509-514.

143. Voir Elgey, *De Gaulle à Matignon*, p. 90-134, et, pour une analyse juridique détaillée, Debré, *Les Idées constitutionnelles du général de Gaulle*, p. 148-169.

144. En 1802 et 1804, c'est à l'initiative des chambres, approuvée par le gouvernement et ratifiée par le Sénat, que furent introduites les modifications constitutionnelles qui furent ensuite approuvées par référendum. En 1815, Napoléon désigna une « Commission de Constitution » qui, ayant déclaré qu'il y avait lieu à révision, confia le soin de rédiger le nouveau texte à Benjamin Constant. L'avant-projet fut ensuite soumis à la Commission de Constitution et au Conseil d'Etat. La nouvelle Constitution fut promulguée, comme en 1799, sans attendre le résultat du référendum. Concernant le texte de 1852, un premier plébiscite organisé les 21-22 décembre 1851, quelques jours après le coup d'Etat du 2 décembre, décida « le maintien de l'autorité de Louis-Napoléon Bonaparte [président de la République depuis décembre 1848] » et lui délégua « les pouvoirs nécessaires pour établir une constitution ». Une commission s'en chargea. Le texte fut promulgué dès le 15 janvier 1852. Ici, le référendum était intervenu avant plutôt qu'après. En revanche, quelques mois plus tard, en novembre 1852, l'acte additionnel sur le rétablissement de la dignité impériale fut soumis à l'acceptation du peuple. Sur les différentes Constitutions françaises, on consultera le recueil commode édité par Jacques Godechot (*Les Constitutions de la France depuis 1789*) avec des notices très claires sur la procédure suivie dans chaque cas.

145. Elgey, *De Gaulle à Matignon*, p. 75.

146. Roussellier, *La Force de gouverner*, p. 571.

147. Les sources les plus utiles sur l'art de gouverner de Napoléon restent les Mémoires de ses secrétaires successifs, Bourrienne, Méneval et Fain.

148. Blanc, *De Gaulle au soir de sa vie*, p. 87-88.

149. Mauriac, *Bloc-notes*, t. IV, p. 400.
150. Gaudin, *Mémoires*, t. I, p. 44-45.
151. *Ibid.*, t. I, p. 285.
152. Georgette Elgey en a dressé la liste dans *De Gaulle à Matignon*, p. 489-517.
153. Cité in *ibid.*, p. 305.
154. De Gaulle, *Mémoires d'espoir*, p. 32.
155. Rémond, *Les Droites en France*, p. 317.
156. Charlot, « Le gaullisme » *in* Sirinelli, *Histoire des droites*, t. I, p. 654-669.
157. Rémond, *Les Droites en France*, p. 327. Voir aussi Francis Choisel, *Bonapartisme et gaullisme.*
158. Michelet, *Histoire de la Révolution française*, t. I, p. 762.
159. Le rôle décisif joué par l'Italie dans l'histoire napoléonienne, d'abord en 1796-1797, ensuite en 1800, enfin en 1805, est mis en lumière par Ferrero, *Bonaparte en Italie.*
160. Peyrefitte, *C'était de Gaulle*, p. 1188.
161. Citations extraites de Peyrefitte, *ibid.*, p. 1200-1208.
162. Selon Burin des Roziers, le secrétaire général de la présidence de la République, l'un des plus proches collaborateurs du Général (*ibid.*, p. 1205).
163. *Dictionnaire de Gaulle*, p. 416.
164. Lettre du 29 décembre au général Catroux (*Lettres, notes et carnets*, t. III, p. 759).
165. Teyssier, *Histoire politique de la Ve République*, p. 134-140 *passim.*
166. Schwartzenberg, *La Campagne présidentielle de 1965*, p. 178-179.
167. Dont, il est vrai, la dissolution manquée de 1997 a passablement émoussé l'efficacité.
168. Bruckner, *La Tyrannie de la pénitence*, p. 189.
169. Tocqueville, *L'Ancien Régime et la Révolution*, p. 1073.
170. Tocqueville, *De la démocratie en Amérique*, p. 659.
171. Zola, *Les Romanciers naturalistes*, p. 94-95. Napoléon, « ce *tourneur de têtes* de son siècle », disait Barbey d'Aurevilly (*Œuvres critiques*, t. II, p. 1133).
172. Voir Mascilli Migliorini, *Le Mythe du héros.*
173. Citations extraites de Fleischmann, *Napoléon par Balzac*, p. 14-27.
174. Cité dans Fleischmann, *Napoléon et la musique*, p. 154.
175. C'est en 1935 que le *Mémorial de Sainte-Hélène*, édité par Gérard Walter et préfacé par André Maurois, fut publié dans la collection de la Pléiade. Les *Mémoires* du général de Gaulle ont été publiés dans la même collection en 2000 par les soins de Jean-Louis Crémieux-Brilhac, Marius-François Guyard et Jean-Luc Barré.

176. *Mémoires pour servir à l'histoire de France sous Napoléon, écrits à Sainte-Hélène, par les généraux qui ont partagé sa captivité, et publiés sur les manuscrits entièrement corrigés de la main de Napoléon.*

177. Tomiche, *Napoléon écrivain*, p. 237.

178. Voir l'introduction de Jean Prévost dans Las Cases, *Mémorial de Sainte-Hélène*, éd. Walter, t. I, p. XVIII.

179. Tomiche, *Napoléon écrivain*, p. 238.

180. Chaptal, *Mes souvenirs sur Napoléon*, p. 90-91, et Van Tieghem (citant Bourrienne), *Ossian en France*, t. II, p. 6.

181. Arnault, *Souvenirs d'un sexagénaire*, t. IV, p. 85.

182. Cité *in* Tomiche, *Napoléon écrivain*, p. 187.

183. Montholon, cité *ibid.*, p. 70. La Bibliothèque nationale conserve le manuscrit de la campagne d'Egypte dicté à Bertrand, revu et corrigé par Napoléon (Département des manuscrits, NAF 28822).

184. Tomiche, *Napoléon écrivain*, p. 243.

185. *Ibid.*, p. 71.

186. *Ibid.*, p. 156-160.

187. Par Thierry Lentz chez Tallandier en 2010-2011, en 3 volumes. Sur la composition de ces Mémoires, voir l'introduction de Th. Lentz.

188. Cet article non signé publié dans le numéro du 11 février 1806 est reproduit dans Périvier, *Napoléon journaliste*, p. 308-318.

189. Voir ci-dessus, p. 34.

190. Jean Tulard, dans son introduction aux *Œuvres littéraires et écrits militaires* de Napoléon, t. I, p. 22.

191. Chateaubriand, *Mémoires d'outre-tombe*, t. I, p. 1568.

192. Goethe, *Conversations avec Eckermann*, p. 550.

193. Martin, *Napoléon écrivain*, p. 136-141.

194. Sur les témoins de Sainte-Hélène, voir, en dernier lieu, l'étude de Jacques Jourquin, « Ecrire à Sainte-Hélène », dans le catalogue de l'exposition *Napoléon à Sainte-Hélène, la conquête de la mémoire* (2016), p. 76-82.

195. Kauffmann, *La Chambre noire de Longwood*, p. 140.

196. Voir la biographie consacrée à cet écrivain de l'ombre par Jean-Pierre Gaubert en 2003.

197. Annotation portée par Stendhal sur la couverture du premier volume de l'édition de 1830 du *Mémorial* : « M. de Las C. n'a point d'esprit. Tant mieux et cent fois tant mieux, il ne mêle pas du Las Cases au Napoléon » (Boyer, « Stendhal et les historiens de Napoléon », p. 4).

198. Le *Manuscrit venu de Sainte-Hélène*, interdit par le gouvernement français, fut bientôt réédité en Belgique, en Allemagne, et circula clandestinement. La première édition française fut publiée en 1821, deux ans avant le Las Cases. On ne s'abusa pas longtemps sur l'authenticité de ce texte que Napoléon put lire à Sainte-Hélène dès 1817 et qu'il annota pour en signaler les invraisemblances (ces annotations

sont publiées à la suite de l'édition de 1974 que j'utilise ; elles sont également reproduites dans le tome XXXI de la *Correspondance de Napoléon Ier publiée par ordre de l'empereur Napoléon III*, p. 226-241). On n'a jamais identifié le ou les auteurs. La piste la plus sérieuse est celle qui mène à Frédéric Lullin de Chateauvieux, un Genevois ami de Mme de Staël et de Benjamin Constant.

199. Voir, notamment, ce qu'il dit à Las Cases le 10 avril 1816 sur « l'ascendant irrésistible des idées libérales » (*Mémorial de Sainte-Hélène*, éd. Fugier, t. II, p. 494-495).

200. Stendhal, *Le Rouge et le Noir*, livre I, chap. 4.

201. Bainville, *Napoléon*, p. 28-29.

202. Chateaubriand, *Mémoires d'outre-tombe*, t. I, p. 1101. Ces premiers écrits ont été publiés par Frédéric Masson en 1906 (*Manuscrits inédits, 1786-1791*) et réédités depuis par Jean Tulard (*Œuvres littéraires et écrits militaires*). Sur leur histoire, voir Tulard, *ibid.*, t. I, p. 15-17.

203. *Correspondance générale*, n° 68, t. I, p. 116.

204. Ce texte a été récemment réédité par Emilie Barthet et Peter Hicks.

205. Sainte-Beuve, *Causeries du lundi*, t. I, p. 179-198.

206. Montherlant, *Tous feux éteints*, p. 111.

207. Lettre à Joséphine, 21 juillet 1804 (*Correspondance générale*, n° 9015, t. IV, p. 775).

208. Les poésies d'Ossian avaient été publiées au début des années 1760, peu avant la naissance de Napoléon.

209. Sur Napoléon et Ossian, voir l'étude de Paul Van Tieghem, *Ossian en France*, t. II, p. 3-21.

210. Balzac disait d'un recueil de la correspondance de Napoléon qu'il se proposait de publier : « C'eût été le plus beau livre du monde. Aux yeux des masses, ce livre sera comme une apparition. L'âme de l'Empereur passera devant elles » (Périvier, *Napoléon journaliste*, p. 11).

211. Van Tieghem, *Ossian en France*, t. II, p. 9.

212. Lettre à Joséphine, 30 mars 1796 (*Correspondance générale*, n° 439, p. 310-311).

213. Jean Tulard, préface à son édition des *Œuvres littéraires et politiques*, t. I (non paginé).

214. Cité *in* Périvier, *Napoléon journaliste*, p. 5.

215. *Ibid.*, p. 12.

216. Ce point est souligné par Gustave Lanson dans son *Histoire de la littérature française*, p. 858, et par Albert Thibaudet dans sa propre *Histoire de la littérature*, p. 20-23.

217. Leys, *Quand vous viendrez me voir aux Antipodes*, p. 127.

218. J.-L. Barré, « De Gaulle, une vocation d'écrivain », in *Churchill-de Gaulle*, p. 197.

219. Ph. de Gaulle, *De Gaulle, mon père*, t. I, p. 529.

220. Taine, *Origines de la France contemporaine*, t. I, p. 144. Voir Le Bihan, *Le Général et son double*, p. 152-153.

221. Malraux, *Les chênes qu'on abat*, p. 34.

222. Larcan, *De Gaulle, inventaire*, p. 236.

223. Voir David Reynolds, *In Command of History : Churchill Fighting and Writing the Second World War* (2004), et du même auteur, « Churchill mémorialiste », in *Churchill-de Gaulle*, p. 194-197.

224. Voir en particulier J. Mauriac, *Mort du général de Gaulle*, p. 117, 139, 145-146.

225. Ph. de Gaulle, *De Gaulle, mon père*, t. I, p. 528.

226. Ancien officier de marine, Paul Chack (1876-1945) était devenu célèbre avant guerre en écrivant des ouvrages de vulgarisation sur l'histoire maritime (notamment *Tu seras marin*). Membre du PPF de Doriot, fondateur et président du Comité d'action antibolchevique, il est fusillé le 9 janvier 1945.

227. De Gaulle, *Mémoires de guerre*, p. 711.

228. *Dictionnaire de Gaulle*, p. 147. Ou bien de Gaulle voulut-il faire un exemple pour désamorcer les critiques de ceux qui, depuis la peine infligée à Maurras et la grâce accordée à Henri Béraud, contestaient son droit de grâce en jugeant qu'il pardonnait un peu trop facilement ? C'est ce que suggère Aude Terray dans *Les Derniers Jours de Drieu la Rochelle*, p. 199-200.

229. Bainville, *Histoire de France*, p. 21.

230. Lettre du 9 décembre 1963 (*Lettres, notes et carnets*, t. III, p. 602).

231. Malraux, *Les chênes qu'on abat*, p. 35.

232. Lettre du 26 décembre 1797, *Correspondance générale*, t. I, p. 1316-1317.

233. Cité par Romain Gary dans *A mon Général : adieu, avec amour et colère* (repris dans Perrier, *De Gaulle vu par les écrivains*, p. 124).

234. Cet incident du 21 février 1959 est longuement rapporté par Alain Peyrefitte dans *C'était de Gaulle*, p. 55-59.

235. De Gaulle, *Lettres, notes et carnets*, t. III, p. 1180.

236. Stéphane, *André Malraux*, p. 97.

237. Malraux, *Les chênes qu'on abat*, p. 56.

238. Voir ce que pensait Simon Leys de la rencontre entre Malraux et Mao (1965) dans Boncenne, *Le Parapluie de Simon Leys*, p. 48-50.

239. Peyrefitte, *C'était de Gaulle*, p. 1421-1422.

240. Stéphane, *André Malraux*, p. 121.

241. Duval-Stalla, *André Malraux-Charles de Gaulle*, p. 224-225.

242. Cau, *Croquis de mémoire*, p. 65-66.

243. Guy, *En écoutant de Gaulle*, p. 337.

244. Cau, *Croquis de mémoire*, p. 66.

245. Sur Malraux ministre, voir Duval-Stalla, *André Malraux-Charles de Gaulle*, p. 261-283, et surtout Charles-Louis Foulon, *André Malraux, ministre de l'irrationnel.*

246. Testu, *Le Bouquin des méchancetés*, p. 422.
247. De Gaulle, *Mémoires d'espoir*, p. 212.
248. Mme de Staël, *Correspondance*, t. IV, p. 302-303.
249. Villefosse et Bouissounouse, *L'Opposition à Napoléon*, p. 147.
250. Mme de Staël, *De la littérature*, p. 76-82, 208-209. Après avoir écrit, ce qui semblait viser Bonaparte, que « la nation s'anéantit lorsqu'elle n'est plus composée que des adorateurs d'un seul homme » (p. 282), elle ajoutait que l'enthousiasme pour un homme n'est pas nécessairement un mal, surtout dans une société démocratique où le peuple peut toujours révoquer la confiance qu'il accorde à un personnage extraordinaire (p. 328-330).
251. Allusion au Concordat bien sûr (Berchet, *Chateaubriand*, p. 377-378). Sur Chateaubriand et Napoléon, voir le récent livre d'Alexandre Duval-Stalla, *François-René de Chateaubriand-Napoléon Bonaparte : une histoire, deux gloires*.
252. Heine, *De l'Allemagne*, p. 427.
253. Sur la politique de Mme de Staël pendant la Révolution, voir l'étude peu connue de G. E. Gwynne, *Madame de Staël et la Révolution française* (1969).
254. Tocqueville, *L'Ancien Régime et la Révolution*, p. 1040.
255. Chateaubriand, *Mémoires d'outre-tombe*, t. I, p. 946-947.
256. *Ibid.*, p. 800-801. Il s'agit du poète Népomucène Lemercier (1771-1840).
257. Sainte-Beuve, « Madame de Staël », dans *Portraits de femmes*, p. 128-129.
258. Mauriac, *De Gaulle*, p. 103.
259. Le Bihan, *Le Général et son double*, p. 255.
260. De Gaulle, *Mémoires de guerre*, p. 656-657.
261. Furet, *Le Passé d'une illusion*, p. 322-324.
262. Sainte-Beuve, *Causeries du lundi*, t. I, p. 186.
263. *Correspondance de Napoléon Ier publiée par ordre de l'empereur Napoléon III*, t. XI, p. 448-449 (n° 9541).

5
Le cimetière des héros

1. Antoine, *Louis XV*, p. 372-378, 559-560.
2. Les preuves de la « trahison » de Mirabeau avaient été découvertes en novembre 1792. C'est seulement le 25 novembre 1793 que Marie-Joseph Chénier présenta les conclusions de l'enquête à la tribune de la Convention et réclama l'expulsion du corps de Mirabeau et son remplacement par les cendres de Marat, mort assassiné le 13 juillet précédent.

3. Le 8 février 1795. Les restes de Marat ne furent pas jetés dans l'égout de Montmartre, comme on le dit parfois. Dans les jours qui précédèrent le décret du 8 février, il y eut en effet des manifestations : Marat fut pendu en effigie, des mannequins le représentant furent souillés de sang et l'un d'eux fut en effet jeté dans l'égout de Montmartre. Le cercueil qui contenait ses restes fut simplement retiré sans cérémonie du Panthéon et inhumé dans le cimetière Sainte-Geneviève tout proche (Bougeart, *Marat, l'Ami du peuple*, t. II, p. 327-337, et les études rassemblées par Jean-Claude Bonnet dans *La Mort de Marat*).

4. *L'Ami du peuple*, n° 421, 6 avril 1791, p. 8.

5. Voir *L'Ami du peuple*, n° 421, 6 avril 1791, p. 4-8.

6. Bougeart, *Marat*, t. II, p. 329.

7. Voir le témoignage de Francis William Blagdon qui visita le monument au commencement de 1802 (*Paris sous le Consulat, lettres d'un voyageur anglais*, p. 319-322).

8. *Correspondance générale*, n° 11441, à Champagny, 12 février 1806, t. VI, p. 110.

9. Lanzac de Laborie, *Paris sous Napoléon*, t. III, p. 378-384.

10. Les tombeaux de Voltaire et Rousseau furent toutefois déplacés afin qu'ils ne soient plus visibles du public.

11. Mona Ozouf, « Le Panthéon, l'Ecole normale des morts », *in* Nora, *Les Lieux de mémoire*, t. I, p. 155.

12. Gracq, *Lettrines 2*, p. 3.

13. Audiard, *La Nuit, le jour et toutes les autres nuits*, p. 92.

14. Décret présidentiel du 26 mars 2002.

15. Zimmermann, *Alexandre Dumas le Grand*, p. 595. Dumas est mort au Puys, chez son fils, le 5 décembre 1870. Il fut d'abord inhumé à Dieppe, puis transféré en 1872, pour respecter ses dernières volontés, au cimetière de Villers-Cotterêts.

16. Serait-il mort de chagrin s'il avait vécu jusqu'à la Première Guerre mondiale et constaté l'ampleur du massacre auquel il avait contribué par ses recherches ? « Génie funeste, disait Léon Daudet, auquel des millions d'amputés et de mutilés devraient apporter leurs béquilles et leurs moignons sanglants, car il inventa les principaux explosifs qui font aujourd'hui le bonheur de l'humanité et la sécurité des familles » (*Le Stupide XIXe siècle*, in *Souvenirs et polémiques*, p. 1273).

17. Fourest, « Epître falote et testamentaire pour régler l'ordre et la marche de mes funérailles », p. 222-224.

18. Agulhon, *La République, 1880 à nos jours*, p. 26. Le Panthéon est rendu au culte des grands hommes en 1885.

19. Ce texte publié dans *L'Evénement illustré* du 1er septembre 1868 et repris partiellement dans les *Nouveaux Contes à Ninon* est cité *in* Zola, *Les Rougon-Macquart*, t. I, p. 1546.

20. Péguy, « Notre patrie » (22 octobre 1905), *Œuvres en prose complètes*, t. II, p. 28.

21. Les deux seuls précédents que l'on puisse mentionner avaient été le retour des cendres de Byron – qui avait trouvé la mort en Grèce – à Londres en 1824, et celui, bien sûr, de la dépouille mortelle de Napoléon en 1840.

22. La République avait déjà eu l'occasion de célébrer son avènement à l'occasion des obsèques de Thiers, le 8 septembre 1877, et de Gambetta, le 6 janvier 1883, comme le rappelle Hervé Gaymard dans son étude sur le transfert d'Hugo au Panthéon (*Bonheurs et grandeur*, p. 159-195).

23. Sur ce discours, voir Antoine Compagnon, « Les ennemis de Zola », *in* Pagès (éd.), *Zola au Panthéon, l'épilogue de l'affaire Dreyfus*, p. 17-31.

24. On peut relire ici l'éloge funèbre prononcé par André Malraux : http://www.charles-de-gaulle.org/pages/la-memoire/symboles/la-resistance/la-pantheonisation-de-jean-moulin--1964.php

25. Ozouf, « Le Panthéon », *Les Lieux de mémoire*, t. I, p. 174.

26. *Ibid.*, p. 155.

27. Pour un regard plus amène sur le monument et le culte auquel il est dédié, le lecteur pourra se reporter à Olivier Le Naire, *Entrez au Panthéon !*, dont les deux derniers chapitres, « Le temps des lobbies » et « Mémoire nationale 2.0 », démontrent cependant l'impossibilité de donner vie à ce « machin » sans âme.

28. Daudet, *Le Stupide XIXe siècle*, p. 1273.

29. Maistre, *Considérations sur la France*, in *Œuvres*, p. 228.

30. Raoul Girardet, « Les Trois Couleurs, ni blanc, ni rouge », *in* Nora, *Les Lieux de mémoire*, t. I, p. 49-66.

31. Sur *La Marseillaise*, voir Michel Vovelle, « *La Marseillaise*, la guerre ou la paix », *ibid.*, t. I, p. 107-152.

32. Ozouf, « Le Panthéon », *ibid.*, t. I, p. 174.

33. Dumont, « De l'individu-hors-du-monde à l'individu-dans-le-monde », *Essais sur l'individualisme*, p. 33-67.

34. Contre les Espagnols. Voir Simone Bertière, *Condé*, p. 132-151.

35. Voir en particulier Olivier Chaline, *Le Règne de Louis XIV*, p. 221-240, et Joël Cornette, *La Mort de Louis XIV*, p. 154-226.

36. Lettre à Nicolas-Claude Thieriot du 15 juillet 1735.

37. Ozouf, « Le Panthéon », *Les Lieux de mémoire*, t. I, p. 158.

38. Comme le remarque justement Edmond Dziembowski dans *La Guerre de Sept Ans*, p. 399.

39. La Harpe, cité *in* Voltaire, *Histoire de Charles XII*, p. XXIX. L'*Histoire de Charles XII* fut publiée en 1731.

40. Lettre de 1735 citée *in* Voltaire, *Histoire de Charles XII*, p. V.

41. Voltaire, *Le Siècle de Louis XIV*, p. 267-268.

42. Voltaire, *Œuvres complètes, 23 : Mélanges, 2*, p. 281.

43. Voir Hegel, *La Raison dans l'histoire*, p. 120-130, et Carlyle, *Les Héros*.

44. Dans ses *Pensées* (cité *in* Voltaire, *Histoire de Charles XII*, p. XXVI). Voir aussi *De l'esprit des lois*, livre X, chapitre XIII.

45. Manent, *Les Métamorphoses de la cité*, p. 66.

46. Voltaire, *Le Siècle de Louis XIV*, p. 83-84.

47. Il survit notamment dans l'exaltation du génie, qui reprend bien des traits de la représentation classique de l'héroïsme (Centlivres, Fabre et Zonabend, *La Fabrique des héros*, p. 241-243). Voir également Menant et Morrissey, *Héroïsme et Lumières*, et McMahon, *Divine Fury, A History of Genius*.

48. Antoine-Léonard Thomas se fait l'écho de ces débats dans son *Essai sur les éloges*, publié en 1812.

49. Bernardin de Saint-Pierre, « D'un Elysée », p. 375-403.

50. Birnbaum, « L'héroïsme n'est plus ce qu'il était », p. 123-124. Voir surtout Bonnet, *Naissance du Panthéon*, et Daniel Fabre, « L'atelier des héros », *in* Centlivres, Fabre et Zonabend, *La Fabrique des héros*, p. 236-249.

51. Ozouf, « Le Panthéon », *Les Lieux de mémoire*, t. I, p. 158.

52. Visitant le monument en compagnie d'Aristide Briand, Jaurès avait dit à ce dernier : « Il est certain que je ne serai jamais porté ici. Mais si j'avais le sentiment qu'au lieu de me donner pour sépulture un de nos petits cimetières ensoleillés et fleuris en campagne, on dût porter ici mes cendres, je vous avoue que le reste de ma vie en serait empoisonné » (https://fr.wikipedia.org/wiki/Liste_des_personnes_inhumées_au_Panthéon_de_Paris).

53. Chateaubriand, *Mémoires d'outre-tombe*, t. I, p. 620-622.

54. Blanqui, *Voyage d'un jeune Français en Angleterre et en Ecosse*, p. 350-351.

55. Loftie, *Westminster Abbey*, p. 312-316.

56. La plupart des souverains qui succédèrent à George II, mort en 1760, furent inhumés à Windsor, aucun à Westminster.

57. Blanqui, *Voyage d'un jeune Français en Angleterre et en Ecosse*, p. 350.

58. Arrêté des consuls du 27 novembre 1799 (*Correspondance de Napoléon Ier publiée par ordre de l'empereur Napoléon III*, n° 4402, t. VI, p. 13). Le lendemain, un autre arrêté affectait le château de Versailles et ses dépendances au logement des invalides de guerre (*ibid.*, n° 4404, t. VI, p. 14). Le 1er décembre, Bonaparte faisait marche arrière, écrivant à Berthier : « Je pense qu'il est inutile de se presser dans l'exécution du projet de transférer les invalides à Versailles. Cela les inquiète déjà beaucoup. Il faudrait dire et faire tout ce qui pourrait leur ôter l'idée qu'on veut les transférer à Versailles » (*ibid.*, n° 4410, t. VI, p. 18).

59. Sur ces projets, voir Bausset, *Mémoires anecdotiques*, t. IV, p. 89-91, et Jourdan, *Napoléon, héros, imperator, mécène*, p. 189-193.

60. Même si, dans le *Précis* qu'il lui consacra, il n'hésitait pas à lui faire la leçon (Napoléon Ier, *Précis des guerres du maréchal de*

Turenne, in *Correspondance de Napoléon Ier publiée par ordre de l'empereur Napoléon III*, t. XXXII, p. 90-160).

61. Sur cette cérémonie du 22 septembre 1800, voir l'étude de Bronislaw Baczko, « Turenne au temple de Mars », *Politiques de la Révolution française*, p. 492-534.

62. Maurice Barrès en fait justement la remarque dans *Les Déracinés*, les Invalides donnent au plus haut degré « le sentiment du génie administratif » (p. 164).

63. Morrissey, *Charlemagne, l'empereur à la barbe fleurie.*

64. Voir sa lettre à Ségur du 13 août 1804 (*Correspondance générale*, n° 9095, t. IV, p. 815), et les observations de l'architecte Fontaine dans son *Journal*, t. I, p. 85.

65. Sur le choix du lieu de la cérémonie, voir Lentz, *Le Sacre de Napoléon*, p. 31-35, et du même auteur, *Nouvelle Histoire du Premier Empire*, t. I, p. 55-101.

66. La décision fut officiellement prise par un décret du 13 février 1806, rédigé d'après les instructions données par l'Empereur la veille (*Correspondance générale*, n° 11441, 12 février 1806, t. VI, p. 110-112), mais dès le début de 1805 il avait donné des ordres pour la restauration de Saint-Denis et demandé que la chapelle d'Hilduin, crypte royale, accueillît le caveau de la famille impériale (Poisson, « Napoléon chez les rois de France à Saint-Denis »).

67. Victor Hugo, « Les funérailles de Louis XVIII », *Odes et ballades*, p. 94.

68. Voir la lettre de l'Empereur à Cambacérès du 22 juin 1807 (*Correspondance générale*, n° 15897, t. VII, p. 905). Les travaux de restauration étant loin d'être achevés, le corps du petit prince, âgé d'à peine cinq ans, fut déposé à Notre-Dame. Il ne fut pas inhumé à Saint-Denis mais, plus tard, à Saint-Leu-la-Forêt.

69. Thiers, *Histoire du Consulat et de l'Empire*, t. V, p. 58-59. Mme de Staël avait déjà souligné ce paradoxe, écrivant dans ses *Considérations sur les principaux événements de la Révolution française* (1818) : « Ses victoires le créaient prince ; il a fallu son amour de l'étiquette, son besoin de flatterie, les titres, les décorations et les chambellans pour faire reparaître en lui le parvenu » (p. 395).

70. Ce mot de Napoléon est cité par Bausset, *Mémoires anecdotiques*, t. IV, p. 91.

71. Les drapeaux exposés aux Tuileries seront tous brûlés dans la nuit du 30 au 31 mars 1814, avant l'entrée dans Paris des Alliés vainqueurs (Biver, *Le Paris de Napoléon*, p. 252).

72. Les jambes broyées par un boulet le 22 mai 1809, Lannes était mort des suites de ses blessures le 31. Son corps, embaumé, n'avait été rapatrié en France, à Strasbourg, qu'au début de 1810. Il quitta la frontière pour Paris le 22 juin suivant, jour anniversaire d'Essling.

73. Marbot, *Mémoires*, t. I, p. 597-599. Napoléon évoque sa « tendre amitié » pour Lannes dans le 10e Bulletin de l'armée d'Allemagne rédigé

le 23 mai 1809, donc avant la mort du maréchal (*Correspondance de Napoléon Ier publiée par ordre de l'empereur Napoléon III*, n° 15246, t. XIX, p. 37), et l'ancienneté de leur relation dans la lettre qu'il écrivit à la maréchale le 31 mai (*ibid.*, n° 15282, t. XIX, p. 62).

74. Où il resta jusqu'au 16 juillet.

75. Dans la même lignée, *Le Sacre de Napoléon* de David, où l'on voyait Napoléon couronnant Joséphine, qui avait été présenté au public lors du Salon de 1808, ne fut plus exposé après la dissolution de l'union avec cette dernière et le remariage avec Marie-Louise.

76. Sur la mort et les obsèques de Lannes, voir Thoumas, *Le Maréchal Lannes*, p. 331-354. Le valet de chambre Constant relate le détail de la cérémonie, présidée par Cambacérès, dans ses *Mémoires intimes sur Napoléon Ier* (t. II, p. 142-146). Davout prononça l'éloge funèbre du maréchal.

77. Le *Journal de Paris*, après les obsèques de Lannes.

78. Les généraux Béguinot, Choiseul-Praslin et Mahler en 1808, Garnier de Laboissière et Morard de Galles en 1809. Neuf autres, parmi lesquels Ordener, le rejoindront entre 1811 et 1815.

79. Il appréciait Lannes, c'est vrai, il le tutoyait même, mais s'il admettait volontiers qu'il y avait en lui du « géant », c'était pour aussitôt préciser que ce « géant » ne l'était devenu que grâce à lui et qu'avant cela il l'avait trouvé « pygmée » (Regenbogen, *Napoléon a dit*, p. 363).

80. Guilhermy, *Monographie de l'église royale de Saint-Denis*, p. 39.

81. Alain Erlande-Brandenburg, « Louis XIV et la mort : l'hôtel des Invalides », p. 59-67.

82. De La Tour, *Duroc*, p. 199-201.

83. Masséna était mort le 4 avril 1817, le maréchal Lefebvre le 14 septembre 1820. Lefebvre avait demandé à reposer au Père-Lachaise, près de Masséna.

84. Napoléon et Lyon, l'histoire de leurs relations, faites d'un côté d'une attention jamais démentie, de l'autre d'une fidélité qui se manifesta à chacune des visites du général, plus tard du Premier consul, enfin de l'Empereur, commença dès le retour de Bonaparte d'Egypte. Une fois au pouvoir, il veilla à la reprise de l'activité industrielle de ce centre de production des soieries et releva les ruines laissées par la Révolution – notamment place Bellecour. Face à Paris, dont la population fut toujours un peu froide envers le régime et son chef, la seconde ville de France manifesta un soutien qui ne faiblit guère avant la fin de l'Empire, même si les conflits avec la papauté, à partir de 1808, y créèrent des tensions. En 1804, les architectes de l'Empereur, Percier et Fontaine, travaillèrent aux plans d'un vaste palais impérial qui serait élevé dans l'île Perrache. Napoléon approuva le projet en 1810, mais les travaux commençaient à peine lorsque l'Empire s'écroula.

85. Bertrand, *Cahiers*, t. III, p. 137.

86. Il s'était une dernière fois rendu aux Invalides pendant les Cent-Jours, le 11 mai 1815.

87. Bourrienne, *Mémoires*, t. III, p. 214.

88. Guy, *En écoutant de Gaulle*, p. 391-393.

89. Mort le 28 novembre 1947.

90. Guy, *En écoutant de Gaulle*, p. 363-364. Des obsèques nationales furent organisées en l'honneur de Leclerc dont le cercueil, accompagné par la 2e DB, fut exposé sous l'Arc de triomphe avant d'être déposé aux Invalides.

91. *Dictionnaire de Gaulle*, p. 678.

92. Voir sa lettre au général Juin du 10 janvier 1952 (*Lettres, notes et carnets*, t. II, p. 1053), et *Dictionnaire de Gaulle*, p. 669-670.

93. Robert Aron, *Histoire de Vichy*, t. II, p. 399-418, et André Brissaud, *La Dernière Année de Vichy*, p. 491-503.

94. Les propos du Général sont rapportés par J. Mauriac, *Mort du général de Gaulle*, p. 172.

95. De Gaulle, *Lettres, notes et carnets*, t. II, p. 1056. Maurice Agulhon a donné au choix de Colombey une autre explication. Après avoir remarqué que le général de Gaulle aurait pu être inhumé, comme militaire, aux Invalides, et, comme restaurateur de la République, au Panthéon, il ajoute : « Mais de Gaulle historien, de Gaulle penseur était assez lucide pour savoir que la France contemporaine comprenait irréductiblement deux camps, deux *familles spirituelles*, et donc avec elles deux principaux lieux de vénération [...], les Invalides et le Panthéon. Les Invalides, véritable *panthéon* de la droite [?], et le Panthéon, vrais *invalides* de la gauche ; en se faisant mettre ailleurs, il les réunissait idéalement puisqu'il refusait de choisir entre eux. Cela coïnciderait assez bien avec tout ce qu'il nous a dit de son idée de la France » (*Dictionnaire de Gaulle*, p. 233).

96. Blanc, *De Gaulle au soir de sa vie*, p. 47.

97. « J'ai été blessé en Mai 68, maintenant ils m'ont achevé, dit-il à Jean Mauriac. Et, maintenant, je suis mort » (*Mort du général de Gaulle*, p. 59).

98. Sur le retour des cendres, voir Jean Tulard, « Le retour des cendres », in *Les Lieux de mémoire*, t. II, p. 1729-1753 ; Gilbert Martineau, *Le Retour des cendres*, et Georges Poisson, *L'Aventure du retour des cendres*.

99. Nietzsche, *Contribution à la généalogie de la morale*, in *Œuvres philosophiques complètes*, t. VII, p. 160.

100. Dans le poème *A la Colonne*. Hugo s'engageait ainsi sur le long chemin qui devait le conduire, par étapes, du royalisme fervent de sa jeunesse au républicanisme... en passant par l'orléanisme.

101. On en compte trente et une entre 1821 et 1840 (Humbert, *Napoléon aux Invalides*, p. 22).

102. Voir Rémusat, *Mémoires de ma vie*, t. I, p. 189.

103. Lettre du 28 avril 1814, *in* Antonetti, *Louis-Philippe*, p. 430.

104. Voir, par exemple, sa lettre du 13 mai 1804 (*ibid.*, p. 348).

105. Laumann, *L'Epopée napoléonienne : le retour des cendres*, p. 15-16.

106. Voir en particulier Tulard, *Le Mythe de Napoléon*, et Hazareesingh, *La Légende de Napoléon.*

107. Tulard, « Le retour des cendres », *Les Lieux de mémoire*, t. II, p. 1733.

108. Le portrait de Thiers par Marx se trouve dans *La Guerre civile en France (1871)*, p. 244-245.

109. Le 9 juin 1840, quatre jours après la promulgation de la loi sur le retour des cendres, Thiers vendit au libraire Paulin pour 500 000 francs, une somme très importante, les droits de son *Histoire du Consulat et de l'Empire* (Poisson, *L'Aventure du retour des cendres*, p. 42).

110. Voir Antonetti, *Louis-Philippe*, p. 820-825, et Valance, *Thiers*, p. 188-196.

111. Les bases en avaient été posées dès la signature du traité de la Quadruple-Alliance (avec l'Angleterre, l'Espagne et le Portugal) et elle se développera avec les visites en France, en 1843 et 1845, de la reine Victoria.

112. Lettre du 18 juin 1841 à John Stuart Mill, *in* Tocqueville, *Lettres choisies. Souvenirs*, p. 472.

113. Cité *in* Aubry, *Sainte-Hélène*, t. II, p. 305, n. 1.

114. Le 30 octobre 1836, Louis-Napoléon avait tenté de soulever au cri de « Vive l'Empereur ! » le 4e régiment d'artillerie, ce qui lui valut d'être exilé. Cette fois, la Chambre des pairs le condamna à la prison à vie. Une loi du 10 avril 1832 avait confirmé l'exil perpétuel des membres de la famille Bonaparte décidé après la chute de Napoléon.

115. Chateaubriand, *Mémoires d'outre-tombe*, t. I, p. 1582. Le traité de Londres, signé le 15 juillet 1840, réaffirmait les droits du sultan et contraignait Méhémet-Ali à rendre la Syrie au souverain ottoman.

116. Antonetti, *Louis-Philippe*, p. 816.

117. La discussion eut lieu les 25 et 26 mai 1840.

118. Le général Clauzel (1772-1842) fut fait maréchal en 1831, sous la monarchie de Juillet, et non sous Napoléon.

119. Cité *in* Court, « Lamartine et la légende napoléonienne », p. 34 (article en ligne : http://www.raco.cat/index.php/UllCritic/article/viewFile/207642/285472).

120. Lamartine, *Œuvres complètes*, t. IV, p. 451. A noter que Lamartine vota tout de même en faveur du doublement du crédit (p. 457).

121. La frégate avait quitté Toulon le 7 juillet. Arrivée à Sainte-Hélène le 8 octobre, elle en repartit immédiatement après l'exhumation du corps de l'Empereur, le 15, et atteignit Cherbourg le 30 novembre.

122. Officiellement, le chef du gouvernement était le maréchal Soult, mais Guizot en était l'homme fort.

123. Aubry, *Sainte-Hélène*, t. II, p. 322, n. 1.
124. Hugo, *Choses vues*, p. 98.
125. Aubry, *Sainte-Hélène*, t. II, p. 322-323.
126. Visconti, *Tombeau de Napoléon Ier*, p. 31.
127. Hugo, *Choses vues*, p. 99.
128. *Ibid.*, p. 103. Le catafalque était haut de 11 mètres.
129. Hugo, qui se trouvait dans la cour des Invalides, rapporte les propos d'une de ses connaissances, B★★★, qui se trouvait avec les députés à l'intérieur de l'église Saint-Louis : « Il était placé derrière la tribune de la Chambre des députés. Des écoliers de septième seraient fessés s'ils avaient, dans un milieu solennel, la tenue, la mise et les manières de ces messieurs. A part un groupe qui est demeuré silencieux, grave et sérieux, presque tous ont eu des façons indécentes ; la plupart ont gardé leur chapeau sur la tête jusqu'à l'entrée du cercueil, quelques-uns même, profitant de l'ombre, ne se sont pas découverts un seul instant. Ils étaient pourtant devant le roi, devant l'Empereur et devant Dieu ; devant la majesté vivante, devant la majesté morte et devant la majesté éternelle. M. Taschereau, en redingote boutonnée, était étendu sur cinq banquettes, le nez à la voûte, les semelles de ses bottes tournées vers le cercueil de Napoléon. Les autres allaient et venaient, escaladaient les banquettes, enjambaient les clôtures et lorgnaient les femmes avant l'arrivée du cercueil. M. Taschereau a péroré ; il est indigné d'avoir été amené là d'avance, il a presque dit comme Louis XIV : *J'ai failli attendre* ; il a ajouté une foule de choses spirituelles [parmi lesquelles] : Je suis de l'avis de Berryer, qui a dit à Thiers, le jour où l'annonce de Napoléon a été faite à la Chambre : *C'est une belle blague, mais c'est une blague* » (*ibid.*, p. 107).
130. Dorothée de Courlande, duchesse de Dino, *Souvenirs et chronique*, p. 576. L'une de ses correspondantes dit aussi que « le souvenir de l'Empereur n'était dans la pensée de personne » (*ibid.*), du moins aux Invalides, encore que le duc de Noailles écrivit, après s'être mêlé à la foule qui regardait passer le corbillard : « La masse curieuse regardait passer le cortège à peu près comme celui du Bœuf-Gras » (p. 577).
131. Hugo, *Choses vues*, p. 104.
132. Thackeray, « Les funérailles de Napoléon », p. 227-228.
133. Victor Hugo rapporte l'échange cité plus haut comme s'il l'avait entendu, mais il ne put que l'emprunter aux journaux du lendemain (*Choses vues*, p. 106). Sur cet épisode, voir Aubry, *Sainte-Hélène*, t. II, p. 324, n. 2, et François Ferdinand Philippe d'Orléans, prince de Joinville, *Vieux souvenirs*, p. 186-187.
134. Hugo, *Choses vues*, p. 111-112.
135. Antonetti, *Louis-Philippe*, p. 816.
136. Thackeray, « Les funérailles de Napoléon », p. 232-233.
137. Voir Visconti, *Tombeau de Napoléon Ier*.

138. Les de Gaulle séjournèrent en Irlande du 10 mai au 19 juin 1969, et plus tard en Espagne en juin 1970. Charles de Gaulle, qui disait de la vieillesse qu'elle est un naufrage mais garda une santé de fer jusqu'au bout, prévoyait de se rendre en Chine l'année suivante.

139. Philippe de Gaulle assure qu'il prit seulement avec lui les *Mémoires d'outre-tombe* (*De Gaulle, mon père*, t. II, p. 638-639).

140. Joannon, *L'Hiver du Connétable.*

141. Morand, *Journal inutile*, t. I, p. 448. A Jacques Chancel qui l'interrogeait sur *Venises*, récemment publié, et lui faisait remarquer qu'il avait toujours eu un faible pour les causes perdues, Morand répondit : « C'est vrai. Tenez : vous savez combien j'ai détesté de Gaulle ; mais quand je l'ai vu seul, sur sa plage d'Irlande, avec un chapeau trop petit et un pardessus trop court, voûté, et comme abandonné par les dieux, j'ai été tout près de l'aimer » (lettre à Claude Dulong du 11 octobre 1971, *in* Morand, *Lettres à des amis et à quelques autres*, p. 108-109).

142. Lacouture, *De Gaulle*, t. III, p. 782.

143. Voir son testament, du 28 mars 1929, *in* Winock, *Clemenceau*, p. 536.

144. *Ibid.*, p. 539.

145. Blanc, *De Gaulle au soir de sa vie*, p. 29-31, J. Mauriac, *La Mort du général de Gaulle*, p. 165-183.

146. « Il a tant souffert depuis deux ans », confiera-t-elle (*ibid.*, p. 162).

147. Le 17 janvier 1969 à Rome et le 13 février à Genève, moins de trois mois avant le référendum.

148. De Gaulle, *Mémoires d'espoir*, p. 262.

149. « Baudouin, confia Olivier Guichard après les obsèques du Général, c'est ce qu'il y a de pire pour nous gaullistes : l'homme de Salan, de Lecanuet, de Poher ! L'anti-de Gaulle ! » (J. Mauriac, *L'Après de Gaulle*, p. 62).

150. *Ibid.*

151. *Dictionnaire de Gaulle*, p. 1108.

152. Blanc, *De Gaulle au soir de sa vie*, p. 29-31.

153. J. Mauriac, *L'Après de Gaulle.*

154. Blanc, *De Gaulle au soir de sa vie*, p. 28.

155. Ministre du Général de 1959 à 1966, Valéry Giscard d'Estaing avait ensuite pris ses distances, s'interrogeant en 1967 sur les conséquences de « l'exercice solitaire du pouvoir », avant d'annoncer en 1969 qu'il « n'approuverait pas » le projet de loi sur la réforme du Sénat et la régionalisation soumis au référendum.

156. J. Mauriac, *L'Après de Gaulle*, p. 69.

157. Moll, *Yvonne de Gaulle*, p. 427-439.

158. Thèse reprise il n'y a pas si longtemps encore par Georges Rétif de La Bretonne, *Anglais, rendez-nous Napoléon* (1969), et Bruno Roy-Henry, *Napoléon, l'énigme de l'exhumé de 1840.* L'affaire, si affaire

il y a, a été décortiquée par Thierry Lentz et Jacques Macé, *La Mort de Napoléon.*

159. Visconti, *Tombeau de Napoléon Ier*, p. 99.

160. En fait, il ne s'agit pas de porphyre, mais de quartzite rouge dont les blocs avaient été extraits d'une carrière de Finlande appartenant au tsar Nicolas Ier.

161. Englund, *Napoléon*, p. 10.

162. Visconti, *Tombeau de Napoléon Ier*, p. 99.

163. Sur « Les projets pour le tombeau de Napoléon », voir l'étude de Thierry Issartel, *in* Humbert, *Napoléon aux Invalides*, p. 121-151.

164. Chateaubriand, *Mémoires d'outre-tombe*, t. I, p. 1586.

165. Schérer, « Hegel et l'hégélianisme », p. 817.

166. Barrès, *Les Déracinés*, p. 165.

167. Raymond Queneau, *Zazie dans le métro*, p. 16. Vers la même époque, en 1964, un sketch de Jacques Martin et Jean Yanne diffusé à la télévision créa pourtant la polémique : il montrait Napoléon et ses maréchaux participant à un tour d'Europe cycliste qui, parti de Iéna, devait finir à Waterloo. Au dernier moment, ils étaient coiffés sur la ligne d'arrivée par Blücher. Jacques Martin assura plus tard qu'un descendant de Murat avait voulu porter plainte et qu'on exigea de lui qu'il allât faire amende honorable sur le tombeau de l'Empereur. Sans doute exagérait-il, mais ce sketch choqua les admirateurs du grand homme. Aujourd'hui, dira justement un chroniqueur de France-Info, on ne tournerait plus ce sketch non par peur du scandale, mais parce que Iéna et Waterloo sont des événements si peu connus qu'il serait impossible de les invoquer, même pour les tourner en dérision.

168. Le journal faisait allusion à l'incendie d'un dancing dans l'Isère qui, quelques jours plus tôt, avait provoqué la mort de 146 personnes. Ce numéro parut le 16 novembre ; *Hara Kiri* fut interdit dès le lendemain.

169. Bainville, *Journal, 1901-1918*, p. 18.

170. Tocqueville, *De la démocratie en Amérique, II*, IVe partie, chap. 8, p. 659.

171. Chateaubriand, *Mémoires d'outre-tombe*, t. I, p. 1574.

Liste des ouvrages cités

« La vérité sur l'histoire à l'école », *Le Figaro Histoire*, n° 4, octobre-novembre 2012.

Agulhon Maurice, *De Gaulle, histoire, symbole, mythe*, Paris, Hachette, 2000.

—, *La République, 1880 à nos jours*, t. V de la coll. « Histoire de France Hachette », Paris, Hachette, 1990.

Amalvi, Christian, *Les Héros des Français, controverses autour de la mémoire nationale*, Paris, Larousse, 2011.

Amouroux, Henri, *La Grande Histoire des Français sous l'Occupation*, Paris, Robert Laffont, coll. « Bouquins », 1999, 10 t. en 5 vol.

Andrieu, Claire, Braud, Philippe et Piketty, Guillaume, *Dictionnaire de Gaulle*, Paris, Robert Laffont, coll. « Bouquins », 2006.

Antoine, Michel, *Louis XV*, Paris, Fayard, 1989.

Antonetti, Guy, *Louis-Philippe*, Paris, Fayard, 1994.

Arcidiacono, Bruno, *Cinq types de paix. Une histoire des plans de pacification perpétuelle (XVIIe-XXe siècles)*, Paris, PUF, 2011.

Argoud, Antoine, *La Décadence, l'imposture, la tragédie*, Paris, Albatros, 1990.

Arnaud, Claude, « Le retour de la biographie : d'un tabou à l'autre », *Le Débat*, n° 54, mars-avril 1989.

Arnault, Antoine-Vincent, *Souvenirs d'un sexagénaire*, Paris, Dufey, 1833, 4 vol.

Aron, Raymond, *Chroniques de guerre. La France libre (1940-1945)*, éd. C. Bachelier, Paris, Gallimard, 1990.

—, *Mémoires*, Paris, Pocket, 1983, 2 vol.

—, *Une histoire du XXe siècle*, éd. C. Bachelier, Paris, Plon, 1996.

Aron, Robert, *Histoire de Vichy*, Paris, Le Livre de poche, 1966, 2 vol.

Arthur-Lévy, Arthur Lévy dit, *Napoléon intime*, Paris, Nelson, 1936.
Aubry, Octave, *Sainte-Hélène, la captivité de Napoléon*, Paris, Flammarion, 1935, 2 vol.
Audiard, Michel, *La Nuit, le jour et toutes les autres nuits*, Paris, Pocket, 2010.
Aulard, Alphonse, *Paris sous le Consulat, recueil de documents pour l'histoire de l'esprit public à Paris*, Paris, Cerf, Noblet et Quantin, 1903-1906, 3 vol.
Avezou, Laurent, *Raconter la France*, Paris, Armand Colin, 2013.
Ayache, Georges, *Le Retour du général de Gaulle (1946-1958)*, Paris, Perrin, 2015.
Baczko, Bronislaw, *Politiques de la Révolution française*, Paris, Gallimard, coll. « Folio histoire », 2008.
Bainville, Jacques, *Histoire de France*, Paris, Tallandier, coll. « Texto », 2007.
—, *Journal, 1901-1918*, Paris, Plon, 1948.
—, *Le Dix-Huit Brumaire*, Paris, Hachette, 1925.
—, *Lectures*, Paris, Fayard, 1937.
—, *Napoléon*, éd. P. Gueniffey, Paris, Gallimard, coll. « Tel », 2005.
Barbey d'Aurevilly, Jules, *Œuvre critique*, II : *Les Œuvres et les Hommes, première série* (volume 2), éd. P. Glaudes et C. Mayaux, Paris, Les Belles Lettres, 2006.
Barczewski, Stephanie, *Heroic Failure and the British*, New Haven et Londres, Yale University Press, 2016.
Bardy, Charles, *Charles le Catholique, de Gaulle et l'Eglise*, Paris, Plon, 2011.
Barré, Jean-Luc, *Devenir de Gaulle, 1939-1943*, Paris, Perrin, coll. « Tempus », 2009.
Barrès, Maurice, *Les Déracinés*, Paris, Bartillat, 2010.
Barry, Etienne, « Discours sur les dangers de l'idolâtrie dans une république », in *Discours prononcés les jours de décadi dans la section Guillaume Tell*, Paris, Massot, 1794, t. IV, p. 1-28.
Barthes, Roland, *Michelet*, Paris, Seuil, coll. « Ecrivains de toujours », 1975.
Bausset, Louis François Joseph de, *Mémoires anecdotiques sur l'intérieur du palais*, Paris, Baudouin, 1827, 4 vol.
Baverez, Nicolas, *Raymond Aron, un moraliste au temps des idéologies*, Paris, Flammarion, 1993.
Beaune, Colette, *Naissance de la nation France*, Paris, Gallimard, 1985.
Bédarida, François, Bercé, Yves-Marie, Aymard, Maurice et Sirinelli, Jean-François, *L'Histoire et le métier d'historien en France, 1945-1995*, Paris, Editions de la Maison des sciences de l'homme, 1995.

Belin, Roger, *Lorsqu'une République chasse l'autre (1958-1962)*, Paris, Michalon, 1999.

Benoist-Méchin, Jacques, *Soixante jours qui ébranlèrent l'Occident, 10 mai-10 juillet 1940*, Paris, Robert Laffont, coll. « Bouquins », 1981.

Béraud, Stéphane, *La Révolution militaire napoléonienne*, Paris, Bernard Giovanangeli Editeur, 2007-2013, 2 vol.

Berchet, Jean-Claude, *Chateaubriand*, Paris, Gallimard, 2012.

Bernardin de Saint-Pierre, Jacques-Henri, *D'un Elysée*, in *Etudes de la nature*, Paris, Crapelet, 1804, t. III.

Bertière, Simone, *Condé, le héros fourvoyé*, Paris, éditions de Fallois, 2011.

Bertrand, Henri-Gatien, *Cahiers de Sainte-Hélène*, éd. P. Fleuriot de Langle, Paris, Sulliver-Albin Michel, 1949-1959, 3 vol.

Birnbaum, Antonia, « L'héroïsme n'est plus ce qu'il était... », *Les Cahiers philosophiques de Strasbourg*, n° 2, déc. 1994.

Biver, Marie-Louise, *Le Paris de Napoléon*, Paris, Plon, 1963.

Blagdon, Francis William, *Paris sous le Consulat, lettres d'un voyageur anglais*, Paris, CNRS éditions, 2016.

Blanc, Pierre-Louis, *De Gaulle au soir de sa vie*, Paris, Fayard, 1990.

Blanqui, Adolphe, *Voyage d'un jeune Français en Angleterre et en Ecosse pendant l'automne de 1823*, Paris, Dondey-Dupré, 1824.

Bloch, Marc, *L'Etrange Défaite*, Paris, Gallimard, coll. « Folio histoire », 2015.

Bluche, François, *Louis XIV*, Paris, Hachette, coll. « Pluriel », 1986.

Bonaparte, Louis-Napoléon, *Des idées napoléoniennes*, Paris, Paulin, 1839.

Boncenne, Pierre, *Le Parapluie de Simon Leys*, Paris, Philippe Rey, 2015.

Bonfreschi, Lucia, *Raymond Aron e il gollismo, 1940-1969*, Soveria Mannelli, Rubbettino Editore, 2014.

Bonheur, Gaston, *Charles de Gaulle* (1958), *in* J.-P. Rioux, *De Gaulle, portraits*, Paris, Omnibus, 2008, p. 7-154.

Bonnet, Jean-Claude, *La Mort de Marat*, Paris, Flammarion, 1986.

—, *Naissance du Panthéon, essai sur le culte des grands hommes*, Paris, Fayard, coll. « L'esprit de la cité », 1998.

Borne, Dominique, *Quelle histoire pour la France ?*, Paris, Gallimard, 2014.

Bougeart, Alfred, *Marat, l'Ami du peuple*, Paris, Librairie universelle, 1865, 2 vol.

Boulart, Jean-François, *Mémoires (1792-1815)*, Paris, La Librairie illustrée, s.d.

Bourrienne, Louis-Antoine Fauvelet de, *Mémoires*, Paris, Ladvocat, 1831, 10 vol.

Boutmy, Emile, *Taine, Schérer, Laboulaye*, Paris, Armand Colin, 1901.

Boyer, Ferdinand, « Stendhal et les historiens de Napoléon », Editions du Stendhal-Club (1922-1935), Genève, Slatkine Reprints, n° 17, 1998, [1926].

Branda, Pierre, *La Guerre secrète de Napoléon : île d'Elbe, 1814-1815*, Paris, Perrin, 2014.

Braudel, Fernand, « Histoire et sciences sociales : la longue durée », *Annales, Economies, Sociétés, Civilisations*, vol. 13, n° 4, 1958, p. 725-753.

—, *L'Identité de la France*, Paris, Flammarion, coll. « Champs », 1990, 3 vol.

—, « Personal Testimony », *The Journal of Modern History*, vol. 44, n° 4, 1972, p. 453-454.

Brézet, Alexis et Buisson, Jean-Christophe, *Les grands duels qui ont fait la France*, Paris, Perrin-*Le Figaro Magazine*, 2014.

Brissaud, André, *La Dernière Année de Vichy*, Paris, Perrin, 1965.

Broche, François, *Une histoire des antigaullismes des origines à nos jours*, Paris, Bartillat, 2007.

Bromberger, Merry et Serge, *Les 13 Complots du 13 mai*, Paris, Fayard, 1959.

Brown, Peter, *The World of Late Antiquity : A.D. 150-750*, Londres, Thames and Hudson, 1971 ; rééd. 2005.

—, *Through the Eye of a Needle: Wealth, the Fall of Rome, and the Making of Christianity in the West, 350-550 A.D.*, Princeton University Press, 2014.

Bruckner, Pascal, *La Tyrannie de la pénitence, essai sur le masochisme occidental*, Paris, Le Livre de poche, 2008.

—, *Le Sanglot de l'homme blanc. Tiers-Monde, culpabilité, haine de soi*, Paris, Seuil, coll. « Points », 2002.

Brunet, Eric, *L'Obsession gaulliste. Alain, François, Nicolas, Marine et les autres…*, Paris, Albin Michel, 2016.

Buchanan, Patrick J., *The Greatest Comeback. How Richard Nixon Rose from Defeat to Create the New Majority*, New York, Crown Forum, 2014.

Bullock, Alan, *Hitler et Staline, vies parallèles*, Paris, Albin Michel-Robert Laffont, 1991, 2 vol.

Burguière, André et Revel, Jacques, *Histoire de la France*, IV. *La longue durée de l'Etat* (volume dirigé par Jacques Le Goff), Seuil, coll. « Points », 2000.

Burguière, André, *L'Ecole des Annales. Une histoire intellectuelle*, Paris, Odile Jacob, 2006.

Carlyle, Thomas, *Les Héros,* éd. F. Rosso, Paris, Maisonneuve et Larose, 1998.

Cau, Jean, *Croquis de mémoire*, Paris, Julliard, 1985.

Centlivres, Pierre, Fabre, Daniel et Zonabend, Françoise, *La Fabrique des héros*, Paris, Editions de la Maison des sciences de l'homme, 1999.

Chaline, Olivier et Cornette, Joël, *La Mort de Louis XIV, apogée et crépuscule de la royauté*, Paris, Gallimard, coll. « Les journées qui ont fait la France », 2015.

Chaline, Olivier, *Le Règne de Louis XIV*, Paris, Flammarion, 2005.

Chambarlhac, Vincent, « Les prémisses d'une restauration ? L'histoire enseignée saisie par le politique », *Histoire@Politique*, 2012/1 (n° 16), p. 187-202.

Chaptal, Jean-Antoine, *Mes souvenirs sur Napoléon*, éd. P. Gueniffey, Paris, Mercure de France, coll. « Le temps retrouvé », 2009.

Chateaubriand, François René de, *De Buonaparte et des Bourbons,* in *Grands écrits politiques I*, éd. J.-P. Clément, Paris, Imprimerie nationale, 1993.

—, *De l'Ancien Régime au Nouveau Monde, écrits politiques*, éd. J.-P. Clément, Paris, Hachette, coll. « Pluriel », 1987.

—, *Mémoires d'outre-tombe*, éd. J.-P. Clément, Paris, Gallimard, coll. « Quarto », 1997, 2 vol.

Chaunu, Pierre, *Eglise, culture et société. Essais sur Réforme et Contre-Réforme, 1517-1620*, Paris, CDU-SEDES, 1981.

Chevalier, Louis, *Histoire anachronique des Français*, Paris, Plon, 1974.

Choisel, Francis, *Bonapartisme et gaullisme*, Paris, Albatros, 1987.

Churchill-de Gaulle, Paris, Fondation Charles de Gaulle-Musée de l'Armée-Editions de la Martinière, 2015.

Citron, Suzanne, *Le Mythe national, l'histoire de France revisitée*, Paris, Editions de l'Atelier, 2008.

Clerc, Christine, *De Gaulle-Malraux, une histoire d'amour*, Paris, NIL, 2008.

Cointet, Jean-Paul, *Hippolyte Taine, un regard sur la France*, Paris, Perrin, 2012.

Colin, Jean, *L'Education militaire de Napoléon*, Paris, Chapelot, 1901.

Colson, Bruno, *Napoléon, de la Guerre*, Paris, Perrin, 2011.

Compagnon, Antoine, « Les ennemis de Zola », *in* Alain Pagès (éd.), *Zola au Panthéon, l'épilogue de l'affaire Dreyfus*, Paris, Presses de la Sorbonne nouvelle, 2010.

Constant, Benjamin, *Mémoires sur les Cent-Jours*, Genève, Slatkine, 1996.

Constant, Constant Wairy dit, *Mémoires intimes sur Napoléon Ier par Constant, son valet de chambre*, éd. M. Dernelle, Paris, Mercure de France, coll. « Le temps retrouvé », 2002, 2 vol.

Coppolani, Antoine, *Richard Nixon*, Paris, Fayard, 2013.

Courlande, Dorothée de, duchesse de Dino, *Souvenirs et chronique de la duchesse de Dino, nièce aimée de Talleyrand*, éd. A. et L. Theis, Paris, Robert Laffont, coll. « Bouquins », 2016.

Court, Antoine, « Lamartine et la légende napoléonienne », article en ligne : http://www.raco.cat/index.php/UllCritic/article/viewFile/207642/285472

Crémieux-Brilhac, Jean-Louis, *De Gaulle, la République et la France libre (1940-1945)*, Paris, Perrin, coll. « Tempus », 2014.

—, *L'Etrange Victoire*, Paris, Gallimard, coll. « Témoins », 2016.

—, *La France libre*, Paris, Gallimard, coll. « Folio histoire », 2013, 2 vol.

Daniel, Jean, « De Gaulle et l'Algérie, la tragédie, le héros et le témoin », *in* J.-P. Rioux, *De Gaulle, portraits*, Paris, Omnibus, 2008, p. 239-508.

Daudet, Léon, *Souvenirs et polémiques*, Paris, Robert Laffont, coll. « Bouquins », 1992.

Debatty, André, *Le 13 Mai et la presse*, Paris, Armand Colin, 1960.

Debray, Régis, « A demain de Gaulle » (1990), *in* J.-P. Rioux, *De Gaulle, portraits*, Paris, Omnibus, 2008, p. 759-861.

—, *Madame H.*, Paris, Gallimard, 2015.

Debré, Jean-Louis, *Les Idées constitutionnelles du général de Gaulle*, Paris, Librairie générale de droit et de jurisprudence, 1974.

Delage, Christian, Peschanski, Denis et Rousso, Henry, *Les Voyages du Maréchal*, 1990, Planète, 25 mn.

Delécluze, Etienne-Jean, *Journal de Delécluze*, éd. R. Baschet, Paris, Grasset, 1948.

Delporte, Christian, *Come back ! ou l'Art de revenir en politique*, Paris, Flammarion, 2014.

Dosse, François, *Le Pari biographique*, Paris, La Découverte, 2005.

Duby, Georges, *L'Histoire continue*, Paris, Odile Jacob, 1991.

Duhamel, Patrice et Santamaria, Jacques, *Les Flingueurs, anthologie des cruautés politiques*, Paris, Plon, 2014.

Dumézil, Bruno, *Des Gaulois aux Carolingiens (du Ier au IXe siècle)*, Paris, PUF, 2013.

—, *Servir l'Etat barbare dans la Gaule franque, IVe-IXe siècle. Du fonctionnariat antique à la noblesse médiévale*, Paris, Tallandier, 2013.

Dumont, Louis, *De l'individu-hors-du-monde à l'individu-dans-le-monde, essai sur l'individualisme, une perspective anthropologique sur l'idéologie moderne*, Paris, Seuil, 1983.

Duval-Stalla, Alexandre, *André Malraux-Charles de Gaulle, une histoire, deux légendes. Biographie croisée*, Paris, Gallimard, 2008.

—, *François-René de Chateaubriand-Napoléon Bonaparte : une histoire, deux gloires. Biographie croisée*, Paris, Gallimard, 2015.

Dziembowski, Edmond, *La Guerre de Sept Ans (1756-1763)*, Paris, Perrin, 2015.

Elgey, Georgette, *Histoire de la IVe République*, nouvelle édition, Paris, Fayard, 1993-2012, 6 vol.

Englund, Steven, *Napoléon*, Paris, Editions de Fallois, 2004.

Erlande-Brandenburg, Alain, « Louis XIV et la mort : l'hôtel des invalides », *Bulletin de la Société de l'Art français*, 2002, p. 59-67.

Esme, Jean d', *De Gaulle*, Paris, Hachette, coll. « Bibliothèque verte », 1959.

Evans, Colin, *Taine, essai de biographie intérieure*, Paris, Nizet, 1975.

Faber, Theodor von, *Observations sur l'armée française de 1792 à 1808*, Paris, s.i., 1901.

Fabre-Luce, Alfred, *Le Plus Illustre des Français*, Paris, Julliard, 1960.

Fain, Agathon Jean-François, *Mémoires*, Paris, Plon, 1908.

Febvre, Lucien, *Michelet créateur de l'histoire de France*, Paris, éd. B. Mazon et Y. Potin, Paris, Vuibert, 2014.

Ferniot, Jean, *De Gaulle et le 13 Mai*, Paris, Plon, 1965.

Ferrero, Guglielmo, *Bonaparte en Italie (1796-1797)*, Paris, Editions de Fallois, 1994.

—, *Pouvoir, les génies invisibles de la cité*, Paris, Le Livre de poche, 1988.

Ferri, Jean-Yves, *De Gaulle à la plage*, Paris, Dargaud, 2013.

Fierro, Alfred, Palluel-Guillard, André et Tulard, Jean, *Histoire et dictionnaire du Consulat et de l'Empire*, Paris, Robert Laffont, coll. « Bouquins », 1998.

Fleischmann, Hector, *Napoléon par Balzac*, Paris, Librairie universelle, 1913.

Fleischmann, Théo, *Napoléon et la musique*, Bruxelles-Paris, Brepols, 1965.

Foch, Ferdinand, *Des principes de la guerre, conférences faites à l'Ecole supérieure de guerre*, Paris, Berger-Levrault, 1903.

—, *Eloge de Napoléon prononcé le 5 mai 1921 devant le tombeau de l'Empereur*, Paris, Berger-Levrault, 1921.

—, *La Bataille de Laon (mars 1814)*, Paris, Berger-Levrault, 1921.

Fondation Charles de Gaulle, *De Gaulle en son temps*, Paris, La Documentation française-Plon, 1991-1992, 7 vol.

Fontaine, Pierre François Léonard, *Journal*, Paris, Ecole nationale des beaux-arts, Institut français d'architecture, Société d'histoire de l'art français, 1987, 2 vol.

Foulon, Charles-Louis, *André Malraux, ministre de l'irrationnel*, Paris, Gallimard, 2010.

Fourest, Georges, *Epître falote et testamentaire pour régler l'ordre et la marche de mes funérailles*, L'Ermitage, 1892.

Frieser, Karl-Heinz, *Le Mythe de la guerre-éclair*, Paris, Belin, coll. « Alpha », 2015.

Furet, François et Ozouf, Mona, *Dictionnaire critique de la Révolution française*, Paris, Flammarion, 1988.

Furet, François, Julliard, Jacques et Rosanvallon, Pierre, *La République du centre, la fin de l'exception française*, Paris, Calmann-Lévy, 1988.

Furet, François, *Le Passé d'une illusion, essai sur l'idée communiste au XXe siècle*, Paris, Robert Laffont/Calmann-Lévy, 1995.

—, *Penser le XXe siècle*, Paris, Robert Laffont, coll. « Bouquins », 2007.

Fustel de Coulanges, Numa-Denis, « L'invasion germanique au Ve siècle, son caractère et ses effets », *Revue des Deux Mondes*, 15 mai 1872, vol. 99, p. 241-268.

—, *Histoire des institutions politiques de l'ancienne France*, 2 : *L'invasion germanique et la fin de l'Empire*, éd. C. Jullian, Paris, Hachette, 1891.

Gaillard, Jean-Michel, *Jules Ferry*, Paris, Fayard, 1989.

Garrigues, Jean, *Les Hommes providentiels, histoire d'une fascination française*, Paris, Seuil, 2012.

Gaubert, Jean-Pierre, *Las Cases, l'abeille de Napoléon*, Carbonne, Loubatières, 2003.

Gauchet, Marcel, « Changement de paradigme en sciences sociales ? », *in* A. Simonin et H. Clastres, *Les Idées en France, 1945-1988. Une chronologie*, Paris, Gallimard, 1989, p. 472-480.

—, *Philosophie des sciences historiques. Le moment romantique*, Paris, Seuil, coll. « Points-Histoire », 2002.

Gaudin, Martin Michel Charles, *Mémoires, souvenirs, opinions et écrits*, Paris, Armand Colin, 1926, 3 vol.

Gaulle, Charles de, *Discours d'Etat*, éd. J.-L. Barré, Paris, Perrin, 2010.

—, *La France et son armée*, éd. H. Gaymard, Paris, Perrin, 2011.

—, *Le Fil de l'épée et autres écrits*, Paris, Plon, 1999.

—, *Le Fil de l'épée*, éd. H. Gaymard, Paris, Perrin, 2010.

—, *Les Grands Discours de guerre*, éd. R. Debray, Paris, Perrin, 2010.

—, *Lettres, notes et carnets*, éd. J.-L. Barré, Paris, Robert Laffont, coll. « Bouquins », 2010, 3 vol.

—, *Mémoires d'espoir, suivis des allocutions et messages (1946-1969)*, Paris, Plon, 1999.
—, *Mémoires de guerre*, Paris, Plon, coll. « Omnibus », 1994.
—, *Mémoires*, éd. J.-L. Barré, J.-L. Crémieux-Brilhac et M.-F. Guyard, Paris, Gallimard, « Bibliothèque de la Pléiade », 2000.
Gaulle, Philippe de, *De Gaulle, mon père, entretiens avec Michel Tauriac*, Paris, Plon, coll. « Pocket », 2004, 2 vol.
Gaymard, Hervé, *Bonheurs et grandeur. Ces journées où les Français ont été heureux*, Paris, Perrin, 2015.
Geyl, Pieter, *Napoleon For and Against*, New Haven-Londres, Yale University Press, 1949.
Girardet, Raoul, *Mythes et mythologies politiques*, Paris, Seuil, coll. « Points », 1986.
Godechot, Jacques, *Les Constitutions de la France depuis 1789*, Paris, Garnier-Flammarion, 1979.
Goethe, Johann Wolfgang von, *Conversations avec Eckermann*, éd. C. Roëls, Paris, Gallimard, 1988.
Goncourt, Edmond et Jules de, *Journal, III*, Paris, Robert Laffont, coll. « Bouquins », 2004.
Gracq, Julien, *Le Rivage des Syrtes*, Paris, José Corti, 1951.
—, *Lettrines 2*, Paris, José Corti, 1974.
Grunberg, Gérard, *Napoléon Bonaparte, le noir génie*, Paris, CNRS éditions, 2015.
Guenée, Bernard, *Entre l'Eglise et l'Etat. Quatre vies de prélats français à la fin du Moyen Age*, Paris, Gallimard, 1987.
Gueniffey, Patrice, *Bonaparte (1769-1802)*, Paris, Gallimard, 2013.
Guichard, Olivier, *Mon général*, Paris, Grasset, 1980.
—, *Un chemin tranquille*, Paris, Flammarion, 1975.
Guilhermy, Ferdinand de, *Monographie de l'église royale de Saint-Denis*, Paris, Didron, 1848.
Guizot, François, *Des moyens de gouvernement et d'opposition dans l'état actuel de la France*, Paris, Ladvocat, octobre 1821.
—, *Du gouvernement de la France depuis la Restauration, et du ministère actuel*, Paris, Ladvocat, 1820.
Guy, Claude, *En écoutant de Gaulle, journal 1946-1949*, Paris, Grasset, 1996.
Gwynne, G. E., *Madame de Staël et la Révolution française. Politique, philosophie, littérature*, Paris, Nizet, 1969.
Haffner, Sebastian, *Considérations sur Hitler*, Paris, Perrin, 2014.
Hamilton-Williams, David, *The Fall of Napoléon, the Final Betrayal*, Londres, Arms and Armours, 1994.

Hartog, François, *Le XIXe siècle et l'histoire. Le cas Fustel de Coulanges*, Paris, PUF, 1988.

Hazareesingh, Sudhir, *La Légende de Napoléon*, Paris, Tallandier, 2005.

—, *Le Mythe gaullien*, Paris, Gallimard, 2010.

Hegel, Georg Wilhelm Friedrich, *La Raison dans l'histoire*, Paris, UGE, coll. « 10/18 », 1965.

Heine, Heinrich, *De l'Allemagne*, éd. P. Grappin, Paris, Gallimard, coll. « Tel », 1998.

Hérodote, *Histoires*, Paris, Gallimard, coll. « Folio classique », 1985, 2 vol.

Himmelfarb, Gertrude, *On Looking Into the Abyss. Untimely Thoughts on Culture and Society*, New York, Alfred A. Knopf, 1994.

Hoffmann, Inge et Hoffmann, Stanley, *De Gaulle artiste de la politique*, Paris, Seuil, 1973.

Houssaye, Henry, *1815*, Paris, Perrin, 1899-1908, 3 vol.

Huard, Paul, *Le Colonel de Gaulle et ses blindés*, Paris, Plon, 1980.

Hugo, Victor, *Choses vues, souvenirs, journaux, cahiers 1830-1885*, éd. H. Juin, Paris, Gallimard, coll. « Quarto », 1972.

—, *Odes et ballades* (1824), Paris, Charpentier, 1841.

Humbert, Jean-Marcel (dir.), *Napoléon aux Invalides. 1840, le Retour des Cendres*, Paris, Musée de l'Armée et Fondation Napoléon, 1990.

Jaeghere, Michel de, *Les Derniers Jours. La fin de l'Empire romain d'Occident*, Paris, Les Belles Lettres, 2015.

Jeanneney, Jean-Noël et Joutard, Philippe, *Du bon usage des grands hommes en Europe*, Paris, Perrin, 2003.

Jeanneney, Jean-Noël, *Un attentat, Petit-Clamart, 22 août 1962*, Paris, Seuil, 2016.

Joannon, Pierre, *L'Hiver du Connétable*, La Gacilly, Artus, 1991.

Jomini, Antoine Henri de, *Précis de l'art de la guerre*, Paris, Anselin, 1838, 2 vol.

—, *Tableau analytique des principales combinaisons de la guerre*, Saint-Pétersbourg, Bellizard, 1830.

Jospin, Lionel, *Le Mal napoléonien*, Paris, Seuil, 2014.

Jouhaud, Edmond, *Serons-nous enfin compris ?*, Paris, Albin Michel, 1983.

Jourdan, Annie, *Napoléon, héros, imperator, mécène*, Paris, Aubier, 1998.

Jullian, Camille, « L'ancienneté de l'idée de nation », *Revue bleue*, 51e année, n° 3, 18 janvier 1913, p. 65-103.

Julliard, Jacques, *L'école est finie*, Paris, Flammarion, coll. « Café Voltaire », 2015.

—, *Que sont les grands hommes devenus ?*, Paris, Perrin, coll. « Tempus », 2010.

Kane, John, *The Politics of Moral Capital*, Cambridge, Cambridge University Press, 2001.

Kauffmann, Jean-Paul, *La Chambre noire de Longwood*, Paris, La Table Ronde, 1997.

Kerautret, Michel, *Histoire de la Prusse*, Paris, Seuil, coll. « L'univers historique », 2005.

Kersaudy, François, *De Gaulle et Churchill*, Paris, Perrin, coll. « Tempus », 2003.

Krumeich, Gerd, *Jeanne d'Arc à travers l'histoire*, Paris, Albin Michel, 1993.

Krynen, Jacques, *L'Empire du roi, idées et croyances politiques en France XIIIe-XVe siècle*, Paris, Gallimard, coll. « Bibliothèque des histoires », 1993.

Kurth, Godefroid, *Histoire poétique des Mérovingiens*, Bruxelles, Société belge de librairie, 1893.

Lacouture, Jean, *De Gaulle*, Paris, Seuil, 1984-1986, 3 vol.

—, *Pierre Mendès France*, Paris, Seuil, 1981.

Lacouture, Jean, Nora, Pierre et Roussel, Eric, « Qui était Charles de Gaulle ? », *Le Débat*, n° 134, mars-avril 2005.

Lamartine, Alphonse de, *Le Civilisateur, histoire de l'humanité par les grands hommes*, 3e année, Paris, 1854.

—, *Œuvres complètes*, Paris, Charles Gosselin, 1850, 6 vol.

Lanson, Gustave, *Histoire de la littérature française*, Paris, Hachette, 1895.

Lanzac de Laborie, Léon de, *Paris sous Napoléon*, Paris, Plon-Nourrit, 1905-1913, 8 vol.

Larcan, Alain, « Napoléon jugé par le général de Gaulle », *in* Th. Lentz (dir.), *Napoléon et l'Europe*, Paris, Fayard, 2005.

—, *De Gaulle, inventaire. La culture, l'esprit, la foi*, Paris, Bartillat, 2010.

Las Cases, Emmanuel de, *Le Mémorial de Sainte-Hélène*, éd. G. Walter, Paris, Gallimard, « Bibliothèque de la Pléiade », 1956, 2 vol.

—, *Mémorial de Sainte-Hélène*, éd. A. Fugier, Paris, Garnier, 1961.

—, *Mémorial de Sainte-Hélène*, éd. M. Dunan, Paris, Flammarion, 1951, 2 vol.

La Tour, Jean de, *Duroc (1772-1813)*, Paris, Nouveau Monde Editions/Fondation Napoléon, 2004.

Laumann, Ernest-Maurice, *L'Epopée napoléonienne : le retour des Cendres*, Paris, Daragon, 1904.

Laurent, Jacques, *Mauriac sous de Gaulle*, Paris, La Table Ronde, 1965.

Lavisse, Ernest, *Histoire de France depuis les origines jusqu'à la Révolution*, Paris, Editions des Equateurs, 2009-2017, 17 vol.

Lazar, Marc, *L'Italie à la dérive, le moment Berlusconi*, Paris, Perrin, 2006.
Le Bihan, Adrien, *Le Général et son double : de Gaulle écrivain*, Paris, Flammarion, 1996.
Lefebvre, Georges, *La France sous le Directoire (1795-1799)*, éd. J.-R. Suratteau, Paris, Editions sociales, 1977.
Le Goff, Jacques, *Saint Louis*, Paris, Gallimard, 1996.
Lemaître, Jules, *Les Contemporains, études et portraits littéraires*, 4e série, Paris, Lecène et Oudin, 1889.
Lemay, Benoît, *Erwin Rommel*, Paris, Perrin, coll. « Tempus », 2011.
Le Naire, Olivier, *Entrez au Panthéon ! A la redécouverte de notre Histoire*, Paris, *L'Express*/Omnibus, 2015.
Lentz, Thierry et Macé, Jacques, *La Mort de Napoléon, mythes, légendes et mystères*, Paris, Perrin, 2009.
Lentz, Thierry, « L'ultime retour », *Napoléon, images de légende*, Epinal, Musée de l'Image, 2003.
—, *Le Grand Consulat*, 1799-1804, Paris, Fayard, 1999.
—, *Le Sacre de Napoléon*, Paris, Nouveau Monde Editions, 2003
—, *Napoléon et la France*, Paris, Vendémiaire, 2015.
—, *Nouvelle Histoire du Premier Empire*, Paris, Fayard, 2002-2010, 4 vol.
Le Roy Ladurie, Emmanuel, *L'Etat royal, 1460-1610*, Paris, Hachette, coll. « Histoire de France Hachette », 1987.
Lévy, Bernard-Henri, *L'Idéologie française*, Paris, Grasset, 1981.
Leys, Simon, *La Mort de Napoléon*, Paris, Hermann, 1986.
—, *Quand vous viendrez me voir aux Antipodes*, Paris, Philippe Rey, 2015.
Liddell Hart, Basil Henry, *Les généraux allemands parlent*, Paris, Perrin, coll. « Tempus », 2007.
—, *Stratégies*, Paris, Perrin, coll. « Tempus », 2007.
Loftie, William John, *Westminster Abbey*, Philadelphie, Lippincott, 1914.
Loriga, Sabina, *Le Petit X : de la biographie à l'histoire*, Paris, Seuil, 2010.
Lottman, Herbert, *De Gaulle/Pétain, règlements de comptes*, Paris, Perrin, coll. « Tempus », 2015.
Ludwig, Emile, *Napoléon*, Paris, Payot, 1928.
Madelénat, Daniel, *La Biographie*, Paris, PUF, 1984.
Madelin, Louis, *Histoire du Consulat et de l'Empire*, Paris, Tallandier, 1974, 16 vol.
Mahoney, Daniel J., *De Gaulle, Statesmanship, Grandeur and Modern Democracy*, New Brunswick et Londres, Transaction Publishers, 2012.

Maistre, Joseph de, *Correspondance diplomatique (1811-1817)*, éd. A. Blanc, Paris, Michel Lévy, 1861, 2 vol.

—, *Considérations sur la France*, in *Œuvres*, éd. P. Glaudes, Paris, Robert Laffont, coll. « Bouquins », 2007.

—, *Œuvres complètes*, Genève, Slatkine, 1979, 14 t., en 7 vol.

Mallet du Pan, Jacques, *Mercure britannique ou Notices historiques et critiques sur les affaires du temps*, Londres, Spilsbury, Snowhill et Fauche, 1798-1800, 5 vol.

Malraux, André, *Les chênes qu'on abat…*, Paris, Gallimard, 1971.

Manent, Pierre, « De Gaulle as Hero », *Perspectives on Political Science*, vol. 21, n° 4, 1992, p. 201-206.

—, *Les Métamorphoses de la cité, essai sur la dynamique de l'Occident*, Paris, Flammarion, 2010.

—, *Situation de la France*, Paris, Desclée de Brouwer, 2015.

Manuscrit venu de Sainte-Hélène d'une manière inconnue, Paris, Gallimard, 1974.

Marbot, Jean-Baptiste, *Mémoires*, éd. J. Garnier, Paris, Mercure de France, coll. « Le temps retrouvé », 2001, 2 vol.

Mariot, Nicolas « Foules en liesse et *maréchalisme* des populations », *Sociétés et représentations*, n° 12, 2001/2, p. 143-159.

Marmont, Auguste Frédéric Louis Viesse de, *Mémoires*, Paris, Perrotin, 1857, 9 vol.

Martin, Andy, *Napoléon écrivain, histoire d'une vocation manquée*, Toulouse, Privat, 2003.

Martin, Jean-Clément, *Robespierre, la fabrication d'un monstre*, Paris, Perrin, 2016.

Martineau, Gilbert, *Le Retour des cendres*, Paris, Tallandier, 1990.

Marx, Karl, *La Guerre civile en France (1871)*, Paris, Editions sociales, 1972.

—, *Le 18 Brumaire de Louis Bonaparte*, Paris, Editions sociales, 1945.

Mauriac, François, *Bloc-notes*, Paris, Seuil, coll. « Points-Essais », 1993, 5 vol.

—, *De Gaulle*, Paris, Grasset, 1964.

—, *Journal, Mémoires politiques*, éd. J.-L. Barré, Paris, Robert Laffont, coll. « Bouquins », 2008.

Mauriac, Jean, *L'Après de Gaulle, notes confidentielles (1969-1989)*, Paris, Fayard, 2006.

—, *Mort du général de Gaulle*, Paris, Grasset, coll. « Les cahiers rouges », 1999.

Maurois, André, *Histoire d'Angleterre*, éd. M. Mohrt, Paris, Fayard, 1978.

Maurras, Charles, *Kiel et Tanger (1895-1905), la République française devant l'Europe*, Paris, Nouvelle Librairie nationale, 1910.

McMahon, Darrin, *Divine Fury, A History of Genius*, New York, Basic Books, 2010.

Menant, Sylvain et Morrissey, Robert, *Héroïsme et Lumières*, Paris, Honoré Champion, 2010.

Méneval, Claude François de, *Napoléon et Marie-Louise, souvenirs historiques*, Paris, Amyot, 1844, 3 vol.

Messmer, Pierre et Larcan, Alain, *Les Ecrits militaires de Charles de Gaulle*, Paris, PUF, 1985.

Michelet, Jules, *Histoire de France*, Paris, Editions des Equateurs, 2008, 17 vol.

—, *Histoire de la Révolution française*, éd. G. Walter, Paris, Gallimard, « Bibliothèque de la Pléiade », 1952.

—, *Histoire romaine*, Paris, Hachette, 1831, 2 vol.

—, *Introduction à l'histoire universelle*, Paris, Hachette, 1843.

—, *La Cité des morts et des vivants, préfaces et introductions*, éd. C. Lefort, Paris, Belin, 2002.

Migliorini, Luigi Mascilli, *Le Mythe du héros, France et Italie après la chute de Napoléon*, Paris, Nouveau Monde Editions/Fondation Napoléon, 2002.

Milner, Jean-Claude, *Les Penchants criminels de l'Europe démocratique*, Paris, Verdier, 2003.

Moll, Geneviève, *Yvonne de Gaulle, l'inattendue*, Paris, Le Livre de poche, 1999.

Montherlant, Henry de, *Tous feux éteints, carnets 1965, 1966, 1967, carnets sans dates et 1972*, Paris, Gallimard, 1975.

Montholon, Charles de, *Récits de la captivité de l'empereur Napoléon à Sainte-Hélène*, Paris, Paulin, 1847, 2 vol.

Montorgueil, Georges et Job, *Louis XI*, Paris, Combet, 1905.

Morand, Paul, *Journal inutile, 1968-1972*, Paris, Gallimard, 2001, 2 vol.

—, *Lettres à des amis et à quelques autres*, Paris, La Table Ronde, 1978.

Morrissey, Robert, *L'Empereur à la barbe fleurie*, Paris, Gallimard, 1997.

Musso, Pierre, *Berlusconi, le nouveau prince*, Paris, L'Aube, 2004.

Napoléon à Sainte-Hélène, la conquête de la mémoire, Paris, Gallimard-Musée de l'Armée, 2016.

Napoléon Ier, *Clisson et Eugénie*, éd. E. Barthet et P. Hicks, Paris, Fayard, 2007.

—, *Correspondance de Napoléon Ier publiée par ordre de l'empereur Napoléon III*, Paris, 1869, Imprimerie nationale, 32 vol.

—, *Correspondance générale*, Paris, Fayard, 2004-2016, 12 vol. parus.

—, *Manuscrits inédits, 1786-1791*, éd. F. Masson et G. Biagi, Paris, Société d'Editions littéraires et artistiques, 1907.

—, *Mémoires pour servir à l'histoire de France sous Napoléon, écrits à Sainte-Hélène, par les généraux qui ont partagé sa captivité, et publiés sur les manuscrits entièrement corrigés de la main de Napoléon*, Paris, Firmin-Didot, 1823-1825, 6 vol.

—, *Mémoires*, éd. Th. Lentz, Paris, Tallandier, 2010-2011, 3 vol.

—, *Œuvres littéraires et écrits militaires*, éd. J. Tulard, Paris, Claude Tchou/Bibliothèque des Introuvables, 2001, 3 vol.

—, *Vues politiques*, éd. A. Dansette, Paris, Fayard, 1939.

Nick, Christophe, *Résurrection*, Paris, Fayard, 1998.

Nicolet, Claude, *La Fabrique d'une nation, la France entre Rome et les Germains*, Paris, Perrin, 2003.

Nietzsche, Friedrich, *Contribution à la généalogie de la morale*, in *Œuvres philosophiques complètes*, VII, éd. G. Colli et M. Montinari, Paris, Gallimard, 1971.

Noël, Léon, *Comprendre de Gaulle*, Paris, Plon, 1972.

Nora, Pierre, *Les Lieux de mémoire*, Paris, Gallimard, coll. « Quarto », 1997, 3 vol.

—, *Recherches de la France*, Paris, Gallimard, coll. « Bibliothèque des histoires », 2013.

O'Meara, Barry, *Napoléon dans l'exil*, éd. P. Ganière, Paris, Fondation Napoléon, 1993, 2 vol.

Orléans, François Ferdinand Philippe, prince de Joinville, *Vieux souvenirs (1818-1848)*, Paris, Calmann-Lévy, 1894.

Ortoli, Emmanuelle, *Indira Gandhi ou la Démocratie dynastique*, Paris, Flammarion, 1985.

Ozouf, Mona, « Le Panthéon, l'Ecole normale des morts », *in* Pierre Nora, *Les Lieux de mémoire*, Paris, Gallimard, coll. « Quarto », 1997.

—, *Jules Ferry, la liberté et la tradition*, Paris, Gallimard, coll. « L'esprit de la cité », 2014.

Paupert, Jean-Marie, *De Gaulle est-il chrétien ?*, Paris, Robert Laffont, 1969.

Paxton, Robert, *La France de Vichy, 1940-1944*, Paris, Seuil, 1973.

Péguy, Charles, *Œuvres en prose complètes, II*, éd. R. Burac, Paris, Gallimard, « Bibliothèque de la Pléiade », 1988.

Pellissier, Pierre, *Salan, quarante années de commandement*, Paris, Perrin, 2014.

Pennac, Daniel, *Comme un roman*, Paris, Gallimard, 1992.

Périvier, A., *Napoléon journaliste*, Paris, Plon, 1918.

Perrier, Jean-Claude, *De Gaulle vu par les écrivains*, Paris, La Table Ronde, coll. « La petite vermillon », 2000.

Pervillé, Guy, *Pour une histoire de la guerre d'Algérie*, Paris, Picard, 2002.

Pétain, Philippe, *La Bataille de Verdun*, éd. B. Vergez-Chaignon, Paris, Perrin, coll. « Tempus », 2015.

—, *La Guerre mondiale, 1914-1918*, éd. J.-J. Demur et M. Ferro, Toulouse, Privat, 2014.

Petitfils, Jean-Christian, *Louis XIV*, Paris, Perrin, coll. « Tempus », 2002.

Peyrefitte, Alain, *C'était de Gaulle*, Paris, Gallimard, coll. « Quarto », 2002.

Plutarque, *Vies parallèles*, éd. F. Hartog, Paris, Gallimard, coll. « Quarto », 2001.

Poisson, Georges, « Napoléon chez les rois de France à Saint-Denis », *Revue Napoléon Ier*, n° 31, mars-avril 2005.

—, *L'Aventure du retour des cendres*, Paris, Tallandier, 2004.

Pompidou, Georges, *Lettres, notes et portraits, 1928-1974*, éd. A. Pompidou et E. Roussel, Paris, Le Livre de poche, 2014.

—, *Pour rétablir une vérité*, Paris, Flammarion, 1982.

Pons, Alain, *Vie et mort des nations. Lecture de la* Science nouvelle *de Giambattista Vico*, Paris, Gallimard, coll. « L'esprit de la cité », 2015.

Prochasson, Christophe, *François Furet : les chemins de la mélancolie*, Paris, Stock, 2013.

Queneau, Raymond, *Zazie dans le métro*, Paris, Gallimard, coll. « Folio », 2007.

Quétel, Claude, *L'Impardonnable Défaite (1918-1940)*, Paris, Perrin, coll. « Tempus », 2012.

Quincey, Thomas de, *Joan of Arc*, in *Complete Works*, Edimbourg, Adam et Charles Black, 1863-1871, 16 vol., t. III.

Quinet, Edgar, *La Révolution*, Paris, Belin, 1987.

Regenbogen, Lucian, *Napoléon a dit. Aphorismes, citations et opinions*, Paris, Les Belles Lettres, 1998.

Réimpression de l'ancien Moniteur, Paris, Plon, 31 vol.

Remacle, Albert de, *Relations secrètes des agents de Louis XVIII à Paris sous le Consulat*, Paris, Plon, 1899.

Remaud, Olivier, *Les Archives de l'humanité. Essai sur la philosophie de Vico*, Paris, Seuil, 2004.

Rémond, René, *Le XXe siècle, de 1918 à 1995*, Paris, Le Livre de poche, 1996.

—, *Les Droites en France*, Paris, Aubier-Montaigne, coll. « Historique », 1982.

Rémusat, Charles de, *Mémoires de ma vie*, éd. Ch.-H. Pouthas, Paris, Plon, 1958-1967, 5 vol.

Rémusat, Claire Elisabeth Jeanne Gravier de Vergennes de, *Mémoires (1802-1808)*, éd. P. de Rémusat, Paris, Calmann-Lévy, 1881, 3 vol.
Rémy, Gilbert Renault dit colonel, *Dans l'ombre du Maréchal*, Paris, Presses de la Cité, 1971.
Renan, Ernest, *Qu'est-ce qu'une nation ? Conférence faite en Sorbonne, le 11 mars 1882*, Paris, Calmann-Lévy, 1882.
Rétif de La Bretonne, Georges, *Anglais, rendez-nous Napoléon*, Paris, J. Martineau, 1969.
Rey, Marie-Pierre, *Alexandre Ier*, Paris, Flammarion, 2009.
Reynolds, David, *In Command of History : Churchill Fighting and Writing the Second World War*, New York, Random House, 2004.
Ribbe, Claude, *Le Crime de Napoléon*, Paris, Le Cherche-Midi, 2004.
Richter, David K., *Before the Revolution : America's Ancient Pasts*, Cambridge (MA) et Londres, Harvard University Press, 2011.
Roederer, Pierre-Louis, *Œuvres*, Paris, Firmin-Didot, 1853-1859, 8 vol.
Rossfelder, André, *Le Onzième Commandement*, Paris, Gallimard, 2000.
Roussel, Eric, *De Gaulle*, Paris, Gallimard, coll. « Biographies », 2002.
—, *Pierre Mendès France*, Paris, Gallimard, 2007.
Roussellier, Nicolas, *La Force de gouverner. Le pouvoir exécutif en France, XIXe-XXIe siècles*, Paris, Gallimard, coll. « Essais », 2015.
Roy-Henry, Bruno, *Napoléon, l'énigme de l'exhumé de 1840*, Paris, L'Archipel, 2000.
Rudelle, Odile, *Mai 58, de Gaulle et la République*, Paris, Plon, 1988.
Sainte-Beuve, Charles Augustin, *Causeries du lundi*, Paris, Garnier, 1858-1872, 16 vol.
—, *Nouveaux lundis*, Paris, Calmann-Lévy, 1883-1886, 13 vol.
—, *Portraits de femmes*, éd. G. Antoine, Paris, Gallimard, « Folio classique », 1998.
Saint Marc, Hélie Denoix de (avec Laurent Beccaria), *Mémoires, les champs de braises*, Paris, Perrin, coll. « Tempus », 2002.
Saint-Pierre, Charles Irénée Castel, abbé de, *Projet pour rendre la paix perpétuelle en Europe*, éd. S. Goyard-Fabre, Paris, Fayard, coll. « Corpus des œuvres philosophiques de langue française », 1986.
Saint-Robert, Philippe de, *De Gaulle et ses témoins*, Paris, Bartillat, 1999.
Scheibling, Jacques et Leclerc, Caroline, *Les Cartes de notre enfance : Atlas mural Vidal-Lablache*, Paris, Armand Colin, 2014.
Schérer, Edmond, « Hegel et l'hégélianisme », *Revue des Deux Mondes*, 1861.

Schneider, Robert, *De Gaulle/Mitterrand, la bataille des deux France*, Paris, Perrin, 2015.
Schwartzenberg, Roger-Gérard, *La Campagne présidentielle de 1965*, Paris, PUF, 1967.
Scott, Malcolm, *Mauriac et de Gaulle*, Bordeaux, L'Esprit du temps, 1999.
Sieyès, Emmanuel, *Qu'est-ce que le tiers état ?*, Paris, PUF, coll. « Quadrige », 1982.
Simonin, Anne et Clastres, Hélène, *Les Idées en France, 1945-1988 : une chronologie*, Paris, Gallimard, coll. « Folio histoire », 1989.
Simonin, Anne, *Le Déshonneur dans la République. Une histoire de l'indignité (1791-1958)*, Paris, Grasset, 2008.
Sirinelli, Jean-François, *Histoire des droites en France*, Paris, Gallimard, coll. « Essais », 1992, 3 vol.
Solnon, Jean-François, *Louis XIV, vérités et légendes*, Paris, Perrin, 2015, 2 vol.
Sorel, Albert, *L'Europe et la Révolution française*, Paris, Claude Tchou-La Bibliothèque des Introuvables, 2003, 8 vol.
—, *Nouveaux essais d'histoire et de critique*, Paris, Plon, 1898.
Soustelle, Jacques, *La page n'est pas encore tournée*, Paris, La Table Ronde, 1965.
—, *Vingt-huit ans de gaullisme*, Paris, La Table Ronde, 1968.
Staël, Germaine de, *Considérations sur les principaux événements de la Révolution française*, éd. J. Godechot, Paris, Tallandier, 1983.
—, *Correspondance générale*, Paris-Genève, Champion-Slatkine, 2009, 7 vol. parus.
—, *De la littérature*, éd. G. Gengembre et J. Goldzink, Paris, Garnier-Flammarion, 1991.
Stendhal, *Vie de Napoléon*, Cahors, Editions Climats, 1998.
Stéphane, Roger, *André Malraux, entretiens et précisions*, Paris, Gallimard, 1984.
—, *Portrait de l'aventurier. Lawrence, Malraux, von Salomon*, Paris, Grasset, coll. « Les cahiers rouges », 1965.
Sternhell, Zeev, *La Droite révolutionnaire (1885-1914), les origines françaises du fascisme*, Paris, Seuil, 1978.
—, *Ni droite ni gauche*, Paris, Seuil, 1983.
Taine, Hippolyte, *H. Taine, sa vie et sa correspondance*, 2 : *1853-1870*, Paris, Hachette, 1904.
—, *Les Origines de la France contemporaine*, éd. F. Léger, Paris, Robert Laffont, coll. « Bouquins », 1986, 2 vol.
Tardieu, André, *La Révolution à refaire*, Paris, Flammarion, 1936-1937, 2 vol.

Terray, Aude, *Les Derniers Jours de Drieu la Rochelle*, Paris, Grasset, 2016.
Testu, François Xavier, *Le Bouquin des méchancetés et autres traits d'esprit*, Paris, Robert Laffont, coll. « Bouquins », 2014.
Teyssier, Arnaud, *Histoire politique de la Ve République*, Paris, Perrin, coll. « Tempus », 2011.
Thackeray, William Makepeace, *Les Funérailles de Napoléon*, in *Les Quatre Georges, études sur la cour et la société anglaises (1704-1830)*, Paris, Baillière, 1869.
Theis, Laurent, « La mort très obscure d'un roi de peu », *in* P. Gueniffey, *Les Derniers Jours des rois*, Paris, Perrin, 2014.
Thibaudet, Albert, *Histoire de la littérature française de 1789 à nos jours*, Paris, Stock, 1936.
Thierry, Augustin, *Dix ans d'études historiques*, Paris, Just Tessier, 1836.
Thiers, Adolphe, *Discours parlementaires*, éd. Calmon, Paris, Calmann-Lévy, 1879-1889, 16 vol.
—, *Histoire du Consulat et de l'Empire*, Paris, Lheureux, 1845-1862, 20 vol.
Thomas, Antoine-Léonard, *Essai sur les éloges*, in *Œuvres complètes*, Paris, Desessarts, 1812.
Thoumas, Charles-Antoine, *Le Maréchal Lannes*, Paris, Calmann-Lévy, 1891.
Tocqueville, Alexis de, *De la démocratie en Amérique. Souvenirs. L'Ancien Régime et la Révolution*, éd. J.-Cl. Lamberti et F. Mélonio, Paris, Robert Laffont, coll. « Bouquins », 1986.
—, *Lettres choisies. Souvenirs (1814-1859)*, éd. F. Mélonio et L. Guellec, Paris, Gallimard, coll. « Quarto », 2003.
Tomiche, Natalie, *Napoléon écrivain*, Paris, Armand Colin, 1952.
Tournoux, Jean-Raymond, *La Tragédie du Général*, Paris, Plon, 1967.
—, *Pétain et de Gaulle*, Paris, Presses Pocket, 1964.
—, *Secrets d'Etat*, Paris, UGE, coll. « 10/18 », 1960.
Troyat, Henri, *La Malandre*, Paris, Flammarion, coll. « J'ai lu », 1967.
Vaïsse, Maurice, *La Grandeur, politique étrangère du général de Gaulle, 1958-1969*, Paris, Fayard, 1998.
Valance, Georges, *Thiers, bourgeois et révolutionnaire*, Paris, Flammarion, coll. « Grandes biographies », 2007.
—, *VGE, une vie*, Paris, Flammarion, 2011.
Valéry, Paul, *Cahiers II*, éd. J. Robinson, Paris, Gallimard, « Bibliothèque de la Pléiade », 1974.
Van Tieghem, Paul, *Ossian en France*, Paris, Rieder, 1917, 2 vol.
Venner, Dominique, *De Gaulle, la grandeur et le néant*, Paris, Editions du Rocher, 2010.

Viallaneix, Paul, « La *Jeanne d'Arc* de Michelet, une légende romantique », *Travaux de linguistique et de littérature*, t. XVII, 2, Strasbourg, 1979.
—, *La Voie royale, essai sur l'idée de peuple dans l'œuvre de Michelet*, Paris, Flammarion, 1971.
Villefosse, Louis de, et Bouissounouse, Janine, *L'Opposition à Napoléon*, Paris, Flammarion, 1969.
Villepin, Dominique de, *Les Cent-Jours ou l'Esprit de sacrifice*, Paris, Perrin, 2001.
Vincent, Bernard, *Lincoln, l'homme qui sauva les Etats-Unis*, Paris, L'Archipel, 2013.
Visconti, Louis-Tullius, *Tombeau de Napoléon*, Paris, Curmer, 1853.
Voltaire, *Histoire de Charles XII, roi de Suède*, Paris, Belin, s.d.
—, *Le Siècle de Louis XIV*, éd. R. Pomeau et N. Cronk, Paris, Gallimard, coll. « Folio classique », 2015.
—, *Observations sur le czar Pierre le Grand* (1748), *Œuvres complètes*, t. XXIII : *Mélanges*, 2e partie, Paris, Garnier, 1879.
Wailly, Henri de, *De Gaulle sous le casque, Abbeville 1940*, Paris, Perrin, 1990.
Walch, Jean, *Les Maîtres de l'Histoire, 1815-1850*, Paris-Genève, Champion-Slatkine, 1986.
Ward-Perkins, Bryan, *The Fall of Rome and the End of Civilization*, Oxford University Press, 2005.
Whately, Richard, *Peut-on prouver l'existence de Napoléon Ier ?*, éd. J.-C. Martin, Paris, Vendémiaire, 2012.
Winock, Michel, *Clemenceau*, Paris, Perrin, 2007.
—, *L'Agonie de la IVe République (13 mai 1958)*, Paris, Gallimard, coll. « Les journées qui ont fait la France », 2006.
—, *Nationalisme, antisémitisme et fascisme en France*, Paris, Seuil, coll. « Points-Histoire », 2014.
Wyzewa, Teodor de, *Nos maîtres, études et portraits littéraires*, Paris, Perrin, 1895.
Yardeni, Myriam, *La Conscience nationale en France pendant les guerres de Religion, 1559-1598*, Louvain, Nauwelaerts, 1971.
Yavetz, Zvi, *César et son image. Des limites du charisme en politique*, Paris, Les Belles Lettres, 1990.
Zimmermann, Daniel, *Alexandre Dumas le Grand*, Paris, Julliard, 1993.
Zola, Emile, *Les Rougon-Macquart*, éd. A. Lanoux, Paris, Gallimard, « Bibliothèque de la pléiade », t. I et II, 1960.
—, *Les Romanciers naturalistes*, Paris, Charpentier, 1893.
Zweig, Stefan, *Le Monde d'hier, souvenirs d'un Européen*, Paris, Le Livre de poche, 1993.

Table

Composition et mise en pages
Nord Compo à Villeneuve-d'Ascq

Achevé d'imprimer en juillet 2017
dans les ateliers de Normandie Roto Impression s.a.s.
61250 Lonrai
N° d'impression : 1703184
Dépôt légal : février 2017

Imprimé en France